ちがいがわかる
類語使い分け辞典

松井栄一　編

── はじめに

　若い世代の日本人は、表現したり理解したりできる語彙が乏しくなっていると言われる。従って、類似の意味を持つ日本語の微妙なニュアンスや使い方の違いを体得することは非常に困難になっていると言えよう。また、無意識に使い分けができている世代の人々も、外国人などから質問されると、どう使い分けているかを的確に答えることはむずかしいというのが実情である。

　例えば、「山にあがる」「山にのぼる」はどちらも使われるが、違いはあるのかと聞かれても困ってしまうだろう。こういう現状に配慮して、2005年に刊行した『小学館日本語新辞典』では、類語欄を設けてその使い分けを表現例に即して説明した。

　本書は、その類語欄の中から501のグループを選び、新たに検討を加えて練り直し、よりわかりやすい類語使い分け辞典としてまとめたものである。グループの中の語と語との微妙な違いをよりとらえやすくするために 基本の意味 や **Point!** などの新しい要素を盛り込み、例文に即した語と語との関係のイメージを表す図も示した。

　その際、机上だけでなく、気軽に持ち歩いて目を通すことができるようにと考え、ハンディーな形にした。また、必要に応じて引くというほかに、読み物としてどこからでも読んでいただけば、改めて日本語の面白さ奥深さを味わうこともできると思う。

　日本人だけではなく、日本語を学んでいる外国人の方々にも大いに利用していただきたいと願っている。

2008年　4月

松井栄一

この辞典の構成と使い方

本書は、意味の似ている語をグループ別に集め、それぞれの語の意味や微妙なニュアンスの違い、使い方の違いを述べた辞典である。

＊数字は解説の番号を表しています。

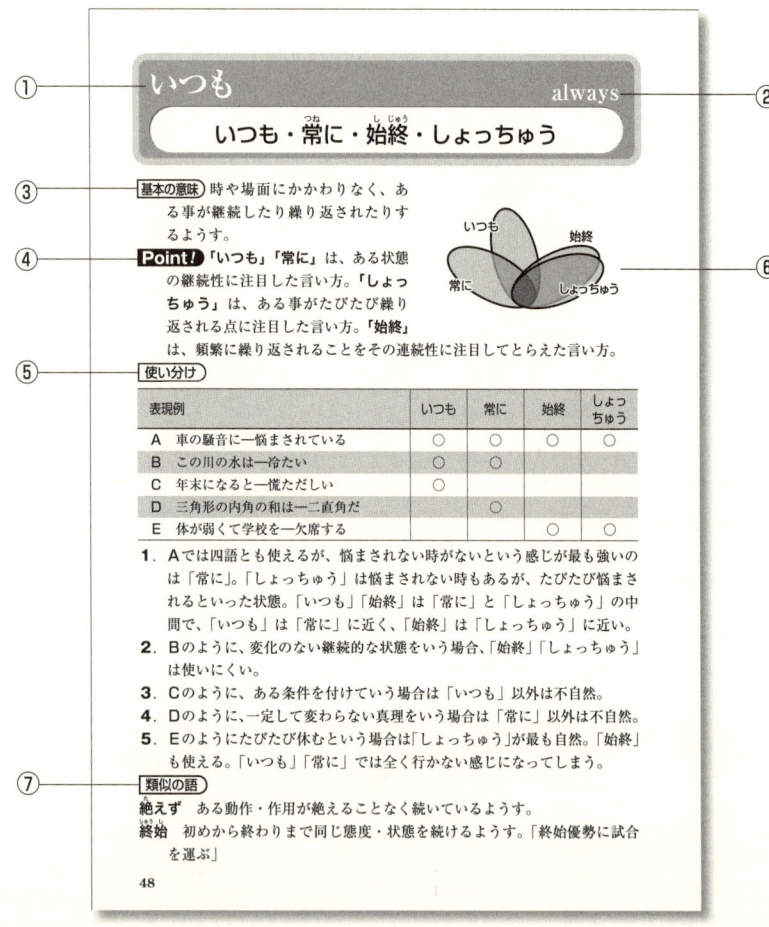

① いつも　　　　　　　　　　　always ②

いつも・常に・始終・しょっちゅう

③ [基本の意味] 時や場面にかかわりなく、ある事が継続したり繰り返されたりするようす。

④ **Point!** 「いつも」「常に」は、ある状態の継続性に注目した言い方。「しょっちゅう」は、ある事がたびたび繰り返される点に注目した言い方。「始終」は、頻繁に繰り返されることをその連続性に注目してとらえた言い方。 ⑥

⑤ [使い分け]

表現例	いつも	常に	始終	しょっちゅう
A　車の騒音に一悩まされている	○	○	○	○
B　この川の水は一冷たい	○	○		
C　年末になると一慌ただしい	○			
D　三角形の内角の和は一二直角だ		○		
E　体が弱くて学校を一欠席する			○	○

1. Aでは四語とも使えるが、悩まされない時がないという感じが最も強いのは「常に」。「しょっちゅう」は悩まされない時もあるが、たびたび悩まされるといった状態。「いつも」「始終」は「常に」と「しょっちゅう」の中間で、「いつも」は「常に」に近く、「始終」は「しょっちゅう」に近い。
2. Bのように、変化のない継続的な状態をいう場合、「始終」「しょっちゅう」は使いにくい。
3. Cのように、ある条件を付けていう場合は「いつも」以外は不自然。
4. Dのように、一定して変わらない真理をいう場合は「常に」以外は不自然。
5. Eのようにたびたび休むという場合は「しょっちゅう」が最も自然。「始終」も使える。「いつも」「常に」では全く行かない感じになってしまう。

⑦ [類似の語]
絶えず　ある動作・作用が絶えることなく続いているようす。
終始　初めから終わりまで同じ態度・状態を続けるようす。「終始優勢に試合を運ぶ」

① 見出し語について

　グループ内の代表的な語を見出し語として五十音順に配列した。見出し語数は５０１語。グループとして取り上げた語、「類似の語」として取り上げた語を合わせると約２４００語である。

② 英語について

　意味分類の手掛かりとなるように、見出し語に対する英語を添えた。英語を示すにあたっては、グループ内の語に共通する基本の意味を考慮に入れた。一つの見出し語に示す英語の数は、基本的には１語とし、絞りきれない場合は３語までとした。綴りは米語綴りとした。

③ 基本の意味 について

　グループ内の語に共通する、それぞれの語の核になっている最も基本的な意味を示した。

④ Point! について

　グループ内のそれぞれの語について、語義や使い方、また、その語を使うときに含まれるニュアンスなどを簡潔に示し、それぞれの語の特徴や、他の語との違いが容易に理解できるようにした。

　なお、関連がある他の見出し語グループを参照させたいときは、➡でその参照先の見出し語を示した。

⑤ 使い分け について

　グループ内の語を含む共通の例文をいくつか掲げ、それらを表にして対比させることにより、使われ方の違いが容易にとらえられるようにした。表中の○は普通に使われることを、△は場合により使われることがあることを表す。活用のある語などで、終止形以外の形で用いられるような場合は、活用語尾などを補い、例文が実際に使われるときの形がわかるようにした。

　解説では、表に掲げた例文の一つ一つに即して、それぞれの語を使った場合の意味やニュアンスの違い、また、それぞれの語の使える理由、使えない理由などを詳細に説くようにした。

⑥ 語と語との関係のイメージを表す図について

　各グループ内の語を楕円形で表し、相互の重なりを図に示した。これは本書で取り上げた例文において、グループ内の語それぞれの関係の深さ浅さを、イ

メージとして図解したものである。図では、楕円形の重なりがあれば同じ例文で使われることを意味し、その重なりの度合いで、共通して使われる頻度の高さ低さを表している。

なお、これとは別に適宜グループ内の語を材にする挿絵を添え、理解に役立つようにした。

⑦ 類似の語 について

日本語表現に適切な語を選ぶ際の助けとなるように、また、日本語の使い分けに役立つように、意味や使い方がそのグループに近接する語をできるだけ掲げ、簡潔な語義解説と典型的な使用例を添えた。語義解説を示すにあたっては、その語の特徴や、他の語との微妙な意味の違い、使い方の違いが分かるように心掛けた。

なお、本書の他の見出し語グループに記述のある語については、➡ でその見出し語を示した。

⑧ 索引について

巻末に索引を設け、本書で取り上げた見出し語とそのグループの語、および「類似の語」に示した語をすべて収め、五十音順に並べた。見出し語とそのページ数は太字で、その他は細字で表した。

あいする

love

愛する・かわいがる・慈しむ・いとおしむ

基本の意味 愛情をもって大切にする。

Point! 「愛する」は、相手・対象に愛情をいだいていることを一般にいう。「かわいがる」は、下位者に対して愛情や好意からあれこれ面倒を見てやる意で、その行為に注目していう。「慈しむ」は、慈愛の心をもって弱いものを大切に扱う意。「いとおしむ」も弱いものに愛情を注ぎ大切にする意だが、特定の相手・対象を自分にとってかけがえのないものに思ってそうする感じが強い。「慈しむ」「いとおしむ」は文章語的。

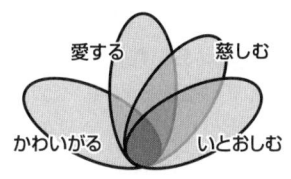

使い分け

表現例	愛する	かわいがる	慈しむ	いとおしむ
A 彼は子供を非常に―た(だ)	―し○	―っ○	―ん○	―ん○
B 郷土を―気持ちを育てる	○		△	△
C この店を―てやってください		―っ○		
D てのひらに小さな花をのせて―			○	△
E 行く春を―				○

1. Aの場合はそれぞれの意味合いで四語とも使える。
2. Bのように価値を見つけて大事にする意では「愛する」以外は使いにくいが、「郷土」を失われやすい弱い存在とみていう場合は「慈しむ」「いとおしむ」も使えなくはない。
3. Cのように、ひいきをするに近い意の場合は「かわいがる」が使われる。
4. Dのように、具体的な動作をいう場合「愛する」は使いにくく、人や動物でないと「かわいがる」も使えない。いかにも大切に扱う意では「慈しむ」が適当。花を擬人化した表現なら「いとおしむ」も可能。
5. Eのように、失われるのを惜しみ大切にする意では「いとおしむ」が適当。

類似の語

めでる そのもののよさや美しさに心ひかれて、観賞したり珍重したりする。「可憐な花々をめでる」

あいだ
between

あいだ・間(ま)・中間(ちゅうかん)

基本の意味 二つの地点・時点・物事に挟まれた場所・時間・位置など。

Point! 「あいだ」は、二点に挟まれた範囲・場所・時間、また位置をいい、三語の中で最も一般的に使われる。「ま」は、物と物、ある事とある事とに挟まれた、限られた空間や時間。「中間」は、二つのあいだの真ん中辺りの位置・時点や程度をいう。

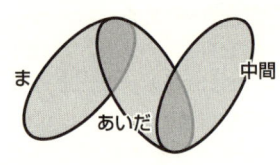

使い分け

表現例	あいだ	ま	中間
A　五十から百までの―の数	○		○
B　静岡は東京と名古屋の―にある	○		○
C　駅と学校のほぼ―の地点			○
D　山頂までの―の道	○		
E　一学期の―	○		
F　寝ている―	○	○	
G　目の回る忙しさで休む―もない		○	

1. Aのように、数に関していう場合は「ま」は使えない。
2. Bのように、距離が大きい場合は「ま」は使えない。また、「中間」は真ん中辺りという感じが強く、静岡ならよいが、横浜では使いにくい。
3. Cのように、真ん中辺りという意味が強い場合は「中間」以外は使いにくく、Dのように、ある範囲全体をいう場合は「あいだ」以外は使いにくい。

4. Eのように、時間的にやや長い範囲全体をいうときは「中間」「ま」は使えず、Fのように、ある時間全体をいうときは「あいだ」「ま」は使えるが、「中間」は不適当。
5. Gのように、「ひま」と言い換えられる場合は、「ま」以外は使いにくい。

あいまい

vague

曖昧(あいまい)・あやふや・うやむや

基本の意味 事の内容や意味がはっきりしないようす。

Point! 「曖昧」は、物事の内容や表現に明確さが感じられず、どうとでもとれる余地を残しているようす。「**あやふや**」は、話の内容、考え、意思などがはっきりせず、頼りないようす。「**うやむや**」は、けじめを付けてはっきりさせるべき物事を、結果としてはっきりしないままにしておくようす。

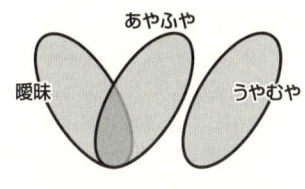

使い分け

表現例	曖昧	あやふや	うやむや
A 一な態度	○	○	
B 表現を一にしてぼかす	○		
C 一な知識しかない		○	
D 事件を一にしてしまう			○

1. この三語は、すべてはっきりしない意を表すが、簡単には判断のつかない事柄についていうという特徴がある。したがって「山の形が一に見える」のような視覚に頼ればよいという場合には三語とも使われない。

2. 三語のうち、「うやむや」は物事の結果についていうので、**A**の例には使えない。また「一な態度」といった場合、「あやふや」はその人の心理の混乱をも感じさせるが、「曖昧」では意図的にそうしていることも考えられる。

3. **B**のように、意識して不明確にしている場合は「曖昧」を、**C**のように、危なっかしくて当てにならない意の場合は「あやふや」を用いる。

4. 物事の結果をいう**D**は「うやむや」が最もふさわしい。また、「うやむや」になった裏にはだれかの意志が感じられ、非難の気持ちを含むこともある。

類似の語

漠然(ばくぜん) 物事の内容が具体的でなかったり限定されていなかったりして、明確にはとらえがたいようす。「漠然とした言い方」「漠然たる不安」

おぼろげ 輪郭や内容がぼやけて定かでないようす。「おぼろげな記憶」

朦朧(もうろう) かすんだりぼやけたりしてはっきりしないようす。「意識が朦朧とする」

あがる

go up

あがる・のぼる

基本の意味 低い所から高い所へ移る。

Point! 「**あがる**」は、低い位置・段階から高い位置・段階に移る意で、そこへの到達に重点がある。「**のぼる**」は、低い位置から高い位置へ移っていく意で、移動そのものに重点がある。

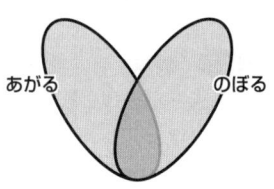

使い分け

表現例		あがる	のぼる
A	山に―／坂を―	○	○
B	大ぜいの生徒の手が―	○	
C	汗をふきふき山道を―		○
D	気球が―ている	―っ○	―っ○
E	プールから―／席次が―	○	
F	損害は百億円に―		○

1. Aではともに使えるが、「あがる」では到達点の「山の上」「坂の上」に、「のぼる」では途中の状態に重点がある。

2. Bで「あがる」は、手のような体の一部の移動にも使えるが、「のぼる」は動かせるもの全体の移動にしか使えない。

3. 「のぼる」は経過に重点があるため、Cの「汗をふきふき」という途中の動作とともに用いても自然だが、到達点に重点のある「あがる」は不自然。

4. Dの場合はどちらも使えるが、「あがっている」はすでに上空に浮かんでいる意、「のぼっている」は上に向かって移動しつつある意になる。

5. Eのように、水中から抜け出る意や段階が一つ上になる意では、経路を考えないため「のぼる」は不自然。到達する感じの強い「あがる」を用いる。

6. Fのように、数量が次第に高まって相当の程度にまで達するという意では「のぼる」を用いる。

あそぶ

play

遊ぶ・戯れる・ふざける

基本の意味 自分の楽しみとして、何かおもしろいことをする。

Point! 「遊ぶ」は、仕事や勉強を離れ、したいことをして時間を過ごす意。
「戯れる」は、おもしろがってたわいのないことをしたり言ったりする意。
「ふざける」は、だれかを相手に、または相手と一緒に、不まじめなことをしたり言ったりする意。

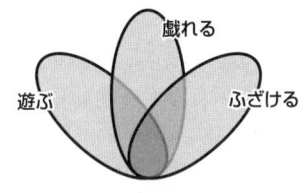

使い分け

表現例	遊ぶ	戯れる	ふざける
A 友だちと―	○	○	○
B トランプをして―	○		
C ―て父のまねをする		―れ○	―け○
D 猫が鞠(まり)と―	○	○	
E ―たことを言うな			―け○

1. Aではどれも使えるが、「戯れる」「ふざける」はこれという目的なしにするのに対し、「遊ぶ」は娯楽・運動などを楽しむ感じが強い。「遊ぶ」「ふざける」は日常語だが、「戯れる」は文章語。

2. Bのように、何か楽しいことをして時間を過ごすという場合は「遊ぶ」を使い、他の二語は使えない。

3. Cのように、慰み半分に行う、おもしろがらせようとして行うという感じが強い場合は「戯れて…する」「ふざけて…する」というが、「遊ぶ」にはその言い方がない。

4. 「ふざける」は人にだけ用いるので、Dのように動物にいう場合は「遊ぶ」「戯れる」を使う。ただし、比喩的用法の「風が木の葉に戯れている」などは「遊ぶ」も使えない。

5. 「ふざける」には人をばかにすると受け取られる要素があるので、Eのような場合に使われるが、「遊ぶ」「戯れる」は使えない。

類似の語

じゃれる 子供・小動物などが何かにまつわりついて遊ぶ。「鞠にじゃれる猫」

あたえる

give

与える・やる・上げる・授ける

基本の意味 自分の有するものを相手に受け取らせる。

Point! 「**与える**」は、立場上優位にある者の行為という意を含み、物については上位者が恩恵的に行う場合にいうことが多い。「**やる**」は、同等以下の者に対する行為にいう。「**上げる**」

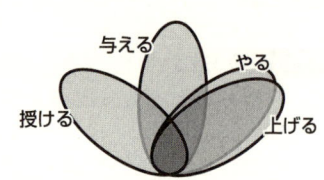

はもともと、敬意をもって相手に差し出す意だったが、現在では「**やる**」の丁寧な言い方として使われる。「**授ける**」は、上位者が特定の下位者に何か価値あるものを与える場合にいう。

使い分け

表現例	与える	やる	上げる	授ける
A　子供におだちんを—	○	○	△	
B　功労者に賞を—	○			○
C　監督が選手に策を—				○
D　君にこの本を—う（よう）	—え△	—ろ○	—げ○	—け△
E　部下に指示を—	○			

1. Aでは「やる」が最も普通の言い方で、「与える」は説明的な場合に使う。「上げる」は現在では単なる丁寧の感じに変わっているので、他人の子供なら使っても自然。自分の子供に使うのは不自然だが、最近は使う人が多い。「授ける」は正式で大げさな感じを伴うので、Aには不適当。

2. Bのように、やや改まった恩恵的な表現では「与える」「授ける」を使う。

3. Cのように、上位者がやや秘密めいた感じで大事なことを下位者に伝える場合は「授ける」を使う。

4. Dのように、直接相手に言う場合は「やる」「上げる」を使うのが普通。「与える」「授ける」は冗談めかし威張った感じで言うときには使うこともある。

5. Eのように、やらせたり従わせたりするために考えた事柄を相手に示す意の場合は、「与える」しか使えない。

類似の語

差し上げる　差し出して相手に受け取ってもらう。「与える」の謙譲語。

あたらしい new

新（あたら）しい・新（あら）た

基本の意味 今までと別のものであるようす。また、できて間がないようす。

Point! 「新しい」には二つの基本的な意味があり、今までなかったものであったり、今までのものに取って代わったものであったりすることをいう場合と、できたりとれたりしてから時間が経過していないようすをいう場合とがある。「新た」は、前の物事に取って代わったりさらに加わったりするようすをいうのが基本の意味で、「新しい」の二つの基本義のうち前者の意味と重なる。

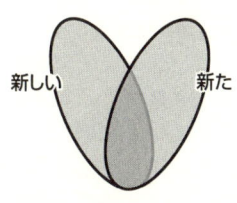

使い分け

表現例	新しい	新た
A　店頭に並ぶ―魚	○	―な△
B　―方法を考える	○	―な○
C　彼の考え方は―	○	
D　―涙をさそう		―な○

1. Aの例では、「とれたばかりの新鮮な」の意なら「新しい」を使う。その意味では「新た」は使えないが、今まで見かけなかった種類のという意なら使えないこともない。ただし、「ごく―」のように、時のたっていない程度を修飾する語を付けた場合は、「新しい」しか使えない。

2. Bのように抽象的な事柄について古いものに取って代わる意では、二語とも使える。ただし「方法」のような抽象的な事柄についても、「ごく（比較的）―方法」という場合は生じてからの時間の経過をいうことになり、1で述べたように「新た」は使えなくなる。

3. 「新た」はふつう「新たに（な）」の形で使われ、「新ただ」と終止形での使用は不自然。したがってCには使いにくい。「新た」は「装いも（思いも）新たに…」など決まりきった形を除き、述語として使われることは少ない。

4. Dの場合、涙そのものの新しさを問題にするわけではないから「新しい」は不自然。「悲しみを新たにする」のように、前にあったことをまた改めて感じるようすにもいう「新た」が適切。

あたる

hit

当たる・ぶつかる

基本の意味 進んで行って、何かと接触する。

Point! 「当たる」は、進んで行ったものが、的や要所など小さい一点で対象と接触する意が強い。「ぶつかる」は、接触時の衝撃が大きかったり、進んで行って予想しない障害に行き当たったりする意を含み、進んで来た双方を主語にしている場合にも用いる。

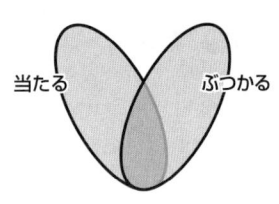

使い分け

表現例	当たる	ぶつかる
A 二回戦で強敵と—	○	○
B 矢が的に—	○	
C ボールが通行人の頭に—	○	△
D 車が電柱に—		○
E 二つの道が—所		○

1. Aの例ではどちらも使うが、「当たる」だと対戦するという事実を述べているだけなのに対して、「ぶつかる」だと勝ち進む障害となるものにばったり出合うという感じがこもる。
2. Bのように、ねらった目標に命中する意の場合は「ぶつかる」は不適当。
3. C・Dのように意図的でない場合、作用を受ける接触面の小さいCでは「当たる」、大きいDでは「ぶつかる」を用いるのが自然。

4. Eのように、両方から進んで来たものを主語にしている場合は、「ぶつかる」が使われる。「すれ違うとき、相手の鞄が手に当たった」のように一方を主語として表す場合は「当たる」も使う。

類似の語

突き当たる 進んで行って何かにぶつかったり、進行をさえぎるものに出合ったりする。「壁に突き当たる」

あっさり

plain

あっさり・さっぱり・淡泊（たんぱく）

基本の意味 しつこさがないようす。

Point! **「あっさり」** は、味・色・性格などがしつこくないようすをいうほか、物事が簡単にそうなるようすにもいう。**「さっぱり」** は、変に後に残るものがなくてさわやかなようす。また、あってしかるべきことが何もないという否定的な意味でも使う。**「淡泊」** は、しつこさやこだわりがないようす。

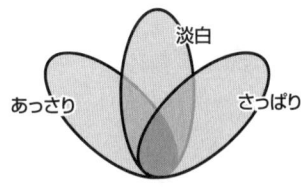

使い分け

表現例		あっさり	さっぱり	淡泊
A	—一人	—した○	—した○	—な○
B	—色合い	—した○		—な○
C	—引き下がる	○		
D	彼は金銭については—だ		○	○
E	—言うことをきかない		○	

1. Aのように人柄についていう場合はどれも使えるが、「あっさり」「淡泊」は物事にこだわらない感じ、「さっぱり」は接したあとにさわやかさを感じるようすをいう。
2. Bのように、くどくない色をいう場合は「あっさり」「淡泊」が使われる。「さっぱり」は色には使いにくい。
3. Cのように、簡単に事が行われたりそうなったりするようすをいう場合は「あっさり」しか使えない。
4. Dのように「…だ」の形の場合、「あっさり」は使えない。「さっぱり」というと、全くだめだの意で金銭感覚がないことを表し、「淡泊」というと、執着しないという感じを表す。
5. Eのように、打消しを伴って全面的な否定を表す場合は「さっぱり」しか使えない。

類似の語

さばさば 心につきまとってくるものがなくて気持ちがいいようす。「会社を辞めてさばさばした」「さばさばした人で、話しやすい」

あと　after, later

あと・のち・以後(いご)・以降(いこう)・先(さき)

基本の意味 ある時を基準として、それに続く時間、またそれに続くある時点。

Point! 時間的な意味で「あと」「のち」はほぼ同じように使えるが、「のち」のほうが改まった言い方。「以後」「以降」は、それよりあとの意。「以降」は時・事件などを表す語に付けて用いる。「先」は、これからやって来る時をいい、今後または将来の時点・時期を漠然と指す。　➡ 「いらい（以来）」「うしろ」

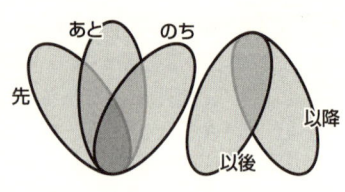

使い分け

表現例	あと	のち	以後	以降	先
A　十年―のことまで考える	○	○			○
B　四月一日―に延期する			○	○	
C　また―にご説明いたします		○			
D　勉強した―テレビを見る	○	△			
E　これでは―が思いやられる	○				○
F　―十分慎むように			○		

1. Aのように、十年という期間を表す語に付ける場合は「あと」「のち」「先」が使える。「以後」「以降」は起点となる時を表す語でないと付けられない。

2. Bのように、起点となる時を表す語に付ける場合はAと逆で、「以後」「以降」だけが使える。

3. Cのように、やや改まった言い方では「のち」が適当。「―に」の言い方では「あと」は使えないが、「あとで」とすれば使える。「先」は将来という感じが強すぎて使いにくい。

4. Dの場合、「のち」はやや改まった感じが強くて使いにくい。もし使うなら「のちに」と「に」を付けるほうが自然。

5. Eでは「先」「あと」が使えるが、「先」では将来の意、「あと」では当座の事柄が終わってからという意になる。

6. Fのような副詞的用法で、これからあとずっとの意の場合は慣用的に「以後」が使われる。「先」は「この先」とすれば使える。

あと

trace

跡・形跡・痕跡
あと・けいせき・こんせき

基本の意味 過去に何かがあったことを示すしるし。

Point! 「跡」は一般的に広く使われる語で、過去に何かがあった場所なども含む。「形跡」は主に、状況などからうかがわれるものにいう。「痕跡」は、具体的に目に見える形のものをいい、注意しないとわからないようなものに使われることが多い。「形跡」「痕跡」は文章語的。

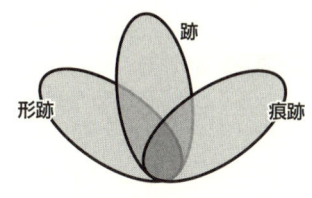

使い分け

表現例	跡	形跡	痕跡
A　書いた字を消した―がある	○	○	○
B　古代の宮殿の―を発掘する	○		
C　君には全く進歩の―がない	○	△	
D　謀反を断念した―がある		○	

1. Aのような具体的な事実が行われたしるしをいうときは、三語とも使う。「跡」はしるしの大小にかかわりなく使われるが、「痕跡」は小さく、しかもかすかなしるしにふさわしく、「爆弾で破壊された―」のような大きいしるしには使えない。

2. Bのように、大きな遺跡をいう場合は、「跡」のみが適当。

3. Cのように、何かの結果・成果などとして現在認められるしるしの意の場合には「跡」を使う。「形跡」も使えそうだが、やや不自然の感が残る。「痕跡」は目に見える形で残るしるしでないと使えない。

4. Dのように、過去に行われたであろうことを、状況を総合的にとらえてそこから推量する場合には「形跡」を使う。3とは逆に「跡」は使いにくい。また、Dは抽象的なしるしであるため「痕跡」は使えない。

類似の語

跡形 何かが存在したり行われたりしたことの、あとに残ったしるし。多く「跡形もない」の形で使われる。「かつての美貌は今や跡形もない」

証跡 事実・真実であることを証明する跡。「犯行の証跡が残る」

あなうめ　supplement

穴埋め・埋め合わせ・帳消し・相殺

基本の意味 補ったり差し引きしたりして、不足・貸借などをなくすこと。

Point! 「**穴埋め**」は、不足分や欠損分を補うこと。「**埋め合わせ**」は、生じたマイナスを別のものや行動で補ったりつぐなったりすること。「**帳消し**」は、貸借がなくなること、転じて、プラスまたはマイナスだったものがゼロになること。「**相殺**」は、互いに差し引きしてゼロにすること。

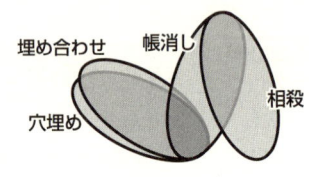

使い分け

表現例		穴埋め	埋め合わせ	帳消し	相殺
A	借金を―する	○	○	―に○	
B	貸し借りを―する			―に○	○
C	彼ではエース欠場の―は無理だ	○	○		
D	ヒットがエラーで―になる（される）			○	○
E	待たせた―におごる	△	○		

1. Aの場合、「穴埋め」は金銭で補うことを表すが、「埋め合わせ」では金銭に限らず労力でつぐなうことなども含まれる。「帳消し」では、返済されなくても債権者の意思でゼロにするという場合もありうる。「相殺」は、「借金を貸し金と―する」のように対立する語が表に出ていないと使いにくい。

2. Bのように、差し引きゼロにする意では「帳消し」「相殺」が使われる。

3. Cのように、足りないものを何かで補う意の場合は「穴埋め」「埋め合わせ」が使われる。ただし、「穴埋め」はやや一時的という感じを含む。

4. Dのように、功罪ともにある場合でまずプラス状態があり、次にマイナス状態が起こるような場合は「帳消し」「相殺」が使われる。ただし「―になる」の言い方は「帳消し」がよく、「―される」の言い方は「相殺」が適当。

5. Eのように、つぐないの意に重点がある場合は「埋め合わせ」が最適。「穴埋め」も使えなくはないが、補いの意が強いのでやや不自然。

あなどる

look down on

侮る・見くびる・さげすむ・見下げる・見下す

基本の意味 劣っていると判断する。また、そう判断してばかにする。

Point! 「侮る」「見くびる」は、主に能力や価値の点で低いと見なす場合、「さげすむ」は、人格や身分について劣ったものと見なす場合にいう。「見下げる」は道徳面の評価であることが多いが、能力についていうこともある。「見くだす」は、社会的な位置についての評価が中心。

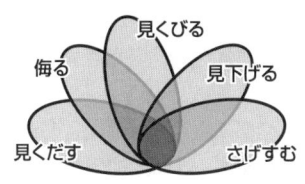

使い分け

表現例		侮る	見くびる	さげすむ	見下げる	見くだす
A	人を―ようなことはするな	○	○	○	○	○
B	低い山と―て遭難する	―っ○	―っ○			
C	卑劣な男と―れる(られる)			―ま○	―げ○	
D	相手チームを―てかかる	―っ○	―っ○			―し○
E	実力はそう―たものじゃない		―っ○		―げ○	

1. Aのように漠然と「人を―」という場合はどれも使える。
2. Bのように人以外の物事についていう場合は、「さげすむ」「見下げる」「見くだす」は不適当。人の場合でも「彼の打力を―て打たれる」のように、能力・技量などを表す語を目的語にとるときは「侮る」「見くびる」が適当。
3. Cのように、道徳的な面をいう場合は「さげすむ」「見下げる」が適当。
4. Dのようにチーム力についていう場合は、2に述べたように「侮る」「見くびる」が使われるが、相手は自分のチームより力が下であると評価した結果そういう意識をもつときは、「見くだす」も使える。
5. Eの「そう―たものではない」は慣用的な言い方で、「見くびる」が最適。「見下げる」も使うことがある。

類似の語

軽蔑する 価値の低い存在と見て人をばかにする。人格・道徳面からの評価である場合が多い。「こういう男たちを彼女はずっと軽蔑していた」

なめる 大したことはないとばかにする。「相手をなめてかかる」

あばく

expose

暴(あば)く・ばらす・すっぱ抜(ぬ)く・暴露(ばくろ)する

[基本の意味] 隠されていることを明るみに出す。

Point! 「暴く」「ばらす」「すっぱ抜く」は、他人が隠していることを意図的に明るみに出す行為。「ばらす」「すっぱ抜く」は俗語的。「暴露する」は、上三語と同様、意図的行為にもいうが、自分が隠していたことを思わず表に出してしまう意にもいう。

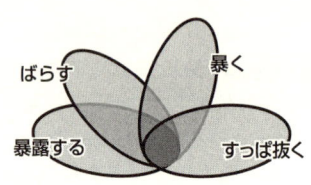

[使い分け]

表現例	暴く	ばらす	すっぱ抜く	暴露する
A　会社の内情を―	○	○	○	○
B　調査を重ねて巨悪の犯罪を―	○			
C　彼の行状を奥さんに―		○		△
D　披露宴で二人のなれそめを―			○	
E　口を滑らせて無知を―				○

1. Aの場合はどれも使えるが、「暴く」はそれまで知らなかった事情を探り出すことに、「ばらす」は知り得た事情を他に知らせることに、「すっぱ抜く」は知り得た事情を不意に人を驚かすようなやり方で知らせることに、「暴露する」は探り出した事情を公にすることに、それぞれ重点がある。
2. Bのように、探り出すことに重点がある場合は「暴く」が適当。
3. Cのように、「何かを人に」という言い方では、「暴く」は使わない。また、「暴露する」は大げさになり、やや不自然。「すっぱ抜く」も、多くの人にという含みがあるので、「奥さんに」では使いにくい。
4. Dのように、悪い内容でない場合は「すっぱ抜く」が適当。
5. Eのように、意図的でなく、うっかりした言動によって表に出してしまう場合は、「暴露する」しか使えない。

[類似の語]

さらけ出(だ)す　隠していたことをすっかり人前に出す。意図的な場合にも、うっかりそうする場合にもいう。「手の内をさらけ出す」「弱点をさらけ出す」

あぶない   dangerous

危(あぶ)ない・危(あや)うい

基本の意味 安全や存立が脅かされて、よくない結果が起こりそうなようす。

Point! 「危ない」は「危うい」よりも意味が広く、ある物事について、それが他に危害を及ぼしそうな場合にもいう。それに対し**「危うい」**はもっぱら、危険や危難が迫って主体が存立や行為の継続を脅かされている状態をいう。

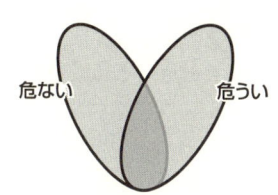

使い分け

表現例	危ない	危うい
A　命が―	○	○
B　今季の優勝は―なった	―く○	―く○
C　物騒な場所だから夜の一人歩きは―	○	
D　―間に合った／―セーフ		―く○

1. Aの例ではともに使える。「危ない」が日常語で、「危うい」は文語的な感じ。「―ところを助かった」のような表現も、ともに使える。
2. Bのように、確実でない意の場合もともに使える。
3. Cのように、その物事が人に危害や災難を及ぼすおそれがある、危険であるという場合は「危ない」を用いる。
4. Dのように、連用形で「かろうじて」「やっとのことで」の意になる場合は、「危うく」が適当。ただし、「間に合う」「セーフ」のような好ましい状態でなく、逆の「遅刻する」「アウト」を使って、「―遅刻するところだった」「―アウトになりそうだった」とすると、「もう少しのところで」の意になり、「危なく」も使える。

類似の語

危険(きけん) 身に危害や災害を及ぼすおそれが大きいようす。「危険なスポーツ」

あやしい   dubious

怪しい・疑わしい・いぶかしい

基本の意味 何か変だと感じるよう。

Point! 「怪しい」は、対象について、普通と違う、どこか変だと直感的にとらえていう語で、対象に警戒心を抱く場合を含む。「疑わしい」は、対象について、本当にそうなのか信用しがたいところがあると見ていう語。「いぶかしい」は、対象の様態についてよりも、主観的に変だと思う気持ちを表す面が強い。

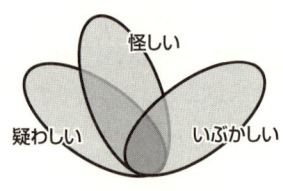

使い分け

表現例	怪しい	疑わしい	いぶかしい
A　彼の話には―点がある	○	○	○
B　この中で最も―人物	○	○	
C　この戦力で勝てないとは―			○
D　台所で―物音がする	○		

1. Aの場合はどれも使えるが、「怪しい」は、信用しがたい感じを直感的にとらえてその気分をそのまま表す。「疑わしい」は、本当のことを隠して取り繕っているのではないかと疑っている気持ちを表す。「いぶかしい」は、なぜそんなことを言うのかと変に思う気持ちを表す。

2. Bのように、疑いがかかるの意の場合は「いぶかしい」は不適当。「怪しい」だと外見などから疑いがかかりそうな感じが強く、「疑わしい」だと状況などから推理して疑いがかかるのが当然という感じが強い。

3. Cのように、なぜだろうという感じが強くこもる場合は「いぶかしい」を使う。

4. Dのように、正体不明の物事についていう場合は「怪しい」しか使えない。

類似の語

おかしい 常識や理屈で考えてどこか変に思えたり納得できなかったりするよう。「部外者がそこまで知っているのはおかしい」 ➡「おもしろい」

不審 納得のいかない点や普通と違ってどこか変だと思わせる点があるよう。「なぜあんなことを言うのか不審に思う」 ➡「うたがい」

あやまる　mistake

誤る・間違える・間違う・しくじる

基本の意味 判断・処理をしこそなう。

Point! 「**誤る**」は正しくない思考・判断・処理をする意、「**間違える**」は当のものと違うものをうっかりそれと思い込んでしまう意が中心だが、相通じる部分も多い。「**間違う**」は、結果的に判断・処理などがあるべきあり方と違ってし

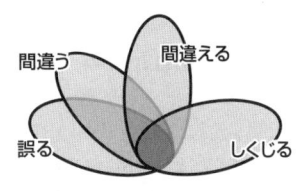

まう意。もともとは自動詞だが、「**間違える**」の意で他動詞としても使われる。「**しくじる**」は事をやりそこなう意で、もっぱら行為のレベルでいう。

使い分け

表現例		誤る	間違える	間違う	しくじる
A	計算を―た	―っ○	―え○	―っ○	―っ○
B	それは―た考えだ	―っ○		―っ○	
C	兄と弟を―ていた		―え○		
D	道を―て迷う	―っ△	―え○	―っ○	
E	身を―	○			
F	入試を―				○

1. Aでは四語とも使える。「誤る」は現在では文章語的で硬い表現となり、「間違える」「間違う」のほうが多く使われる。

2. Bのような自動詞の用法には「間違える」は使えない。「しくじる」は失敗するの意だから、「考え」を形容するのは不自然。「間違う」が一般的で、「誤る」はやや堅苦しい言い方になる。

3. Cのように、「AとBを―」の形で両者を取り違える意を表す場合は「間違える」が適当。「間違う」は他動詞としても使われるが、この場合は不適。ただし「よく弟と間違われる」など受身の形では「間違う」も使われる。

4. Dの他動詞的用法の例では「間違える」が最適だが、「間違う」も使える。「誤る」は実際の「道」の場合は不自然な感じが伴う。

5. Eのようによくない方向に導く意の場合は「誤る」しか使えない。

6. Fのように、個別的な事柄でなく、入学試験というある行為全体についていう場合は「しくじる」が使われ、他の三語は使えない。

あらかじめ   beforehand

あらかじめ・前(まえ)もって・かねて・かねがね

基本の意味 それより前の時期に何かが行われたり、そうなったりするようす。

Point! 「**あらかじめ**」「**前もって**」は、過去・現在・未来を問わず、事の成立する前に、の意。「**かねて**」「**かねがね**」は、現在より前のある時期から、の意。

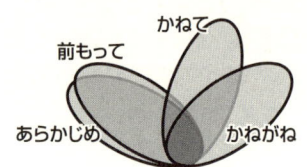

使い分け

表現例	あらかじめ	前もって	かねて	かねがね
A　—計画していたとおり	○	○	○	○
B　おいでの節は—御連絡ください	○	○		
C　犯人が—わかっていては面白くない	○	△		
D　—おうわさはうかがっていました			○	○
E　—の望みを達する			○	

1. Aの例では四語とも使えるが、「あらかじめ」「前もって」が「—計画することが大切だ」のような一般的な心得を述べる表現にも使えるのに対して、「かねて」「かねがね」は、以前から今に至るまでの意（Aでは「…していた」で示されている）がこもらないと使いにくい。「あらかじめ」はやや改まった言い方で、「前もって」は日常語的。

2. Bのように、事の成立する前のある時点という場合は「あらかじめ」「前もって」が適当。「かねて」「かねがね」は以前から今までという時間的な幅をいうので不適当。

3. CもBと同様で、「かねて」「かねがね」は不適当。「前もって」は事前に何か手段を講じるという感じが強いので、Cのようにただ事前に知るというだけの場合は、使えなくはないが、いくらか抵抗がある。

4. Dのように、意図的ではなく自然に耳に入り、しかも以前からずっと今までの意の場合は「あらかじめ」「前もって」は使えない。「かねて」より「かねがね」のほうが、何度もという感じが強い。

5. Eのように「の」を直接添える言い方は「かねて」以外にはない。

あわてる　be upset

慌てる・うろたえる・まごつく・面食らう

基本の意味 ある状況に出あって、どう対処すべきかわからない状態になる。

Point! 「慌てる」が予想外の事態だけでなく、時間がないなど差し迫った状況の場合にもいうのに対して、「うろたえる」は予測していなかった事態の場合に使われ、気持ちの混乱の度合いが強い。「まごつく」は、事情がよくわからず適切な対処ができない状態になる意。「面食らう」は、予想外のことに一瞬とまどう意。

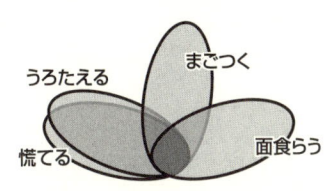

使い分け

表現例	慌てる	うろたえる	まごつく	面食らう
A　突然の質問に—	○	○	○	○
B　秘密がばれそうになって—	○	○		
C　不慣れな道で—			○	
D　突然の来客で、—て部屋を片づける	—て○	—え△		
E　身に覚えのないことを言われて—				○

1. Aの例ではどれも使えるが、「まごつく」「面食らう」は突然なので一瞬とまどう感じで、差し迫った重大なことではないときにいう。「慌てる」「うろたえる」は、答えにくい、また、核心をついた質問を急にされた感じで、どう切り抜けたらよいかわからず混乱するという差し迫った状態にいう。

2. Bのように自分の弱みを知られそうな状況では、「慌てる」「うろたえる」が適当。

3. Cのように、迷った行動をする場合は「まごつく」が適当。急いでどこかに行かなくてはならないといった差し迫った状況なら「慌てる」「うろたえる」も使えるが、そういう状況が明示されないと使いにくい。

4. Dのように、単に急いで対応するというだけの場合は「慌てる」が適当。ひどく混乱した気持ちをいうなら「うろたえる」も使うことがある。

5. Eのように、思いもよらないことに驚く感じが強い場合は「面食らう」が適当。

あわれ sadness

哀れ・悲哀・哀愁・哀感

[基本の意味] もの悲しい感じ。

Point! 「哀れ」は、他人や動物などの境遇や運命をかわいそうに思って心に感じる悲しみ。また、しみじみと心に感じられる切ないような情感についてもいう。「悲哀」は、自分の力ではどうにもならない物事に対する、心に深くしみいるような悲しみ。「哀愁」は、その物事がかもしだす寂しくもの悲しい感じ。「哀感」は、もの悲しい感じ一般をいう文章語的な言い方。

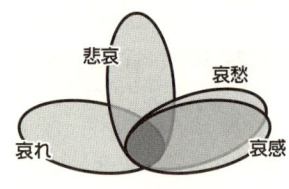

[使い分け]

表現例	哀れ	悲哀	哀愁	哀感
A この世の―を感じさせる話	○	○		
B 若妻の喪服姿が人々の―をさそう	○			
C 老人の後ろ姿に―が漂っている		△	○	○
D 敗戦の―を味わう		○		
E 汽笛の音が―をそそる	△		○	○

1. Aのように、思うようにならない、はかないなどということからくる悲しみの場合は「哀れ」「悲哀」が使われる。
2. Bのように、気の毒だという同情の気持ちには「哀れ」だけが使われる。「哀愁」「哀感」も「―をさそう」とはいえるが、単にもの悲しい気持ちを起こさせるという意味になる。
3. Cのように、「―が漂う」の言い方では「哀愁」が最適。「哀感」も使えるが、「悲哀」なら「―がにじみ出る」などと表現されることが多い。
4. Dのように、みじめさを含むような場合、また「味わう」をとる場合は、「悲哀」しか使えない。
5. Eのように、「―をそそる」という表現では「哀愁」「哀感」のほか「哀れ」も使うことがあるが、「哀れ」では、憐憫や同情の気持ちを起こさせる特別な事情がそこにないとふさわしくない。

[類似の語]

ペーソス 人生のしみじみとした情感を含んだもの悲しさ。

あんい

easy, easygoing

安易・安直・簡単

基本の意味 物事をするのに手間がかからない、または手間をかけないようす。

Point! 「安易」は、努力や手間を要しないようす、転じて、物事を甘く考えていいかげんに行うようすをいう。「安直」は、費用や手間がかからなくて手軽なようす、転じて、かけるべき費用や手間を惜しんで何かするようすをいう。この二語はそれぞれ後者の意味ではマイナスの評価を表す。「簡単」は、手間をかけずにできる、またはするようす。評価としては中立的である。➡「かんたん」「やさしい」

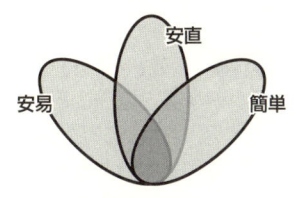

使い分け

表現例		安易	安直	簡単
A	一な方法	○	○	○
B	それはあまりにも一な考えだ	○	○	
C	一に人を非難するものではない	○		○
D	宴会は一に済ませたい		○	○

1. Aの場合はどれも使えるが、「安易」「安直」では否定的な意味となることが多い。「簡単」では手間をかけないで済む方法という意味になる。

2. Bのように非難めいた言い方の場合、「簡単」では物足りなくて使いにくい。「安易」ではいいかげんさが強調され、「安直」では手軽に済ませようとする感じが強調される。

3. Cのように、「本来真剣な態度で行うべきところを、深くも考えずに」の意の場合は、「安直」は使いにくい。

4. Dのように、費用や時間をかけずに何かするようすをいう場合は「安易」は使いにくい。「安直に」というと「金をかけず」という点に重点があり、「簡単に」というと「時間を短く・大げさでなく」という点に重点がある。

類似の語

簡易 面倒な手続きなどをやめて手軽に使えるようにしてあるようす。「簡易な診断法」「簡易書留」「簡易裁判所」

イージー 簡単にできるようす。また、安易なようす。「イージーなやり方」

あんがい　unexpectedly

案外・存外・思いの外・意外

基本の意味　物事が予想していたところと違うようす。

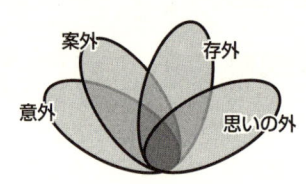

Point!　「案外」「存外」「思いの外」は物事が予想と違うことを表すが、現在では主に、事態が予想外だというよりも、程度や実情が予想と違っていたような場合に使われる。この三語は「に」の付かない形で副詞として使われることが多い。**「意外」**は、予想しなかった事態について驚きの気持ちを表して使われるほか、「意外に（と）…だ」の形で前の三語と同じように使われる。

使い分け

表現例	案外	存外	思いの外	意外
A　彼は—気が小さい	○	○	○	—に○
B　内情は—そんなものだよ	○	○		—に○
C　彼が来ないなんて—だ	○		△	○
D　—な所で彼に会った				○

1. Aの場合はどれも使える。「案外」「存外」「意外に」が、ふつうそう思われているのと違ってという軽い意味合いでも使われうるのに対して、「思いの外」では予想外という感じが多少強いという差はある。

2. Bのように、ふつう思われているのと違ってという軽い意味合いの場合は、「思いの外」は大げさで不自然。

3. Cのように、「—だ」の形の場合は「存外」は使えない。「思いの外」は「—だ」の形だと文章語的になり、「なんて」という口頭語とそぐわないが、「彼が来ないのは思いの外であった」とでもすれば使用可能。「意外」では予想もしていなかったという強い感じになり、「案外」だとやや軽い感じになる。

4. Dのように、予想していなかった事態を驚きの気持ちをこめて「—な」の形でいう場合は、「意外」のほかは使いにくい。

類似の語

思い掛けない　考えてもいなかったことであるようす。全く予想していなかったような場合に使う。「思い掛けない出会い」

あんじ suggestion

暗示・ヒント・サジェスチョン・示唆

基本の意味 ある事をそれとなく示すこと。また、その示されたもの。

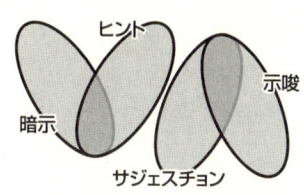

Point! 「暗示」「サジェスチョン」「示唆」はいずれも、物事を考える手がかりを直接でなくそれとなく示すことだが、「サジェスチョン」「示唆」の場合、それを与える主体はふつう人間に限られる。「暗示」はまた、人にあることを信じ込ませるような他からの働きかけについてもいう。「ヒント」は、何か考えるうえで手がかりや発想のきっかけとなる物事。

使い分け

表現例	暗示	ヒント	サジェスチョン	示唆
A 実話に―を得て台本を書く	○	○		
B 師から研究上の―を仰いだ			○	○
C 彼女に―をかける	○			
D クイズで三つまで―を与える		○		
E 総裁選出馬を―する発言				○

1. Aのような「手がかりを得て」の意の場合は「暗示」「ヒント」を使う。「サジェスチョン」「示唆」は発する主体に意図的なものがないと使いにくい。
2. Bの「―を仰いだ」のように、発する主体を敬う言い方で、しかも学問・研究上の指導ということになると、「ヒント」では軽すぎ、「暗示」では、教える側の意図が表れない。この場合「示唆」が最適。
3. Cのように、他人の心に無意識のうちに、ある観念を与えるような刺激という意の場合は、「暗示」しか使えない。
4. Dのように、クイズなどで答えを引き出す手がかり、鍵(かぎ)になるようなものをいう場合には、「ヒント」だけが使われる。
5. Eのように、あることをしようとしているのをほのめかすことをいう場合は「示唆」を用いる。

い

will

意・意志・意思・志
（い・いし・いし・こころざし）

基本の意味 心に抱く考えや気持ち。

Point! 「意」は、漠然とした思いや気分から、何かしようとする志向性をもった考え・気持ちまで表して、幅が広い。「意志」「意思」はいずれも、こうしよう、あるいはしまいという考えを表すが、「意志」ではその気概や気構えに重点が置かれる。「志」は、ある目的・目標の実現のためにみずから努力しようとする気持ち。

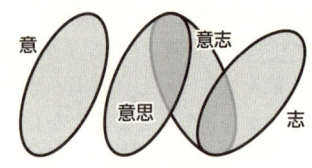

使い分け

表現例	意	意志	意思	志
A 満足の—を表す	○			
B —を貫く		○		○
C 個人の—を尊重する		△	○	
D —を立てる				○

1. Aのように、何かをめざす志向性がない気持ちをいう場合は「意」が適切。
2. 「意志」と「意思」は何かをめざす心の状態という点で共通するが、Bでは、積極性・志向性に重点を置いた「意志」が適切。「志」も使える。
3. 「意思」は、「意志」より積極性・志向性が薄く、今もっている考え・気持ち全体を指すことが多い。Cの場合、そうした個人のもつ気持ち・考えの総体を尊重するということで「意思」が適当。「意志」も使えなくはないが、その場合は、実際の行動に結び付いた考えを尊重する意となる。
4. 「志」は、「意志」と共通する部分もあるが、目標となる事柄が常に肯定的なもので、達成まで持続的努力を要するととらえられているのが特徴。Dのように、「—を立てる」という言い方では、「志」以外は使いにくい。

類似の語

意向（いこう） 物事をどうするか、どうしたいかについての大まかな考え・方向性。「先方の意向を確認する」 ➡「いと」

抱負（ほうふ） こういうことをやってみたい、実現させたいと、普段から心にいだいている考え。「年来の抱負を語る」

いいかげん

negligent

いい加減・適当・なげやり・ぞんざい

基本の意味 物事のやり方などが徹底していなかったり、粗雑だったりするようす。

Point! 「いい加減」「適当」はともに、ほどよいというよい意味から転じて、きちんとしたところがなく無責任である意に使われるようになったもの。「なげやり」は結果はどうでもいいといった態度に、「ぞんざい」は丁寧さがなく粗雑である点に重点がある。 ➡ 「てきせつ」「なおざり」

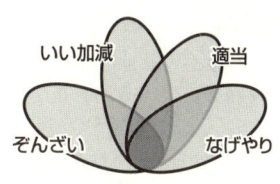

使い分け

表現例	いい加減	適当	なげやり	ぞんざい
A　あいつの仕事は―だ	○	○	○	○
B　―な造りの家	○			○
C　そんな―な考えではだめだ	○	○	○	
D　―にごまかした	○	○		
E　時間に―な人	○			

1. Aの場合はどれも使えるが、「適当」「なげやり」は主に態度について、「ぞんざい」は主にやり方や結果についていい、「いい加減」はその両方を含んでいう。

2. Bのように、でき上がりの状態についていう場合は、「いい加減」「ぞんざい」を使う。「適当」「なげやり」は家ができる過程でのようすについてでないと使いにくい。

3. Cの「考え」のような、外に現れない物事については「ぞんざい」は使いにくい。

4. Dの「ごまかす」のような、よくない意味をもっている語を修飾する場合は「いい加減」「適当」が使われる。「なげやり」「ぞんざい」は不熱心、粗雑のようなよくない意味をもともともっているので、Dには使えない。

5. Eのようにきまりなどを確実に守ろうとしないようすをいう場合は、「いい加減」以外は使いにくい。

いいふらす　spread, circulate

言い触らす・触れ回る・吹聴する

基本の意味 多くの人に言い広める。

Point! 「言い触らす」は、人の悪口やうわさなどをあちこちで言う意。「触れ回る」は、ある情報や話をあちこちで言って歩く意で、そうすることについての積極的な意思が感じられる。「吹聴する」は、いろいろな人にあまり実のないことを軽い気持ちで言う意だが、現在では得意げに言う場合に使われることが多い。

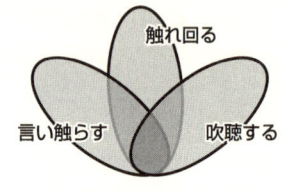

使い分け

表現例	言い触らす	触れ回る	吹聴する
A　ある事ない事―	○	○	○
B　人の悪口を―	○	△	
C　息子の合格を―		○	○
D　何かの機会に―てください			―し○
E　開店を宣伝カーで―		○	

1. Aのように、内容のよしあしに関係なく不確かなことを言う場合は、どれも使える。
2. Bのように他人の悪いことに関していう場合、「吹聴する」は不適。「触れ回る」も積極的に知らせたいことについていうことが多く、やや不自然。
3. Cのように、自分に関係の深い事柄に関する場合は「言い触らす」は不適当。自慢そうに言う感じの強い「吹聴する」が最適。
4. Dのように、多くの人に知らせることを頼み込む場合は「吹聴する」を使う。「言い触らす」は悪いことについていうので不適当。「触れ回る」はあちこち移動して伝える感じが強くやはり不適当。
5. Eのように、移動しながら広く伝える場合は「触れ回る」を使う。

類似の語

言い散らす　いい加減なことをだれかれなしに話して聞かせる。「言い触らす」と違って、悪口やうわさとは限らない。「好き勝手なことを言い散らす」

いいわけ

excuse, apology

言い訳・申し訳・弁解

基本の意味 過失や失敗について事情を説明し、行為の正当性を主張したり責任を回避・軽減したりしようとすること。また、その言葉。

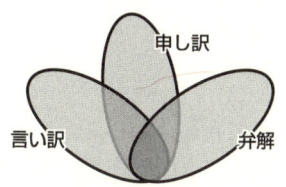

Point! 三語の中では「言い訳」が最も一般的・日常的な言い方だが、事情をことさら強調して責任を逃れようとする感じも含まれる。「申し訳」は「言い訳」の謙譲的表現であるが、本人が済まなく思っている感じがある。「弁解」は、「言い訳」の漢語的な言い方で、そうなった事情をことさら強調するというより、説明して何とか相手に理解してもらおうとする感じが強くなる。

使い分け

表現例	言い訳	申し訳	弁解
A　遅刻の—をする	○	○	○
B　何とも—がない		○	
C　—の余地がない			○

1. Aの場合は、日常的な言い方である「言い訳」が最適。「弁解」「申し訳」も使えるが、やや硬く改まった感じになる。
2. Bのように「—がない」の形にふさわしいのは「申し訳」だけである。「言い訳」なら「—が立たない」「—のしようがない」、「弁解」なら「—のしようがない」というのが普通。
3. Cのように「余地がない」という場合は「弁解」が最適。「弁解」は「言い訳」より正当化する根拠がやや強い感じをもつので、正当化できる余地の有無を問題にできるが、他の二語は正当化の根拠が薄いため使いにくい。

類似の語

弁明 自分や自分たちのした行動や発言について、その正当さを理解・納得してもらうために事情を説明すること。「弁明の機会を与える」

釈明 誤解や非難を招く行為をしたことに対し、事情を説明して、了解を求めたり謝罪の気持ちを表したりすること。「約束不履行につき釈明を求める」

言い逃れ 口実をつくって、責任や罪を免れようとすること。また、その言葉。

いう

say, tell, speak

言う・話す・語る・しゃべる・述べる

基本の意味 言葉で表す。

Point! 「言う」は使用範囲が広く、他の語と違って単に音声を発するような場合にも使う。「話す」「語る」「述べる」は、ある程度まとまった内容を表す場合に用いる。「しゃべる」は「話す」と重なるが、軽い調子で口数

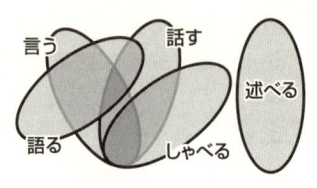

多くという感じを含むことが多い。「話す」「しゃべる」は、口で表す場合に限られるが、他の三語は文章で表す意ももつ。 ➡ 「しょうする」

使い分け

表現例	言う	話す	語る	しゃべる	述べる
A 「さよなら」と—て帰る	—っ○				
B 君に—たいことがある	—い○	—し○		—り△	
C 村の歴史を—て聞かせる	—っ○	—し○	—っ○		
D よく—やつだ		△		○	
E 祝辞を—					○

1. Aのようなごく短い発語には「言う」だけが使われる。
2. 「話す」は、聞き手を頭に置いてまとまった意味内容を伝えるときに使う。Bで「言う」を用いれば、一方的で強い感じになる。このような日常会話では「語る」「述べる」は使いにくい。「しゃべる」は軽すぎてやや不自然。
3. Cでは「話す」「語る」とも使えるが、「語る」のほうが時間的に長く内容的にも大きい感じがある。「言う」を使って「言って聞かせる」とすると、訓戒的となって、違った意味合いの表現となる。
4. Dのように口数が多い、口が軽いという感じのときは「しゃべる」が自然。
5. 「述べる」は、公式の場での表現や改まった場での表現に用いることが多く、順序立てて表すことに重きが置かれているという特徴もあって、Eの場合にふさわしい。他の四語はどれも不自然。

類似の語

申す 「言う」の謙譲語または丁寧語。「先ほど申しましたとおり…」
おっしゃる 「言う」の尊敬語。「おっしゃるとおりにいたします」

いか

以下・未満・以内

under, below

基本の意味 ある基準より数量・数値が少ないこと。

Point! 数量・数値を表す語に付けて使う場合、**「以下」**は、示された数を含んでそれより下であること、**「未満」**は示された数そのものは含めずにそれより下であることを表す。**「以内」**は、示された数を含んでその数までの範囲に入ること。

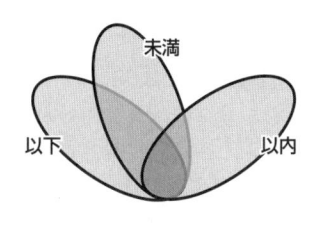

使い分け

表現例	以下	未満	以内
A 三千円―で買える品	○	○	○
B 十八歳―の少年	○	○	
C 彼の実力は君―だ	○		
D 四、五日―に帰ります			○
E 最低でも五位―には入りたい			○

1. Aの場合、「以下」「以内」では三千円を含み、「未満」では三千円を含まない。また、「以下」は数量的に三千円またはそれより少ない額の意であるが、「以内」は三千円までの範囲という感じが強い。

2. Bのように人の年齢についていう場合は、「以内」は使いにくい。

3. Cのように数量でない語に付く場合は、「未満」「以内」は使えない。この場合の「以下」は基準となるものを含まないのが普通で、「君以下」といえば、「君」と同じでなくそれより下の意になる。ただし、ある人物を代表とした集団をいう場合の「山本以下六名」などは代表者を含んでいう。

4. Dのように、時間的な範囲を表す場合は「以下」「未満」は使えない。なお、「以内」は本来は空間的な意味をもっていたと考えられるが、「半径百メートル以内」のように数量を表す語に付くことがほとんどで、「白線―立ち入り厳禁」などでは、「以内」でなく「内」を用いるのが普通である。

5. 順位・順番については一般に「以下」「以内」が使われるが、「以下」はそれより下または後、「以内」はそれより上または前の順位・順番を表す。Eの場合は五位より上になりたいということだから、「以内」を使う。

いきなり

suddenly

いきなり・出し抜け・不意

基本の意味 予期しない事が急に起こるようす。

Point! 「**いきなり**」は、ふつう段階を踏んで行われるはずのものが段階を踏まずに急に行われるという感じが強い。「**だしぬけ**」は「出し抜く」と関係のある語で、人が予期していないときに急に何かして意表をつく感じが中心。「**不意**」は、状況の変化などが思いがけないようす。

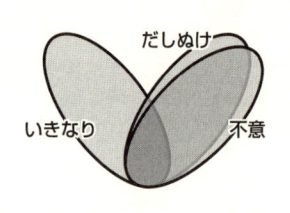

使い分け

表現例	いきなり	だしぬけ	不意
A ―大声をあげる	○	―に○	―に○
B 初打席で―ヒットを打つ	○		
C ―の来客にあわてる		△	○
D ―の夜襲作戦		○	△

1. Aの例ではそれぞれの意味合いで三語とも使える。
2. ヒットが出るまで何打席かあることが多いが、そういう段階を経ないことを表すBの場合は「いきなり」が適当。
3. Cのように思いがけないの意で用いる場合は「不意」が最適。「いきなり」は「の」を下に伴いにくく、「だしぬけ」は使えなくはないが、まだ来ないだろうと思っているとき、そのすきをつくような感じがあってやや不自然。
4. Dのように、相手の油断を見すまして急にする感じが強い場合は「だしぬけ」が最適。「不意」も使えなくはないが、その場合は「不意をつく夜襲作戦」のほうが自然。

類似の語

唐突 思いも寄らない急なことで、その場にそぐわない感じであるようす。「唐突に話しかける」「唐突な結婚話にとまどう」

矢庭に 「矢を射たその場で」というのが原義で、何かをしたその場ですぐ次の行動をとるようす。また広く、突然ある行動をとるようす。人間の行動についていう。「席に着くと、矢庭に要件を切り出した」

いじ

self-assertiveness

意地・意気地・意固地・片意地

基本の意味 自己の主張や行動をどこまでも押し通そうとする心、また、そうした態度。

Point! 「意地」「意気地」は主として心の持ち方を示し、「意固地」「片意地」は主として外に表れた状態を示す。「意気地」は主にプラスの評価、「意地」もプラスの評価で使われるが、「意固地」「片意地」にはマイナスの評価が含まれる。「意気地」はやや古風な語。

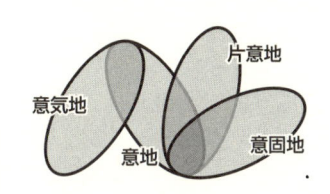

使い分け

表現例	意地	意気地	意固地	片意地
A 止めると余計―になる			○	△
B 男の―を示す	○	○		
C ―な性分で敬遠される			○	○
D いつまでも―を張る	○			○

1. Aのように、マイナスの意味合いでいう場合は「意固地」が適当。「片意地」は「―になる」の表現にはやや不自然。「意地」それ自身は、自他に対してそれなりの筋・信念を通すという意をもつが、「―になる」「―を張る」の形では「それほどまでにしなくても」という思いが込められてきて、「意固地」のグループとの共通面が現れる。したがって、Aに使うことができる。
2. Bのように、プラス評価の場合は「意固地」「片意地」は不適。
3. Cのように、マイナス評価の場合は「意気地」は不適。また、「―な」の言い方は「意地」「意気地」にない。
4. Dのような「―を張る」の表現は「意気地」「意固地」にはない。「片意地を張る」は頑固に意志を通そうとするようすをいい、「意地を張る」より「いいかげんに妥協すればよいのに」という思いが強い。

類似の語

意気地（いくじ） 困難や恐怖心に打ち勝って物事をやりとおそうとする心や態度。「いきじ」の変化した語だが、もっぱら「―が無い」「―無し」などの形で打消しの語とともに使われる。「いくじのない男」

いじわる

unkind

意地悪（いじわる）・邪険（じゃけん）・つっけんどん・無愛想（ぶあいそう）

基本の意味 人に対する態度に、性格の悪さ、冷淡さなど、否定的なものが感じられるようす。

Point! 「**意地悪**」は、わざと人の嫌がるようなことをすることや、そういう性質をいう。「**邪険**」は働きかけてくる相手に対して思いやりがなく乱暴である点に、「**つっけんどん**」は言葉づかいや態度が冷たく相手を突き放すようである点に、「**無愛想**」は相手に好感を与えようとする態度が見えず取っつきにくい点に、それぞれ意味の中心がある。

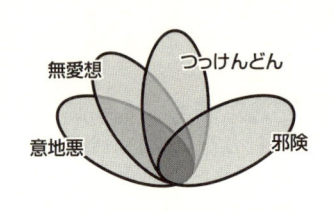

使い分け

表現例	意地悪	邪険	つっけんどん	無愛想
A 一な人	○	○	○	○
B 一な返事	○		○	○
C 子を一に扱う		○		
D 一な顔つき	○			○
E 一をする	○			

1. Aの例ではそれぞれの意味で四語とも使える。
2. 「邪険」は、「邪険に返事をする」などのように主に外見的な振る舞いについていい、Bのように言葉だけに関する場合は使いにくい。「意地悪」は返事の内容について、他の二語は返事をする際の態度に注目していう。
3. Cのように、人の扱い方をいう場合は「邪険」が適当。
4. Dのように、表情に関する場合は「意地悪」「無愛想」以外は使えない。
5. Eの形で名詞として使えるのは「意地悪」だけである。

類似の語

陰険（いんけん） 表には出さず、心に悪意を隠していたり、陰で悪辣（あくらつ）なことをしたりするようす。「陰険な男」「陰険な手口」

とげとげしい 態度・口調やその場の空気などが、冷たく荒っぽくて、大らかさがまったく感じられないようす。「とげとげしい言い方をする」

いそがしい

busy

いそがしい・せわしい・慌(あわ)ただしい

基本の意味 急いですべきことが多かったりして、物事に追われているようす。

Point! 「いそがしい」は、用事・仕事が多くて暇がないようす。「せわしい」は、もともと速い速度で次から次へ続くようすを表したと見られるが、用事や仕事に追われている意では、休む暇もなく落ち着かない気分を表し、「いそがしい」より主観的な表現になる。「慌ただしい」は、急いでやることが多かったり状況が差し迫っていたりして、ばたばたするようす。

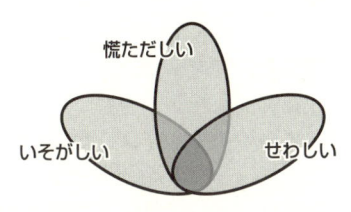

使い分け

表現例	いそがしい	せわしい	慌ただしい
A ―毎日だ	○	○	○
B 商売が―	○		
C 政局が―なる			―く○
D ―呼吸する		―く○	

1. Aのように、すべきことが多くて追われているような状態を表す場合は、それぞれの意味合いで三語とも使える。
2. Bのように、用事の内容が主語になる場合は「いそがしい」が最適。
3. Cのように、状況が差し迫ってそれに対応する動きが見られるような場合は「慌ただしい」が適当。
4. Dのように、速い調子で繰り返されるようすをいう場合は「せわしい」が使われる。

類似の語

せわしない ひどくせわしい。「せわしい」を強調した言い方。「今から準備しておけば、後でせわしない思いをしないですむ」

多忙(たぼう) 用事・仕事が多くて非常にいそがしいこと。主に個人の状態について客観的にいう語。「多忙な人でなかなかつかまらない」

繁忙(はんぼう) 仕事が集中していそがしいこと。主に商売や業務に関していう。

いたで

shock

痛手・打撃・ショック・ダメージ

基本の意味 生活・事業・気力などの面での、打ちのめされるような影響。

Point! 「痛手」「打撃」「ダメージ」は、物質的な損害の場合にも、精神的に打ちのめされるような場合にも、いずれにも使える。「ショック」は、衝突時などに急激に受ける物理的な力の意から、精神的な動揺についていうが、物質的な損害には使わない。また、「痛手」と「ダメージ」が、その損害や影響をその後も尾を引くものとしてとらえた語であるのに対して、「打撃」「ショック」は、加えられたマイナス作用を瞬間的にとらえていう。

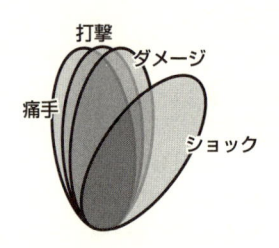

使い分け

表現例	痛手	打撃	ショック	ダメージ
A 事件は少年の心に―を与えた	○	○	○	○
B 台風で鉄道は相当な―を受けた	○	○		○
C 失恋の―から立ち直る	○	△	○	△
D 将棋で弟に負けたのは―だった			○	

1. Aの場合はどれも使える。「打撃」「ショック」は、瞬発的に相手に加える強打という感じであり、「痛手」「ダメージ」は、相手から受けた損害や傷などがひどくて、なかなか立ち直れない感じがある。

2. Bのような物質的な損害では「ショック」は不適当。

3. Cのように、精神的に参った状態には「痛手」「ショック」を使う。「打撃」「ダメージ」は主に「与える」「受ける」と結び付いて作用的な意を表すので、Cには使いにくい。

4. Dのように、思いがけないことにぶつかって感じる心の動揺の意で軽くいう場合は「ショック」が適当。「打撃」「痛手」「ダメージ」では大げさすぎる。

類似の語

衝撃 予期しない物事にひどく驚いて平静な気分でいられなくなること。「ショック」と重なる部分が大きいが、プラス価値の事柄に驚嘆する場合にもいう。「親友の急死に衝撃を受ける」「衝撃的なデビュー」

いたわる

console

いたわる・慰(なぐさ)める・ねぎらう

基本の意味 弱い立場の人や苦労した人を思いやって、その気持ちを言葉や行為に表す。

Point! 「**いたわる**」は、心身面で十分な生活能力をもたない人や苦労してきた人などを思いやっての行為。「**慰める**」は、相手の悲しみや満たされない心を思いやっての行為。「**ねぎらう**」は、相手の苦労と努力を思いやっての行為。「**いたわる**」には体や体の一部を対象とした使い方もある。

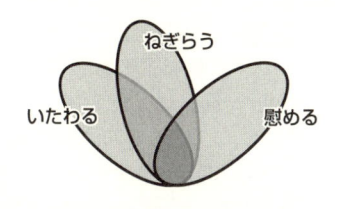

使い分け

表現例	いたわる	慰める	ねぎらう
A 努力した弟を—	○	○	○
B 痛めた右腕を—	○		
C 音楽を聴いて心を—		○	
D 重責を果たした部下を—	○		○

1. Aの場合はどれも使える。「いたわる」「ねぎらう」だと努力を認める感じが強く、「慰める」だと努力が報われなかった悔しい気持ちを静まらせるという意味合いになる。もし「病弱の弟を—」という表現にすれば、やさしく扱う意のある「いたわる」、心を晴らすようにする意のある「慰める」は使えるが、労苦を認めて感謝する意が強い「ねぎらう」は不自然になる。
2. Bのように、体や体の一部を対象とするときは「いたわる」を使う。
3. Cのように、対象が自身の気持ちであるときには「慰める」を使う。
4. Dのように、下位の者の苦労や骨折りを認め、言葉をかけたり何かをしたりする意の場合は「いたわる」「ねぎらう」を使う。「慰める」はこの意味には使わない。Dの場合、「いたわる」には大事に扱う感じが、「ねぎらう」には感謝する感じがこもる。

類似の語

慰安(いあん)する 相手の心がなぐさめられるようなことをしてやる。特に、楽しい時間をつくって、日ごろの苦労などをねぎらう意に使われる。「従業員を慰安するための催し」

いちえん

一円・一面・一帯

the whole area

基本の意味 ある範囲の区域全体。

Point! 「**一円**」は、その地域の全体。ふつう地名などのあとに付けて用いる。「**一面**」は、視覚的に一続きの広がりとしてとらえられた範囲の全体。「**一帯**」は、ある場所を中心とした区域の全体、または、一続きのものとしてとらえられた地域の全体。

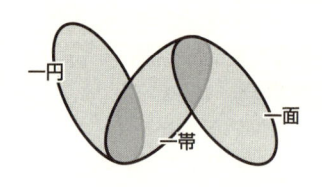

使い分け

表現例	一円	一面	一帯
A 関東―に勢力を広げる	○		○
B 辺り―に花が咲き乱れている		○	○
C この公園―は夜間立ち入り禁止だ			○
D 空―に雲が広がる		○	

1. 「一面」は他の二語より比較的狭い範囲を指すことが多いので、Aのように広い範囲に及ぶときは使いにくい。

2. Bのように自分が身を置いている、比較的狭い地域についていう場合は「一面」が最適で、「一円」は使えない。「一面」が見回せる程度の広さであるのに対して、「一帯」はもう少し遠くまでを含むことが多い。

3. 「一面」は、視覚的に面の広がりとしてとらえられた場合でないと使えない。したがって、Cの場合「公園」のように狭い地域であっても「一面」は使いにくく、広い地域にのみ使う「一円」も不適当である。「一帯」は、Cのようにある場所を中心とした比較的狭い範囲の区域から、「関東地方一帯」のようにかなり広い範囲の地域にまで用いられる。

4. Dのように区域・地域としてでなく、視覚的に面としてとらえたものの全体をいう場合は、「一面」しか使えない。

類似の語

全域 ある地域・区域・領域・分野の全体。「関東全域に大雨洪水警報が出される」「こうした傾向は社会の全域にわたって見られる」

いちどに at once

一度に・いちどきに・一斉に・一遍に・同時に

基本の意味　同じ時にそろって、または、ひとまとめに何かが行われるようす。

Point!　**「一度に」**は、同じ時に複数の事柄が重なって起こる場合、および、ある主体が複数の事柄をひとまとめに行う場合にいう。**「いちどきに」**は**「一度に」**とほぼ同じ。**「一斉に」**は同じ時にそろって何かするようすで、**「一度に」**の前者の意と重なる。**「一遍に」**は**「一度に」**と近いが、状態が急に大きく変わるようすもいう。**「同時に」**は、二つ以上の事柄が同じ時に行われるようす。

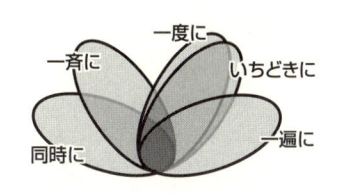

使い分け

表現例	一度に	いちどきに	一斉に	一遍に	同時に
A　全選手が―スタートした	○	○	○	○	○
B　各地で民衆が―立ち上がる			○		○
C　両者はほぼ―到着した					○
D　借金を―払う	○	○		○	
E　―嫌いになった				○	

1．Aでは「一斉に」が最適。他の四語も使えるが、「一度に」「いちどきに」「一遍に」ではスタートを何回にも分けるのでなく一緒に、「同時に」では時間を置くのでなく同じ時にという感じが強くなる。

2．Bのように、別の場所で事が起こる場合は「一斉に」「同時に」以外は使いにくい。複数の主体が同じ行動をとることに重点があって、厳密に同じ時でなくてもよい場合は「一斉に」のほうがぴったりする。

3．Cのように、時が同じということに重きを置く場合は「同時に」が適当。また、「同時に」には「帰宅と同時に電話がかかる」「安価であると同時に良質だ」のような、他の語にない使い方もある。

4．Dのように、一回にまとめてという意では「一斉に」「同時に」は使えない。

5．Eのように、「たちまち」の意に近い場合は、「一遍に」以外は不自然。

いちぶ　a part

一部・一部分・一端・一斑

基本の意味 全体の中の少し。

Point! 「一部」は「全部」に対していう語で、全体の中の少しの部分であるという量的な観点でいう。「一部分」もほぼ同じだが、ごく少しの部分という感じが強い。「一端」「一斑」は抽象的な事柄の一部をいう。

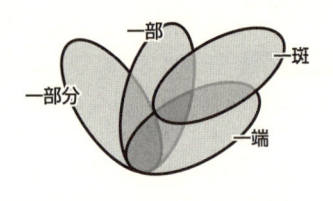

使い分け

表現例	一部	一部分	一端	一斑
A　建物の—は未完成だ	○	○		
B　彼は—の人に評判が悪い	○			
C　彼の性格の—がうかがわれる	△		○	○
D　仕事の—を担う	○	○	○	

1. 「一端」「一斑」は事柄についていうので、Aの建物の場合には使えない。
2. Bでは「一部」だけが使える。「一部分」は一つの部分という意識から、あるまとまりを感じさせる語で、Bの「—の人」という場合、その人たちは初めからまとまりをなしているわけではないので使いにくい。
3. Cのように全体量・全体像が漠としてつかみにくく、数字などでも表しにくい抽象的な事柄に関しては、「一端」「一斑」が適当。「一部」は使えなくもないが、「性格」などについてはやはり不自然な感じになる。
4. Dのように、おおよそでも全体量がわかっている「仕事」などの場合は「一部」「一部分」「一端」が使える。「一斑」はもう少し抽象性の高い事柄についてでないと使いにくい。

類似の語

部分　何らかの観点から全体をいくつかに小分けしたうちの、ある一つのところ。「この部分」「問題の部分」のように、その一つ一つを指している。
局部　からだ全体のうちの、ある限られた部分。また、陰部。「局部麻酔」
一環　全体的につながりをもっている物事の一部分。「学習の一環として行う」
片鱗　ごくわずかな部分。特に、能力・技量などのごく一部分。「実力の片鱗を見せる」

いちよう

even

一様・一律・均等・均一

基本の意味 多くのものが何らかの状態において同じであるようす。

Point! **「一様」**は、どれを取っても同じようであるようす。**「一律」**は、物事のやり方・扱い方に変化がないようす。**「均等」**は、それぞれの間に数量や程度の差がないようすで、特に配分・割り当てについていうことが多い。**「均一」**は、質・数量などがすべてにわたって同じであるようす。

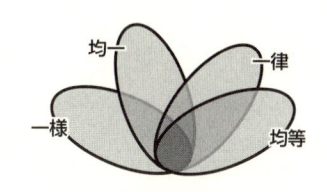

使い分け

表現例	一様	一律	均等	均一
A 金額を―にする	○	○	○	○
B だれをも―に扱う	○	○	△	
C 品質が―である	○			○
D バス料金は―で百円とする		○		○
E 利益を―に分ける		○	○	

1. Aのように漠然と、ある数量を同じにすることをいう場合は四語とも使える。
2. Bは、個々に異なっているものの扱いを一つのやり方で統一するという意味でなら「一律」が最適。「一様」も使えるが、「一律」が意識的であるのに対して、「一様」ははたからそう見えるという感じがある。「均等」は、不公平なくという肯定的な意味で使えなくはないが、人の扱いそのものについていうのはやや不自然。
3. Cのように、質的な意味でいう場合は「均一」が最適。「一様」も使えるが、見かけ上という感じが伴う。
4. Dの場合、「一律」だと料金を払う客の条件（年齢など）の違いを問題にしないことになり、「均一」だと乗車距離に関係なく料金が一定だということになる。他の二語は使いにくい。
5. Eの場合、「一律」だと分配を受ける人の条件（働いたか否かなど）を考えないことになり、「均等」だと、分け方に不公平なことがない意になる。

いちりゅう   first-class, first-rate

一流・随一・屈指・指折り・有数

基本の意味 ある分野で特にすぐれたもの・存在として認められていること。

Point! 「一流」は、能力・質などのランクが前提として意識され、そのランクにおいて第一等に属することを表す。「随一」は、多くある中でそのものが最も際立っていること。「屈指」「指折り」「有数」は、多くある中で、質や数量において傑出した存在として数え上げられること。

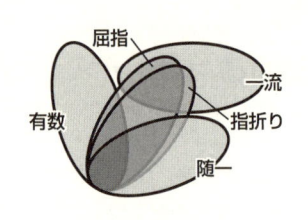

使い分け

表現例		一流	随一	屈指	指折り	有数
A	当店の商品は―の品ばかりです	○				
B	文壇―の酒豪		○	○	△	
C	中国で―の景勝地		○	○	○	○
D	日本は世界で―の輸出国だ		○	○	○	○
E	彼は―の学者だ	○		△	○	

1. 「一流」は絶対的評価においてすぐれていることを示すことが多く、他の四語は主として相対的評価での傑出を表すので、Aでは「一流」が自然。

2. 「指折り」は、Bのように他の名詞の下に直接付く形はなじまない。しかし、「文壇では」のように、間に「では」を入れるなどすれば普通に使うことができる。また、「酒豪」のような俗な面での評価では「有数」は一般に使いにくい。質のすぐれていることをいう「一流」も「酒豪」では使えない。

3. 「一流」は人間のなした業や人の手が加わったものに関していう語で、Cのように自然に関する場合には使わないが、他の四語はすべて使える。

4. Dの場合、輸出額の多いことは国の質とは直接関係がないので、「一流」は使えない。また、「随一」は日本が輸出量で世界一の場合だけ使える。

5. 「随一」「有数」は、「世界で」「文壇で」のように範囲・部門などを限定して使うので、Eの場合には使いにくい。「一流」「指折り」は限定せず使うことも多い。「屈指」も限定せず使うことがあるが、「指折り」のほうが自然である。

いっきに

at a dash

一気に・一挙に・一息に・一気呵成に

基本の意味 一時に、また短時間で何かしたり事が成立したりするよう。

Point! 「**一気に**」は、人の行為だけでなく、自然界の動きや事態の変化などにも使える。「**一挙に**」は、一つの動作・行動でということから、一度の行動である結果を出す意が中心。「**一息に**」は、日常的な動作や行為についていうことが多い。「**一気呵成に**」は、勢いをつけて休まずにある事をなし遂げるようすに重点がある。

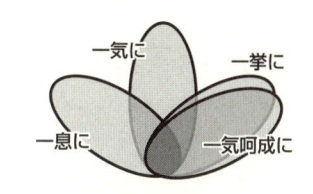

使い分け

表現例	一気に	一挙に	一息に	一気呵成に
A 論文を一書き上げる	○	○	○	○
B 急流が谷を一流れ下る	○			
C 水を一飲む	○		○	
D 一堅城を抜く	○	○		○
E 一評価が下がる	○	△		

1. Aの場合はどれも使えるが、「一気に」が最も一般的で、広く使える。
2. Bのように、自然界のことについていう場合は「一気に」が適当。他の語は人為的な事柄に使う。ただし、擬人化した表現としては「津波は一息に海辺の集落をのみこんだ」なども可能。
3. Cのように身近な事柄の場合、「一気呵成に」「一挙に」では大げさすぎて不自然。
4. Cとは逆に、Dのような大がかりな事柄、もしくは集団、多数で行うことの場合は「一挙に」「一気呵成に」が適当。「一息に」では時間的に短すぎる感じで不自然。「一気に」は規模の大小にかかわりなく使える。
5. Eのように抽象的な事柄の場合は「一気に」が適当。「一息に」「一気呵成」は人の動きや行為について使うので不自然。「一挙に」は元来の使い方からすれば違和感がある。

いっしょうけんめい hard

一生懸命・懸命・一心

基本の意味 心身の力を集中して何かをするようす。

Point! 「**一生懸命**」は、できるかぎりの力を出して事に当たるようす。三語の中では最も広く普通に用いられる。「**懸命**」もほぼ同じだが、より文章語的で、また、字義通りの「命を懸けて」のニュアンスが強く、せっぱ詰まった感じもある。「**一心**」は、他のことは耳目に入らずにある一つのことに気持ちを注いでいるようすで、気持ちをその一点に集中していることに重点がある。

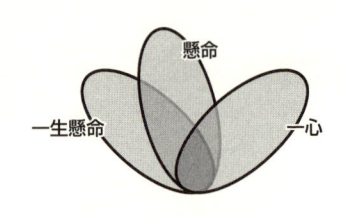

使い分け

表現例	一生懸命	懸命	一心
A　―英語の勉強をする	○	―に○	―に○
B　何をやるにも―な人	○		
C　―涙をこらえる	○	―に○	
D　―名画に見入る			―に○

1. Aの場合はそれぞれの意味合いで三語とも使える。
2. Bのように、客観的に性格などをいう場合は「一生懸命」が適当。「懸命」「一心」は、ある特定の場合のようすに使うのが普通。
3. Cのように、状況に必死さがうかがえる場合は、「懸命」が最も適当だが、「一生懸命」も使える。「一心」は、他のものには目もくれずという意味が強いので、Cには不自然。
4. Dのように、一つのことに心を集中させる意では「一心」を用いる。

類似の語

必死 何が何でもという気で全力で事に当たるようす。せっぱ詰まった感じがこもる。「必死に防戦する」「試験の前日、必死になって単語を覚える」

一心不乱 他のことは意識にないというまでに気持ちが集中しきった状態で何かをするようす。「締切間際、一心不乱に原稿を書き続けている」

夢中 それだけに心を奪われて、あとのことはほとんど目に入らない状態になっているようす。「夢中で逃げる」

いっぽう

一方・他方・片方・片一方

one

基本の意味 二つ、またはいくつもあるうちの一つ。

Point! 「一方」は、二つのうちの一つという意識で使われることも多いが、特に方向や立場などについていうときは、いくつもあるうちの一つという意でも使われる。「他方」は、具体的な方向というより、前に取り上げた事柄に対して別の事柄を示すときに使われ、「一方」に対する「他方」という意識が強い。「片方」「片一方」は二つのもの・方向に限って、その一つについていう。「片一方」は話し言葉的。

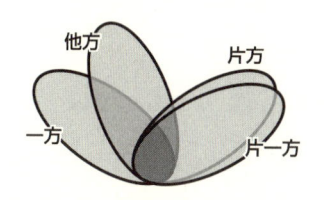

使い分け

表現例	一方	他方	片方	片一方
A　－の目が悪い	○	△	○	○
B　乱暴だが、－やさしい面もある	○	○		
C　手袋を－なくした			○	○
D　天の－をにらんで立つ	○			

1. Aのように、対になっているものの場合は「一方」「片方」「片一方」が使える。「他方」はその他のほうという意味だから、前に必ず「一方の目はよいが」などの表現が必要である。

2. Bのように、側面が二つとは限らない場合は、「片方」「片一方」は使えない。「一方」と「他方」はこの場合、ほとんど違いはない。「乱暴」を暗黙のうちに「一方」と見た場合は、「やさしい」が「他方」ということになり「他方」が使える。また、別の一面が「やさしい」だと考えれば「一方」を使うこともできる。

3. Cのような副詞的用法では、二つでひとそろいになるものの一つをいう場合は「片方」「片一方」しか使えない。「－の手袋をなくした」という形にすればAと同じになり「一方」も使える。

4. Dのように、いくつもある方向のうちのある一つの意では「一方」しか使えない。

いつも

always

いつも・常(つね)に・始終(しじゅう)・しょっちゅう

基本の意味 時や場面にかかわりなく、ある事が継続したり繰り返されたりするようす。

Point! 「**いつも**」「**常に**」は、ある状態の継続性に注目した言い方。「**しょっちゅう**」は、ある事がたびたび繰り返される点に注目した言い方。「**始終**」は、頻繁に繰り返されることをその連続性に注目してとらえた言い方。

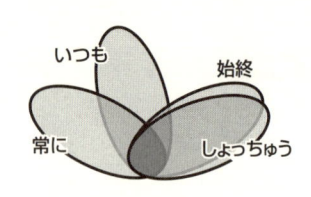

使い分け

表現例	いつも	常に	始終	しょっちゅう
A 車の騒音に—悩まされている	○	○	○	○
B この川の水は—冷たい	○	○		
C 年末になると—慌ただしい	○			
D 三角形の内角の和は—二直角だ		○		
E 体が弱くて学校を—欠席する			○	○

1. Aでは四語とも使えるが、悩まされない時がないという感じが最も強いのは「常に」。「しょっちゅう」は悩まされない時もあるが、たびたび悩まされるといった状態。「いつも」「始終」は「常に」と「しょっちゅう」の中間で、「いつも」は「常に」に近く、「始終」は「しょっちゅう」に近い。
2. Bのように、変化のない継続的な状態をいう場合、「始終」「しょっちゅう」は使いにくい。
3. Cのように、ある条件を付けている場合は「いつも」以外は不自然。
4. Dのように、一定して変わらない真理をいう場合は「常に」以外は不自然。
5. Eのようにたびたび休むという場合は「しょっちゅう」が最も自然。「始終」も使える。「いつも」「常に」では全く行かない感じになってしまう。

類似の語

絶(た)えず ある動作・作用が絶えることなく続いているようす。

終始(しゅうし) 初めから終わりまで同じ態度・状態を続けるようす。「終始優勢に試合を運ぶ」

いと

intention

意図・意向・つもり

基本の意味 こうしようとする気持ち、考え。

Point! 「意図」は、あることを実現・実行しようと考えること、また、その考え。「意向」は、物事をどうするか、どうしたいかについての大まかな考え・方向性。「つもり」は、こうしようとする気持ち。ちょっとした行動から何らかの目的をもった企図に至るまで幅広く使える。 ➡ 「い(意)」

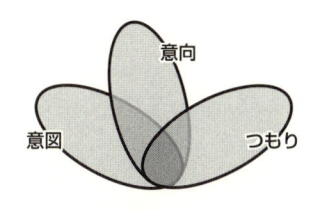

使い分け

表現例	意図	意向	つもり
A そういう―とは知らなかった	○	○	○
B 早期解決の―をもつ	○	○	
C 週末は家で過ごす―だ			○
D 敵の―をくじく	○		
E 住民の―をくむ		○	

1. Aでは三語とも使えるが、「意図」では積極的な目的意識性が感じられ、「ねらい」というのに近い意味になる。
2. Bでは「意図」「意向」が使えるが、「意図」のほうが具体的な計画・方策が用意されている感じが強い。「―をもつ」という表現に「つもり」は使えないが、「早期に解決する―である」という形にすれば「つもり」も使える。なお、「早期解決を―する」のようなサ変の用法には「意図」しか使えない。
3. Cのような日常生活でのちょっとした行動の選択に関しては「つもり」が適当。「意向」も他人の意思に関してなら、「今度の週末は家で過ごす意向のようだ」などと使えなくはない。目的意識的な「意図」は不自然。
4. Dのようにある目的をもった考えそのものをいう場合は「意図」が適当。
5. Eのように、望んでいるだいたいの方向をいう場合は「意向」が適当。

類似の語

思惑 心の中で考えている事柄。「意図」の類義語としては、物事の動きについてひそかに抱く期待やねらいの意で使われる。「商売上の思惑が働く」

いどう

movement, shift

移動・移転・移行

基本の意味 他に移る、また、移すこと。

Point! 「**移動**」は具体的な物や人の位置についていうことが多く、「**移転**」は建造物・施設・住居などの設置場所についていうことが多い。また、「**移動**」が他の場所・位置に移る動きそのものをいう場合もあるのに対し、「**移転**」では結果に重点が置かれ、他の場所に移ってそこに落ち着くことをいう。「**移行**」は主に、制度・組織など抽象的な物事についてその内容・状態の変化をいう。

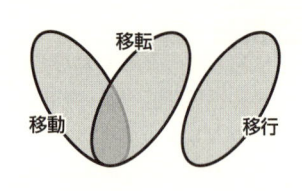

使い分け

表現例	移動	移転	移行
A 銅像を―する	○	○	
B 来月、社屋を―する予定です		○	
C 応接セットを―する	○		
D 封建制から資本主義への―			○

1. Aの例では「移動」「移転」とも使えるが、「移動」は、修復などのために短期間他の場所に移す、という場合にも使える。「移転」は、他の場所に移して固定する意。「移行」は、具体的な物についてはほとんど使われない。

2. Bのような「引っ越し」の意では、「移転」を使う。「移動」だと、社屋の建物自体を動かす、という感じになり不自然。なお、個人の引っ越しでは「移転」よりは「転居」が普通。

3. Cのような比較的容易に移せる、建造物以外の物についていう場合は、「移動」以外は使えない。

4. Dのような抽象的な物事についていう場合は「移行」を使う。「移転」は、法律・経済などの専門用語(「移転登記」「移転支払」など)として以外、抽象的な物事については使われない。

いま

now, present

今・現在・ただいま・目下

基本の意味 現にこうしているこの時。

Point! 四語とも過去でも未来でもないこの時を、ある時間的な幅の範囲内で表すが、「今」「現在」ではその時間的な幅を限定的にも、ある程度広くもとらえうるのに対して、「ただいま」「目下」では当面するこの時という限定的な意が強くなる。「今」「ただいま」は、すぐ後または前の時を示す副詞用法ももつ。

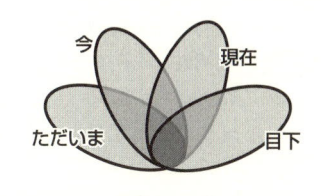

使い分け

表現例	今	現在	ただいま	目下
A ―当社の扱っております品は…	○	○	○	○
B ―参ります。そのままお待ちください	○		○	
C ―出かけたところだ	○			
D ―どこにお住まいですか	○	○	○	
E 被災者の救済が―の急務である		○		○
F 二年前から―に至るまで何の連絡もない	○	○		

1. 四語とも副詞的にも用いられ、Aの場合はどれも使えるが、「目下」では、近い未来に状態が変化するかもしれないという含みが感じられる。
2. Bのような近接の未来、Cのような近接の過去を表す用法は「現在」「目下」にないので使えない。「今」はこの二つの用法をもつのでB・Cともに使える。「ただいま」にもこの用法があるが、「今」より改まった表現であるため、Bでは自然だが、Cのように丁寧語を含まない言い方には使いにくい。
3. 「目下」は文章語的な硬い感じを伴い、Dのような会話には使いにくい。
4. Eのような硬い表現の場合は「目下」「現在」が使えるが、「現在」には差し迫った感じがないので、「目下」のほうがより適している。
5. Fのように過去の時点に対していう場合は、「今」「現在」が使われる。

類似の語

現今 近い過去を含めた現在。多く、時代の状況・趨勢・風潮などについていう場合に使われ、副詞的にも用いる。「この方式は現今あまり見ない」

いまに   before long, sooner or later

今に・そのうち・いずれ・遅(おそ)かれ早(はや)かれ

基本の意味 遠くない将来に、ある事態が生じたり、何かが行われたりするようす。

Point! 「今に」「そのうち」は時間の幅が広く、何時間後、何日後、何か月後、何年後という程度のいずれにも使う。「いずれ」は、そう遠くない将来という漠然とした感じで使われ、「遅かれ早かれ」は、どうせそうなるという、あまり好ましくない状態の予想にいう。

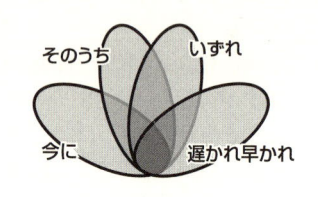

使い分け

表現例	今に	そのうち	いずれ	遅かれ早かれ
A　あれでは一店はつぶれるだろう	○	○	○	○
B　そんなに高く積むと一崩れるぞ	○			
C　では一お電話します		○	○	
D　一人は死ぬものだ			○	○
E　一きっと成功してみせる	○	△	△	

1. Aの場合は、それぞれの意味合いで四語とも使える。
2. Bのように、今すぐにでも、何秒後、何分後というようなごく近い将来についていう場合は「今に」が適当。「そのうち」以下の三語では、のんびりしすぎる感じで不自然さがある。
3. Cのように、話者の意志を相手に示す言い方の場合は、「今に」「遅かれ早かれ」は不適当。「そのうち」「いずれ」は使えるが、いつとははっきりせず、かなり漠然とした言い方になる。
4. Dのように、早い遅いの差はあっても結局はそうなるに決まっているという場合は「いずれ」「遅かれ早かれ」が使われる。
5. Eのように、強い決意を表す場合は「今に」が最適。「そのうち」「いずれ」も使えなくはないが、決意を述べるのには弱い感じで、やや不自然。

類似の語

いつか　未来または過去の、いつと限定できない、ある時。「いつか成功する」
早晩(そうばん)　早い遅いの違いはあってもいずれそうなるようす。

いらい

since, after

以来・このかた・爾来・以後

基本の意味 ある事があって、また、ある時点になってから先。

Point! 「以来」「このかた」「爾来」の三語は、過去の一時点から現在に至るまでの過去を表すという点で共通するが、「以後」は広く時間的にそれよりあとを表し、過去から現在までと限らずに使われる。「このかた」は、過去にあった事柄や過去の時点、また現在までの時間などを表す語句に続けて用いる。 ➡「あと」

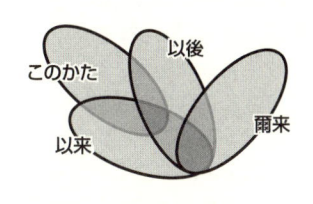

使い分け

表現例	以来	このかた	爾来	以後
A 一今日まで苦難の日々だった	○		○	○
B 九月一一日も休んでいない	○	○		○
C 明日一の予定				○
D 気象台始まって一の暑さ	○			
E 十年一彼とは会っていない		○		

1. Aのような独立した副詞的用法の場合、「このかた」は使えない。他の三語は使えるが、「爾来」を使えばかなり硬い表現になる。

2. Bのように名詞に直接付く場合は、「爾来」は使えない。他の三語は使えるが、「このかた」はやや古めかしい感じになる。なお、「このかた」では、「九月より(から)このかた、一日も休んでいない」というように「…より(から)このかた」という使い方も可能。

3. Cのように、現在より先のことについては「以後」しか使えない。

4. Dのように、そのことがあってから今までで最も度合いのはなはだしいという意をこめる場合は、「以来」を使う。「気象台始まって一最もはなはだしい暑さ」のようにはっきり表現すれば「このかた」も使えるが、「以後」は特に現在までという限定がない語なので、不自然な感じである。

5. Eのように、過去から現在までの期間を表す語に付けて使えるのは「このかた」だけである。「以来」でなく「来」とすれば、「十年来」というように使って同様の意味を表すことができる。

いりみだれる

be complicated

入り乱れる・入り組む・込み入る・錯綜する

基本の意味 何かが複雑に交じり合う。

Point! 「**入り乱れる**」は、人間の行動や人為的な物事について、それらがさまざまに秩序なく動くことをいい、動作性が強い。「**入り組む**」「**込み入る**」は物事の成り立ちや仕組みについてそれが複雑であることをいい、状態性が強い。この二語は、「**入り組む**」が仕組みそのものの複雑さに注目していうのに対し、「**込み入る**」は構成要素の数の多いことによる複雑さに注目していう点に差がある。「**錯綜する**」は動作性と状態性と両方の性質をもつ。

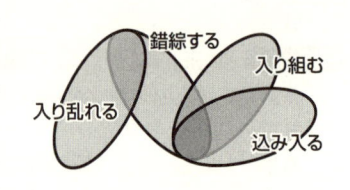

使い分け

表現例	入り乱れる	入り組む	込み入る	錯綜する
A 敵味方—て戦う	—れ○			
B 事情が—て（で）いる		—ん○	—っ○	—し○
C さまざまな情報が—	○			○
D いろいろ—た（だ）訳がある		—ん○	—っ○	
E —だ迷路		—ん○		

1. Aのように動きを伴う場合は、「入り乱れる」が適当。
2. Bのように複雑になった状態を表す場合は、「入り乱れる」は使えない。
3. Cのように、四方から集まってきて入り交じる場合は、動きが感じられるので「入り乱れる」「錯綜する」を使う。
4. DはBと類似の状態を表しているので「入り乱れる」は使えない。また、「錯綜する」は硬い文章語なので使いにくい。
5. Eのように、迷路は複雑だが、解きほぐせば一本の線になるといった含みのもの、すなわち仕組みそのもののあり方を問題にするときは「入り組む」が適当。

類似の語

交錯する 性質・内容の異なるものが交わって、複雑な状態を呈する。「さまざまな光とにおいが交錯する街角」「期待と不安が交錯する」

いんき

gloomy

陰気・陰鬱・沈鬱・憂鬱・鬱陶しい

基本の意味 晴れ晴れとしないようす。

Point! 「陰気」「陰鬱」「沈鬱」は、雰囲気・表情・気分などが暗く沈んでいるようすを表す点で共通し、中では**「沈鬱」**が対象の様態を外から見ていう感じが最も強い。**「憂鬱」**は、主に本人の気分についていう。**「鬱陶しい」**は物事がわずらわしく感じられたり、気が滅入ったりするようすで、対象から受ける主体の感じを表す。

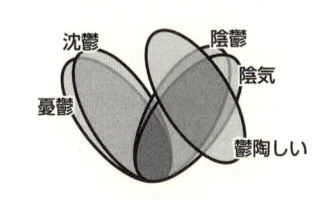

使い分け

表現例	陰気	陰鬱	沈鬱	憂鬱	鬱陶しい
A　―顔をしている	―な○	―な○	―な○	―な△	
B　木に覆われて家の中が―	―だ○	―だ○			○
C　―性格で敬遠される	―な○	―な△			△
D　目の上の包帯が―					○

1. Aでは様態を客観的に表す「陰気」「陰鬱」「沈鬱」がふさわしい。「憂鬱」は他から見ていう場合は「憂鬱そうな顔」とするほうが自然。「鬱陶しい」は意味的に不自然だが、これも「鬱陶しそうな顔」とすれば使える。

2. Bの場合、「陰気」「陰鬱」は物理的に暗い感じを表すが、前者はより客観的な言い方で、後者では主観的な要素がこもる。「鬱陶しい」は、邪魔なもののためにすっきりしない感じを表す。「憂鬱」は主体の気分の反映としてなら物事の形容にも使えるが、この場合は不自然。「沈鬱」は他の語より深刻な状況に使われ、Bのような日常的な事柄にはそぐわない。

3. Cのように性格や気質についていう場合は「陰気」が自然。「陰鬱」も使えるが、やや大げさ。また、執念深いとか嫉妬深いといったまとわりついてくる感じを表すのに「鬱陶しい性格」ということはある。

4. Dのように、うるさく、わずらわしいという場合は「鬱陶しい」を使う。

類似の語

鬱々 気が滅入って心が晴れないようす。「―と」「―たる」の形で使う。硬い文章語。「鬱々として楽しまない」

うきうき

cheerful

うきうき・わくわく・ほくほく・そわそわ

基本の意味 期待やうれしさなどのために気持ちが浮き立つようす。

Point! 「**うきうき**」は、うれしさや楽しさなどで心がはずんでいるようす。「**わくわく**」は、これから起こることへの期待で心がはずむようす。「**ほくほく**」は、満足してうれしさを隠しきれないようす。「**そわそわ**」は、これから起こることを思って心が落ち着かず態度に現れてしまうようすで、よいことについていうとは限らない。

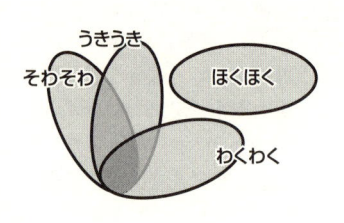

使い分け

表現例		うきうき	わくわく	ほくほく	そわそわ
A	久しぶりの旅行を前に―する	○	○		○
B	大金を手にして彼は―だ			○	
C	なぜか母は朝から―していた	○			○
D	想像しただけで胸が―する		○		
E	合否が気になって―する				○

1. Aではそれぞれの意味合いで「うきうき」「わくわく」「そわそわ」が使える。「うきうき」と「そわそわ」は、心の状態が態度に現れているようす、「わくわく」は内面のようすを表す。「ほくほく」は、これから起こることへの期待感には使えない。

2. Bのように、すでに起こったこと、しかも金銭などを手に入れて喜ぶような場合は「ほくほく」が最適。「―だ」の形だと「うきうき」は使いにくいが、「―している」の形なら使える。

3. Cのように、気持ちが態度に出る場合は「うきうき」「そわそわ」が適当。

4. Dのように、「胸が」とある場合は、内面的状態をいう「わくわく」が適当。「わくわく」は将来起こることへの期待の感じが強く、その点でも適する。

5. Eのように、楽しいことやよいこと以外については「そわそわ」を用いる。

類似の語

ぞくぞく 期待や喜びのために、じっとしていても心身が興奮してくるようす。「どんな熱戦が展開されるか、今からぞくぞくしている」

うく float

浮く・浮かぶ・浮き上がる・浮かび上がる

基本の意味 ものが底や地面から離れ、水面・空中などに現れる。

Point! 「浮く」は、ものが浮力などの作用で底や地面から離れ上へ移動する意、また、沈まない状態になる意。「浮かぶ」は、ものが水面や空中に存在することを視覚的にとらえている意が強い。「浮き上がる」「浮かび上がる」は、それぞれ「上がる」によって、上方への動きや表面への出現に重点が置かれる。

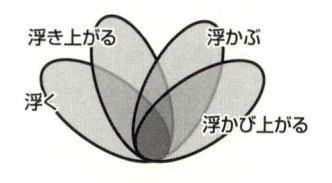

使い分け

表現例	浮く	浮かぶ	浮き上がる	浮かび上がる
A 船が水面に—	○	○	○	○
B 容疑者が—		○		○
C 路盤が崩れて線路が—	○		○	
D 月光に男の姿が—		○	○	○
E どん底の生活から—				○

1. Aでは四語とも使える。「浮く」では、船が進水または浮上して水面に支えられていることを表す。「浮かぶ」では水面に船があることを風景としてとらえる感じが強い。「浮き上がる」「浮かび上がる」は水面に浮上する意だが、「浮かび上がる」では水面に現れるようすを視覚的にとらえた感じになる。
2. Bのように、隠れていたものが現れる意では「浮かぶ」「浮かび上がる」を使い、他の二語は不適当。
3. Cのような、ものが基礎・基盤から離れて不安定になる意には「浮く」「浮き上がる」を使う。「国民から—た政治家」のように、集団の中で他の人々との結び付きが弱くなる意の場合も「浮く」「浮き上がる」が使われる。
4. Dのような表面に現れてはっきりする意では「浮く」以外の語を使う。
5. Eのように、苦しい状態から抜け出て普通の状態になる意の場合は「浮かび上がる」が適切。「浮き上がる」も、「人並みの状態へと」のように目標を示す語句を補えば使えるが、このままでは不自然。

うけあう　assure, undertake

請け合う・引き受ける・保証する・保障する

基本の意味　責任を持って相手に言質や承知の返事などを与える。

Point!　「請け合う」は、確実であると言い切る意と、自分が受け持つことを承知する意をもつ。「引き受ける」は「請け合う」の後者の意と重なるが、この意では「請け合う」より口頭語的で、広く一般的に使われる。「保証する」は、物事や人物について確かで間違いがないものと責任を持って言明する意。「保障する」は、相手の安全・立場・権利などを責任を持って守る意。

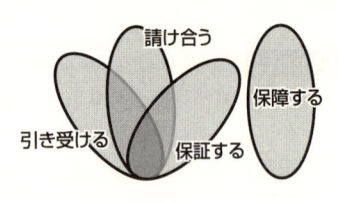

使い分け

表現例	請け合う	引き受ける	保証する	保障する
A　大きな工事を—	○	○		
B　身元は私が—	○	○	○	
C　品質は—ます	—い○		—し○	
D　将来が—れている			—さ○	
E　言論の自由を—				○

1. Aのように、自分が受け持つことを承知する意の場合は「請け合う」「引き受ける」を使い、「保証する」「保障する」は使えない。「請け合う」は、例文のように代価を得て仕事として行う場合に使われることが多い。
2. Bのように、人物について確かだとする意では「保障する」以外の三語が使える。「引き受ける」は、引き受けたことで主体が何らかのことをしなければならない場合に使うのが普通だが、身元・人物などを対象にするときには「保証する」と同じように使う。しかし、この場合でも対象への何らかの行動（引き取る、世話をするなど）が感じ取れる。
3. Cのように、確かだ、大丈夫だと責任を持って言い切る意の場合は、「請け合う」「保証する」を使う。
4. Dのように、将来の結果についてまちがいない、確かだとするのは「保証する」、Eのように権利・立場などを保護し守るのは「保障する」を使う。

うしろ　　　　　　　　　　　　　　　　　back, rear

後ろ・後方・背後・バック・あと

[基本の意味] 空間的に、正面や進行方向と反対のほう・位置。

Point! 「**後ろ**」が最も一般的な言い方。「**後方**」は後ろのほう、「**背後**」は後ろの位置、「**バック**」は後ろ側の意を基本として、それぞれ派生的な意味をもつ。「**あと**」は、前方への進行を前提として進行方向と反対の方向をいい、使える文脈は「**後ろ**」に比べて限られる。➡「あと」

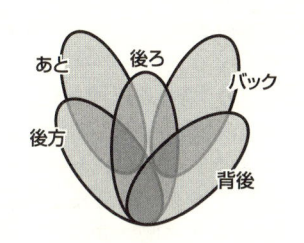

[使い分け]

表現例	後ろ	後方	背後	バック	あと
A ―から切りつける	○	○	○		
B 一歩―にさがる	○	○			○
C ―の勤務に転ずる		○			
D 彼は―に大物が付いている	○		○	○	
E ―の電車に乗る	○	△			○

1. Aのような正面と反対の方向・位置の意では、「後ろ」「後方」「背後」が使える。「バック」は近代的なスポーツのような場合でないと使いにくい。

2. Bのように、主体そのものが後ろに移動する場合は「背後」は使えない。「バック」は「一歩バックする」とすれば使える。

3. Cのように、「後方」は後ろのほうの意から、第一線のものでない二義的な場所・立場の意でも使われる。この意は他の四語では置き換えられない。

4. Dの場合は、後ろでその者を支える存在の意で「バック」が使えるほか、裏側の見えない部分の意で「背後」「後ろ」も使える。「後ろ」「背後」は「―でだれかが糸を引いている」のようにも使われる。

5. Eでは「後ろ」「あと」ともに使えるが、この場合、「後ろ」では何台か連結している終わりのほうの車両という意になるのに対し、「あと」では次に来る電車という意で、空間的な後ろでなく順番を指しているととるのが自然。「後方」は使えなくはないが、その電車が見えていないと不自然である。

うすれる　fade

薄れる・薄らぐ・薄まる

基本の意味 濃度、また、ある要素の密度が低くなる。

Point! 「薄れる」「薄らぐ」は、霧・煙・色などの濃さや、感情・意識など心の働きに関して使われる点で共通するが、関係・影響など抽象的な事柄の強度・密度に関しては**「薄れる」**、寒さ・痛みなど体が受け止めるものについては**「薄らぐ」**を使うという使い分けもある。**「薄まる」**は他の物が加わって薄くなることにいい、多く液体の濃度や味の濃さについていう。

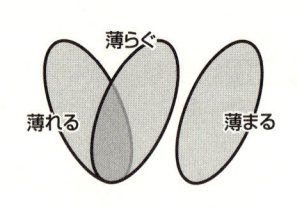

使い分け

表現例	薄れる	薄らぐ	薄まる
A　霧（雲・煙・光）が—	○	○	
B　悲しみ（愛情・関心）が—	○	○	
C　水を加えると濃さが—			○
D　暑さ（痛み・病状）が—		○	
E　関係（性格・影響）が—	○		

1. Aのような、目に見える具体的な事象については「薄れる」「薄らぐ」が使われるが、明治時代は「薄らぐ」のほうが圧倒的に多く、現在では「薄れる」のほうが多用される。
2. Bのような心の働きに関する場合も**1**と同様、「薄れる」「薄らぐ」が使われる。現在では「薄れる」がやや優勢。
3. Cのように、液体に関する濃度が薄くなる意には「薄まる」がふさわしく、他の二語は使えない。
4. Dのように、体で感じるものについていう場合は「薄らぐ」が使われる。
5. Eのように、そのものがもっているある要素や働きの度合いについていう場合は、「薄れる」が使われる。

類似の語

薄める　色や味の濃さ、液体の濃度などを低くする。抽象的な物事の色合いについても使われる。「塗料をシンナーで薄める」「保守的な印象を薄める」

うたがい

doubt

疑い・疑問・疑惑・不審

[基本の意味] 疑わしい点があると思うこと、また、その気持ち。

Point! 「**疑い**」は言われていることは事実と違うのではないかと思うことに、「**疑問**」は可否・正否について疑わしく思うことに、「**疑惑**」は悪事・不正など何か隠していることがあるのではないかと思うことに、「**不審**」はなぜそうなのか納得がいかないことに、それぞれ意味の中心がある。「**不審**」はまた、まともでなく何かしら悪事と関係がありそうなようすにもいう。 ➡「あやしい」

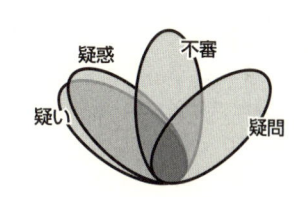

使い分け

表現例	疑い	疑問	疑惑	不審
A 彼の行動に―を抱く	○	○	○	○
B 成功するかどうか―である		○		
C 収賄の―で追及される	○		○	
D ―の目で見る	○		○	○
E なぜそうなのかと―に思う		○		○

1. Aのように「…に―を抱く」の形で表す場合は四語とも使える。「疑惑」「不審」では、行動に好ましくない、怪しい点があるという感じが強い。
2. Bのように、うまくいく、いかないについていう場合は「疑惑」「不審」は使えない。また、「疑い」はBのような形で述語となる場合は使えない。
3. Cのように、好ましくない内容を示す語を「…の」の形で上にのせた表現では「疑い」「疑惑」が使われる。「公金を横領した―」など「…した」の形も同様。
4. Dのように、何かよくないことを想像して見る意では「疑問」は使えない。
5. Eのように、理由がよくわからない、確信できないという気持ちを表す場合は「疑問」「不審」が適当。

類似の語

疑念 本当かどうかと疑う心。「疑念を抱く」「疑念を晴らす」
疑義 疑問に思う事柄、また疑問に思う気持ち。「疑義をただす」「疑義をもつ」

うち

inside, inner

内・中・内側・内部

基本の意味 ある範囲に含まれる部分。

Point! 「うち」は、ある空間・時間・集合として示された範囲に含まれる部分。「なか」は、ある物・状態の「うち」に入り込んだ所という意識で使われ、ある状態下にあることにもいう。「内側」は、仕切りで隔てられた空間・物の「うち」のほう。「内部」は、ある組織体の「うち」の部分。

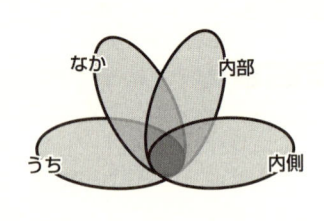

使い分け

表現例		うち	なか	内側	内部
A	部屋の―を見回す	○	○	○	○
B	ここにある本の―でどれが好き？	○	○		
C	三日の―に仕上げる	○			
D	雨の―を歩く		○		
E	会社の―の者のしわざ		○		○
F	白線の―に下がる			○	

1. Aでは四語とも使えるが、「内側」は部屋の壁などの面という感じが強い。
2. Bのようにある条件の範囲内をいう場合は「うち」「なか」しか使えない。「うち」は「で」を伴わなくても使えるが、「なか」は必ず「で」を伴う。
3. Cのように、ある時間の範囲内をいう場合は「うち」しか使えない。
4. Dのように境界線のはっきりしない「雨」などの場合、常に「そと」と対立する「うち」は使いにくい。ある状態下（ここでは雨が降っている状態）にある意では「なか」が適当。
5. Eのように、ある組織に属する範囲をいう場合は「内部」が最適だが、「なか」を使うこともある。
6. 「内部」は位置の意識が強く、「内側」は方向の意識が強い。したがってEでは「内部」、Fでは「内側」を使うのが適当である。Fのように、境界が一本の直線でしかない場合は「うち」も「なか」も使いにくい。

類似の語

内面 内側の面。また、人の心の中。「箱の内面に色を塗る」「内面描写」

うつ

strike, hit

打つ・ぶつ・殴る・たたく

基本の意味 手や手に持ったものを何かに強く当てる。

Point! 「打つ」は、打撃の方向・強弱・対象などに関する特徴は希薄で、広く使われる。「ぶつ」「殴る」は人や動物に対してする場合に限られ、特に手段を明示しない場合は、手によることが多い。手の場合、「ぶつ」は平手でもこぶしでもよく、ごく軽い打撃にもいうが、「殴る」は、こぶしによる力を込めた動作にいう。「たたく」は、打撃の強度には特に限定がなく、反復的な動作を意味することも多い。

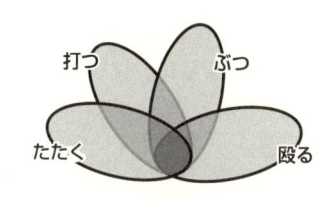

使い分け

表現例	打つ	ぶつ	殴る	たたく
A 強く頭を—	○	○	○	○
B 太鼓を—	○			○
C 転んで腰を—	○			
D 母親にお尻を—れる	—た△	—た○		—か○
E 母さん、肩を—ましょう				—き○
F 今度会ったら—てやる			—っ○	

1. Aではそれぞれの意味合いで四語とも使えるが、「打つ」では手などで頭を打撃する意味より、倒れたりして何かに頭を当てる意味のほうが強い。
2. Bのように相手が人や動物でない場合は「殴る」「ぶつ」は使えない。
3. Cのように倒れたりして体を何かにぶつける意では「打つ」を使う。
4. Dのように母親が子をしかってする場合、「殴る」ではひどすぎる。「打つ」は客観的な表現で、動作をする人の意志が感じられにくく、やや不自然。
5. Eのように、繰り返し軽く打撃する場合は「たたく」だけが適当。
6. Fのように、憎んで相手に打撃を与えようとする場合は「殴る」が適当。

類似の語

はたく たたいて粉状のものを払い出す。また、平たいもので打つ。「埃をはたく」「財布の底をはたく」「頬をぴしゃっとはたかれる」

張る 平手で横ざまに打つ。「口答えをしたら親父に頬を張られた」

うつくしい   beautiful

美しい・麗しい・奇麗

基本の意味 整っていて、目・耳や心に快く感じられるようす。

Point! 「**美しい**」は、かなり主観的な要素をもつ語で、ただ整っているだけでなく、感動を呼び起こすような精神的な快さについていう。「**奇麗**」は最も日常的な語で、「**美しい**」ほどの主観的な審美性はない。「**麗しい**」はやや古風な言い方で、現代では心のあり方、心に訴える情景など、使われる対象は限られる。 ➡「きよい」

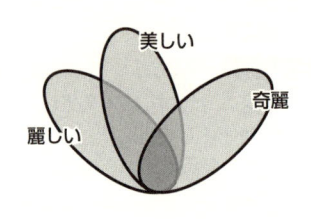

使い分け

表現例	美しい	麗しい	奇麗
A ―花々が咲き乱れる	○	△	―な○
B ―友情	○	○	
C ―歯を磨きましょう			―に○
D ご機嫌―いらっしゃる		―く○	

1. Aの場合、「美しい」「奇麗」は普通に使えるが、「麗しい」は「見目麗しい」のような決まりきった使い方のほかは、心にしっとりと訴える物事について使うことが多く、そうした前提のないAの例ではやや不自然である。

2. Bのような「感動的な友情」という意の場合は、「奇麗」は使えない。人間関係について「奇麗」を使うときは、「奇麗な関係〔=利害や金銭のしがらみのない、または肉体の交わりがない関係〕」の意がほとんどである。

3. Cのように、「清潔である」「完全である」という意の場合は「奇麗」以外は使えない。

4. Dの「ご機嫌麗しい」は、機嫌よく晴れやかなようすをいうやや古風な言い方で、「麗しい」しか使えない。

類似の語

優美 上品で美しいようす。なだらか、伸びやかな感じを含む。「優美な舞」

あでやか 女性の容姿・態度が、上品で美しいようす。また、華やかでなまめかしいようす。「あでやかな笑顔」「あでやかに着飾る」

秀麗 くっきりと整っていて美しいようす。「秀麗な富士の姿」「眉目秀麗」

うでまえ　ability, skill

腕前・腕・手並み・手際

基本の意味 物事をやりこなす技能。

Point! 「腕前」「腕」はいずれもその人が身に付けた技能をいうが、「腕前」は示しうる技能の程度を問う文脈で使われることが多い。「手並み」は並以上の技能という含みがあり、また、それが実際に示された状態をとらえている面が強い。「手際」は物事を処理する仕方や能率に注目した言い方。

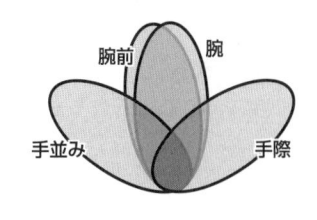

使い分け

表現例	腕前	腕	手並み	手際
A 料理の—を見せてもらう	○	○	○	○
B —のいい大工	○	○		○
C ゴルフの—が上がる	○	○		
D 彼のギターの—は大したものだ	○	○	○	
E —よく事を運ぶ				○

1. Aの場合はそれぞれの意味合いで四語とも使える。
2. Bでは「手並み」以外の三語が使える。職業上の技能をいう場合「腕」が最適だが、示された技能の程度という意では「腕前」も使える。「手際」では仕事の手順や能率に関していう感じが強い。「手並み」は、「ある程度以上の」という評価を含むため「いい」「悪い」とは結び付きにくく、不適。
3. Cのように技能の上がり下がりを問題にする場合、「手並み」「手際」は使えない。
4. 「手際」は物事の処理能力をいうことが多く、Dには不適。また、Eのように物事を処理する方法や能率の意が強い場合は「手際」以外は不適。
5. 「腕」「腕前」は置き換え可能なことが多いが、「腕」は「—の見せどころ」「—に覚えがある」などの慣用表現では「腕前」に置き換えられない。

類似の語

手腕 困難な問題を巧みに処理し、さらに推し進めてゆくすぐれた実行能力。「政治的手腕を発揮する」「経営の手腕を買われる」「手腕家」

才能 ある物事を行うのに適した頭の働きや能力。「音楽の才能を伸ばす」

うばう deprive

奪う・ふんだくる・巻き上げる・取り上げる

基本の意味 相手の所有物などを無理やり取る。

Point! 「奪う」は、相手の所有物などを無理やりに取り去る意。「ふんだくる」は、相手のものを乱暴にまたは無法に取る意で、俗な表現。「巻き上げる」は、だましたり脅したりして取る意。「取り上げる」は、主に自分より立場が下の相手から取る意。

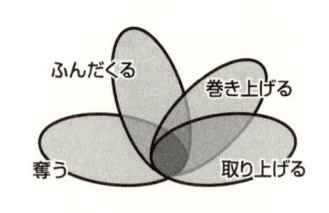

使い分け

表現例	奪う	ふんだくる	巻き上げる	取り上げる
A かばんを―れた（られた）	―わ○	―ら○	―げ○	―げ○
B 少し飲んだだけで五万円も―れた		―ら○		
C だまして妹のお菓子を―た			―げ○	―げ○
D 父に漫画を―られた				―げ○
E その景色に心を―れた	―わ○			

1. Aではそれぞれの意味合いで四語とも使える。
2. Bのように法外な金銭を支払わせる意では、「ふんだくる」が使われる。
3. Cのように、うまいことを言って取ってしまう意の場合は、その意を含む「巻き上げる」が使えるが、「妹の」とあるので「取り上げる」も使える。
4. Dのように、目上の者がその立場に基づいて下位の者から取る意では「取り上げる」を使う。
5. Eのように心などを強くひきつける意では「奪う」が使われる。「奪う」は「一挙に六点を奪う」のように相手から得点を挙げる意などにも広く使う。

類似の語

ひったくる 人が持っているものをつかみ取って奪う。「かばんをひったくる」

奪取する 相手が持っているものや確保しているものを、力ずくで奪いとる。「敵陣を奪取する」「首位を奪取する」

剥奪する 外面を覆うもの、また、権利・資格などを無理やり取り上げる。「市民権を剥奪する」

うまる

be buried

うまる・うずまる・うずもれる・うもれる

基本の意味 物の中に入ったり上を覆われたりして、外から見えなくなる。

Point! 「**うまる**」は、物が穴やへこみの中に入って上をふさがれた状態になる意、また、穴やへこみが何かで満たされる意が基本。それに対して「**うずまる**」は物や場所の全体が細かいものにすっかり覆われる意が基本だが、両語は重なるところも多い。「**うずもれる**」「**うもれる**」は、覆われたりその中に入り込んだりして存在がわからなくなった状態に重点がある。

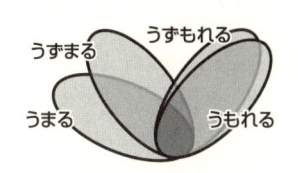

使い分け

表現例	うまる	うずまる	うずもれる	うもれる
A 田も池も雪に—	○	○	○	○
B 土砂で池が—て平地になる	—っ○	—っ○		
C 会場は聴衆で—ている	—っ○	—っ○		
D 不足分が—ない	—ら○			
E 市井に—ている人材			—れ○	—れ○

1. Aでは四語とも使えるが、Aのようにある物や場所がすっかり覆われるという意では、「うずまる」「うずもれる」が本来の言い方。
2. Bのように、くぼみなどに物がいっぱいに詰まる状態をいうときは「うまる」が最適だが、「うずまる」も使える。
3. Cのような、人や物である所がいっぱいになる意では「うずまる」が最適だが、「うまる」も使われる。
4. Dのように、不足分が補われるの意では「うまる」しか使えない。
5. Eのような、能力や価値などが人に知られない状態にあるという意には「うずもれる」「うもれる」しか使えない。

うまれ   birth

生まれ・出身・出

基本の意味 その人の生まれた所、育った所、経歴など。

Point! 「**生まれ**」は生まれた場所・時・家柄・環境など、「**出身**」は生まれ育った土地・環境や、出た学校、また経歴などをいう。「**出**」は「**出身**」とほぼ同じだが、家柄といった意で価値判断を伴って使われることもある。

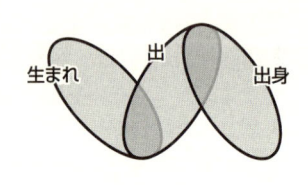

使い分け

表現例	生まれ	出身	出
A　―も育ちも柴又です	○		
B　財務官僚―の重役		○	○
C　大学―高校―を区別しない			○
D　―がよいから出世も早い	○		○

1. 「生まれ」には「育ち」(育った所)の意味がないので、Aのように「育ち」を切り離した表現にぴったり合う。「出身」「出」は出生地のみでなく、育った所という含みももつのでぴったりしない。

2. Bのように経歴・前歴など、かつての身分・役職をいう場合は当然「生まれ」は使えない。

3. Cのように、卒業した学校については、「出身」「出」の両方が使えるが、「出身」は、固有名詞、または学校種別(工業高校・私立大学など)が示されていないと使いにくい。したがって「中学出身」「高校出身」という言い方はされない。

4. 「生まれ」「出」には、その人の家柄、親の身分の意があるが、「出身」自体にはその意は薄く、Dには使いにくい。しかし「貴族の出身」「公家の出身」のような言い方はする。

類似の語

出自 その人の生まれ出た家系。「出自を明らかにする」
身元 氏名・居住地・職業・経歴など、その人に関するもろもろの事柄をひっくるめていう語。「被害者の身元を洗う」

うるさい

noisy

うるさい・やかましい・騒がしい・騒々しい

基本の意味 音や声が耳につくようす。

Point! 「うるさい」は、音や人声などがしつこく感覚を刺激することへの主観的な不快感を表し、客観的な音量の大小にかかわらず使われる。「やかましい」も音や人声への不快感を表すが、「うるさい」に比べ、音や声の大きさを客観的にとらえていう感じが強い。「騒がしい」「騒々しい」は上の二語より客観性が強く、対象の様態の表現に重点が置かれ、音だけでなく落ち着きのない動きを伴っている意も含んでいる。

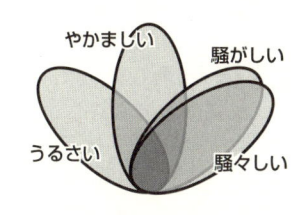

使い分け

表現例		うるさい	やかましい	騒がしい	騒々しい
A	一物音	○	○	○	○
B	時間に人	○	○		
C	総理後継問題で政界が一なる		一く△	一く○	一く○
D	一取りざたされる		一く○		

1. Aの場合はどれも使える。ただし、「時計の音が—」のように小さい音の場合は主観的な不快感を表す「うるさい」が適当で、他の三語は使いにくい。
2. Bのように、いろいろ文句を付ける意では「うるさい」「やかましい」が使われる。「資格審査が—くなった」のように厳しくて面倒だの意も同様。
3. Cのように動揺して落ち着かない状態には「騒がしい」「騒々しい」が使われるが、うわさがとびかうようなときは「やかましい」も使えなくはない。
4. Dのように話題として取り上げられることが多い意の場合は、「やかましい」以外は使いにくい。
5. 「騒がしい」「騒々しい」は意味上ほとんど違いがないが、「騒がしい人」というと、ちょっとしたことにも落ち着きがなくとやかく言う人、「騒々しい人」というと、声が大きく行動が派手な人といった違いが感じられる。

類似の語

かしましい 話し声や叫び声がうるさい。「かしましい声をはりあげる」

うれしい

happy, glad

うれしい・楽しい・喜ばしい

基本の意味 心が満たされてよい気持ちである。

Point! 「**うれしい**」は、期待どおりの状況になって気持ちが明るくなるようす。「**楽しい**」は、ある場に身を置いたりあることをしたりして気分が浮き立つようす。「**喜ばしい**」は、自分以外の事柄について、自分が満足な気分になる場合にいい、他の二語よりは改まった感じが強い。

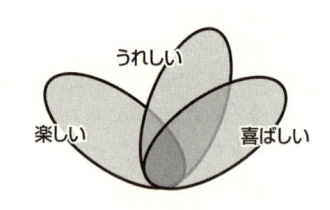

使い分け

表現例	うれしい	楽しい	喜ばしい
A　こんなに―ことはない	○	○	○
B　先生にほめられて―た	―かっ○		
C　山への遠足は―た		―かっ○	
D　彼女の受賞を―思う	―く○		―く○

1. Aのように漠然という場合はそれぞれの意味合いで三語とも使える。
2. Bのように、自分に関することの場合は「喜ばしい」は不適当。ほめられるという具体的な事実から生じる感じは「うれしい」が適当で、「楽しい」はもう少し漠然とした継続的な状況に身を置いて受ける感じでないと使いにくい。
3. Cの場合、Bと同様に「喜ばしい」は不適当。また、Bとは逆で、遠足という漠然とした継続的な状況の場合は「楽しい」が適当で、「うれしい」は使えない。
4. Dのように、他人のことについていう場合は「楽しい」は不適当。彼女の受賞を期待していて、そのとおりになって自分が満足した感じをいうときは「うれしい」、彼女の受賞は、客観的に見て彼女や周囲の者にとって満足な状態だと考えていることをいうときは「喜ばしい」を使う。

類似の語

愉快 楽しくて心が明るく浮き立つようす。「一日愉快に過ごした」「彼は実に愉快な男だ」

うろうろ

hang around

うろうろ・まごまご・うろちょろ

[基本の意味] 当てもなく動き回ったり、迷った動作をしたりするようす。

Point! 「**うろうろ**」は、これという目的もなく歩き回ったり、どうしたらよいかわからず動き回ったりするようす。「**まごまご**」は、とまどいや手際の悪さで行動がスムースにいかないようすで、「**うろうろ**」のあとの意と重なるところがある。「**うろちょろ**」は、何かの邪魔になるようにあちらこちらを動き回るようす。

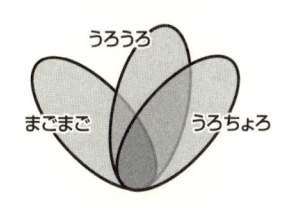

[使い分け]

表現例	うろうろ	まごまご	うろちょろ
A 一していると車にはねられるよ	○	○	○
B 邪魔になるから一するな	○		○
C どうしていいかわからず一する	○	○	
D 突然指名されて一してしまった		○	
E 一日、盛り場を一して過ごす	○		○

1. Aではそれぞれの意味合いで三語とも使える。
2. Bのように、動き回って邪魔になるようすをいう場合は「うろちょろ」が最適だが、「うろうろ」も使える。
3. Cのように、とまどうようすを表す場合は「うろうろ」「まごまご」が用いられる。「まごまご」では気持ちに、「うろうろ」では動作に重点がある。
4. Dのように、うろたえたりとまどったりする気持ちを表す場合には、「まごまご」以外は使いにくい。
5. Eのように比較的広い範囲をふらふらとあてもなく歩き回る場合は、「うろうろ」「うろちょろ」が使われる。

[類似の語]

おたおた 思いがけない事態にただ慌てるだけで、何もできずにいるようす。「孫の怪我におたおたする」

おろおろ 悲しみ・驚きなどでどうしてよいかわからず慌てとまどうようす。

うわき
caprice

浮気・移り気・むら気・気まぐれ

基本の意味 興味・関心の対象や気分が変わりやすいこと。

Point! 「浮気」は、動作性の意味で、別の異性や事物に気持ちを移したり手を出したりすることにいうほか、状態性の意味で、しばしばそういうことをする性格であることにもいう。

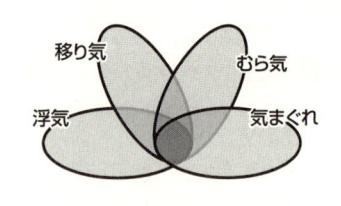

「**移り気**」は、興味・関心の対象がしばしば変わること。「**むら気**」は一般に、気分が変わりやすいこと。「**気まぐれ**」は、気が変わりやすくて行動に一貫性がないこと。四語とも「一な」の形で形容動詞としても使われる。

使い分け

表現例	浮気	移り気	むら気	気まぐれ
A 彼の―にも困ったものだ	○	○	○	○
B 夫の―に気づく	○			
C ―で芸事が身につかない		○		
D 上機嫌かと思うとすぐ怒る―なやつ			○	
E ―にピアノを弾く				○

1. この四語は気持ちが次々と他に移る意をもつ点で共通し、どれもマイナスの要素があるから、Aにはすべて使える。
2. Bのように男女間のことに関しては「浮気」が使われる。
3. Cのように、一つのことに集中できないことに重点がある場合は「移り気」を使う。「浮気」は男女間のこと以外にも使うが、Cの表現にはそぐわない。「浮気な性分で芸事が身につかない」なら可能だが、Cの例では「一つのことに集中できないため」という中間項が省略されている感じを受ける。
4. Dのように気分が変わりやすい意では「むら気」が適当。「気まぐれ」は、単に気分の表現だけでなく行動に現れないと使いにくい。
5. Eのようにその時の思いつきで行う意では、「気まぐれ」以外は使えない。

類似の語

多情 異性に対して移り気なようす。感情が豊かで感じやすいようすにもいう。「多情な男」「多情多感」

うわさ rumor, gossip

うわさ・風評(ふうひょう)・風説(ふうせつ)・風聞(ふうぶん)

基本の意味 世間や周囲に言い広められる話。

Point! 「**うわさ**」は、他人の事柄や世間の出来事などについて第三者があれこれと話すこと、また、その話された話。「**風評**」「**風説**」は、だれが言い出したともわからず世間に伝わる話。この二語は特に、根拠が定かでないという含みが強い。「**風聞**」は、どこからともなく伝わってくる話。また、それを聞くことの意でも使われる。

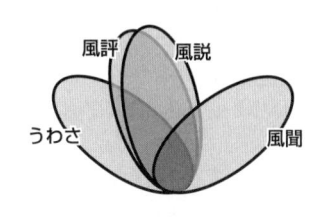

使い分け

表現例	うわさ	風評	風説	風聞
A 単なる―に過ぎない	○	○	○	○
B あなたの―をしていたところだ	○			
C よからぬ―が立つ	○	○	△	
D ―するところでは…だという				○

1. Aのように、根拠のなさを強調していう場合は四語とも使える。「うわさ」は日常語、他の三語は文章語的。
2. Bのように、言い出した人がはっきりしている場合に使えるのは「うわさ」だけである。また、「うわさ」は「あの子はできるといううわさだ」のようによい評判にも使える。
3. Cの「―が立つ」のように、その話が出はじめる意では「風聞」は不適。また、「よからぬ」のように話の内容がある方向に固まっている場合は「風説」より「風評」が自然。これに対し「さまざまな―が流れる」のように、話が固まっていない場合は「風説」が適当。「うわさ」はどちらにも使う。
4. 「する」を伴う用法があるのは「うわさ」「風聞」だが、Dのように耳に入る意では「風聞」が適当。「うわさする」は話を伝えるほうの動作になる。

類似の語

デマ 他人や世間のことに関して根拠もなく言い触らされる話。また、相手を陥れるために広める虚偽の情報。「被災地にデマが飛びかう」「デマを流す」

流言飛語(りゅうげんひご) 社会的な事件に関して世間に広がる根も葉もないうわさ。

うん
luck, fate, fortune
運・運命・宿命・運勢

[基本の意味] 物事の成り行きや人の幸不幸を支配するような巡り合わせ。

Point! いずれも物事の巡り合わせをいうが、「**運**」が幸不幸をもたらす働きとしてやや功利的にとらえていうのに対し、「**運命**」は超越的な大きな力としてやや神秘的にとらえている。

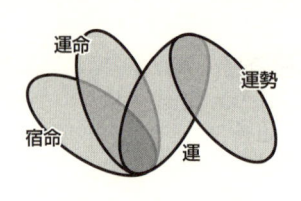

「**宿命**」は、生まれながらに定まっていて変えることのできない運命。「**運勢**」は、占いなどに示された、将来にかけての巡り合わせの具合。

[使い分け]

表現例	運	運命	宿命	運勢
A これも―だと思ってあきらめる	○	○	○	
B 今日は―がいい	○			○
C あれが私の―を決定した	△	○		
D 若死にするのは彼女の―であった		○	○	

1. Aのようにいかんともしがたい事態に関していう場合、「運」「運命」「宿命」の三語が使える。「運勢」は個々の事態には使いにくく、不適当。

2. 「運命」「宿命」は人生を左右するような事柄についていうことが多く、Bのような短期間のことには使えない。

3. Cのように、将来にかけての物事の成り行きをいう場合、「運」「運命」「運勢」が使われうるが、「運勢」は占いなどで示された事柄をいうので、Cの例には使えない。「運」は使えなくはないが、功利的・日常的な意味合いを含むため「決定した」という言い方とそぐわず、不自然さが感じられる。

4. Dのように、定められた巡り合わせという意を強調する場合は、「運命」「宿命」が使われる。「運」については、「運が悪くて若死にした」のように「運」のよい悪いを規定する表現がないと使いにくい。

[類似の語]

定め すでに決まっている運命。「いずれ別れる定めだったのかもしれない」
命運 存亡・浮沈など、根幹にかかわる運命。「命運が尽きる」
天運 天が与える物事の巡り合わせ。「天運に見放される」

えいびん   sensitive, keen, delicate
鋭敏（えいびん）・敏感（びんかん）・繊細（せんさい）・デリケート

基本の意味　感覚がこまやかで、物事をするどく感じ取るようす。

Point!　「鋭敏」は頭脳の働きにも五感などの感覚についてもいう。「敏感」は四語の中では最も日常的で、何かについて感じたり気づいたりしやすいようす。「繊細」「デリケート」は外界のちょっとした刺激にも影響されやすいことを、線の細さや傷つきやすさという含みでとらえていう。

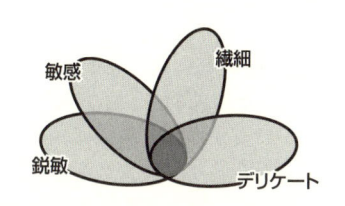

使い分け

表現例	鋭敏	敏感	繊細	デリケート
A　ーな神経をもっている	○	△	○	○
B　頭脳がーに働く	○			
C　寒さに対してーである	○	○		
D　ーな指でそっと触れる			○	
E　ーな立場にある				○

1. Aのように何についてということが示されない場合、「敏感」はやや不自然。
2. Bのように、頭の回転が速くするどい意の場合は「鋭敏」以外は使えない。
3. Cのように、わずかな変化もすぐ感じ取る意では「敏感」が最適だが、「鋭敏」も使える。「耳がーだ」のように器官の機能についていうときも、「鋭敏」「敏感」ともに使われる。
4. Dのように、ほっそりとして優美の意の場合は「繊細」が適当。「敏感」を使えば、指の感覚が鋭いことになるが、「ーな指」はやや不自然で、「彼の指はーだ」の形のほうが使いやすい。
5. Eのように、複雑な事情があって処し方がむずかしい意の場合は、「デリケート」以外は使えない。この「デリケート」は「微妙」と共通する。

類似の語

過敏（かびん）　敏感すぎるようす。「過敏に反応する」「神経過敏」
俊敏（しゅんびん）　機転が利いて行動がすばやいようす。「俊敏なジャーナリスト」

えん

connection

縁・縁故（えんこ）・ゆかり・因縁（いんねん）

基本の意味 人と人などの、何らかのつながり。

Point! 「縁」は、人と人、人と物事、物事と物事など、相互の間にあるつながりやかかわり合い。関係の濃淡にかかわらずいうが、ある運命的なつながりという意味を含む場合もある。

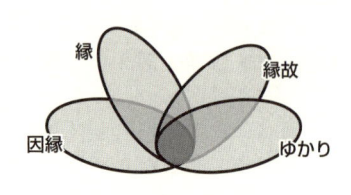

「**縁故**」は、血縁・姻戚（いんせき）や知人関係などをたどってのつながり、また、そうしたつながりにある人。「**ゆかり**」は、過去をたどっていくと何らかのかかわり合いがあること、また、そうしたかかわり合い。「**因縁**」は、前世や過去に起因する運命的なつながり。

使い分け

表現例	縁	縁故	ゆかり	因縁
A 母校が同じという—	○	○	○	○
B 彼とは切っても切れない—がある	○			○
C 親子の—を切る	○			
D —を頼って就職する		○		
E 漱石の—の場所を訪ねる			○	△

1. Aでは四語とも使えるが、「ゆかり」は雅語的な感じがある。
2. Bのように運命的なつながりをいう場合は「縁」「因縁」が適当。「縁故」「ゆかり」は、あるつながりをたどっての関係をいう意が強く、不適。
3. Cのように、つながりを生じた特別な事情を問題にしない場合は、「因縁」は使えない。Bと同じ理由で「縁故」「ゆかり」も不適。
4. Dのように、何らかのつながりのある人を表す場合は「縁故」が適当。他の三語は人を表せないので不適。
5. Eでは「漱石と関係の深い場所」の意で「ゆかり」が使われる。「漱石にとってある運命的な事件が生じた場所」といった意味なら「因縁」も可能。「縁」「縁故」には「—の」の形でかかわりが深いことを表す用法はない。

類似の語

えにし 前世から定まっているようなつながり。特に男女の結び付きにいう。

おいだす　drive out

追い出す・追い払う・追い立てる・追いやる

基本の意味 その場所を出てよそへ行かざるを得ないようにする。

Point! 「**追い出す**」はその場所から外へ出すことに、「**追い払う**」はとにかくその場所からどかせることに、「**追い立てる**」はよそへ行かせようとする動作のしきりなことに、「**追いやる**」は遠くへ、または望ましくない場所へ行かせることに、それぞれ重点がある。

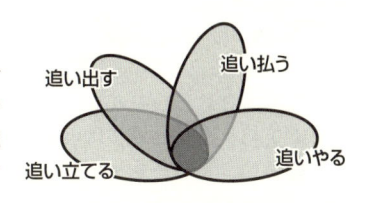

使い分け

表現例	追い出す	追い払う	追い立てる	追いやる
A　何度―ても戻ってくる	―し○	―っ○	―て○	―っ○
B　下宿を―れる（られる）	―さ○		―て○	
C　中にいれず入り口で―		○		
D　子供を―て学校に行かせる			―て○	
E　閑職に―れる				―ら○

1. Aのように、どこから、どこへということが表されていない場合は四語とも使えるが、「追い出す」は、ある範囲から外へという感じ、「追い払う」は、身辺から遠ざけるという感じ、「追い立てる」は、強く促して出ていかせるという感じ、「追いやる」は、そこから他の場所へという感じが強い。
2. Bのような住居の立ちのきに関しては「追い払う」「追いやる」は不適当。「追い出す」を使えば、すでに下宿から出された感じになり、「追い立てる」といえば、まだ出ていないが出てくれと迫られている感じになる。
3. Cのように、中にいれない場合は「追い払う」が適当。
4. Dのように、何かさせるために急がせる場合は「追い立てる」が使われる。
5. Eのように、無理に行かせる先の場所や地位を明示している場合は「追いやる」以外は不自然である。

類似の語
追い返す　邪険に、また冷淡にあしらって用件を受けいれないまま、すぐに帰らせる。「玄関先で追い返す」

おうたい reception

応対・応接・接待・もてなし

基本の意味 客などの相手をすること。

Point! 「応対」「応接」は主に言葉による対応をいうが、「応対」が電話などの場合も含むのに対し、「応接」は直接相手と会う場合に限られる。「接待」は、招いた客が満足するように飲食物や娯楽などを供して相手をすること。「もてなし」は、相手を客として丁寧に遇することだが、特に客に飲食物を供することにもいう。

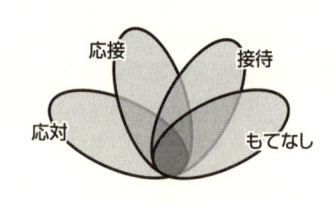

使い分け

表現例	応対	応接	接待	もてなし
A 客の―で忙しい	○	○	○	○
B 人（を・に・と）―する	と に○	と に○	を○	
C 電話による―	○			
D 茶菓の―を受ける			○	○
E 事件の連続で―にいとまがない		○		

1. Aのように漠然と「客の―」という場合は四語とも使える。
2. Bのように「する」を付けて使う場合は、「応対する」「応接する」は助詞「と」または「に」を、「接待する」は助詞「を」をとる。「もてなし」はふつう「する」を付けては使わず（「おもてなしする」の「もてなし」は名詞でなく動詞の連用形）、「…をもてなす」と動詞「もてなす」を用いる。
3. Cのように、言葉による場合は、「接待」「もてなし」は不適当。「応接」は相手と直接会うときにいうから、電話の場合は「応対」がふさわしい。
4. Dのように、飲食物による場合は、「応対」「応接」は使えない。「接待」は仕事上の客、「もてなし」は個人的な客という感じが強い。
5. 「応接にいとまがない」は人への応対や物事への対応で休む間もないことをいう慣用句で、Eの場合は「応接」以外は使えない。

類似の語

接客 客の相手をすること。主に、店や会社などで業務として客に応接する場合にいう。「接客にいとまない日々」「接客業」

おうらい

traffic

往来・行き来・往復・行き帰り・通行

基本の意味 そこを通ったり、行ったり来たりすること。

Point! 「往来」は人や乗り物が行ったり来たりすること、また、その道。「行き来」は広く、行ったり来たりすること。「往復」は二地点間を行って戻ってくること、また、行く道と帰り道。「行き帰り」は目的地への行きと帰り。「通行」はそこを通ること。「往復」「行き帰り」は一つの移動主体の動きにいうが、「往来」「行き来」「通行」は、一つの移動主体についても多くのものの動きについてもいえる。

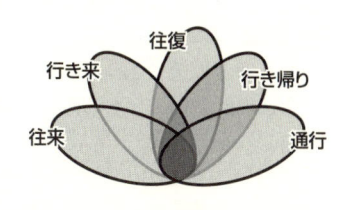

使い分け

表現例	往来	行き来	往復	行き帰り	通行
A 津軽海峡を―する船	○	○	○	○	○
B ―に十五時間かかる			○	○	○
C ―とも新幹線を利用			○	○	
D 親しく―する友人	○	○	○		
E ―にたたずむ	○				

1. Aでは五語とも使える。「往復」「行き帰り」では本州と北海道の間を結ぶ船を表すが、「往来」「行き来」「通行」では、津軽海峡を東西方向で抜けていく船も含め、そこを通る船を全体としてとらえている感じが強い。

2. 「往来」「行き来」は特定の目的地を考えないので、Bのように所要時間を示す表現には不適。「通行」は通過にかかる時間ということで使える。

3. Cのように、目的地へ行くのと、そこから出発点へ戻るのと両方を含む場合は「往復」「行き帰り」しか使えない。

4. Dのような付き合う意味では「往来」「行き来」が使われるが、二つの家の間を行ったり帰ったりということから「往復」も使うことがある。

5. Eのように、道路の意の場合は「往来」しか使えない。

類似の語

行きつ戻りつ 同じ所を何度も行ったり戻ったりするようす。「考えが行きつ戻りつする」「行きつ戻りつして彼を待つ」

おおい
many, much, plenty
多い・多数・あまた・沢山・おびただしい

基本の意味 数量が大きいようす。

Point! 「多い」は、他との比較で少しでも数量が大である場合にもいうが、あとの四語は、数量にある程度の大きさがないと使えない。「**多数**」は、量についてでなく、数として数えられる場合に使われる。「**あまた**」も量より数にいうのが基本。「**沢山**」「**おびただしい**」は数・量ともに使えるが、「**おびただしい**」は、数量が極端に多い場合にいう。「**あまた**」「**おびただしい**」はやや古風な言い方。

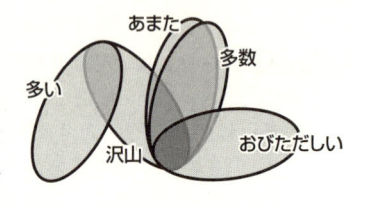

使い分け

表現例	多い	多数	あまた	沢山	おびただしい
A　葬儀に参列した一人々		—の◯	—の◯	—の◯	◯
B　女子のほうが二人—	◯				
C　砂糖を一買ってきた	—く△			◯	
D　不粋なこと—					◯

1. Aのような場合、「多い」は名詞形「多く」に「の」を付けた「多くの」の形でないと使えない。「多数」「あまた」「沢山」は「の」を添えれば使える。

2. Bのように、他と比べて、それと同じ数量を差し引いた余りを表す場合は「多い」しか使えない。

3. Cのような日常卑近の事柄の場合は、やや古風な「あまた」「おびただしい」はそぐわない。また、砂糖は量的なものなので「多数」は使えない（「多量に」なら使える）。「多く」は、「今日は昨日より」など、他の場合と比べているということがこの表現から推察されない限り使いにくい。

4. Dのように、程度の甚だしさを表す場合は「おびただしい」だけが使える。

類似の語

一杯 物や人が十分に満ちているようす。「彼の家には本がいっぱいある」

幾多 数えきれないほど多いようす。「幾多の」の形で用いられることが多い。改まった言い方。「幾多の困難を乗り越えて幸福をつかむ」

おおげさ　exaggerated

大げさ・大仰(おおぎょう)・仰々(ぎょうぎょう)しい・事々(ことこと)しい

基本の意味 物事を誇張して表現したり、さも重大そうに見せたりするようす。

Point! 「大げさ」は、表現の仕方や外見についていうほか、話の内容そのものが誇張である場合にもいう。それに対し、他の三語は言い方・身振り・外見など表に現れたようすに重点がある。「**大仰**」は表現や外見が実際以上でわざとらしい点に、「**仰々しい**」はことさら飾り立てたりもったいぶったりする点に、「**事々しい**」はもったいぶってさも重大そうに見せようとする点に、それぞれ注目した言い方。

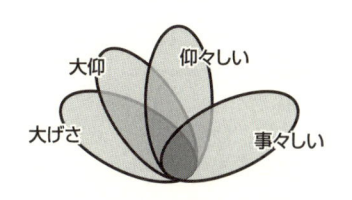

使い分け

表現例	大げさ	大仰	仰々しい	事々しい
A　―述べ立てる	―に○	―に○	―く○	―く○
B　ずいぶん―飾り付けだ	―な○	―な○	○	
C　―悲しがる	―に○	―に○		
D　七割減というのはやや―	―だ○			
E　―祝いを述べる				―く○

1. Aのように内容が明示されていない場合は、それぞれの意味合いで四語とも使える。
2. Bのように、必要以上に目立つ感じを表す場合は「大げさ」「大仰」「仰々しい」の三語を使うことができる。「事々しい」は物については使えない。
3. Cのように、当人の感じを誇張して表すだけの場合は「大げさ」「大仰」が適当。「仰々しい」「事々しい」は感情的なことには使いにくい。
4. Dのように、事実の誇張それ自体についていうときは「大げさ」を使う。他の語は表現の仕方や態度に誇張や見せかけが感じられない場合は不適。
5. Eのように、もったいぶった感じの場合は「事々しい」以外は使いにくい。

類似の語

オーバー　表現や話の内容が大げさなようす。「オーバーに言う癖がある」

誇大(こだい)　程度や規模を実際以上に大きく見せかけたり伝えたりするようす。「戦果を誇大に言う」「誇大広告」

おおよそ about, almost

おおよそ・おおむね・あらまし・あらかた

基本の意味 細かい点を除いた、物事の主要な部分。

Point! 「おおよそ」「おおむね」は、全体を大づかみにとらえて示す場合にいい、「おおよそ」では多少の誤差を許容して大きくとらえる感じ、「おおむね」では主要な内容・傾向に集約してとらえる感じが強い。「あらまし」「あらかた」は、全体の八、九分程度にわたっているようす。「あらまし」が内容的にみていうのに対し、「あらかた」は量的にみていう。

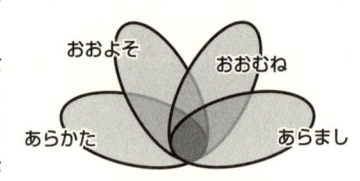

使い分け

表現例		おおよそ	おおむね	あらまし	あらかた
A	話は―わかった	○	○	○	○
B	計画の―を説明する	○	○	○	
C	―の金額を示す	○			
D	―一時間待った	○			○
E	新作は―好評だった		○		
F	前回までの―			○	

1. Aのような副詞用法ではそれぞれの意味合いで四語とも使えるが、「あらかた」では「一つ二つわからない点を残すが」という含みがより感じられる。

2. Bのような大筋の内容をいう名詞の用法の場合、「あらかた」は使いにくい。

3. Cのように、プラスマイナスの多少の誤差を許容した近似的な数値についていう場合は、「おおよそ」が適当。

4. DもCと同様、大づかみな数値を示す場合だが、示された数値を超えないかぎりでは「あらかた」も使える。「おおよそ」が一時間を超えた場合も含むのに対して、「あらかた」では「ほぼ一時間近く」の意になる。

5. Eのように、全体の傾向を大づかみに判断すればこうだという場合は、「おおむね」が適当。

6. Fのように大体の経過・筋道をいう場合は、「あらまし」以外は不自然。

おごそか
solemn
厳(おごそ)か・荘重(そうちょう)・荘厳(そうごん)

基本の意味 静けさ、威厳などの雰囲気を伴って重々しいようす。

Point! 「**厳か**」は宗教性・儀式性を伴った重々しさ、立派さ、威厳のあるようすを表す。「**荘重**」は「**厳か**」と似ているが、さらに重々しく、重厚な語感があり、また、宗教性・儀式性とは関係なしにも用いられる。「**荘厳**」は立派さ、重々しさの中に宗教的な気高さが含まれる感じである。また、「**厳か**」「**荘重**」とは違い、具体的な物についていうこともある。

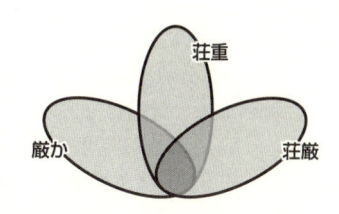

使い分け

表現例	厳か	荘重	荘厳
A　会場に―な音楽が流れた	○	○	○
B　古典的で―な文体		○	
C　―なカテドラル			○
D　死という事実を―に受け止める	○		

1. Aの場合はそれぞれの意味合いで三語とも使える。
2. Bのように、文章の重厚さ、重々しさに表現のポイントがあり、儀式的・宗教的要素は問題となっていない場合は「荘重」がふさわしい。
3. Cのように、建物についていう場合は「厳か」「荘重」は使えない。宗教的な畏敬(いけい)の念、さらに厳格さ、重厚さ、威厳なども感じられるところから「荘厳」が適当。
4. Dのように、死という絶対的な事実を、動かし難いものとして受け入れる意味の場合は「厳か」しか使えない。

類似の語

厳粛(げんしゅく) 重々しくて気持ちがひきしまるようす。「式典は厳粛に執り行われた」「選挙の結果を厳粛に受け止める」

厳然(げんぜん) きびしく動かしがたいようす。「厳然たる事実」「違法行為に対しては厳然たる態度で臨む」

森厳(しんげん) おごそかで気持ちがひきしまるようす。「森厳な神域」

おこない   act, action

行い・行為・行動

基本の意味 何かをすること。

Point! 「**行い**」は抽象的にとらえた言い方で、しかも継続してなされる場合に使われる。「**行為**」は個人が自分の意志である事を行う場合に、「**行動**」は個人でも団体でも肉体的な動きを伴う個々の場合に多く使われる。「**行動**」が最も具体的な感じで、「**行為**」「**行い**」の順に抽象度が高くなる。

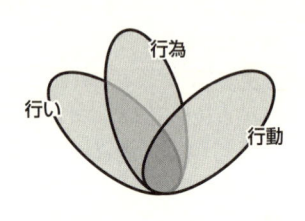

使い分け

表現例	行い	行為	行動
A　紳士にあるまじき―	○	○	○
B　日ごろの―が悪い	○		
C　不正な―をする	○	○	
D　思い立つとすぐ―に移す人			○

1. Aではそれぞれの意味合いで三語とも使える。
2. Bのように、継続して行われることをいう場合は「行い」が適当で、他の二語は不自然。なお、ふだんの行いを表す語には「品行」「身持ち」「行状」などがある。
3. Cのように、表立たず目に入りにくい動きの場合は「行動」は使えない。
4. Dのように、考えたことや自分の意志を具体的な動きで表すという場合は「行動」が適当。「行動」の場合は「―を取る」「―を起こす」「―に走る」など慣用的な言い回しが多く、「する」を伴って動詞となるのも「行動」だけである。

類似の語

振る舞い　人前で何かをするときの態度や動作のしかた。「身勝手な振る舞いが目立つ」「立ち居振る舞い」

言動　人前で何かを言ったりしたりすること。言葉と行い。「言動を慎む」

素行　悪いことや不健全なことをしていないかどうかという点で見た、日ごろの行動。「素行に問題がある」

所業　その人間のしたこと。多く、好ましくない行為にいう。「悪魔の所業」

おこる

get angry

おこる・いかる・憤(いきどお)る

基本の意味 物事に対し不快・不満に思って腹を立てる。

Point! 「おこる」は、感情が態度・言動にあらわれる場合にいい、私的で一時的な原因によることが多い。また、目下の者に対して強い言葉で注意する意もある。「いかる」は、感情が外にあらわれる点で「おこる」に似るが、相手を不正で許しがたいと感じている面が強く、やや深刻さが感じられる。「憤る」は、感情を言動にあらわした場合だけでなく、やり場のない、恨みを込めた内向的な状態にもいい、道義的に相手を不正であると見ている感じが強い。

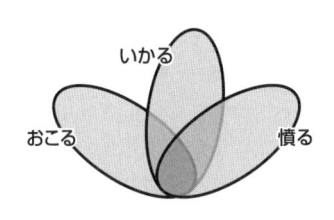

使い分け

表現例	おこる	いかる	憤る
A 相手の不実に―ている	―っ○	―っ○	―っ○
B いたずらをして―れる	―ら○		
C 政治の腐敗を―		○	○
D 身の不幸を―			○

1. Aの例ではそれぞれの意味合いで三語とも使える。「おこる」は三語の中では最も一般的な日常語で、「いかる」は口頭ではやや硬い言い方となる。「憤る」は文章語的。
2. Bのように強く注意するという場合は、「おこる」以外は使えない。
3. Cのような公憤に通じる場合は「いかる」「憤る」が適当。
4. Dのように、内にこもる恨めしさ・腹立たしさの場合は、「憤る」が適切。

類似の語

立腹(りっぷく)する 不愉快な気持ちにされた対象に向かって、怒りの気持ちをあらわす。はらをたてる。「無礼な態度に立腹する」

憤激(ふんげき)する はげしくいきどおる。「人を人とも思わぬ仕打ちに憤激する」

むくれる 腹を立てて不機嫌でいる気持ちが表情などにあらわれる。むっとした表情をする。「しかられるとすぐむくれる生徒」

気色(けしき)ばむ 怒りを表情にあらわす。「気色ばんで席を立つ」

おさえる

hold down

押さえる・押さえ付ける・押し付ける

基本の意味 動かないように上や側面から力を加える。

Point! 「**押さえる**」は、わき起こってくる物事をくい止めたり、そこを守るように何かを押し当てたりする動作・行為にいうなど、意味が広い。「**押さえ付ける**」は、動きや行動ができないようにする意が中心で、対象・相手に対する強い圧力を感じさせる。「**押し付ける**」は力を加えて何かに触れさせ、そこから離れないようにする意。

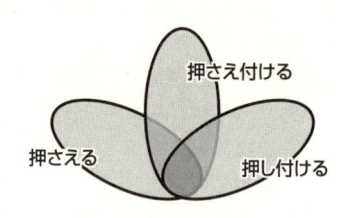

使い分け

表現例	押さえる	押さえ付ける	押し付ける
A 動かないように両足を一た	一え○	一け○	一け○
B あまりの痛さに脇腹を一	○		
C 子供を一ず伸び伸びと育てよう		一け○	
D 彼はすぐ人に責任を一			○

1. Aの場合は三語とも使えるが、「押さえる」より「押さえ付ける」のほうが具体的で強い力を加える感じがある。「押し付ける」では、「対象に自分の両足を押し付けた」という意味になる。
2. Bのような、守るように手などを押し当てる意では、「押さえる」を使う。
3. 「押さえ付ける」は「押さえる」よりも対象への強い圧力を感じさせる。Cのように、上位者が下位者の行動を力で束縛する意では「押さえ付ける」がふさわしい。
4. 「押し付ける」には自分のあるものを相手に無理に引き受けさせるという意がある。Dはその例で、「押さえる」「押さえ付ける」は使えない。

類似の語

押す 手前から向こうへ、また、上から下へ力を加える。「押す」は、対象を移動させたり力を加えたりすることに重点がある。「ドアを押す」

圧迫する 強く押さえ付ける。「胸が圧迫される」「物価高が生活を圧迫する」

おさない   infant

幼(おさな)い・いたいけ・いとけない・幼稚(ようち)

基本の意味 年齢が非常に低い。

Point! 「幼い」は、年が小さいことをいうほか、考え・行動などが未熟である意にも使う。「いたいけ」は、年が小さく、その弱々しさに胸が痛むほどにかわいらしいようす。「いとけない」は、「幼い」の雅語的表現だが、かわいらしい、いじらしい、無邪気といった感じが強い。「幼稚」はもともと「幼い」の漢語的な言い方だが、考え・行動・技術などが未熟であることにいう場合が多い。

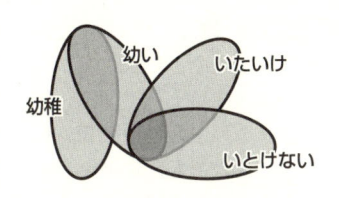

使い分け

表現例	幼い	いたいけ	いとけない	幼稚
A ―子供たちの笑顔	○	―な○	○	
B 考え方が実に―	○			―だ○
C 極めて―技術力	△			―な○
D 懸命に生きる少年の姿は実に―		―だ○		

1. Aでは「幼稚」以外の三語が使える。「幼稚」は、単に年齢が少ない意では現在あまり用いられない。

2. Bのように、年齢に似合わず、やっていることや考えていることが子供じみている意の場合は、「幼い」「幼稚」を使う。特に「幼稚」は批判めいた感じで用いられることが多い。

3. Cのように、個人でない、ある社会的集団などの文化や技術の程度の未熟をいう場合は、「幼稚」が自然。文学的表現としては「幼い」も可能。

4. Dのように、「幼い」ことに痛々しさを感じるようすをいう場合は、「いたいけ」以外は不自然。

おしえ　teaching, education

教え・教育・指導・指南

基本の意味 後進の者に何かを教えること。

Point! 「**教え**」は、親・先生などが徳目・知識などを授けること、また、その内容。守るべき規範の伝授という意味合いを含む。「**教育**」は、ある方法・システムのもとに知識・技能を習得させたり人格形成を図ったりする行為。

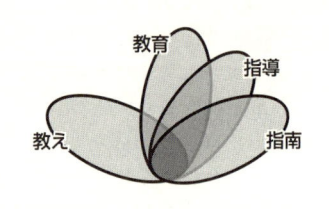

この二語に対し、「**指導**」「**指南**」は個々の事柄に関してそれが身に付くように導く意味合いが強く、「**指導**」は技能・生活態度などに、「**指南**」は武術・技芸などについて使われる。

使い分け

表現例		教え	教育	指導	指南
A	大学時代に先生の―を受けた	○	○	○	△
B	親の―を守る	○			
C	厳しく―する		○	○	○
D	途上国の科学技術の―に当たる		○	○	
E	なぎなたの―を受ける			○	○

1. Aの場合、四語とも使えるが、「指南」は武術や技芸に限られ、古風な感じなのでやや不自然。
2. Bのように、教えた内容の意では「教え」しか使えない。
3. Cのような「する」を伴うサ変の用法は「教え」にはない。「教育」では、知識・技能・精神の全体にわたって、「指導」「指南」ではある範囲の限定された事柄に関して、という感じになる。
4. Dのように、技術に関しては「指導」が最適。「指南」は古めかしくて不自然。技術に関する理論を伴うような場合は「教育」も使える。
5. Eのように、武術の場合には「指導」以外に「指南」も使われる。

類似の語

教授 学問・技芸などを継続的・組織的に教えること。「書道を教授する」

手ほどき 学問・技芸などを初めて学ぶ人に初歩から教えること。「父に将棋の手ほどきを受けた」「フランス語を手ほどきする」 ➡「てびき」

おしゃべり   chat

おしゃべり・多弁・饒舌・口軽

基本の意味 しゃべること。また、よく、あるいは、軽々しくしゃべるようす。

Point! 「**おしゃべり**」は、気楽に話すことという動作性の意のほか、口数多くしゃべるようすという状態性の意をもち、後者の意であとの語と重なる。
「**多弁**」「**饒舌**」は言葉数多くよくしゃべるようすで、「**多弁**」は話す回数・量ともに多いことに重点があり、「**饒舌**」はむだなことまで加わって話が長いことに重点がある。「**口軽**」は、言葉が軽く口をついて出るようすで、よけいなことをつい軽率にしゃべってしまうようすにいうことが多い。

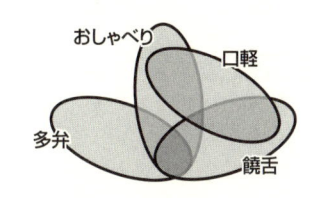

使い分け

表現例	おしゃべり	多弁	饒舌	口軽
A　―で、話しだしたら止まらない	○	○	○	
B　―で秘密の守れない人	○			○
C　仲間と―を楽しむ	○			
D　―に話す			○	○
E　―な文体が気になる			○	

1. Aのように、話す量が多いという意では「口軽」は使わない。
2. Bのように軽々しくものを言う意では、「おしゃべり」「口軽」が使える。
3. Cのように、気楽に話すこと、雑談の意では「おしゃべり」しか使えない。
4. 四語とも形容動詞形でも使うが、主に「―な」の形であり、Dのような「―に」の形で使って不自然でないのは、「饒舌」「口軽」だけである。
5. Eのように、書き言葉についていう場合に使えるのは「饒舌」だけである。

類似の語

能弁 話し方が上手でよくしゃべるようす。「酒が入ると能弁になる」
雄弁 話し方がよどみなくて力強さが感じられ、説得力があるようす。また、その話しぶり。「雄弁をもって鳴る政治家」「雄弁をふるう」
口まめ 口数多く、話し好きなようす。やや古風な言い方。「口まめな男」

おずおず

timid

おずおず・おどおど・びくびく

基本の意味 不安や恐れなどで態度がためらいがちであるようす。

Point! 「**おずおず**」は、恥ずかしさや自信のなさで行動をためらったり気おくれしたりしているようす。「**おどおど**」は、不安や後ろめたい気持ちのために態度が落ち着かないようす。

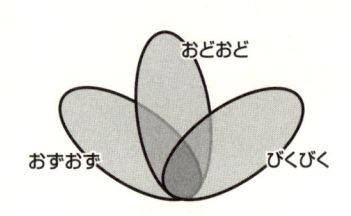

「**びくびく**」は、状況を案じて恐れやおびえの気持ちにとらえられているようす。「**おずおず**」「**おどおど**」は外面にあらわれたようすを客観的にとらえていうが、「**びくびく**」は内心の主観的表現である場合もある。

使い分け

表現例	おずおず	おどおど	びくびく
A ─しながら先生の前へ出る	○	○	○
B きまり悪そうに─と進む	○		
C 薄い氷の上を─歩く			○
D うそがばれないか内心─していた			○

1. Aではどれも使えるが、恥ずかしさから小さくなったようすが「おずおず」、どこか先生を恐れる気持ちがあって落ち着かないのが「おどおど」、しかられるのを案じて怖がっているのが「びくびく」である。
2. Bのように、恥ずかしさを中心に述べて、不安や恐怖感とは関係がない場合は、「おずおず」以外は使えない。
3. Cのように、「氷が割れて落ちる」という物理的恐怖心を表す場合は、「びくびく」を用いる。
4. 不安におびえている状態には「おどおど」「びくびく」が使えるが、Dのように平静を装いながら内心おびえているという場合は「びくびく」が適当。

類似の語

恐る恐る 恐ろしいので物事をためらいながら行うようす。「恐る恐る犬に近づく」「恐る恐る社長にお伺いを立てる」

怖々 怖いと思いながらあることをするようす。「隣室をこわごわ覗き込む」「こわごわと近寄ってみる」

おせじ flattery, compliment

お世辞・おべっか・おべんちゃら・追従

基本の意味 相手に気に入られるよう機嫌をとる言葉、また、それを言うこと。

Point! 「**お世辞**」は、相手の機嫌を取ろうとしてほめていう言葉。「**おべっか**」は、目上に取り入るために相手の気に入りそうなことを言うこと、また、その言葉。「**おべんちゃら**」は、相手に取り入ろうとして言う口先だけのお世辞。「**追従**」は、相手に取り入るためにこびへつらうようなことを言ったり、態度に示したりすること、また、その言葉。「**おべっか**」「**おべんちゃら**」は俗語的。

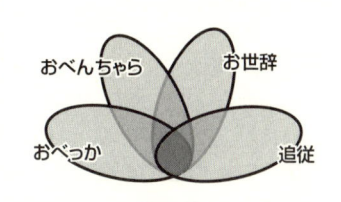

使い分け

表現例	お世辞	おべっか	おべんちゃら	追従
A 上役に―を言う	○	○	○	○
B 子供に―を言って手伝わせる	○			
C ―を並べ立てる	△		○	
D ―笑い	○			○
E 上司に―する				○

1. Aではどれも使えるが、「おべっか」は「おべっかを使う」の形のほうが普通。「お世辞を使う」もいうが、他の二語は「使う」とは結び付きにくい。
2. 「お世辞がうまい」「お世辞が言えない人」などの言い方が示すように、「お世辞」は社交的な表現として広くだれにでも言うから、Bのように子供に対しても使える。他の三語は、目上に取り入る意識が強く、Bには不適。
3. 「おべんちゃら」は口先だけのお世辞の感じが強く、Cのように見えすいた感じの場合は最適。「お世辞」というだけではやや弱い。
4. Dのようにしぐさについていう場合は「お世辞」「追従」が使われる。
5. Eのように「する」と結び付くのは「追従」だけである。

類似の語

愛想 よい感じを与えるように相手に合わせたもの言いや態度。「愛想を言う」
阿諛 相手の気に入るようなことを言ったりしたりしてご機嫌をとること。

おそれる be afraid of

恐(おそ)れる・怖(こわ)がる・おびえる

基本の意味 危険を感じるなどして心がちぢこまる。

Point! 「**恐れる**」は、何かの存在やある事態の発生に対して恐ろしい、あるいは不安だという思いをいだく意で、そうした内心での受け止め方に重点がある。「**怖がる**」は、恐ろしく思う気持ちが態度にあらわれる意。「**おびえる**」は、よくないことが起こるのではないかと不安で落ち着きをなくす意。「**恐れる**」「**怖がる**」は助詞「を」と、「**おびえる**」は助詞「に」と結び付く。

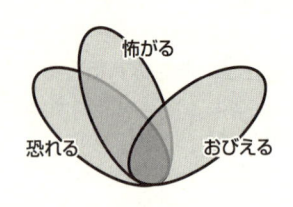

使い分け

表現例	恐れる	怖がる	おびえる
A 雷を（に）—	を○	を○	に○
B 失敗することを—	○	○	
C 不安に— 一夜			○
D 神を—	○		
E 彼は部下に—れ（られ）ている	—れ○	—ら○	

1. Aの例ではそれぞれの意味合いで三語とも使える。
2. Bのように、自分が引き起こしてしまいそうな事態を心配するという場合は、「おびえる」は使えない。
3. Cのように、原因が外部の対象でなく自分の心中にある場合は、「おびえる」以外は使いにくい。
4. Dのように、敬うべきものに対してかしこまる意では「恐れる」しか使えない。この場合は「畏れる」と書くことも多い。
5. Eのように、原因が外部にあり、受身の形をとることができるのは「恐れる」「怖がる」である。

類似の語

おじける 恐ろしいと思って平常心を失い、立ち向かう気力をなくしたり、神経質になったりする。「大観衆を前におじける」

びくつく 不安や恐怖のために体が震える感じになる。

おそろしい　fearful, dreadful

恐(おそ)ろしい・怖(こわ)い・おっかない

基本の意味 危険や不安が感じられて、避けたい気持ちになるようす。

Point! 「恐ろしい」は、物事の客観的様態に重点がある。それに対して、「怖い」「おっかない」は主体の心情を主観的に表す。

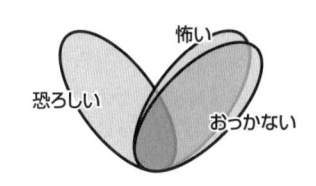

使い分け

表現例	恐ろしい	怖い	おっかない
A ―顔	○	○	○
B ―断末魔の叫び声	○		
C 大丈夫、もう―ないよ		―く○	―く○
D ―暑い部屋だね	―く○		

1. Aの場合はどれも使えるが、「怖い」「おっかない」に比べ、「恐ろしい」はより客観的に述べる場合にいう。また、「恐ろしい」はいくらか改まった感じであり、「怖い」は口頭語的、「おっかない」は俗語的である。

2. Bのように、強い恐怖感を客観的に表す場合は「恐ろしい」が適当。「怖い」「おっかない」は軽く使われることもあり、また、主観的な感じが強いので使いにくい。「―事態に立ち至る」なども「恐ろしい」しか使えない。

3. Cのような口語表現の場合には、「怖い」が最適。俗語的な言い方なら「おっかない」も使えるが、「恐ろしい」は改まりすぎて不自然。

4. Dのように、物事の程度が甚だしい意の場合は「恐ろしい」しか使えない。

類似の語

不気味(ぶきみ) 正体がはっきりせず、何となく恐ろしげで不安を感じさせるようす。「無気味」とも書く。「不気味な声」

気味悪(きみわる)い ある物事に接して、何ともいえない気持ち悪さや恐ろしさを覚えるようす。「夜の墓地は気味悪い」

おと

sound

おと・物音(ものおと)・音(ね)・音響(おんきょう)・響(ひび)き

基本の意味 耳に聞こえてくるもの。

Point! 「**おと**」は、聴覚器に感ずるもの、耳に聞こえるものを一般にいう。「**物音**」は、何かある物が立てる音で、はっきりしない音にいうことが多い。「**ね**」は、主に耳に快い音にいう。「**音響**」「**響き**」は、反響する音。「**響き**」は、転じて余韻・美感のある音や、耳に聞こえる言葉の感じにもいう。

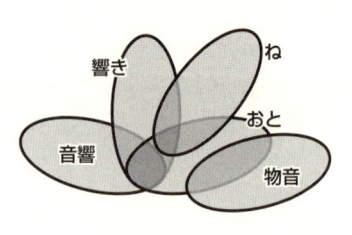

使い分け

表現例	おと	物音	ね	音響	響き
A 落雷のすさまじい―	○			○	○
B 静かな楽の―が聞こえる			○		○
C 外で何か―がする	○	○			
D 除夜の鐘の―	○		○		○
E ―の美しい名前					○

1. **A**のようなとどろく音に対して「ね」は使えない。「物音」は何かはっきりしない音に対して使うのが普通で、**A**の場合は不自然。「音響」「響き」では反響してしばらく続く音が考えられ、「おと」とはニュアンスが異なる。
2. **B**のように、比較的小さくて美しい音の場合には「ね」が最適だが、「響き」も趣のある音に使える。両語とも瞬間的なものでなく、しばらくの間続く感じがある。「音響」は一般には、趣のある音に使いにくい。
3. **C**では「物音」が適当だが、「おと」も使える。
4. **D**のように、大きい音でも耳に快い感じのある場合は「ね」も使う。「音響」は**2**と同じ理由で使いにくい。
5. 人が口で発する言語には「ね」「響き」が使えるが、「ね」は「ねを上げる」「ぐうのね」など慣用句として用いる場合が多く、**E**では使いにくい。

類似の語

声(こえ) 人間や動物が発声器官を使って出す音。また、自然界のもの、楽器などが発する音。「美しい声で歌う」「松風の声を聞く」「鐘の声」

音声(おんせい) 人間が発声器官を使って発する音。また、ＡＶ機器・映画などの音。

おどろかす

surprise

驚かす・おどかす・おどす

基本の意味 びっくりさせたり、ぎょっとさせたりする。

Point! 「**驚かす**」は、突然の行動・事態や意外さなどでびっくりさせることを広くいう。「**おどかす**」「**おどす**」は、相手をぎょっとさせたり怖がらせたりするようなことを軽い気持ちで言ったりしたりする意と、言うことを聞かせる目的で恐怖心を与えるような強圧的・脅迫的言動をとる意と、二つの意味を持つが、現在は「**おどかす**」では前者の意が、「**おどす**」では後者の意が中心である。

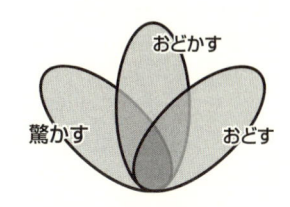

使い分け

表現例	驚かす	おどかす	おどす
A 銃声に―れた鳥が逃げ散る	―さ○	―さ○	―さ○
B 全世界を―た大統領選の結果	―し○		
C わっと言って彼を―てやろう	―し○	―し○	
D ―て金を巻き上げる		―し○	―し○
E 武力をもって小国を―			○

1. Aのように、びっくりさせて一瞬恐怖心を生じさせるような場合は、三語とも使える。
2. Bのように特に恐怖心や不安感を生じさせず、事の内容の意外さでびっくりさせる場合は、「おどす」「おどかす」は不適当。
3. Cのように、いたずらや冗談で相手を一瞬どきっとさせるという場合は、「驚かす」「おどかす」が適当。「おどす」は強圧的に迫る感じが強く不適。
4. Dのように、言うことを聞かせる目的で相手を怖がらせる意では、「驚かす」は使えない。この場合、「おどす」が標準で、「おどかす」は話し言葉的。
5. EもDと同じ意だが、話し言葉的な「おどかす」ではくだけすぎで、Eの文にそぐわない。

類似の語

おびやかす 危険の到来を感じさせて恐れさせる。また、生命・地位・身分などを危うくさせる。「社長の地位がおびやかされる」「隣国をおびやかす」

おなじ　same, equal, identical

同じ・等しい

基本の意味 違いが認められないようす。

Point! 「**同じ**」は、「同じ車に交替で乗る」のようにまったく同一のものについていうのが基本的な意味であり、「二人は同じ車を持っている」など、複数のものについていう場合も、すべての点において違わない、という意識がある。それに対して「**等しい**」は、「この二台の車の重量は等しい」のように、異なる物や事柄の間の、数量・程度といったある要素についての共通性を問題としている。

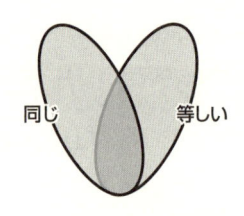

使い分け

表現例	同じ	等しい
A　この二辺の長さは—	—だ○	○
B　脅迫に（と）—行為	と○	に○
C　無きに—		○
D　行きと—道を通って帰る	○	

1. Aの場合はどちらも使える。
2. BとCは、「限りなく近いが、まったく同一ではない」の意である。Bは両方とも使えるが、「等しい」のほうがより適当。「同じ」だと、まさに脅迫そのもの、というニュアンスになる。Cは「等しい」を慣用句的に用いる表現。

3. Dのように、「同一の道」についていう場合は「同じ」を使い、「等しい」は使えない。

類似の語

同様　状態・内容などが同じであるようす。また、ほとんど同じようであるようす。「私も彼同様商家の生まれだ」

同然　ほとんど同じであると思えるようす。「これで我々が勝ったも同然だ」

おのおの　each

おのおの・それぞれ・めいめい・各自・各人

基本の意味 集まりを形づくっているものの一人一人、または、一つ一つ。

Point! 「おのおの」「それぞれ」は人についても物事についてもいう。「めいめい」「各自」「各人」は人についてしかいわない。そのうち「各自」は「それぞれ自分が（で・の）」の意で、一人一人が行為や所有の主体である場合に限っていう。

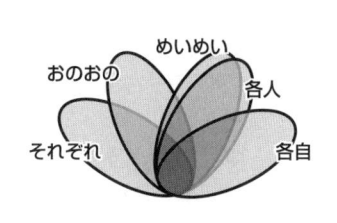

使い分け

表現例	おのおの	それぞれ	めいめい	各自	各人
A　―の責任において行う	○	○	○	○	○
B　切符は―で買いなさい	△		○	○	○
C　どの絵も―よく描けている	○	○			
D　料理を―に取り分ける			○		○

1. Aのように、人を指し、かつそれが行為や所有の主体である場合はどれも使うことができる。
2. Bも行為の主体である点は同じだが、「それぞれ」は目の前にいる相手への呼びかけには使いにくい。「おのおの」を呼びかけに使うのは古風な用法で、やや不自然。
3. Cのように、物事についていう場合は「めいめい」以下の三語は使えない。「おのおの」だと同じようにという感じ、「それぞれ」だと個々に違いはあるがという感じがこもる。
4. Dのように、行為を受ける側の人についていう場合は一人一人別にの意で「めいめい」「各人」が適当。「おのおの」「それぞれ」は、「出席者おのおの」「そこにいる人それぞれ」と全体を示す語を補えば使える。「各自」は「―で取り分ける」とすれば、一人一人が独自に取り分ける行為をするという意で使えるが、「―に」と行為を受ける立場に置いては使いにくい。

類似の語

個々 幾人かいる人の一人一人。また、いくつかある事柄・物の一つ一つ。「関係者の意見を個々に聞いてまわる」「個々の事例を詳しく検討する」

おのずから naturally, spontaneously

おのずから・ひとりでに

基本の意味 自然にそうなるようす。

Point! 「**おのずから**」は、時の経過や成り行き、自然の道理の結果としてある状態が生じる場合に用い、やや文章語的。「**ひとりでに**」は、他からの強い力や作用なしにあることが生じる場合に用いるが、「**おのずから**」と異なって、成り行きや自然の道理の結果としてという意味は含まず、外からの働きかけが特に認められないのにそうなったような場合に用いる。

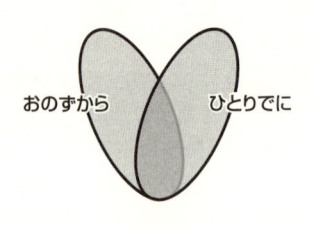

使い分け

表現例	おのずから	ひとりでに
A 当番は―一日交替となっていった	○	○
B 議論を尽くせば結論は―出る	○	
C この本を読めば―英語が上達する	△	○
D 風もないのに―扉が開いた		○

1. Aの場合はどちらも使え、大きな意味の違いはないが、「常識から見て一日交替が当然でそうなった」点を述べたのが「おのずから」、「だれが音頭を取ったわけでもないのにいつのまにか決まった」ことを述べたのが「ひとりでに」である。

2. Bのように、十分に議論されれば当然その結論になるという意の場合は、「おのずから」がふさわしい。

3. Cのように、その本の中に独自の上達の秘訣があり、それに従えば知らないうちに上達する、という意味の場合は、「ひとりでに」のほうが適する。

4. Dも、原因不明という点で「ひとりでに」が適当。「ひとりでに」はこの「開く」のような一回性の偶発的な動作にも用いる。

> よく見れば
> ひとりでにドアが
> 開いた理由が
> おのずからわかるよ！

おもさ

weight

重さ・重量・目方・重み

[基本の意味] 重い程度。

Point! 「**重さ**」が最も一般的で、軽重いずれにも広く使われる。「**目方**」は、身近にある、はかりではかれる程度の重さの物にいうことが多い。「**重み**」は、手ごたえのある重さの感じがこもる。「**重量**」は、一般には相当程度重い物、例えば機械などの重さについていうことが多い。

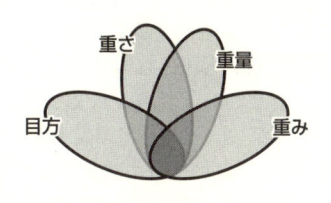

[使い分け]

表現例		重さ	重量	目方	重み
A	かなりの—がありそうだ	○	○	○	○
B	微量の砂金の—をはかる	○		○	
C	戦車の—で地面が揺れる	○	○		○
D	—に制限のある橋	○	○		
E	最近—が二キロ減った			○	
F	へらへらしていて—のない人				○

1. Aの場合はそれぞれの意味合いで四語とも使える。
2. Bのように、軽量の物の場合には「重み」「重量」は使えない。ただし、「重量」は「航空郵便の重量」など、特定分野では軽い物に使うこともある。
3. Cのように、非常に重い物の場合には「目方」は使いにくい。
4. DもCと同様、相当に重い物の場合で「目方」は不適。「重み」は重量をいう場合は、何の重みかを表す語が必ず付き、Dのような表現には使えない。
5. Eのように、体重と同意に使えるのは「目方」だけである。
6. Fのように、人の態度の重々しさをいう場合は「重み」以外は使えない。また、重大さを表す「責任の—」の場合は「重さ」「重み」が使えるが、「重さ」だと客観的に見ての重大さを表し、「重み」だと自分にのしかかっているという実感がこもる。

[類似の語]

ウエート 物の重さ、特に体重。また、重点。重要度。「ウエートがオーバーする」「効率にウエートを置く」「大きなウエートを占める」

おもしろい interesting, funny

面白い・滑稽・おかしい

基本の意味 愉快な、または、笑いたくなるような感じを起こさせるようす。

Point! 「面白い」は心が引き付けられて楽しい気持ちになる意で、知的な刺激によって生じる感じを含む。「滑稽」「おかしい」は普通と違ったようすに接して思わず笑いたくなる感じをいうが、「滑稽」は人の言動や高等動物の動作にいうのに対し、「おかしい」は物事にもいう。「面白い」「おかしい」は対象の様態と主観的な気分と両方を表すが、「滑稽」はもっぱら対象の様態についていう。 ➡ 「あやしい」

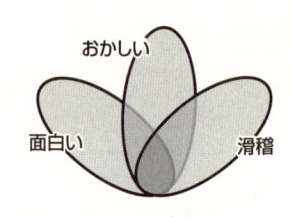

使い分け

表現例		面白い	滑稽	おかしい
A	—ことを言って人を笑わせる	○	—な○	○
B	岩の形が—	○		○
C	彼が社長だなんて—よ		—だ○	○
D	最近の彼の行動は—			○
E	これは—アイデアだ	○		

1. Aの場合はそれぞれの意味合いで三語とも使える。
2. Bのように、物についていう場合は「滑稽」は使えない。「面白い」を使えば一風変わっていて心が引かれる感じ、「おかしい」を使えば普通と違っていて変な感じの意になる。
3. Cのように、常識では考えられないほどばかばかしい感じである意の場合は「面白い」は使えない。
4. Dのように、行動などが異常であるという意では「おかしい」が使われる。
5. Eのように、知的なことに関して興味深いの意を表す場合は「面白い」以外は使いにくい。

類似の語

剽軽（ひょうきん） 滑稽なことを気軽に言うなどして愉快なようす。「剽軽なしぐさで皆を笑わせる」「剽軽な男」

コミカル 滑稽味のあるようす。喜劇的。「コミカルな演出」

おもわず

unconsciously

思わず・つい・知らず知らず・思わず知らず・我知らず

基本の意味 無意識のうちにそうする、または、そうなるようす。

Point! 「思わず」は、事の起こる場面に注目して、主体がある行動・態度をとったり感情を表にあらわしたりする場合に使われる。「つい」も、事の起こる場面に注目した言い方だが、主に、本意でなくそうしてしまうことにいう。「知らず知らず」は時間の経過に伴って自然にそうなっているようすで、あとから振り返ってみた場合にいう。「思わず知らず」「我知らず」は文章語的で、「我知らず」は古風。

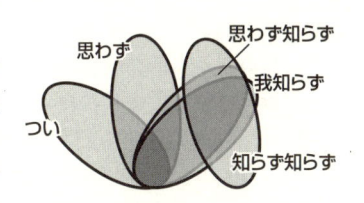

使い分け

表現例	思わず	つい	知らず知らず	思わず知らず	我知らず
A ―涙をこぼす	○	○		○	○
B ―彼の影響を受けていた			○	○	○
C 他に気をとられて―忘れる		○			
D 口上を―覚えてしまう			○		

1. Aでは「知らず知らず」以外の四語が使える。「知らず知らず」は「知らず知らず涙を流していた」のように、時間の経過が感じられる表現でないと使いにくい。当然、「―吹き出す」のように突発的・瞬間的な場合も「知らず知らず」は使えない。

2. Bのように、ある時間の経過があってその間に知らずにそうなっていたという場合は、「思わず」「つい」は使いにくい。ただし「―長居した」のように自分のした行為についてなら「思わず」「つい」も使える。「思わず知らず」と「我知らず」では、「我知らず」のほうが時間経過が感じられる。

3. Cのように、してはならないことをしてしまう意が強い場合は「つい」が最適。「思わず」も使うことがあるが、「忘れる」のように心に関係する語のときは「思わず」と重なるので使いにくい。

4. Dのように、時の経過に従って何かを身に付ける意の場合は「知らず知らず」が適当。

おりる

go down

おりる・くだる・さがる

基本の意味 高い所から低い所へ移る。

Point! 「**おりる**」「**くだる**」は、ともに高い所から低い所に移る意で、「**おりる**」は結果に注目した言い方、「**くだる**」は移動そのものや経路に注目した言い方。「**さがる**」は、ある基準点から下（または後ろ）へ移る意が中心で、物事の程度や段階にもいう。

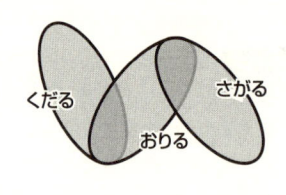

使い分け

表現例	おりる	くだる	さがる
A　急いで山を—	○	○	
B　小舟で川を—		○	
C　舞台に幕が—ている	—り○		—っ○
D　成績が五番—			○
E　一歩後ろへ—			○

1. Aのように意図的動作として低い所へ移動する場合は「さがる」は使えない。「山の尾根をくだって里におりる」のように、「くだる」では移動の経路に、「おりる」では結果に注目している。

2. Bのように移動の経路を示す語（川）を伴うときは、もっぱら「くだる」が使われる。

3. Cのように仕掛けで上下に動くものの場合は「くだる」は使えない。「さがる」を使うと、幕が垂れているというだけで、舞台に届いていなくてもよいが、「おりる」では舞台の上面に到達している感じが強くなる。

4. Dのように段階が下になる意では、基準点を意識した「さがる」が適当。人や物の実際の動きではないので「おりる」「くだる」は使えない。また、「自然に頭が—」のように、体や物の一部が低くなることをいう場合も「さがる」しか使えない。

5. Eのように水平に後方へ移る意を表すのは「さがる」だけである。

類似の語

下降する（かこう）　物の位置や物事の程度などが低くなる。「人気が下降する」

おわり

end

終わり・しまい・おしまい・終了

基本の意味 物事が終わること、また、終わるところ。

Point! 「終わり」は最も一般的な言い方だが、物事がだめになることの意でも使われる。「しまい」は、やや古風な語感をもつ場合があり、また、続けてきたことをやめるという能動的な意味合いを含むこともある。「おしまい」は「しまい」の丁寧な言い方だが、物事がだめになることの意もある。「終了」は、当初の予定やある意図によって物事が終わる、または、終えること。 ➡「かんりょう」

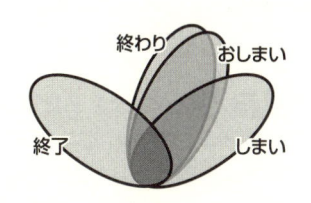

使い分け

表現例	終わり	しまい	おしまい	終了
A 連載は今回で―とする	○	○	○	○
B この小説は―がまずい	○	○	○	
C 彼も学者としてはもう―だ	○		○	
D さすがの彼も―には許した	△	○	△	

1. Aの場合は四語とも使えるが、「しまい」では、あえて今回でやめるという感じがやや強まる。
2. Bのように物事の最後の部分の意では、「終わり」「しまい」「おしまい」を使う。「終了」にはこの意がない。
3. Cは、例えば他人の論文の盗用などで学者としての生命が終わるというような場合だが、物事がだめになる意にもなる「終わり」「おしまい」が使われる。「しまい」「終了」にはこうした用法はない。
4. Dのような「―に〔は〕…する」という副詞的用法には「しまい」がぴったりする。「終わり」「おしまい」も使えなくはないが、あるプロセスを経て最後に一転するという意には、「しまい」以外はやや不自然さが残る。

類似の語

最後 続いている物事のいちばんうしろ。いちばんあと。また、その位置。「今月最後の日曜日」「論文の最後に参考文献を列挙する」 ➡「さいご」

終末 続いてきた物事の終わり。物事のはて。「物語も終末を迎える」

おわる

終わる・終える・済む・済ます

end, finish

基本の意味 この先はない、または、しないでよいという状態になる。また、そのようにする。

Point! 「**終わる**」は本来は自動詞で「…が終わる」と使われる。「**終える**」は本来は他動詞で「…を終える」と使う。「**済む**」は自動詞で、かたがつく意が中心。「**済ます**」は「**済む**」に対する他動詞。

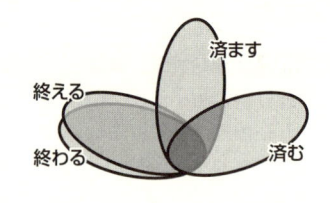

使い分け

表現例	終わる	終える	済む	済ます
A　仕事が早く―た（だ）	―っ○	―え○	―ん○	
B　会議を―て帰宅する	―っ○	―え○		―し○
C　論文を書き―	○	○		
D　わずかな金で―た（だ）			―ん○	―し○

1. Aは自動詞としての用法なので、「済ます」は使えない。「終える」は、してきたことが終わる意で自動詞でも使えるが、話し言葉的であり、やや古い感じも受ける。Bは他動詞としての用法なので、「済む」は使えない。「終わる」は、してきたことを終える意で他動詞でも使えるが、話し言葉的。

2. A・Bの場合を通して、「終える」は「終わる」と比べて主体的・意志的に完了させた感じが強い。これに対し「終わる」は客観性が強く、時期が来て自然に、または当然のこととしてそうなるというニュアンスがある。

3. Cのように、動詞の連用形に付いてその動作・作用が終了する意を表す場合は「終わる」「終える」を使う。この場合「終える」では、そのことを終了させるための努力・苦労、さらに積極性などがより強く出る。

4. Dのように、それで間に合う（合わせる）という意では「済む」「済ます」を使う。「済む」では、その程度で落着してよかったというニュアンスに、「済ます」は、不十分は承知で意図的にそうしたという意味になる。

類似の語

終う 仕事・店などが終わる、また、終わりにする。「道具をしまう」などの「仕舞う」と同語。「死んでしまった」のように補助動詞としても使う。

かいかく revolution, reform

改革・変革・改変・改造

基本の意味 物事を改め変えること。

Point! 「改革」「変革」は、組織・制度・意識など抽象的な物事について、仕組みを変えてよりよいものにすることで、「変革」はそれを根底的に行う場合にいう。「改変」は、物事の内容を変えることで、よくする場合とは限らず、文章・作品・制度・組織・設備など、具体物も含めさまざまなものにいう。「改造」は、構造に手を加えて目的に合うようにつくり変えることで、機械類・建物・組織などについて、特に物理的に変えるイメージで使われる。

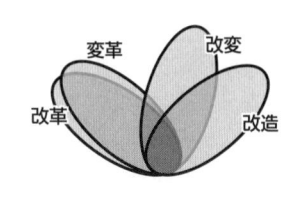

使い分け

表現例	改革	変革	改変	改造
A 社会の—	○	○	○	○
B 学校教育の—を図る	○	○		
C 規則を独断で—する			○	
D 倉庫を工場に—する			△	○

1. Aのように漠然という場合は、それぞれの意味合いで四語とも使える。
2. Bでは「改革」が適当だが、大きく変える場合なら「変革」も使える。
3. Cの場合は、変えることでよくなるという意が感じられないこと、また、条文や文言といった具体的な内容についてそれを別のものに変える意であることから、「改変」が適当。「改革」「変革」は全体の仕組みを変えることにいい、「改造」は物理的につくり変える意味合いが強く、いずれも不適。
4. Dのように、建築物という具体的な「物」を全体的につくり変える場合は「改造」が適当。「改変」は部分的に変える感じを伴うのでDにはやや不自然だが、許可なく勝手に変えるといった場合であれば使えなくはない。

類似の語

改良 欠点や不備な点を直して、よりよいものにすること。主に具体物についていう。「土壌を改良する」「改良された機械」「品種改良」

改善 悪い点を直してよりよいようにすること。主に抽象的な物事や事柄についていう。「現行の制度を改善する」「体質の改善につとめる」

がいこく foreign country

外国・他国・異国・異邦

基本の意味 自分の属する国でない、よその国。

Point! 「外国」は四語の中で最も一般的な日常語。**「他国」**は文脈によって、自分が属する国以外の国の意にも、話題に取り上げた国以外の国の意にもなり、また国家とは限らず、昔の行政区画としての「国」(「武蔵国」など) にもいい、さらには郷里以外の土地の意で使われることもある。**「異国」「異邦」**は、風俗・習慣が異なるという意味合いをこめて「外国」をいう語。**「異邦」**では特になじみがないという心理的距離感が強調される。

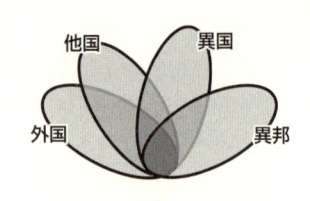

使い分け

表現例	外国	他国	異国	異邦
A ―を旅する	○	○	○	○
B ―の支配を脱する	○	○	○	
C 石油を―から輸入する	○	○		
D ―に見られない米国のよさ		○		

1. Aではそれぞれの意味合いで四語とも使える。「他国」では、海外の国でなく、故郷以外のよその土地という意で使われている場合も考えられる。

2. Bのように、その国とよくも悪くも密なかかわりをもってきた場合は、よく知らない国というニュアンスがある「異邦」は使いにくい。

3. Cのように、時事的な内容の場合は「異国」「異邦」は使いにくく、「外国」「他国」が使えるが、「外国」のほうが自然。「他国」では、話題に取り上げられている国でない別の国という意で使われている場合も考えられる。

4. Dのように、話題として取り上げた国 (ここでは米国) ではないほかの国という場合は、「他国」しか使えない。その国が話者の属している国 (例えば米国のかわりに日本) だとすると「外国」「異国」「異邦」も使える。

類似の語

異朝 よその国をいう古風な言い方。特に、昔の中国をさすことが多い。「異朝にその例を求める」

かいそう recollection

回想・回顧・追想・追憶

基本の意味 過去を思い返すこと。

Point! 「回想」は、過去にあったことに思いを及ばせて、その場面をあれこれ思い出すこと。「回顧」は、過去のことを思い起こしながら客観的・批評的な見方を交えて振り返ること。「追想」は、ある思い入れをもって過去の出来事や人を思い出すこと。「追憶」は、死んだ人や過去の出来事を二度と帰らぬものとして思い出すこと、また、その内容。「追想」「追憶」は、「回想」よりも過去への思い入れの度合いが強い。

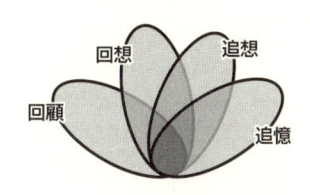

使い分け

表現例	回想	回顧	追想	追憶
A 少年時代を―する	○	○	○	○
B 往時の―にふける	○		○	○
C 昨年の学界を―する		○		
D この半年間の身の変転を―する	○	○		
E 悲しい―となる				○

1. Aのように遠い昔のことを思う場合は、それぞれの意味合いで四語とも使える。
2. Bのように、昔のことを思い出してそれに心を奪われる場合は、「回想」「追想」「追憶」が使える。
3. Cの場合、客観的な評価などを加えつつ振り返る感じが強いので、「回顧」が適当。
4. Dのように、それほど遠くない過去のことを思う場合は「追想」「追憶」は使いにくい。
5. Eのように、思い返す内容をいう場合は、「追憶」以外は使いにくい。

類似の語

懐古 過ぎ去った時代をなつかしむこと。自分が直接には知らない昔の時代に対しても用いる。「懐古趣味」「懐古的なファッション」

想起 過去にあったことや知識として身に付けたことを思い出すこと。

がいとう adaptation

該当・適合・相当

基本の意味 条件などにあてはまること。

Point! 「**該当**」は、示された条件や規定にあてはまること。「**適合**」は、条件にかなうことで、不具合なく合うことに重点が置かれる。「**相当**」は、程度や内容がほぼ同等のレベルで対応する関係にあること。

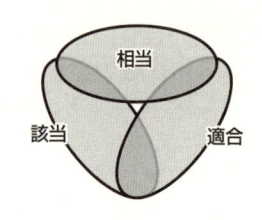

使い分け

表現例	該当	適合	相当
A 彼は先方の示す条件に―する	○	○	
B 自分の力に―した仕事		○	○
C 地位に―する俸給を受ける			○
D adaptation に―する日本語	○		○

1. Aのように、その条件に合うかどうかということを問題とする場合は「該当」「適合」を用いる。二つのものの同等な対応関係に注目していう「相当」は、Aには不適。

2. Bのように、かなう、つり合うといった意では「適合」「相当」が使われ、「該当」は使われない。「適合」では自分の能力にうまく合う仕事、「相当」では自分の能力のレベルと同等のレベルの仕事という意になる。

3. Cのように、二つのものについてそれぞれの等級に注目し、両者が同等のレベルで対応するという場合は、「相当」を用いる。Bと違い、うまく合うかどうかということが問題となっているわけではないので、「適合」は不適。「給料三か月分に―する期末手当」など、数量的に見て等価だという場合も「相当」を使う。

4. Dのように、両者が内容的にほぼ同じで対応する関係にあるという場合も、「相当」が適切。「該当」も使えるが、ある範囲の中から探すとこの語があてはまるといった意味合いとなり、常に違和感なく使えるとは限らない。

類似の語

合致 問題となる点について両者を引き合わせてみた結果、ぴったり合うこと。「書かれている内容は事実と合致する」

かいはつ　reclamation

開発・開拓・開墾

基本の意味 手付かずの土地などに手を加えて利用できる状態にすること。

Point! 「開発」は広く、手付かずの状態にあるものを利用可能な状態にすることをいい、土地についていう場合も、何かの目的のために使えるようにするということに重点がある。「開拓」は、山林や原野を切り開いて農業や牧畜のできる土地にすること。「開墾」は、木を切ったり土をこなしたりして田畑にすること。「開拓」「開墾」は「開発」に比べて、土地を切り開く行為そのものに注目している。

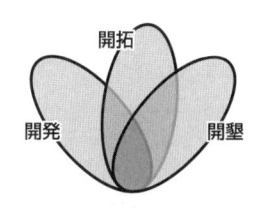

使い分け

表現例	開発	開拓	開墾
A　森林を―する	○	○	△
B　鉄道を通すために山を―する	○		
C　新分野の―に努める	○	○	
D　雑木林を―して畑を作る		○	○

1. この三語は山野などを切り開く意をもつことで共通するが、「開墾」は規模が小さい感じで、Aの「森林」のように大規模な場合にはやや使いにくい。

2. Bのように、農業地以外の目的で土地を切り開く場合は、「開拓」「開墾」は使いにくい。

3. Cでは「開発」「開拓」が使える。「開発」は、もともと土地に限らずいう語で、能力・新製品・取引先・市場などさまざまな事柄に使える。それに対して「開拓」は比喩的な用法となる。「開墾」は比喩としても使えない。

4. Dのように、田畑にするために切り開く意の場合は「開拓」「開墾」が使えるが、雑木林程度（個人が狭い範囲で行う）の場合は「開墾」が最適。大ぜいで行い、相当に広い範囲にわたる場合なら「開拓」を使う。

類似の語

切り開く 用地や道などをつくるために、草木を刈り払ったり地面を平らにしたりする。また、そうして道を通す。「原野を切り開く」「道を切り開く」

開削 道路・運河などを通すために地面を削ったり木を刈り払ったりすること。

かいへい opening and closing

開閉・開け閉め・開け閉て

基本の意味 開けたり閉めたりすること。

Point! 「開閉」は、開けたり閉めたりすることだけでなく、開いたり閉まったりすることという意味でも使われる。それに対し、**「開け閉め」「開けたて」**は、他動詞的に開けたり閉めたりすることに限っていう。**「開け閉め」**は、「ドアの開け閉め」から「口の開け閉め」まで幅広く使えるが、**「開けたて」**は、主に引き戸についていう。

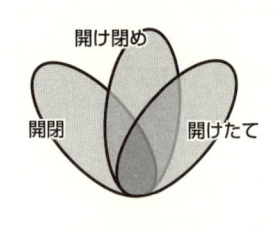

使い分け

表現例	開閉	開け閉め	開けたて
A　静かに扉を―する	○	○	○
B　ふすまの―の作法		○	○
C　自動的に―するドア	○		
D　引き出しを―する	△	○	

1. 「開けたて」は主に左右に引いて動かす戸についていうが、前後に動かすものでも扉や窓には使うことがあり、Aの場合は三語とも使える。
2. Bのような純和風の戸の場合、「開閉」は表現が硬すぎてそぐわない。
3. 「開け閉め」「開けたて」は他動詞にしか使えないが、「開閉」は自動詞としても使われる。したがって、Cの場合は「開閉」だけが適当。「開閉」は硬い表現で、日常の口頭語で使うことは少なく、また、遮断機・水門・防火シャッター・弁など機械的な装置に関して使われることが多い。
4. Dの場合「開け閉め」が自然。「開閉」は3で述べた理由からやや不自然。「開け閉め」は最も広く使われ、「栓（かぎ）の開け閉め」などともいえる。また、動かす部分だけではなく、その本体を表して「箱（たんす・玄関）の開け閉め」などとも使う。

かう　buy, purchase

買う・購入する・買い入れる・買い込む・買い取る

[基本の意味] 金銭を支払って手に入れる。

Point! 「買う」は五語の中で最も幅広く使える。「購入する」は、改まった言い方で、主として商品として売られているものを買う場合にいう。「買い入れる」は、転売するとか事業で使うなど、個人的な消費以外の用途に当てる目的で買うという意が強い。「買い込む」は、先を見越して買う、あるいは数多く買うという感じがこもる。「買い取る」は、売り手が手放そうとしている場合に用いられ、その物を引き取るような形で買う感じが強い。

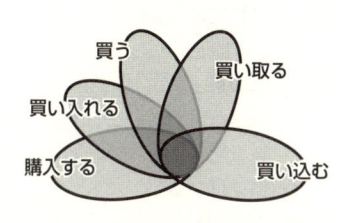

[使い分け]

表現例	買う	購入する	買い入れる	買い込む	買い取る
A　本を—	○	○	○	○	○
B　学校で新しいピアノを—た	—っ○	—し○	—れ○		
C　コンビニでコロッケを—	○				
D　友だちの車を—	○				○
E　不要品—ます	—い○		—れ○		—り○
F　情報を—	○				○

1. Aの場合はそれぞれの意味で五語とも使える。
2. Bのように、事業などで使う場合には「買う」も使えるが、「購入する」「買い入れる」を用いるほうが自然。
3. Cのようにごく日常的な場合には「買う」が自然。「購入する」は大げさ。他の三語も **Point!** で述べた特徴から使いづらい。
4. Dのように、相手が商人や業者でない場合は「買い取る」が適当だが、「買う」も使える。
5. Eは、手放す気のある人に呼びかける場合なので「買い取る」が適当だが、単に「買う」でもよく、古物を扱う業者なら「買い入れる」も使える。「購入する」「買い込む」は店や業者から買う場合でないと不自然。
6. Fのように無形のものを買う場合は、「買う」「買い取る」が適当。

かお face

顔・つら・顔面・おもて

基本の意味 人間の頭部のうち目・鼻・口のある部分。

Point! 「**顔**」は、単純に身体の一部としていう場合から、形や目鼻の見た目のようすをいう場合、感情・性格など内面が表れる場としていう場合など、意味が広い。「**つら**」は、おとしめていう語。「**顔面**」は、身体の一部として即物的にとらえていう語。「**おもて**」は雅語的な言い方で、使われる文脈は限られる。 ➡「かおつき」

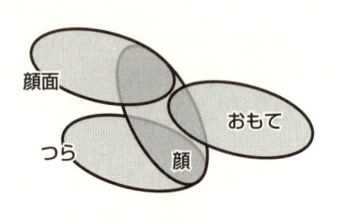

使い分け

表現例	顔	つら	顔面	おもて
A ―に負傷する	○		○	
B 猫の―に水をかける	○	○		
C 怒りがすぐ―に表れる人	○			○
D あての―は苦手だ	○	○		

1. Aのような一般的表現では、さげすみ・ののしりを込めた「つら」は使われず、雅語的な「おもて」も使われない。

2. Bのような人間以外の場合、「おもて」は使わない。「顔面」も、猿のように顔の平面的な動物なら使えそうだが、猫では不自然な感じを受ける。ただし、獣医学・解剖学などでは人間以外の動物について「顔面」が使われる。

3. Cのような喜怒哀楽の感情が表れる場としては、「顔」が使われるが、「おもて」も使える。「つら」はCの例では野卑すぎてそぐわないが、「何だ、そのつらは、文句あんのか！」のようにののしっていう文脈なら使える。「顔面」は、「顔面蒼白」「顔面を硬直させて」など何らかの変化が実際に顔に表れた場合を除き、内面的なものとのつながりではあまり使われない。

4. Dは、顔のようすを美醜や好みの観点からいったものともとれるが、「苦手だ」とあることから、単に美醜・好みの問題というより、性格や内面の表れとしての顔についていっているととれる。Dの例では雅語的な「おもて」は適さず、「顔面」も**3**で述べたように使えない。

かおいろ color, complexion

顔色(かおいろ)・顔色(がんしょく)・血相(けっそう)・血色(けっしょく)

基本の意味 健康状態や感情を表すものとしての顔の色。

Point! 四語の中では「**かおいろ**」が最も一般的で、健康状態に関しても表情や機嫌のよしあしに関しても使え、意味が広い。「**がんしょく**」は漢語的表現で、主に感情の動きが表れた顔のようすにいう。「**血相**」も「血相を(が)変える(変わる)」の形にほとんど限られ、驚きや怒りで表情が変わる場合にしか用いられない。「**血色**」は健康状態を表す顔の色つや。

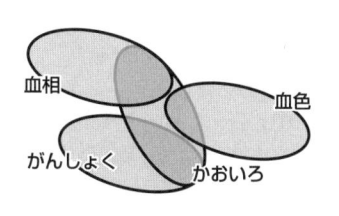

使い分け

表現例	かおいろ	がんしょく	血相	血色
A ―がよくない	○			○
B 人の情に触れて―を和らげる	△	○		
C ―を変えて殴りかかる	○		○	
D 人の―を読む	○	△		

1. Aの場合は「かおいろ」「血色」が使える。「がんしょく」は「顔色(がんしょく)なし」のような慣用句以外で日常の口語で使うことはまれである。「血相」も「血相を(が)変える(変わる)」の形以外ではほとんど使われない。

2. Bのようなやや硬い表現の場合は、文章語の「がんしょく」が最適。「かおいろ」も使えなくはないが、やや不自然。「血相」「血色」は **Point!** に述べたような理由で不適。

3. Cのような「―を変えて」の形の場合は、「かおいろ」も使えるが、「血相」がぴったりする。「血色」は、健康状態を表す血行による顔の色を示す語で、感情に起因する顔の色には使わない。

4. Dのような「―を読む(見る・うかがう・気にする)」の表現には「かおいろ」がよい。硬い感じの文章の中でないと「がんしょく」は使いにくい。

類似の語

表情(ひょうじょう) 感情が外面、特に顔に表れること。また、そのときの顔などのようす。

かおつき

looks

顔付き・容貌（ようぼう）・形相（ぎょうそう）・面構（つらがま）え・顔（かお）

基本の意味 どういう感じを与えるかという点でとらえた、顔のようす。

Point! 「**顔付き**」は、ある特徴においてとらえた顔のようす。多くは、性格やその時の気分・感情など内面を表した顔のようすにいう。「**容貌**」は、目鼻のつくりなど顔の造作（ぞうさく）を、その特徴や美醜の点から外面的にとらえている。「**形相**」は、激しい感情を表した顔。「**面構え**」は、主に男性の、気の強さ・荒さを感じさせる顔の造作。「**顔**」は上の四語より意味が広く、最も一般的な言い方。 ➡「かお」

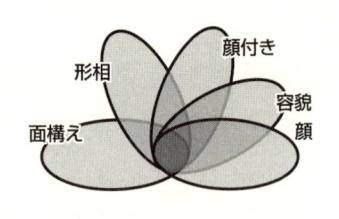

使い分け

表現例	顔付き	容貌	形相	面構え	顔
A　鬼もたじろぐような—	○	○	○	○	○
B　上品な—の娘	○	○			○
C　必死の—で立ち向かう	△		○		
D　不敵な—の若者	△	△		○	
E　自分の—を気にする年齢		○			○

1. Aのように、恐ろしく強い感じをいう場合は「形相」「面構え」が適当。「形相」が表情をいうのに対し、「面構え」はその時々の表情でなく、顔のつくりをとらえている。「顔付き」「容貌」「顔」も使えるが、やや弱い。
2. Bのように恐ろしさや強さを含まない場合、「形相」「面構え」は使えない。
3. Cのように、激しい感情が表れる場合は「形相」が最適。「顔付き」も使えなくはないが、やや弱い感じになる。
4. Dのように、気の強さやふてぶてしさを表した顔のようすには「面構え」が適当。「顔付き」「容貌」では、Cと同様やはり弱い感じになる。
5. Eのように美醜に関していう場合は「容貌」が適当だが、意味の広い「顔」も使える。

類似の語

顔立（かおだ）ち 持って生まれたものとしての、顔の形や目鼻などのつくりのようす。「顔立ちがどことなく似ている」「整った顔立ちの少年」

かかえる hold

抱える・だく・いだく

[基本の意味] 腕で囲むようにして持つ。

Point! 「**抱える**」は腕で囲むようにして持つ意。転じて、処理しなければならない物事を自分の身に持つ意も表す。「**だく**」は、そのものを包み込むように腕をまわす意で、持った状態でなくともよい。「**いだく**」は「**だく**」の文章語的な言い方だが、思いを内にもつ意にも使う。

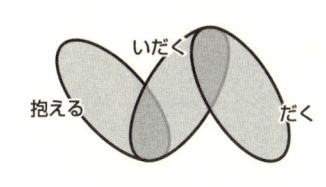

[使い分け]

表現例		抱える	だく	いだく
A	かばんを―て出掛ける	―え○		
B	恋人を―		○	○
C	大きな仕事を―ている	―え○		
D	悩みを―	○		○
E	都会にあこがれを―			○

1. Aの場合「抱える」が自然で、小わきにはさむように持った状態を表す。「かばんを―て立つ少女」など、両腕で包み込むように大切に持っている状態なら「だく」も使えるが、「いだく」ではやや大げさ。
2. Bのように人の場合は、「だく」「いだく」が適する。ただし「いだく」はやや古めかしく、文学的な表現。「抱える」は、倒れた恋人を運んだりする場合なら使うこともある。
3. Cのように、処理すべき事柄をその身に持つ意では、「抱える」を使う。
4. Dのように「悩み」の場合は、解決すべき問題だから「抱える」も使うが、心中の思いでもあるため「いだく」ともいえる。「だく」は具体物でないと使いにくい。
5. Eのように、ある思いを心に浮かべる意では「いだく」以外は使いにくい。

かくだい　expansion

拡大・拡張・拡充・膨張

基本の意味 大きさ・広さ・規模などが大きくなる、また、大きくすること。

Point! 「**拡大**」は、具体物の大きさ・広さ・寸法・幅、また、物事の規模や範囲についていう。「**拡張**」は「拡大」と重なるところもあるが、広げて大きくする意を含み、具体物については主に空間や幅についていう。「**拡充**」は、物事の内容・規模についていい、質的に充実させる意を含む。「**膨張**」は、物がふくれて大きくなることで、規模については主に、ひとりでに大きくなる場合に使われる。

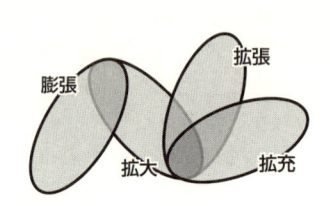

使い分け

表現例	拡大	拡張	拡充	膨張
A 軍備の—を図る	○	○	○	
B 教育内容を—する			○	
C 実物を—してみる	○			
D 経費の—を抑える	○			○
E 綿が水を含み—する				○

1. Aの例は「規模を大きくすること」という他動詞的な意味なので、「大きくなること」という自動詞的な意の「膨張」は使えない。規模の場合、「拡大」「拡張」はほぼ同意に使うが、「拡充」は質的充実の意が加わる。

2. Bの場合は、質的に充実させる意を含む「拡充」が適当。

3. Cのように、外形を大きくする意の場合は「拡大」しか使えない。また、「道路の—」のように、平面的に広げる意の場合は「拡張」が適当。

4. Dでは「拡大」「膨張」が使える。「拡大」といえば単に費用の規模が今までよりも大きくなる意だが、「膨張」というと経費がだんだん大きくなって、考えている規模以上になるような感じを表す。意図的行為の結果でなく、ひとりでに大きくなることをいう場合は「拡張」は不適（「胃拡張」は例外）。プラスの意味を含む「拡充」は、意味的に「経費を抑える」という文脈とそぐわない。

5. Eのように物が実際にふくれて大きくなる意では、「膨張」しか使わない。

かこう

enclose, surround

囲う・囲む・取り囲む・取り巻く

基本の意味 あるものの周囲にぐるりと位置して包むようにする。

Point! 「囲う」は対象のまわりを何かで覆うようにする意で、「対象を何かで囲う」という文型が基本となり、中にあるものを外から遮り守る感じが強い。「囲む」は、対象のまわりに何かを配置する場合のほか、主体そのものが対象のまわりに位置する場合にも使え、あるものを内側に置いて包み込むような態勢をとるところに重点がある。「取り囲む」は、中にいるものを外へ出さないようにする意味合いが強い。「取り巻く」は、多くのものがまわりに寄り集まってくるような場合に使われる。

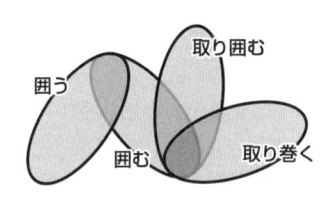

使い分け

表現例	囲う	囲む	取り囲む	取り巻く
A 花壇をれんがで―	○	○		
B 恩師を―で会を開く		―ん○		
C 玉が―れて詰む寸前		―ま○	―ま○	
D 報道陣に―れる		―ま○	―ま○	―か○
E 日本を―情勢は厳しい				○

1. Aの場合、「囲う」「囲む」を使う。「取り囲む」「取り巻く」は **Point!** で述べた特徴から、ともに不自然。
2. Bのように主体そのものが対象のまわりに位置する意の場合、「囲う」は不適当。「取り囲む」「取り巻く」はAと同様の理由で不適。
3. Cの場合、「囲む」「取り囲む」が適当。「取り巻く」は、相手の駒との距離感が感じられて、詰むという状況にぴったりしない。
4. Dでは「囲む」「取り囲む」「取り巻く」がそれぞれの意味合いで使える。
5. Eのように、ある意志によって生じた結果でなく、種々のものがそれぞれ別個にまわりにあるという場合は、「取り巻く」が適当。

類似の語

包囲する 周囲を取り囲んで逃げられないようにする。「敵を包囲する」

かしこい   smart, clever, wise

賢い・利口・さとい・さかしい

基本の意味 頭がよく働くようす。

Point! 「賢い」「利口」はいずれも、頭がよく働くようすをいい、文脈によっては要領がよい意や抜け目がない意も表す。「利口」は状況判断のよさといった現実的な適応力により注目している感じが強い。「さとい」は、判断の速さや鋭さに重点があり、「耳が―」のように敏感なようすにもいう。「さかしい」は古風な言葉で、「賢い」「利口」とほぼ同義で使われるが、悪知恵が働くとか利口ぶって生意気であるといったマイナスの意味でも使う。

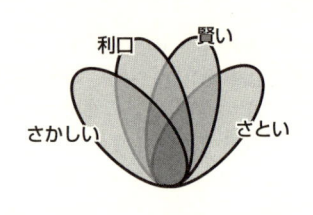

使い分け

表現例	賢い	利口	さとい	さかしい
A ―少年	○	―な○	○	○
B ―立ち回って利を占める	―く○	―に○	―く△	―く○
C 利に―商人			○	
D 小―口をきく		―な○		○
E ―犬	○	―な○	○	

1. Aの場合はそれぞれの意味合いで四語とも使える。「さかしい」では、悪賢い意や、利口そうに振る舞って生意気だといった意になることも多い。
2. Bのように要領よくといった意の場合、「さとい」はやや使いにくい。
3. Cでは敏感な意を含む「さとい」が使われる。「利にさとい」は慣用的な言い方で、他の語との置き換えはできない。
4. Dのように、「小」を伴って半端な賢さや生意気さをいう場合は、「利口」「さかしい」が使われる。「さかしい」では濁って「こざかしい」となる。
5. Eのように、人以外の動物については「賢い」「利口」「さとい」が使える。狐のような、人を化かす動物についてなら「さかしい」も使える。

類似の語

利発(りはつ) 頭の働きがすぐれていて物事をよく理解するようす。主に年齢の若い者にいい、悪い意味では使わない。「小さいころから利発な子だった」

聡明(そうめい) 物事をよく見通して判断力にすぐれているようす。「聡明な政治家」

かすむ

grow dim

かすむ・ぼやける・ぼける

基本の意味 輪郭がはっきりしなくなる。

Point! **「かすむ」**は、全体にかすみがかかったような状態になる場合にいう。**「ぼやける」「ぼける」**は、輪郭や色彩が明瞭さを失って像がぼんやりする場合にいう。

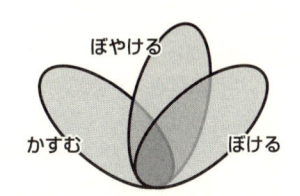

使い分け

表現例	かすむ	ぼやける	ぼける
A　遠くの山が―て（で）見える	―ん○	―け○	―け○
B　論旨が―ている		―け○	―け○
C　目が―でよく見えない	―ん○		
D　年をとって―てしまった			―け○

1. Aではそれぞれの意味合いで三語とも使える。「ぼやける」と「ぼける」では「ぼやける」のほうが表現がやわらかく、「ぼける」のほうが強い感じを受ける。また、遠景に関しては「かすむ」を使うのが普通で、「ぼける」は多く、近くのものに使う。したがって、Aで「ぼける」を使うと、写真やテレビ画面にうつった山についていうような感じになる。
2. Bのように主旨・論旨が明確でなくなる意では、「かすむ」は使えない。
3. Cのように、目そのものに何らかの障害があって物がはっきりと見えないという場合は、「かすむ」以外は不適当。
4. 「ぼける」「ぼやける」には、頭の働きが鈍る意があるが、「ぼやける」は一時的にそのような状態に陥る場合に使い、持続的・継続的な場合には使わない。「ぼける」はどちらの場合にも使われるが、多く継続的な場合に使う。したがって、Dでは「ぼける」が適当。

類似の語

煙る（けむる）　煙が立ちこめる。また、そのように物の形がかすんで見える。「けぶる」とも。「雨に煙る町の灯」

かぞえる   count

数える・勘定する・計算する・数え上げる

基本の意味 数を調べる。

Point! **「数える」**は、一つ二つといったように順を追って数や順番を調べる意。**「勘定する」**は、主に金銭や品物の数にいい、数えて数を出す場合にも計算による場合にもいう。**「計算する」**は、加減乗除などの法則によって値を出す意。**「数え上げる」**は、一つ一つ内容を確認するようにして数える、あるいは、最後まですっかり数える意。

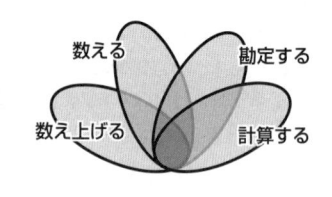

使い分け

表現例	数える	勘定する	計算する	数え上げる
A 指を折って—	○	○	△	○
B 売上金を—	○	○	○	
C 他人の欠点を—	○			○
D 十万を—軍勢	○			
E 多少の誤差は—てある			—し○	

1. Aのように、指を折って事足りる数の場合は「計算する」は使いにくいが、幼い子が足し算や引き算をするような場合なら使える。
2. Bのように、金銭に関する場合は「数え上げる」は不適当。「数える」では具体的にお金を手に取って調べる意、「計算する」は書類などに記された数字によって金額を出す意になる。「勘定する」はどちらの場合も使える。
3. Cのように、一つ一つ取り上げて言う意では「数える」「数え上げる」を使うが、「数え上げる」のほうがより適当。
4. Dのように、ある数に達する意では「数える」しか使えない。なお、文章語的な言い方で「算する」が使われることもある。
5. Eのように、前もって考慮する意の場合は「計算する」しか使えない。ただし、「—に入れてある」という場合は「計算」「勘定」の形で使える。

類似の語

算する 計算する。また、数量がある程度に達する。「会員は百名を算する」

がたがた

rattle

がたがた・ごとごと・がたぴし

基本の意味 堅い物がぶつかり合って連続的に立てる音、また、そうした音を発するようす。

Point! 「**がたがた**」は、堅い物が連続的にぶつかり合う音やようすから、組み立てなどがゆるんであちこちに不具合を生じているようすにもいう。

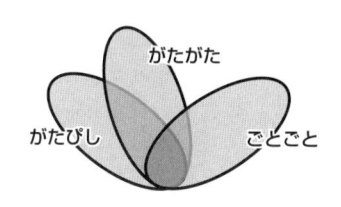

「**ごとごと**」は「**がたがた**」よりも重い感じの音を表し、また、物の煮える音やようすも表す。「**がたぴし**」は、家や家具の建て付けやつくりが悪くて音を発するようす、また、その音を表す語で、内部対立や経年劣化のため組織や身体に不具合が生じたようすにもいう。 ➡「ぶるぶる」

使い分け

表現例	がたがた	ごとごと	がたぴし
A —して閉めにくい雨戸	○	○	○
B いつも—小言を言う	○		
C 鍋の中で煮物が—煮えている		○	
D 組合内部が—している	○		○

1. Aの場合は三語とも使え、いずれも戸の動きが滑らかでなく、途中で引っかかるなどして音を立てるようすを表す。
2. Bのように、うるさく不平・小言などを言うようすを表す場合は、「がたがた」以外は使えない。
3. Cのように、物の煮える音の場合は「ごとごと」を使う。
4. Dのように、組織や人間の身体に不具合が生じているようすには「がたがた」「がたぴし」が使われる。ただし「長年の重労働で体が—だ」のように、「—だ」の形で形容動詞的に使えるのは「がたがた」だけである。

類似の語

かたかた 堅い物がふれ合って立てる軽い音を表す語。「筆箱がかたかた鳴る」

ことこと 堅い物が軽くふれ合って立てる音、また、鍋の中で何かが静かに煮える音やようすを表す語。「黒豆がことこと煮えている」

がたごと 堅くて重みのある物が連続的にふれ合って立てる音を表す語。

がっちり

tightly

がっちり・がっしり・しっかり

基本の意味 緩みや揺るぎがないようす。

Point! 「がっちり」は、物が固く組み合わさって緩みやすきまがないようす。結合の具合や骨組み・体格・物のつくり、さらに、すきまがないということから行動の抜け目のなさなどにいう。「がっしり」は、結合の固さというより、全体にいかにも頑丈にできていて揺るがない感じを表す。「しっかり」は、緩みやぐらつきがなくて確かなようす。

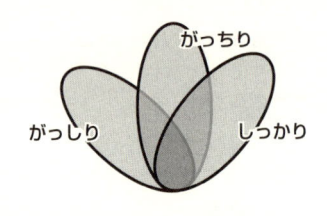

使い分け

表現例	がっちり	がっしり	しっかり
A　この椅子は作りが—している	○	○	○
B　—した体格の男	○	○	
C　—とスクラムを組む	○		○
D　財布は女房が—握っている	○		○
E　—した考えをもった好青年			○

1. Aの場合はどれも使える。「がっちり」「がっしり」では堅固で重量感がある感じ、「しっかり」では、きちんと作られていて安心できるといった感じになる。

2. Bのように、見るからに筋骨たくましい体つきという意味の場合、「しっかり」は不適。「この馬も四歳を迎えて体がしっかりしてきた」のように、「しっかり」は見た目よりも、実質として確かで安定している場合にいう。

3. Cのように組み合った強固さをいう場合は「がっちり」が最適。きちんと確実にという意味なら「しっかり」も使える。「がっしり」は結合の強度の形容にはそぐわない。

4. DもCと同様、「がっしり」は使いにくい。すきなく確実にとか、金銭的に抜け目がないといった意味では、すきまや緩みのなさを表す「がっちり」「しっかり」が適当。

5. Eのように、気持ちや性格が堅実であるようすや、考えがちゃんとしているようすをいう場合は、「しっかり」しか用いない。

かつどう activity

活動・活躍・運動

基本の意味 ある動きや働きを見せること。

Point! 「活動」は、そのものがもつ機能あるいは何らかの考えや目的にしたがってある動きを展開することで、生物・無生物の無意志的な動きにも意志的な動きにも広くいう。「活躍」は、人々の注目を浴びるような仕事をしたり、めざましい業績をあげたりすること。「運動」は、目に見える動きに注目した語で、物体の位置的な移動にいうほか、健康の維持・増進や体力づくりなどのために体を動かすこと、さらに、ある目的の実現のために起こす積極的行動の意で使う。

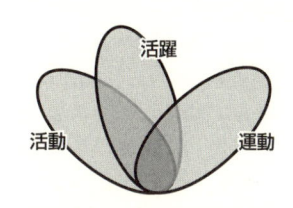

使い分け

表現例	活動	活躍	運動
A 実業界で—している	○	○	○
B 議案を通すために—をする			○
C 警察犬の—で遺留品を発見した	○	○	
D 火山が—を始める	○		

1. Aの場合はそれぞれの意味で三語とも使える。「活動」では、その社会で何らかの動きを展開しているという意、「活躍」では、その人自身が業績をあげ、忙しく働いているという意、「運動」では、ある特別な目的のために何かに対し働きかけているという意となる。

2. Bでは、1に述べた働きかける意味で「運動」が適当。単に「活動」では弱く、「移転反対の運動」「選挙運動」なども「活動」には置き換えにくい。

3. Cの場合は「活動」「活躍」のいずれでもよいが、「活躍」のほうがめざましさが強調される。「運動」は犬についていう場合、犬の健康維持・体力増進・気晴らしなどのために飼い主が犬に体を動かさせる意味となり、不適。

4. 「活躍」は「さまざまな分野で活躍する製品」のように擬人的に無生物にも使うが、Dのように現実的効用や功利的機能と無関係の場合は使えない。また、位置的移動とイメージされる場合なら「造山運動」のように「運動」も使えるが、そうでない噴火のような場合は「活動」しか使えない。

かなり   quite, pretty

かなり・大分（だいぶ）・随分（ずいぶん）・相当（そうとう）・なかなか

基本の意味 物事の状態が問題とされる程度にまで進んでいるようす。

Point! 「かなり」「大分」はいずれも極限までは達していないが並でない程度を表し、状態が更に進行する余地を残している含みをもつことがある。「大分」のほうが「かなり」より程度が高い。「随分」「相当」は「かなり」「大分」のような進行性の意味合いをもたず、単に程度が際立っているようすを表すが、「相当」のほうが程度を強調する感じが強い。「なかなか」は事の実現が容易でない意が基本で、転じて、物事が肯定・評価してよい程度に達しているようすを表す。

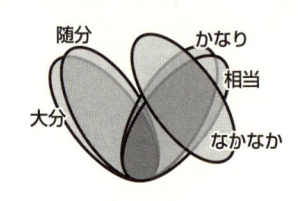

使い分け

表現例	かなり	大分	随分	相当	なかなか
A ―狭い（遅れている）	○	○	○	○	
B これは―の傑作だ	○			○	○
C 彼の家は―な豪邸だ	○			○	
D これだけの美本は―ない					○

1. Aのように状態・程度が普通以上である意を表す場合、「狭い／広い」の「狭い」や「遅れている／進んでいる」の「遅れている」のようなマイナス方向の状態を示す語句に、「なかなか」は使いにくい。意味的には否定的でも取り上げて示すに足る特性である場合、例えば「難しい」「困難だ」「面倒だ」などでは、「実行はなかなか難しい」のように「なかなか」が使える。

2. Bのように「―の＋名詞」の形をとるのは、「かなり」「相当」「なかなか」の各語である。「なかなか」は「傑作」のようなプラス評価の語には使えるが、「駄作」「失敗作」のようなマイナス評価の語には使えない。

3. Cのように形容動詞の連体形（「―な」）の形をとる場合は、「かなり」「相当」が適当。「随分」にもこの形があり、「随分な日数」のように評価を含まない語には付くが、「豪邸」のように一語の中に評価を含んだ語には付きにくい。「随分な仕打ち」のように、他を非難する内容の特殊な用法もある。

4. Dのように実現や発見が容易でない意では「なかなか」しか使えない。

からむ

get entangled

絡む・絡まる・絡み付く・もつれる

[基本の意味] 糸状・ひも状のものが巻くように付いて離れない状態になる。

Point! 「**絡む**」は、何か他のものに巻くように取り付く意が中心。「**絡まる**」は「**絡む**」より解きにくい状態で巻き付く感じ、「**絡み付く**」は強く取り付くように何かに巻き付く感じを表す。「**もつれる**」は、他のものに巻き付くのでなく、そのもの自身が入り組んだ解きにくい状態になる意。「**絡む**」「**絡まる**」、特に「**絡まる**」は、「**もつれる**」と同じくそれ自身が入り組んで解けなくなる意で使われることもある。

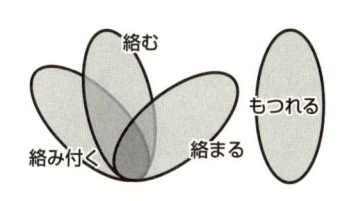

[使い分け]

	表現例	絡む	絡まる	絡み付く	もつれる
A	朝顔のつるが支柱に—	○	○	○	
B	舌が—てしゃべれない				—れ○
C	話（交渉）が—				○
D	酒に酔うとすぐ—人	○		△	
E	公共事業に—不正	○			

1. Aのように、巻き付く対象のある場合は「もつれる」は使えない。「絡む」は先のほうだけがちょっと支柱に巻いている程度でもよいが、「絡まる」というともっと複雑に巻いている感じになる。

2. Bのようにそれ自身が自由な動きの取れない状態になる意では、「もつれる」を用いる。

3. Cのように事が複雑・面倒な状態になる意でも、「もつれる」を用いる。

4. Dのように、言いがかりをつけて困らせるという意味では「絡む」が適当。「絡み付く」だと実際に相手に触れるなどして付きまとう感じになる。

5. Eのように何らかの関係をもつ意では「絡む」がふつう使われるが、複雑に関係しているという状態性が強い場合には「絡まる」が使われることもある。「政治問題が絡まっているので解決に時間がかかる」など。

[類似の語]

巻き付く その物のまわりを巻いてくっつく。「朝顔のつるが巻き付く」

かりに

仮に・もし・万一・もしも

if

基本の意味 ある事柄を仮定して述べる場合に用いる語。

Point! 「仮に」は、仮定する事柄が実現しそうもない場合、あるいは、あることを想定していう場合に用いる。「もし」は、実現する可能性が十分にある事柄にも、まず実現しない事柄にも用いる。「もしも」は「もし」を強調した表現で、「もし」に比べ、実現の可能性がやや薄い場合に使うことが多い。「万一」は文字どおり万の中の一つ、つまり、その程度の可能性しかないと思われる場合に用いる。

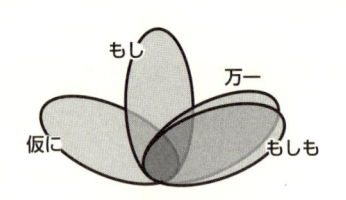

使い分け

表現例	仮に	もし	万一	もしも
A ―ストに突入した場合はどうしますか	○	○	○	○
B ―Aさんと呼びましょう	○			
C ―よろしかったら御一緒しましょう		○		
D ―の場合にそなえる			○	○

1. Aの例ではどれも使える。「もし」「もしも」では、ストに突入する可能性も、回避される可能性も同じようにあると受け取れ、「仮に」「万一」を用いると、ストに突入する可能性は少なく、特に「万一」の場合はその可能性がかなり低いことを表す。
2. Bのような「一時的に」の意では「仮に」以外は使えない。
3. Cのように、日常的な事柄で、相手のようすや気持ちを仮定していう場合は、「もし」以外は使いにくい。
4. Dのような名詞の用法をもつのは「万一」と「もしも」。

類似の語

たとえ あることを仮定あるいは認定して、その場合でも、気持ちや判断などが変わらないことを表す。「たとえ親友でも許せない」

よしんば 議論の展開上ある状況を仮定し、その場合でも、気持ちや判断などが変わらないことを表す。もしそうであっても。「よしんば失敗したとしても実害は少ない」

かん intuition, perception

勘・第六感・霊感・インスピレーション

基本の意味 思考・推論によらずに何かを感じ取ったりある考えを得たりする心の働き。

Point! 「勘」「第六感」は、直感的に何かを感じ取る心の働き。「霊感」「インスピレーション」は、啓示を受けたかのように突然心に浮かんでくる考え。

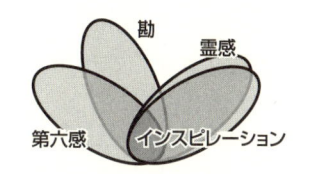

使い分け

表現例	勘	第六感	霊感	インスピレーション
A ―が働く	○	○	○	○
B 何となく―でわかる	○	○		
C ―がわいてきた			○	○
D ―がいい人	○			

1. Aのように「働く」にはどの語も結び付く。

2. 「勘」「第六感」は、その人自身が直感的に感じ取る心の働きだから、その能力によって「わかる」わけで、Bの場合に使うことができる。「霊感」「インスピレーション」は、神仏の啓示を受けたかのようにひらめくものという含みがあるから、「わかる」とは使いにくく、「何となく」という曖昧さもふさわしくない。

3. 「インスピレーション」「霊感」は2で述べたような含みがあるので、Cのように「わいてくる」と結び付けても自然だが、「勘」「第六感」は、その人がもともと持っている働きだから「わく」とは結び付かず、不自然。

4. 「第六感」は、ある判断をしてそれが当たっていたときに使うのが普通だから、「いい・悪い」という評価の対象にはならず、Dの場合は使えない。「霊感」「インスピレーション」は他から与えられるもので、すばらしい、神秘的なという感じを含んでいるから、やはりわざわざ「いい」という必要はなく、Dには不自然になる。

類似の語

ひらめき 考えなどが不意に思い浮かぶこと。「ひらめきのある人」

かんけい

relation

関係・関連・かかわり・つながり

基本の意味 物事と物事などが何らかの点で結び付きをもっていること。

Point! 「**関係**」は、人・生物・物・事柄などについて、相互にまたは一方的に作用や影響を及ぼしたり、組み合わせて取り上げられたりするような結び付きがそれぞれの間にあることをいい、意味が広い。「**関連**」は主に事柄と事柄についていい、互いに共通性が認められるといった間接的な結び付きまで含む。「**かかわり**」は人と人、事柄と事柄などについて、互いに何らかの接触点があったり、作用・影響を及ぼし及ぼされるような結び付きをもっていたりすること。「**つながり**」はそれぞれの結び付きを直接的あるいは物理的にとらえていう面が強い。

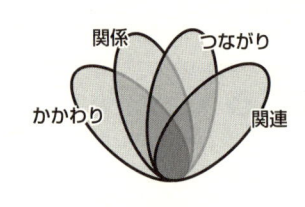

使い分け

表現例	関係	関連	かかわり	つながり
A　二つの事件の—を調べる	○	○	○	○
B　病気と食生活との—について	○	○	△	△
C　彼と—をもつのはやめておく	○		○	
D　この文は主述の—がおかしい	○			○

1. Aの場合はそれぞれの意味で四語とも使えるが、「つながり」「関係」では両事件の直接的な結び付きに注目している感じになり、「かかわり」「関連」では間接的な結び付きも含めて両事件が取り上げられている感じになる。

2. Bのように、作用や影響に注目していう場合は四語とも使えるが、例文のようにやや硬い表題めいた表現では「関係」「関連」が適当。「病気と食生活にはいろいろな—が考えられる」のようにやわらげれば、「かかわり」「つながり」も使える。この場合も、病気と食生活の結び付きのとらえ方が「かかわり」「関連」では間接的な結び付きまで広く含めた感じになる。

3. 人と人との間には「関係」「かかわり」「つながり」が使えるが、Cのようにちょっとした接触をもつという場合は「関係」「かかわり」が適当。

4. Dのように、語句と語句の結び付きをいう場合は「関係」「つながり」が適当。「関連」「かかわり」は個々の対応関係への注目度が薄いので不自然。

がんじょう   solid, firm

頑丈・堅固・強靭・堅牢・強固

[基本の意味] しっかりしていて、容易に壊れたり崩れたりしないよう す。

Point! 「**頑丈**」は、物や身体にいい、身体については体格にいうだけでなく、体質の強く丈夫なことにもいう。「**堅固**」は、主に物・防備・意志などにいう。「**強靭**」は、細い物や身体・意志・神経などにいい、弾力性やしなやかな粘りによる強さをいう。「**堅牢**」は、主に工作物・建造物に使われる。「**強固**」は、意志・地位・立場や守りの強さにいう。

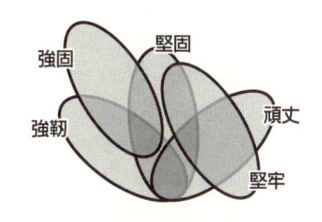

[使い分け]

表現例	頑丈	堅固	強靭	堅牢	強固
A ―な肉体に鍛える	○	○	○		
B 意志（精神）が―だ		○	○		○
C ―な家を建てる	○	△		○	
D ―なロープを張る	△		○		
E 党内で地歩を―にする		○			○

1. Aのように、身体の丈夫さや抵抗力の強さをいう場合は、「頑丈」「堅固」「強靭」を用いる。ただし、「堅固」はこの意では古風な言い方。

2. Bのように意志や精神の強さをいう場合は「堅固」「強靭」「強固」を用いる。「堅固」は圧力に屈しない強さ、「強靭」は粘り強さや持続力、「強固」はしっかり根を張った強さ、というようにそれぞれ意味合いが異なる。

3. C・Dのような物については「強固」以外の四語が一般的。「堅牢」はCには使うがDには使いにくく、「強靭」は逆にDにふさわしくCには使いにくい。「堅固」は、Cに使えなくはないが、主に砦など防備に関する建造物について使う。「頑丈」は立体的なつくりのものにふさわしく、「ロープ」には使いにくいが、「強靭」とは異なるしっかりした強さをいう必要から、実際には結構使われている。

4. Eのように地位や立場の強度に関していう場合は「強固」が最適だが、「堅固」も使える。

かんたん　simple

簡単・簡潔・簡明・簡略・簡素

基本の意味 余分なものが省かれて、込み入っていないようす。

Point! 「**簡単**」は、物事のつくりや構造が込み入っていないことから、時間や手間をかけずにする、またできることまで表し、五語の中では最も意味が広い。「**簡潔**」は表現がむだなく要を得ていることに、「**簡明**」は明瞭でわかりやすいことに、「**簡略**」は無くても済む部分を省いてあることに、「**簡素**」は不必要な手間や費用をかけずに済ませることに、それぞれ重点がある。→「あんい」「やさしい」

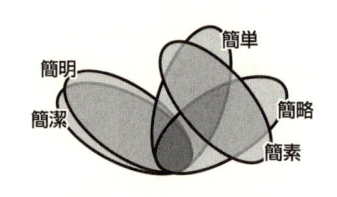

使い分け

表現例	簡単	簡潔	簡明	簡略	簡素
A　—に述べる	○	○	○	○	
B　—な仕組みの装置	○				
C　—な手続きで済む	○			○	○
D　—な結婚式	○			○	○
E　一回戦で—に負ける	○				

1. Aのように言葉による表現については「簡単」「簡潔」「簡明」「簡略」が使えるが、「簡単」では単にあっさりとの意味にもなる。
2. Bのように物の構造が単純であるという場合は「簡単」がふさわしい。
3. Cのように、事務などで手数を要しないという意では、「簡単」「簡略」「簡素」が使える。「簡略」「簡素」は「手続きの一化」などとしても使える。
4. Dのように、儀式についていう場合は「簡略」「簡素」がふさわしい。「簡素」では不必要なぜいたくをしないというプラス評価を含む。「簡単」も使えるが、単にあっさりしたという意味になる。
5. Eのように、手間がかからずあっさりと、あっけなくという意では、「簡単」しか使えない。

類似の語

手軽 手数がかからず、簡単に行うことができるようす。「手軽な食事」
手短 大事なことだけを簡略に伝えるようす。「手短に話す」

かんどう   impression

感動・感激・感銘・感慨

基本の意味 心を動かされること。

Point! 「感動」は、気高いものや美しいものに触れて心を打たれること。「感激」は、感動して気持ちが沸き立つことだが、現在では多く、自分にとって非常にうれしいことがあった場合にいう。「感銘」は、他人の行為・言説や芸術的表現などに心を打たれ、強い印象を受けること。「感慨」は、過去のことなどを思い起こして生じる、しみじみとした思い。他の三語は動詞「―する」の形で使えるが、「感慨」には「―する」の用法がない。

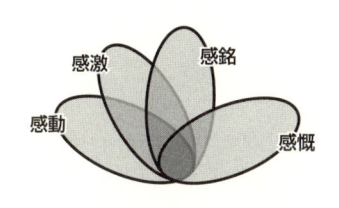

使い分け

表現例	感動	感激	感銘	感慨
A 名画を見て―を新たにする	○	○	○	○
B 忠犬の話は人々に―を与えた	○	△	○	
C 賞までいただいて―しています		○		
D 昔の日記を読み返して―にふける				○

1. Aのように、以前心を動かされたものにまた改めて同様の感じをもつような場合は、それぞれの意味合いで四語とも使える。
2. 「感慨」は人から与えられるものではないので、Bの場合には使えない。「感激」は話の内容によっては使えなくもないが、やや不自然である。
3. Cのように、自分にとってうれしいことがあっていう場合は、「感激」しか使えない。
4. Dのように、しみじみとした思いに引き込まれる場合は、「感慨」しか使えない。

類似の語

感心 ある行為やその結果を見て、大したものだと褒める気持ちになること。自分より上位の者の行為や仕事に対してはふつう使わない。「日ごろの心がけがよいのには感心する」

感服 他人の行為やその結果に対して、自分にはできないことだと心に深く感じること。「熱心な仕事ぶりに感服する」

かんびょう　　　　　　　　care, nursing
看病・看護・介抱

基本の意味 体の具合が悪い人の世話をすること。

Point! 「**看病**」は、病人に付き添って面倒を見てやることで、いつも病人の身近にいて行うという含みがある。「**看護**」は、病人・けが人に対して手当や世話をすることで、「**看病**」と違い、「付き添って」でなくてもよい。「**介抱**」は、傍らの者が一時的に行う世話や手当といった意味合いが強く、病人・けが人のほか、酔っ払いや突然体調が悪くなった人の世話をする場合などにもいう。

使い分け

表現例	看病	看護	介抱
A　病人の―をする	○	○	○
B　けが人の―で徹夜した		○	○
C　老母の―に三年間当たった	○	○	
D　酔った友を―する			○

1. Aのように病人の世話をする意では、「看病」「看護」はほぼ同じような使われ方をするが、両語の特徴から、「看病」は主として症状が重かったり長引く病気だったりする場合に使われ、「看護」は軽い場合も含めて広く使われるという違いが考えられる。また、「看病」は肉親や身近な人などによる世話、「看護」は医療上の専門的な知識と技術によって行われる手当や世話、というようなニュアンスの差も感じ取れる。「介抱」は、病人が発作を起こしたというような突発的・一時的な場合には使える。
2. Bのようにけが人の場合は、「看護」「介抱」は使えるが、「看病」は不自然。
3. Cのように、長期の継続的な行為をいう場合は「介抱」は使えない。
4. Dのように、一時的な症状に応じた世話や手当の場合は、「介抱」が適当。相手が病人やけが人でないと「看病」「看護」は使えない。

類似の語

介護 病人や心身の不自由な人に付き添って身の回りの世話をすること。「自宅で高齢の母親を介護する」

かんりょう — completion, finish

完了・終了・完結・終結

基本の意味 物事が終わること。

Point! 「完了」は、なすべき行為や動作について、それを完全にしおえる、またはしおわることをいう。「終了」は、続けてきた物事が終わる、または終えること。四語の中では幅広く使われ、途中で終わる場合にもいう。「完結」は、一連のものにまとまりが付いて終わることで、言説・作品・刊行物などにいう。「終結」は、ある事態が終わることで、決着の付かなかったことにおさまりが付いたという意味合いで使われることが多い。 ➡「おわり」

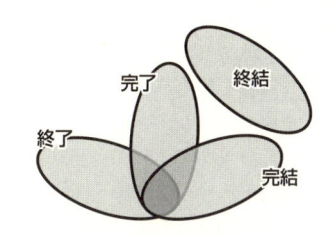

使い分け

表現例	完了	終了	完結	終結
A 仕事が―する	○	○	○	
B ダム工事の―を祝う	○			
C あと一巻で全十巻が―する			○	
D 入学式は無事―した		○		
E 番組は突然―となった		○		
F 長い紛争がやっと―した				○

1. Aでは「終結」以外の三語が使える。「完了」では、すべき仕事が最後まで終わるという意になるが、「終了」は、その日の仕事が終わるという程度の意にも使う。「完結」は、クリエイティブな要素をもった一連の仕事について、それが最後まで終わるといった特殊な場合以外は使いにくい。

2. Bは「工事」という作業についていっているが、「祝う」とあるので、最後まで終わったという意を含む「完了」が適当。

3. Cのように、作品や刊行物にまとまりがついて終わりとなる意では、「完結」が適当。「全巻の刊行が―する」のように「刊行」という行為を示す語が入れば「完了」「終了」も使える。

4. D・Eでは、単に終わることをいう「終了」が適当。「終了」は、予定どおり終わる場合も、予定外に中途で終わる場合にも、幅広く使える。

5. Fのように事態がおさまる意では、「終結」が適当。「終了」では弱い。

きえる

disappear, go out

消える・無くなる・失せる・消え失せる

基本の意味 それまであったものがそこに存在しなくなる。

Point! 「消える」は、人の感覚器官でその存在がとらえられていたものがとらえられなくなる意が中心。「**無くなる**」は、物事が無い状態になる意で、ものや事象に幅広く使える。「**失せる**」はやや古風で、主に、それまで当然のようにあったものが無くなる場合にいう。「**消え失せる**」は「**失せる**」を強調した言い方。 ➡「つきる」

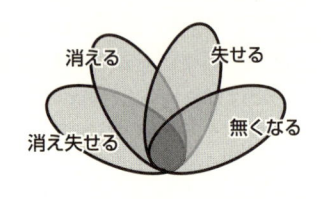

使い分け

表現例	消える	無くなる	失せる	消え失せる
A 机の上にあった金が—た	—え○	—っ○	—せ○	—せ○
B とっとと—	—えろ○		—せろ○	—せろ○
C お金が—てきた		—っ○		
D あんなことを言われるとやる気が—		○	○	
E 火(電灯)が—	○			

1. Aの場合はどれも使えるが、「失せる」は文章語的で、現在では単純に物が目の前に存在しなくなる意ではあまり使われなくなっている。「消える」「消え失せる」では、無くなったことの不可解さが強調される。

2. Bのように、その場からいなくなれと命令する場合、「無くなる」は使えない。他の三語は使えるが、いずれも俗語的でやや乱暴な言い方になる。

3. Cのように、数量がだんだん減って最終的に存在しなくなる意では、「無くなる」を使う。

4. Dでは普通に「無くなる」も使えるが、「失せる」を使えば、あってしかるべきものが無くなるという感じが強調される。「消え失せる」は、有から無への変化の早さが強調されすぎて、この例では不自然。

5. Eのように燃えたり光ったりする活動については「消える」以外は不適。

類似の語

消失する 消えたようになくなってしまう。「大事なデータが消失する」

きかい

opportunity, chance

機会・チャンス・時機・潮時

基本の意味 何かをすることができる時。

Point! 「**機会**」は、その行為ができる時。「**チャンス**」は、何かをするのに、たまたま恵まれたちょうどよい時。好機。「**時機**」は、その事をするのに適した時。「**潮時**」は、その事をするのに適していたり、そうすべきであったりする時。「**時機**」と「**潮時**」は、時の流れとともに自然に巡ってくるものという意識で使われ、ある程度の時間的な幅ももつ。

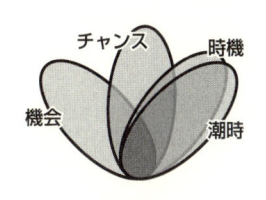

使い分け

表現例	機会	チャンス	時機	潮時
A 話しかけるーをうかがう	○	○	○	○
B 会うーがない	○	○		
C ここらが引退のーだろう		△	○	○
D 出張したーに旧友を訪ねる	○			

1. Aの例ではそれぞれの意味で四語とも使える。
2. Bのように、状況を見て自分で都合を付けるような場合は「機会」「チャンス」が自然。「機会」は「チャンス」と違って「ちょうどよい時」という意味までは必ずしも含まず、「先日、旧友と会う機会があった」のように、広く「その行為が可能となる時」をいう。「時機」「潮時」は自然に巡ってくるその時という意識で使われるので、「ある・ない」とは結び付きにくい。
3. Cの場合は「時機」「潮時」が適当。「時機」では主体的に引退を選ぶ感じ、「潮時」では状況から判断してそうする感じになる。「チャンス」は、いま引退すれば退職金の割がいいというような条件が入れば使うこともある。
4. Dのように何かをしたついでという意では、「機会」以外は使えない。

類似の語

タイミング ある行為・動作を始めるのにちょうどいい時点・瞬間をはかること。また、その時点・瞬間。「タイミングが合う」「いいタイミングで届く」

折 何かをするのにふさわしい時。「折に触れて注意する」 ➡ 「ばあい」

ぎじゅつ   technique, skill

技術・技巧・技能・技量

基本の意味 物を作ったり取り扱ったりする場合の、特定のやり方や、それをなしうる能力。

Point! 「**技術**」は、特定の物事に関するある方法化されたやり方をいい、個人として身に付けたものから、産業などの分野で科学的な知見によって方式化されたものに至るまで、幅広く使われる。「**技巧**」は、細部にわたる技術上の工夫で、特に表現に関していう。「**技能**」は、ある技術を要する物事について、それをこなせるだけの個人の能力。「**技量**」は、特定の能力や経験を要する物事について、それを実際に行えるだけの個人の能力。

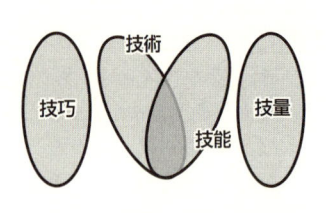

使い分け

表現例	技術	技巧	技能	技量
A　洋裁の―を持った人	○		○	
B　造船の―が進歩する	○			
C　監督としての―に欠ける				○
D　―を凝らした表現		○		

1. Aのように手先の仕事に関する場合、「技量」は使いにくい。「技巧」は能力として持っているものをいうのでなく、個々の工夫として外に表れるものをいうからAには使えない。
2. 「技巧」以下の三語はすべて個人として身に付け発揮するものにいう。したがって、Bのように個人的ではない場合は「技術」しか使えない。
3. Cのように、困難な問題をうまく処理して進めて行く能力という意味で使えるのは「技量」だけである。
4. Dのように細部にわたって工夫する意の場合は、「技巧」しか使えない。

類似の語

技 特定の物事をうまく行うための定式化したやり方。特に、習練によって身に付くもの。「技を競う」「柔道の技」

技法 何かを作ったり行ったりする上での、一定の手順や型をもったやり方。「対位法音楽の技法を学ぶ」

きしょう   temper, disposition
気性・性分・気立て
きしょう・しょうぶん・きだて

基本の意味 感情の表し方や日ごろの行動・態度から見た、その人の性質。

Point! **「気性」**は、主として、行動や物事への対応のしかたから見た性質で、人間だけでなく高等動物の個体についてもいう。**「性分」**は、好き嫌いとか得手不得手といったことも含み、身に付いた根っからのものと見ていう面が強い。**「気立て」**は、人に対する心の持ち方で、主によい場合にいう。

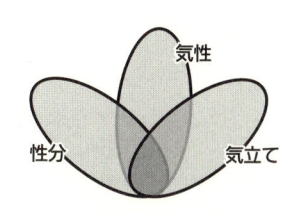

使い分け

表現例	気性	性分	気立て
A 穏やかな―の人	○	○	○
B あの―では引き受けまい	○	○	
C ―のよい人	△		○
D 彼は―が激しい	○		
E 明るいと眠れない―です		○	

1. Aの例ではそれぞれの意味で三語とも使える。
2. Bのように、日ごろの行動や物事への対応のしかたに注目していう場合は、「気立て」は使いにくい。
3. Cのように、単に「よい」という場合は「気立て」が適当で、「気性」も前後の文脈によっては使えなくはないが、これだけだとやや不自然。ただし、子供や馬・犬などの家畜については、性格がよいかどうかという観点で、「気性のいい(悪い)馬(子)」のように使われる。
4. Dのように外に強く現れる性質をいう場合は、「気性」以外は使いにくい。また、「気性」は、もっぱら外面的に見ていうので、「最近、気性が穏やかになった」のように年齢や環境で変化する場合にも使える。
5. Eのような生理的な面には「性分」以外は不自然。

類似の語

根性(こんじょう) その人の生き方や行動のしかたに現れる、身に付いた性質や考え方。「いい根性をしている」「根性を入れかえる」「島国根性」 ➡「どきょう」

きそく
規則・規律・決まり・ルール

rule, regulation

基本の意味 従うように決められた事柄。

Point! 「**規則**」は、行為や事務手続きなどがそれに従って行われるように定めた事柄。ふつう、成文化されたものにいう。「**規律**」は、組織・集団や生活の秩序を維持するために守るべきさまざまな事柄、また、それにより維持される秩序。「**決まり**」は一般に、決められた事柄をいう。「**ルール**」は、物事を公正・円滑に進めるための約束事。競技やゲームなどのほか社会的な事柄にも使い、「**規則**」と違って、対等の関係で取り決めたものという語感をもつ。「**規律**」「**決まり**」「**ルール**」は成文化されていなくてもよい。

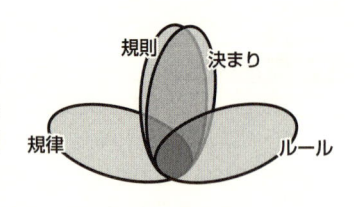

使い分け

表現例	規則	規律	決まり	ルール
A 学校の―に従う	○	○	○	
B 社会人としての―を守る		○		○
C 団体生活の―を乱す		○		
D 九時就寝が―になっている	○		○	△

1. Aの場合、「ルール」は **Point!** で述べた特徴から使いにくい。ただし、「スポーツにはスポーツの、学校生活には学校生活のルールがある」のように、約束事の意で一般的にいう場合なら使える。
2. Bのように、世の秩序を保つための一般的・常識的な約束事といった意では、「規律」「ルール」が適当。「規則」「決まり」を使うと、具体的に決められた事項があるようで不自然になる。
3. Cのように決まりによって保たれる秩序の意では、「規律」を使う。
4. Dの場合、「規則」では団体生活の場が想像され、「決まり」では家庭など狭い集団の中で決められたことという色合いが感じられる。「規則」「決まり」は定めた一つ一つの事柄も指すが、「規律」は定めた全体を漠然と指すので、こういうことが規律になっているという表現は不自然な感じを受ける。「ルール」は、寄宿する者がお互いに話し合って約束事として自主的に取り決めた、というような特殊な場合を除けば、Dには使いにくい。

きたない

dirty, foul

汚い・汚らしい・薄汚い・不潔

基本の意味 よごれているようす。

Point! 「**汚い**」は、よごれていたり乱雑だったりして、嫌な感じを与えるようす。「**汚らしい**」は、いかにもきたない、または、何となくきたない感じがするようす。「**薄汚い**」は、何となく全体的によごれているようす。「**不潔**」は、よごれていて非衛生的なようす。四語とも倫理的な意味でも使う。

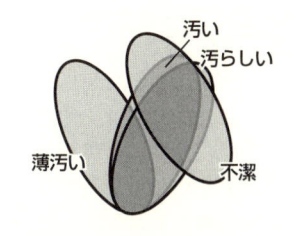

使い分け

表現例	汚い	汚らしい	薄汚い	不潔
A 一手で触ってはいけない	○	△		一な○
B ほこりまみれの一顔	○	○	○	
C 一塗りたくる	一く○	一く○		
D 告げ口なんて一ことはしない	○	○	○	
E 情欲だけの一交わり				一な○

1. Aのようにはっきりよごれているという場合は、「薄汚い」は使いにくい。「汚い」では見た目のよごれ具合に重点があるが、「不潔」では非衛生的なようすを表す。「汚らしい」は見る側の主観が表れて、やや不自然。

2. Bのように非衛生的というよりも、視覚的・外観的なようすを表す場合は、「不潔」は使いにくい。

3. Cのように雑然と乱れていて見た目に不快感を与えるようすをいう場合は、「汚い」「汚らしい」が使われる。「不潔」は**2**に述べたように不適。「薄汚い」もよごれの場合にいうので使いにくい。

4. Dのように道義的・精神的にいやしいようすや卑劣なようすをいう場合は、「汚い」「汚らしい」「薄汚い」を使う。「不潔」も道義的な事柄に使うが、卑劣というよりけがれているという意味でいうので、Dには不適。

5. Eのように、特に性愛に関して純潔でないようすをいう場合は、「不潔」がふさわしい。

類似の語

むさくるしい 場所・身なりなどが、きちんとしてなくて不潔な感じである。

きのう　function

機能・性能・能力・働き

基本の意味 ある役や用を果たす力。

Point! 「機能」は、あるものが全体のシステムの中で何かの役目を果たすこと、またその果たす役目をいう。「性能」は、特に機械や道具の示す動きや働きについて使われ、どの程度のレベルでそれをなしうるかという観点からいう。「能力」は、人や動物に備わる、ある行動・仕事をなしうる力。また、装置・設備・システムなどの働きの程度についても使われる。「働き」は一般に、ある役目を果たしたり、ある作用を及ぼしたりすること。

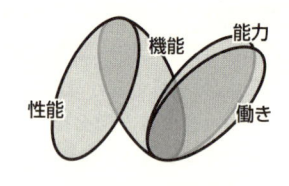

使い分け

表現例	機能	性能	能力	働き
A　カメラの―を活かす	○	○		
B　彼の―が認められる			○	○
C　肝臓の―が弱る	○		△	○

1. Aでは「機能」「性能」が使えるが、意味はそれぞれ異なる。「機能」では、例えば絞りやシャッタースピードの細かい調整が可能であるといった個々の事柄をいい、「性能」では、どの程度正確で高度な撮影ができるかといったカメラ総体のレベルについていうことになる。機器に関して一般に「能力」は使いにくいが、「解析能力」「処理能力」のように働きを表す語と複合した形でその力の程度をいう場合には使える。「働き」は普通の文脈では「カメラ」と結び付きにくい。ただし、「センサーの働き」というように個々の機能が働くことの意味では「機能」とともに「働き」も使う。

2. Bのように、人間の行動に関する場合は「機能」「性能」は使わない。「能力」だとその人のもっている力・才能の意になり、「働き」だとその人の挙げた成果の意になる。

3. Cのように、体のある部分についていう場合は「機能」「働き」が使える。「能力」は、1で述べたように「肝臓のアルコール処理能力」など複合した形なら使えるが、単独では「機能」というほうが自然。「性能」は機械や道具についていう語で、Cには使えない。

きびしい

strict, severe

厳しい・厳重・厳格・険しい

基本の意味 安易・安直な対応を許さないようす。

Point! 「**厳しい**」は、状況・事態の困難さについていう場合と、態度・行動の容赦なさについていう場合とに分けられる。「**厳重**」以下の三語は「**厳しい**」の意味領域の一部と重なる。「**厳重**」は、わずかなすきや緩みもないように物事に対処するようす。「**厳格**」は、規則・規準を完全に守ってそこから外れることを自他ともに許さないようす。「**険しい**」は、乗り越えてゆくのに大変な困難や危険を伴うようす。

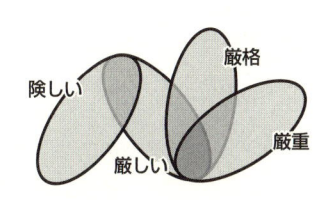

使い分け

表現例	厳しい	厳重	厳格	険しい
A 私たちの前途は―	○			○
B わが子を―育てる	―く○		―に○	
C 寒さが―	○			
D ―取り締まる	―く○	―に○	―に△	
E ―坂が続く				○

1. Aのように、困難な事態が予想される場合は「厳しい」「険しい」を使う。「険しい」のほうが困難さの程度がやや上回るように思われる。

2. Bのように、規則・決まりから外れることを許さない意では「厳しい」「厳格」を使うが、「厳しい」のほうが一般的。「厳格」だと、親自身が確固とした倫理観念で自らをも律している感じになる。

3. Cのように寒さ・暑さなどの甚だしいようすには、「厳しい」を用いる。

4. Dのように少しの違反も見逃さないようにするという場合は「厳しい」「厳重」を使う。「規則を例外なく適用して」といった意では「厳格」も可能。

5. Eのように、傾斜が急であるという意には「険しい」を使う。「厳しい」は単なる坂の状態を形容するのには不適当だが、「病人には」のような表現を補えば、容易でないという意味合いで「厳しい坂」という表現も可能。

類似の語

手厳しい 相手への批判・要求などが非常に厳しい。「手厳しい指摘」

きほん　fundamentals, basis

基本・基礎・基盤・根本・根底

基本の意味 物事を成り立たせるもと。

Point! 「基本」「基礎」「基盤」は、人が意志的・組織的に行ったり築いたりする物事に関していうが、「根本」「根底」は自然発生的に生じた事態に関してもいう。「基本」は、何かを行う場合にまず則るべき、あるいはまず顧みるべき事柄。「基礎」は、何かを築き上げたり身に付けたりする上でもととなる物・事柄。「基盤」は、その物事が依って立つところ。「根本」「根底」は、物事が発生・成立するもととなった事柄。

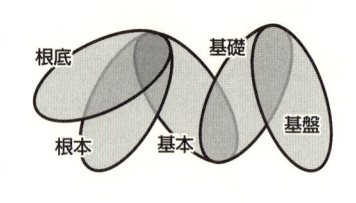

使い分け

表現例	基本	基礎	基盤	根本	根底
A 教育制度を―から考え直す				○	○
B 英語を―からやり直す	○	○			
C 事件の―に迫る				○	○
D 生活の―を固める		○	○		
E 悲しみが作品の―に流れる					○

1. Aの場合、「基本」を使えば、よりどころとなっている精神や方針を、「根本」「根底」を使えば、おおもとからそっくり全部考え直すという意になる。「基礎」「基盤」は「考え直す」とは結び付きにくい。
2. Bのように、技術的な要素の強い場合は「基盤」以下の三語は使いにくく、「基本」「基礎」が適当。
3. Cのように、人が意志的に行ったり築き上げたりする事柄でない場合は、「基本」「基礎」「基盤」は使えない。
4. Dのようにその上に築き上げてゆくという意味合いが強い場合は、「基礎」「基盤」以外は使いにくい。
5. Eのように奥深いところといったような意の場合、「根底」以外は使いにくい。ただし「根底」は「根柢」の書き換えで、「柢」は木の根の意。

類似の語

根幹 物事を成り立たせている最も大切な事柄。「社会の根幹を揺るがす問題」

きまる

be decided

決まる・定まる・決する

[基本の意味] 物事がはっきりした一つの状態に落ち着く。

Point! 「決まる」は、いろいろなあり方・可能性の考えられた物事が、何らかの作用によって最終的に一つの結果に落ち着く意。「定まる」は、流動的だったり動揺していたりした物事が、揺るぎのない落ち着いた状態になる意。「決する」は「決まる」とほぼ同義の硬い文章語で、主として重大な事柄に使われる。 ➡「きめる」

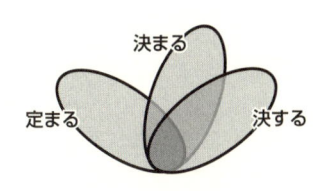

[使い分け]

表現例	決まる	定まる	決する
A 運命が―	○	○	○
B 就職先が―	○		
C 大勢が―のは明日になる	○		○
D 天候（視線）が―ない		―ら○	

1. Aの場合はどれも使えるが、「決まる」が最も一般的・日常的で、「定まる」はやや硬く改まった表現。「決する」はさらに硬い文章語。
2. Bのように、日常的な事柄で、いろいろな可能性があってどういう結果になるかわからなかったことが一つの結果に落ち着くという場合は、「決まる」が適当。「定まる」は、ある形で決着が付くというより、流動的であった物事がある状態で止まってそれ以上変化しなくなるという意が中心で、Bには不適。「決する」もBのような日常的な事柄には使いづらい。
3. Cのように、ある選択が行われたことによって物事に決着が付くという場合も「決まる」が適当。Cの選挙の例では「決まる」のほか「決する」も使える。「定まる」はこの場合も2で述べた理由から使いづらい。
4. Dのように、動きや変化の度合いが減って落ち着いた状態になる、安定するという意では、「定まる」以外は使えない。

[類似の語]

確定する はっきり決まらなかった物事に決着が付いて不動のものとなる。「無罪が確定する」

きめる　decide

決める・定める・取り決める・決する

基本の意味 物事をはっきりした一つの状態に落ち着かせる。

Point! 「**決める**」は、四語の中で最も一般的で幅広く使われる日常語。「**定める**」は、一つの規準や体系を考え出して制定する、という意味合いが強い。「**取り決める**」は、当事者間で話し合ってあることを決定する意。「**決する**」は硬い文章語で、どちらになるかわからない状況に最終的なきまりを付ける意が中心。➡「きまる」

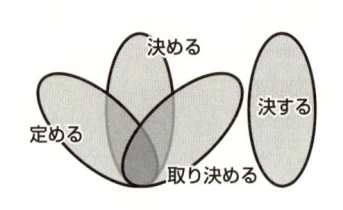

使い分け

表現例	決める	定める	取り決める	決する
A　規則を—	○	○	○	
B　自分で—たこと	—め○			
C　法律を—	○	○		
D　両家の親が—たこと	—め○		—め○	
E　意を—				○

1. Aの場合には「決める」「定める」「取り決める」がそれぞれの意味で使えるが、「決する」は **Point!** に述べた意味上の特徴から、Aには使いにくい。
2. Bのように、自分の行動や心構えを固めるという意の場合は「決める」を用いる。「決する」は硬い文章語なのでBには使いにくい。
3. Cのように、組織などが制定するという場合は「定める」が最適だが、「決める」も使える。「文学賞を定める」は、新しく賞を制定する意。「文学賞を決める」だと、その回の受賞者を決定する意となる。
4. Dのように、相手と相談して決定する意の場合は「取り決める」が最適だが、「決める」も使える。
5. Eのように、「決する」は慣用的な表現で多く用いる。

類似の語

決定する　はっきりそれと決める。「議会は計画を中止と決定した」
決断する　どのような行動・態度をとるべきかを、はっきりと決める。

きもち

feelings, mood

気持ち・心持ち・心地・気分

基本の意味 何かを感じている心の状態や、身体状態からくる快・不快の感じ。

Point! 「気持ち」は意味が広く、考えなども含む内面の思いを漠然というほか、物事への心構えなどにもいう。「心持ち」は「気持ち」とほぼ同じ意味で使われたが、現在はやや改まった言い方になる。「心地」は、ある環境に身を置いたときの感じを心身一体のものとしてとらえていう面が強い。「気分」は、物事への気持ちの向かいようや快・不快、好悪の感じなどを漠然という。➡「けはい」

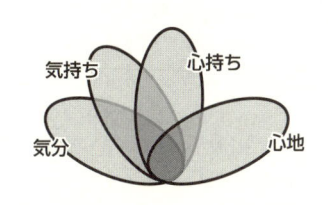

使い分け

表現例	気持ち	心持ち	心地	気分
A　いい―だ	○	○	○	○
B　―を変えてやり直す	○			○
C　本当の―を打ち明ける	○	○		
D　生きた―もしない			○	

1. この四語は、物事に接することによって生じる心の状態や、身体的・生理的な快・不快の感じを表す点で共通し、Aのように「いい（よい）」「悪い」などと結び付く表現の場合はどれも使える。
2. Bのように修飾語が前に付かない場合は、「心地」は使いにくい（修飾語をとらずに「心地」を使うのは、「いい（よい）」「悪い」が下にくる場合だけ）。「心持ち」は「気持ち」とほぼ同じ意味だったが、現在はやや改まった感じでいう場合に用いるようになったので、「気分」と同様ややかるい心の状態の場合には使いにくい。
3. Cのように考えの要素が入る場合は、「心地」「気分」は使えない。
4. Dは慣用的に「心地」を用いるが、「死んだ―でがんばる」のように、実際はそうでないのにそうなったつもりという意では「気持ち」を用いる。

類似の語

気色（きしょく） 物事に接して心に受ける感じ。特に快・不快や好悪の感じをいう。「にたにたして気色の悪いやつだ」「気色を害するようなことを言う」

きゅうじょ

rescue

救助・救援・救護・救済

基本の意味 危険や困難に陥っている人を助けること。

Point! 「**救助**」は、生命の危険にさらされている人を助け出すこと。「**救援**」は、困難に陥っている人や集団を助けるために何らかのことを行うこと。「**救護**」は、被災者・傷病者などを保護し、手当などをすること。「**救済**」は、困窮や不幸に陥っている存在をその状況から助け出すことで、上の三語に比べやや抽象的な意味合いで使われる。

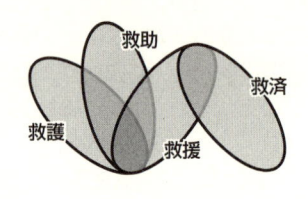

使い分け

表現例	救助	救援	救護	救済
A 遭難者の—に向かう	○	○	○	
B 被災地に—の物資を送る	△	○		
C 火事現場でけが人を—する	○		○	
D 難民に—の手をさしのべる		○		○
E 失業者の—にあたる				○

1. Aの場合は「救助」「救援」「救護」の三語がそれぞれの意味で使える。「救済」はAのような具体的な個々の行動には使いにくい。

2. Bのように生活物資の欠乏を補い助ける意では、「救援」が適当。生命の危険を救うための物資なら「救助」も使えなくはないが、やや不自然。「救護」「救済」は「物資」と結び付きにくい。

3. Cのように肉体的に傷付いている者の手当ての意では、「救護」が適当。けが人が自力で動けず、火が迫っているという状態なら「救助」が使われる。

4. Dのように生活が立ちゆかない状態の人を助ける意では、「救援」「救済」が使われる。「救援」は生活物資の補い程度、「救済」だと、もう少し根本的な生活基盤の立て直しという感じで使われる。

5. 困窮から抜け出させるための全般的援助をいうEの例では「救済」が適当。

類似の語

救出 危険な状況に置かれた人をそこから救い出すこと。「人質を救出する」

きよい

clean

清い・清らか・清潔・清浄

基本の意味 よごれがなく奇麗なようす。

Point! 「清い」は、よごれや濁りがなく澄んでいるようす。「清らか」もほぼ同じ意味だが、澄みきったようすを、目や耳でとらえるものとして、より感覚的に表す感じが強い。上の二語が「澄んでいる」感じに重点を置くのに対し、「清潔」「清浄」は「よごれ・けがれがない」という実質に重点があり、特に「清潔」は「衛生的である」という意が強い。四語とも精神的・道徳的な事柄にも使う。

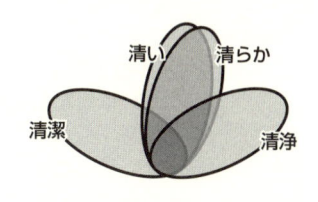

使い分け

表現例	清い	清らか	清潔	清浄
A 一心の持ち主	○	一な○	一な○	一な○
B 一谷川の流れ	○	一な○		
C 一音色	△	一な○		一な○
D 手を一しよう			一に○	
E 空気を一する				一に○

1. Aの場合はそれぞれの意味合いで四語とも使える。「清潔」では不正を嫌うという感じ、「清浄」では世俗にけがされていないという感じになる。
2. Bのように、外から見て濁りがなく澄んでいるようすにもっぱら注目していう場合は、「清潔」「清浄」は使いにくい。
3. Cのように耳でとらえていう場合は「清らか」が最適。「清い」は音にはあまりぴったりしない。「清浄」は使えるが、単に澄んだ音色というより、世のけがれをまとっていないといった一種宗教的な意味になる。
4. Dのように、衛生的な状態を表す場合は、「清潔」以外は使わない。
5. Eは、空気中から細菌などをなくして衛生的にするという意ではなく、ほこりなどのない、さわやかな空気をつくりだすということである。したがって「清潔」より「清浄」がふさわしいといえるが、多分に慣用的。

類似の語

奇麗 乱れたところやよごれたところがないようす。➡「うつくしい」

きょう

today

今日・本日・今日
きょう・ほんじつ・こんにち

基本の意味 いま過ごしている、この日。

Point! 「**きょう**」が最も一般的な言い方。厳密には午前零時から次の午前零時までの二十四時間を指すが、日常的には、その人の、あるいは、その日の活動の開始から終了までをいう場合が多い。「**本日**」は「**きょう**」の改まった言い方。「**こんにち**」も改まった言い方だが、「**きょう**」の意で使われることは現在少なく、漠然と今の時代や現在を指して使われることがほとんどである。三語とも、名詞形のほか、そのままの形で副詞的にも用いられる。

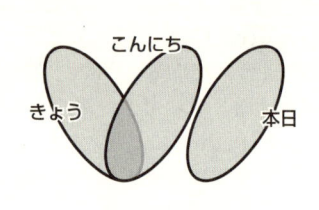

使い分け

表現例	きょう	本日	こんにち
A 一の午後電話しよう	○		
B 一休業させていただきます		○	
C 二年後の一	○		△
D 一最も著名な評論家である			○

1. Aのような会話体では、文章語である「本日」「こんにち」は使いにくい。
2. Bのように、改まった表現の場合は、「きょう」はくだけすぎて使えず、硬い文章語である「本日」が使われる。また、同じような改まった表現の「こんにち」は **Point!** に述べた理由で使いにくい。
3. Cのように、他の年の同じ日付の日の意の場合、「本日」は使えない。また、「こんにち」もまれである。
4. Dのように、今の時代、現在の意の場合は「こんにち」しか使えない。「きょう」は「今日このごろ」など複合語ではこの意味を表すこともある。

類似の語

当日（とうじつ） そのことがある、または、あった日。「当日限り有効」「当日は雨だった」

今日日（きょうび） いまどき。ちかごろ。やや俗語的な言い方。「そんなやり方は今日日はやらない」

きょうし teacher

教師・教員・教授・先生

基本の意味 学問・技術などを人に教えることを職とする人。

Point! 「**教師**」は四語の中では最も一般的な意味で使われる。「**教員**」は、学校に属する教師を学校職員としての身分でとらえていう語。「**教授**」は、教え授けること、また教え授ける人という意の言葉だが、単に「**教授**」といえば、大学や高等専門学校で教育・研究に携わる職の最高位、またその人を指すことが多い。「**先生**」は、自分が教えを受ける人、また、その人を敬っていう語。一般に、教師や芸事などの師匠を指してもいい、また医者・議員・弁護士・芸術家などの敬称としても用いる。

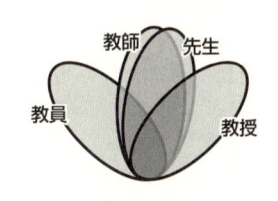

使い分け

表現例	教師	教員	教授	先生
A　大学の―	○	○	○	○
B　小学校の―	○	○		○
C　ピアノの―をしている	○		△	○
D　―免許		○		

1. 「教師」「先生」はAにもBにも使える。「教授」はふつう、大学などの特定の職を表すので、Bには使えない。「教員」は、小・中・高校の教育に携わる人をいうことが多いが、Aの大学にも使える。
2. Cのように、科目名でなく教えている個々の事柄を「―の」で冠する場合は「教員」は不適当。「教授」は職名でなく、教え授けるという動作性の意味で使えなくはないが、「ピアノを教授している」というほうが自然。「教師」「先生」を使えば、ピアノを教えることを仕事とする人の意になる。
3. Dのように、小・中・高校などで教える資格を表す正式な言い方としては「教員」を使う。

類似の語

教官 国立の学校・研究所で教職・研究に従事する人。「教官を務める」
教諭 幼稚園・小学校・中学校・高等学校などの正規の教員の公的な呼び方。

きょうせい

compulsion

強制・強要・無理強い

基本の意味 相手に無理やりあることをさせる、または、させようとすること。

Point! 「強制」は、相手の自由意志を認めず、権力や規則などによって、何かをさせ、または、ある状態を受けいれさせることで、多く組織・団体やその意を体した者によってなされる場合にいう。**「強要」**は、こうしろと相手に無理に要求することで、組織や集団を背景としてなされる場合にも、私的な場面でなされる場合にもいう。**「無理強い」**は、相手が嫌がるのに無理にそうさせようとすることで、主に私的な場面で用いる。

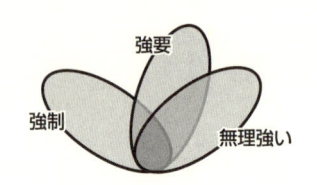

使い分け

表現例	強制	強要	無理強い
A 寄付を―する	○	○	○
B 制服着用は―しません	○		
C 手切れ金を出せと―する		○	
D 飲めない人に酒を―する		△	○

1. Aの場合はそれぞれの意味合いで三語とも使える。
2. Bのように、学校などが決まりによってそうさせる意の場合は「強制」が適当。
3. Cのように個人的な事柄の場合は、「強制」は使いにくい。「無理強い」は嫌がる相手に無理に押し付けることだから、取り立てるのではなく、金品を受け取らせる感じが強くなり、ここでは不適当。金品を出せと要求する意では「強要」が自然。
4. Dの場合、3と同じ理由で「強制」は使いにくい。「強要」は使えなくはないがやや大げさで不自然。「無理強い」が最適。

類似の語

押し付け 相手の意思を無視して、ある物事を受けいれさせたり、ある考えに従わせたりしようとすること。「責任の押し付け」「意見の押し付け」

きょうりょく cooperation

協力・協調・協同・提携

基本の意味 複数のものが力を合わせること。

Point! **「協力」**は、何かしようとする相手に力を合わせること、また、複数のものが力を合わせて事に当たることで、幅広く使える。**「協調」**は、考えや利害などに違いのあるものが、互いに譲り合って力を合わせるようにすること。**「協同」**は、複数の人・団体が力を合わせてある事を行うこと。**「提携」**は、複数の企業や団体が取り決めをして仕事や事業に関し協力し合うこと。

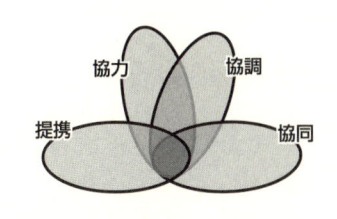

使い分け

表現例	協力	協調	協同	提携
A ―の実を挙げる	○	○	○	○
B 労使が―して事を解決する	○	○		
C A社と―で新薬を開発する			○	
D 犯人逮捕に―する	○			
E ドイツの会社と―を結ぶ				○

1. Aのような、事柄の限定されない漠然とした文脈では、四語とも使える。
2. 「協同」「提携」は仕事や事業を行う場合に使われるので、Bにはそぐわない。「協力」は単に力を合わせることだが、「協調」は考えや立場の違いを認め、互いに少し譲歩して調和させる意が強く、Bには最適。
3. Cのように「―で」の言い方の場合は、「協同」しか使えない(同じ資格での関係をいう場合なら「共同」と表記する)。「―して」の形なら「協力」「提携」も使える。
4. Dのように対象の事柄に「に」を添える言い方では、「協力」しか使えない。
5. Eのように「結ぶ」を伴う表現は、「提携」しか使えない。

類似の語

共同（きょうどう） 複数の人・団体が同等の資格でかかわったり、一緒になって物事をしたりすること。「―する」の形では「協同」を使うことが多い。「路地の中程に共同の井戸がある」「長年、彼と共同で研究している」「共同墓地」

きょくりょく   as...as possible
極力(きょくりょく)・精一杯(せいいっぱい)・力一杯(ちからいっぱい)

基本の意味 できるだけ、または全力を尽くしてそうするようす。

Point! 「極力」は全力を尽くすというよりも、「できる範囲でそうする」という意味合いをもち、消極的・受動的な行為についても使える。「精一杯」「力一杯」は、積極的・能動的にそうする場合にいい、「精一杯」では条件の許す限り頑張ってそうすることに、「力一杯」では力や能力を出しきることに、それぞれ重点がある。

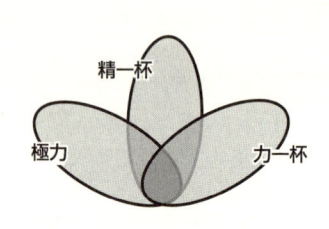

使い分け

表現例		極力	精一杯	力一杯
A	そうなるよう―努める	○	○	○
B	―舟をこぐ		○	○
C	―安く売るようにします	○	○	
D	―負けても千円だ		○	
E	大きな声を出すのが―だった		○	
F	不要不急の出費は―やめたい	○		

1. Aでは三語とも使えるが、「極力」は形式的で、他の二語よりも誠意のないような感じを受けることもある。
2. Bのように、最大限の力を出してその行為をするという意の場合、「極力」は不適。「精一杯」では、行為がこのような肉体的努力に関するものでも「力」の具体性が薄れて気力に重点があるように感じられ、「力一杯」では、肉体的な面に重点があるように受け取れる。
3. Cのように、肉体的な力や自分の能力を出しきるというのでない行為の場合は「力一杯」は使えない。
4. Dのように「できる限り」の限界点を強く出す表現には、「精一杯」以外は使いにくい。Eのような述語的の用法をもつのも「精一杯」のみである。
5. Fの「やめる」のような消極的な行為については、「極力」しか使えない。

類似の語

精々(せいぜい) できるだけそのように努力するようす。「せいぜいお安くしておきます」

きる

cut

切る・断つ・断ち切る

基本の意味 つながっているものや続いているものを刃物などで分け離す。

Point! 「切る」は、物の表面に裂け目を入れるような場合にもいう。「断つ」は、完全に切り離す場合にいい、布・紙などの不要部分を切り落とす意（多く「裁つ」と書く）にも用いる。「断ち切る」は、「断つ」を強めた言い方。事柄についていう場合、「切る」ではつながり・関係にくぎりを付けることに、「断つ」「断ち切る」では思い切って、または完全にやめにすることに、それぞれ重点がある。

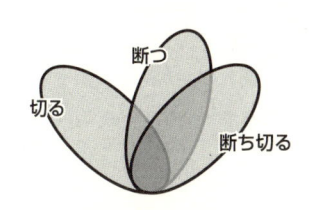

使い分け

表現例	切る	断つ	断ち切る
A　包丁でねぎを—	○		
B　電話線が—れる	—ら○	—た○	—ら○
C　型に合わせて布を—	○	○	○
D　ガラスの破片で少し足を—た	—っ○		
E　未練を—		○	○
F　酒を—		○	

1. Aのように刃物を使って物を分け離す場合は三語とも使えるはずであるが、「断つ」「断ち切る」は切断が容易なものについては大げさな感じになり、使いにくい。「鎖を—」のような場合なら三語とも使える。
2. B・Cでは三語とも使える。Bの場合、「断ち切る」では強い力で無理やり切られた感じが強まる。Cのように布や紙の不要部分を切り落とす意では、慣用的に「裁つ」が使われるが、「切る」も意味的には可能。
3. Dのように傷を付ける意では「切る」しか使えない。
4. Eのように、持ち続けていた考えや感情を捨てて全くなくすという場合は「断つ」「断ち切る」を使う。「縁を切る」のように、つながり・関係を終わりにする意では「切る」も使われる。また、そこで止めてくぎりを付ける意では「言葉を切る」「電話を切る」のように「切る」を使う。
5. Fのように飲食などに関してやめる場合は、「断つ」しか使えない。

ぐあい

condition

具合・調子・あんばい・加減

基本の意味 物事の状態、また、健康状態。

Point! 「具合」は事の成り行きや他との適合の状態に、「調子」は動きや進み方に、「あんばい」は物事の配分・比率・バランスなどの状態に、「加減」は物事の程度に、それぞれ重点があるが、重なるところは多い。人の健康状態については四語ともほぼ同じように使う。

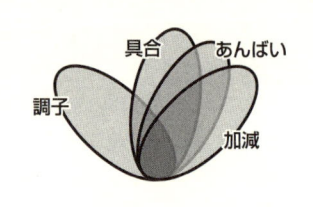

使い分け

表現例		具合	調子	あんばい	加減
A	風呂の―を見る	○	○	○	○
B	体の―が悪い	○	○	○	○
C	味の―を見る	○		○	○
D	水量をうまく―する			○	○
E	いい―に雨がやむ	○		○	
F	人に―を合わせる		○		

1. Aでは四語とも使えるが、「あんばい」「加減」だと湯の温度を見る意になるのに対して、「具合」「調子」だと、浴槽・ボイラー・水道栓などが支障のない状態にあるかどうか見るといった意になる。特に「調子」ではボイラーや給湯器が正常に機能しているかどうか見る感じが強い。

2. Bのように健康状態に関する場合は四語にほとんど差異が認められないが、「あんばい」は年配の人や地方の人に使われることが多い。

3. Cのような動きのない物事の状態には、「調子」は使えない。

4. Dのように「する」を伴ってサ変動詞となるのは「あんばい」「加減」だけである。「あんばいする」では、他の要素とバランスよく組み合わせたり適度に配分したりする意、「加減する」では、程度を適度に調節する意が中心。

5. Eのように、何かとのかかわりにおいての状況のよしあし、他との適合の状態という意では、「具合」「あんばい」が使われる。

6. Fのように、状況に合わせた人への対し方の意では「調子」しか使えない。

くじょう

complaint

苦情・文句・抗議

基本の意味 不満や不賛成の思いを言葉に表すこと。

Point! 「**苦情**」は、迷惑を受けたり不愉快な思いをさせられたりしていることに対する不満や腹立ちを、当の相手に伝えること、また、その言葉。「**文句**」は、相手や物事が気に入らなくて何か言うこと、また、その言葉。「苦情」「抗議」と違って、ぶつぶつ不満を言うだけの場合にもいう。「**抗議**」は、相手の行為・発言などが不当である旨を表明して、その撤回や善処を求める気持ちを示すこと。

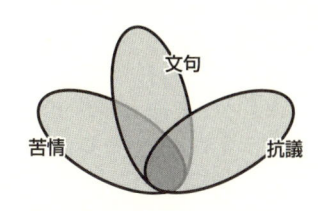

使い分け

表現例	苦情	文句	抗議
A 工場騒音に対する—が絶えない	○	△	○
B 隣家に—を言いに行く	○	○	
C 何のかのと—を付ける		○	
D —の多いやつだ		○	
E —のハンストを行う			○

1. Aでは「苦情」「抗議」が適当。「苦情」よりも「抗議」のほうが正式に申し立てる感じが強くなる。「文句」は、他人が発した言葉に使うと、勝手な不満を言うといった意味合いが生じる場合も多く、「工場騒音に対する」という原因の客観的な提示とそぐわず、やや不自然である。

2. 「抗議」は言葉で表明するところまで意味に含むため、Bのような「—を言いに」の形では使いにくい。使うなら「—〔を〕しに」となる。

3. Cの「—を付ける」の形で使えるのは「文句」だけ。また、Dのような単なる不平不満の意でも「文句」を使う。

4. Eのように社会に訴えるような手段をとる場合は、「抗議」以外は不自然。

くだらない　trifling

くだらない・つまらない・無意味・ばかばかしい

基本の意味　問題にする価値がない。

Point!　「**くだらない**」「**つまらない**」は、取り上げるだけの値打ちがない意を表す点で共通するが、「**くだらない**」のほうがよりおとしめている感じがある。「**つまらない**」は、四語の中では意味の幅が広く、おもしろさが感じられない意のほか、割に合わない意も表す。「**無意味**」は、意味を持たない、役に立たないの意が中心。「**ばかばかしい**」は、まじめに相手にする気にならないほど、物事が無価値だったり程度が低かったりするようす。転じて、やっても割に合わない意にも使われる。

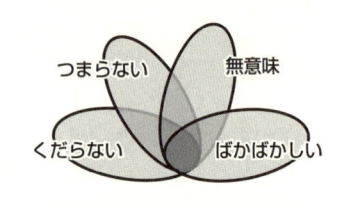

使い分け

表現例	くだらない	つまらない	無意味	ばかばかしい
A　実に―話だ	○	○	―な○	○
B　あんな―男とは別れろ	○	○		
C　そんなことに金を掛けたって―		○	―だ○	
D　慰めて嫌われるのでは―		○		○

1. Aではそれぞれの意味合いで四語とも使えるが、「つまらない」はおもしろくないの意にもなる。
2. Bのように人についていう場合は、「無意味」「ばかばかしい」は使えない。ただし、小説や劇などの作中人物について、特に登場する必要も認められない人物という意味で「無意味な人物」と使うことは可能。
3. Cでは「つまらない」と「無意味」が使え、結果が期待できない、意味がない、とそれぞれ似た意を表す。「ばかばかしい」は「ばかばかしいだけだ」とでもすれば、Cの文に使うことができる。
4. DもCと似た意味で、やっても割に合わないという意を表すが、Dの文型では「つまらない」と「ばかばかしい」が適当。

類似の語
取るに足りない　問題にするだけの価値や重要性がない。「取るに足りない作」

ぐっと

ぐっと・ぐんと・ずっと

much, far

基本の意味 比較して大きな差があるようす。

Point! 「ぐっと」「ぐんと」は、前の状態または他のものの状態と比較して程度が激しく変わるようすを表し、状態の変化が急激であることに重点がある。両語は同じように使われるが、「ぐんと」のほうが強いニュアンスをもつ。「ずっと」は、隔たりや開きが大きいことを客観的にとらえていう語で、二つのものの間の差だけでなく、時間的・距離的に遠く隔たるようすも表す。

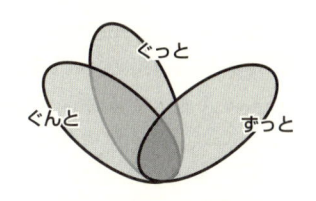

使い分け

表現例	ぐっと	ぐんと	ずっと
A 隣の家のほうが―大きく見える	○	○	○
B ギアがローに入って速度が―落ちる	○	○	
C そうすれば―おもしろい			○
D ―昔のこと			○
E ―引っ張る	○	○	
F ―飲み干す	○		

1. Aの場合はどれも使えるが、同時に存在する二つのものを比較していうときには「ずっと」が最適である。
2. Bのように程度の急激な変化をいう場合は「ぐんと」「ぐんと」が適当。「ずっと」は使いにくいが、「ギアをローに入れるとセカンドよりずっと速度が落ちる」など、比較する対象が明示されていれば使うことができる。
3. Cのような形容詞だけの文節を修飾する場合は、「ぐっと」「ぐんと」は使いにくい。「おもしろくなる」のように動詞を添えれば使える。
4. Dのように、時間的に遠く隔たったようすには「ずっと」を使う。「ずっと離れた所」のように空間的にも使える。
5. Eのように力を込めて何かをする場合は、「ぐっと」「ぐんと」を使う。
6. Fのように一息に何かをする場合は、「ぐっと」を使う。

くどく

persuade, urge

口説(くど)く・諭(さと)す・説(と)く

基本の意味 自分の思いや考えを、相手にわかるようにあれこれと話す。

Point! 「**口説く**」は、自分が望んでいることを何とか相手に承知させようとして、あれこれと訴えるように言う意。「**諭す**」は、話し手が上位に立って、物事の理非を相手によく言い聞かせる意。「**説く**」は、筋道を立ててある物事を説明したり、あることの価値や必要性について相手が納得するよう事を分けて述べたりする意。

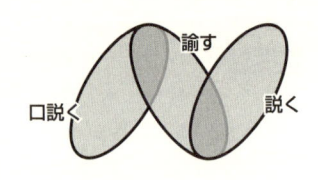

使い分け

表現例	口説く	諭す	説く
A 思いやりの大切さを—		○	○
B 親を—て米国に留学する	—い○		
C 母に—れて謝りに行った	—か△	—さ○	
D 政策の非を—パンフレット			○

1. Aでは「諭す」と「説く」がそれぞれの意味で使える。「口説く」は、自分の願望・意向などを一方的に相手に説明してわかってもらおうとする感じが強いので、Aの例には使いにくい。

2. Bは、自分の希望をいれてくれるよう親に頼み込んでいる場合なので、「口説く」を用いる。

3. Cは、母親が子に対してそうすべきだと道理を言い聞かせている場面ととれるので、「諭す」が適当。理非はともかく事を穏便に収めるため先方に謝ってくれと母親が子に頼んでいる場面ととれば、「口説く」が使われる。

4. 「非を」は「諭す」とも「説く」とも結び付くが、Dのように印刷物によって不特定多数に説明する場合は、「説く」が適当。「諭す」と「口説く」は手紙などによる場合にも使えるが、直接相手に向かって述べる場合でないと使いにくい。

類似の語

説得(せっとく)する 自分の考えを十分に話して相手に納得させる。「上司を説得する」

説(と)き伏(ふ)せる 説得して自分の意見に従わせる。「親を説き伏せて海外留学する」

くべつ

distinction

区別・区分・差別・見分け

[基本の意味] 種類・性質などによって分けること。

Point! 「区別」は、それぞれの違いを認識して別のものとして扱うこと。「区分」は、全体をいくつかの部分やグループに分けること。「差別」はもと、それぞれの間にある違い、またその違いによって扱いに差を付けることの意だが、現在は主に人の扱いに不当に差を付けることの意味で使われる。「見分け」は見て区別すること。主に外見・外形をとらえて区別することにいうが、抽象的な事柄にも使う。

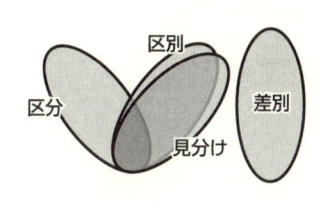

[使い分け]

表現例	区別	区分	差別	見分け
A 稲と麦の―ができない	○	○		○
B ―ができないほど似ている二人	○			○
C 人種による―を禁じる			○	
D 土地を二つに―する		○		
E 善悪の―がつかない人	○			○

1. Aでは「差別」以外の三語が使える。「区別」「見分け」では違いを認識することに、「区分」では稲と麦を分けることに重点がある。「差別」は、**Point!** に述べたように現在の用法が限られるので、ABDEには不適。
2. Bのように、両者の違いの認識が問題で、それらをグループに分けるという行為を含まない場合は「区分」は使わない。
3. Cのように不当に扱い方に違いを付けることをいう場合は「差別」を使う。
4. Dのように大きいものをより小さいいくつかに分ける意の場合、「区分」を使い、他の語は使えない。
5. Eのように、善悪・真偽・当否などを判断して分ける意味には「区別」「見分け」が使われる。

[類似の語]

区分け 全体を部分やグループにくぎって分けること。「等級の区分け」
弁別（べんべつ） 違いをとらえてそれぞれを別のものと認識すること。硬い言い方。

くむ

draw

くむ・すくう・しゃくる・しゃくう

基本の意味 液体の中に器を入れて、その液体を取る。

Point! 「くむ」では、取る対象が液体に限られる。「**すくう**」は、液体や粉状のものの表層に容器状のものを浅く入れて何かを取る行為。取る対象はその液体や粉末である場合もあれば、その表面に浮いているものやその中に入り込んでいるものである場合もある。「**しゃくる**」は、表面が凹状のものを液体や粉状の中に入れてその液体や粉末を取る行為。「**しゃくう**」は「**しゃくる**」の口頭語的な言い方。

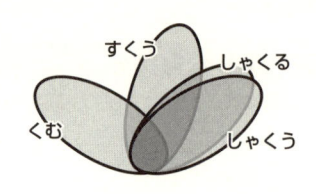

使い分け

表現例	くむ	すくう	しゃくる	しゃくう
A 缶の油をひしゃくで—	○	○	○	○
B 池の金魚を手網で—		○		
C 米びつの米を手で—		○	○	○
D 酒を—ながら談笑する	—み○			

1. Aのように取る対象が液体の場合は、四語とも使える。しかし「くむ」では、最終的に何かの容器に入れるという含みをもつことが多いのに対し、他の三語は「くむ」動作そのものを指し示すだけである。

2. Bのように、液体の表面や中にあるものを何かを使って取り上げる意では「すくう」が用いられる。

3. Cのような、粒状のものや粉状のものなどを取り出す意では「くむ」以外が使える。Cの場合「すくう」が最もふさわしく、「しゃくる」「しゃくう」はやや俗語的。

4. Dの「酒をく（酌）む」という言い方は、「くむ」だけにある慣用表現。

くやむ

regret, repent

悔やむ・悔いる・後悔する

基本の意味 過去の自分の行動・態度について残念に思う。

Point! 「**悔やむ**」は、三語の中では意味が広く、自分の力不足などで物事が不首尾に終わったことを残念に思う場合などにもいう。「**悔いる**」「**後悔する**」は、意識的にしろ無意識的にしろ自分が取った行動・態度に関していい、「**悔いる**」では過去の行動・態度を間違っていた、よくなかったと反省する意が強く、「**後悔する**」は、そうすべきでなかったと残念に思う意を広く表す。「**悔いる**」は文章語的。

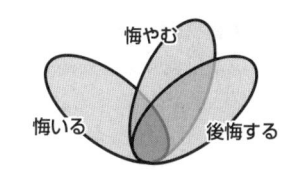

使い分け

表現例	悔やむ	悔いる	後悔する
A 今さら―て(で)も遅い	―ん○	―い○	―し○
B 何か食べておけばよかったと―	○		○
C 罪を―		○	
D うまく話せなかったのを―でいる	―ん○		
E あの時のことが―れる	―ま○		―さ○

1. Aのような一般的な表現の場合はそれぞれの意味合いで三語とも使える。
2. Bのように、日常の些細な事柄についていう場合は、「悔やむ」「後悔する」が適当。「悔いる」は他の二語より反省の気持ちが強くこもり、Bの例には大げさな感じになって使いにくい。
3. Cのように、自分が犯した重大な事柄の場合は「悔いる」が適当。
4. Dのように、その時の成り行きや自分の力不足で事がうまくいかなかったのを残念に思うという場合は、「悔やむ」が適当。「悔いる」「後悔する」は、何かをした、あるいはしないで済ませたといった、その時の行為の選択にかかわってでないと使いにくい。
5. Eのように、自発の助動詞の付く形では「悔やまれる」が自然。「後悔される」も使うが、「悔いられる」は使わない。

類似の語

悔悟する 過去の自分の行動・態度を間違っていたと悟り、反省すること。

くりかえす repeat

繰り返す・反復する・蒸し返す

基本の意味 同じことをまた行う。

Point! 「繰り返す」は、同じことを二度または何度もする意で、三語の中では最も幅広く使える。**「反復する」**もほぼ同じ意味だが、同一内容の繰り返しなどの意味合いを含み、「繰り返す」に比べて使える幅は狭い。**「蒸し返す」**は、一度結論の出たことをまた問題にする意。

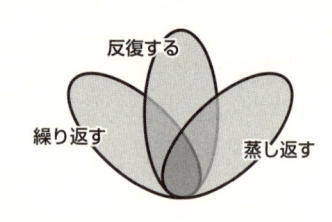

使い分け

表現例		繰り返す	反復する	蒸し返す
A	—て練習する	—し○	—し○	
B	似たような語を—て使う	—し○		
C	過ちを—な	○		
D	決着の付いた議論を—愚	△	△	○

1. Aのように話・議論などに関係しない場合は、「蒸し返す」は使えない。Aの場合、「繰り返す」は二度でもそれ以上の度数でもよいが、「反復する」だと何度かにわたって行う感じが強くなる。

2. Bのように同一の内容でない場合は、「反復する」は使いにくい。「繰り返す」は大体同じようなことであればよいが、「反復する」は全く同一内容で行う感じが強い。ただし、具体的内容によってでなく抽象的に同一性をとらえた「反復する歴史」のような表現なら、修辞的に可能。

3. Cのように意図してでなく結果的に同種のことをしてしまうという場合も、「反復する」は不自然。「試行錯誤を繰り返す」「入退院を繰り返す」なども同様に不自然。

4. Dでは、くどくて好ましくないという意味合いを含む「蒸し返す」が最適。「繰り返す」「反復する」だと、議論を初めからもう一度展開しなおすといった意になって、現実には使いにくい。

類似の語

重ねる 同じことを何度もする。「重ねて言う」「検討を重ねる」「失敗を重ねる」「罪を重ねる」 ➡ 「つむ」

くるしい　painful

苦（くる）しい・つらい・切（せつ）ない

基本の意味 肉体的または精神的に苦痛を感じるようす。

Point! 「苦しい」は、肉体的・精神的に大きな負荷や圧迫がかかって耐えがたい状態であるようす。「つらい」は身体的・生理的な苦痛が原因であることもあるが、その場合も気持ちの上での耐えがたさとしてとらえる面が強い。「切ない」は精神的な状態にいい、寂しさ・悲しさ・恋しさなどを感じて、気持ちが苦しいようす。

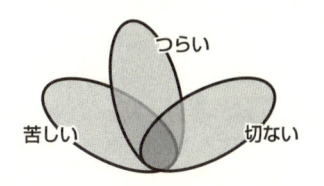

使い分け

表現例	苦しい	つらい	切ない
A　―胸の内を打ち明ける	○	○	○
B　―勉強に耐える	○	○	
C　押し付けられて胸が―なった	―く○		
D　人に―当たる		―く○	
E　初恋の甘く―記憶			○

1. Aの場合はそれぞれの意味合いで三語とも使える。「苦しい」では何かに困って悩んでいる感じ、「つらい」では精神的に耐えかねるような感じ、「切ない」では思いが満たされずさびしい感じを表す。
2. 心身両面を含むBの場合、「苦しい」「つらい」が使われるが、「苦しい」では肉体的苦痛に、「つらい」では精神的苦痛に重点が置かれる感じがある。
3. Cのように圧迫される感じには「苦しい」を用いる。
4. Dのように冷酷に扱う意では「つらい」を用いる。
5. Eのように、胸が締め付けられるような寂しさや恋しさを感じる意では、「切ない」を用いる。「切ない」は古語や方言では「腹が張って切ない」のように肉体的に苦しい意にも使われるが、標準語ではこの意に使わない。

類似の語

やるせない　ふさいだ気分やつらい気持ちを晴らすすべがないようす。「仕事も金もなく、やるせない思いで毎日を暮らす」

やりきれない　耐えられない気分になるようす。「忙しくてやりきれない」

くろう

trouble

苦労・苦心・苦慮・労苦
(く ろう)　(く しん)　(く りょ)　(ろう く)

基本の意味 物事を成し遂げたり作ったりする上で、大変な労力を費やしたりさんざん頭を悩ませたりすること。

Point! 「**苦労**」は、そのことをする上でのストレスや要した労力に重点を置いた言い方で、三語の中では最も意味が広い。「**苦心**」は、自分なりに工夫するなどの精神的労力に重点を置く。「**苦慮**」も精神的な労力に注目するが、是非とも処理しなければならない物事についてよい解決方法はないかと頭を悩ませることをいい、意味が狭い。「**労苦**」は、何かのために心身を酷使しつづける苦しさ。上の三語と違って動作性の意を持たず、「―する」の用法がない。

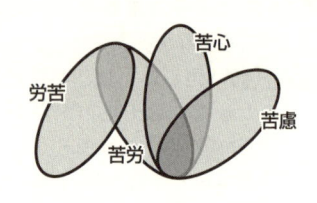

使い分け

表現例	苦労	苦心	苦慮	労苦
A 新人獲得に―する	○	○	○	
B ―をいとわず働く	○			○
C 三問目は解くのにだいぶ―した	○	○		

1. Aでは「労苦」以外の三語が使える。Aで「苦心」「苦慮」を使えば、手段・方法などをあれこれ考えることに重点があり、「苦労」なら、あれこれの人に働きかけるなど実際の行動に要した労力に重点が置かれる。「労苦」は「―する」の用法を持たないので使えない。

2. Bのように、肉体的な苦しさをいう場合は「苦労」「労苦」が適当で、「苦心」「苦慮」は不適当。

3. Cのように解答を出すのに苦しむような場合は「苦労」「苦心」を使う。「苦慮」は主に社会の対人的な事柄についていうから、Cの例には使えない。

4. 「苦労」は意味も用法も広いので、「苦心の作」のような慣用的な言い方以外のほとんどの場合、他の三語の代わりに使える。また、「苦労を掛ける」「苦労な話だ」のように、他の三語のどれとも置き換えにくい場合もある。

類似の語

辛酸(しんさん)　非常につらい苦労。「辛酸をなめる」「辛酸を共にした仲間」

くわしい   detailed

詳しい・細かい・細々（と）・つぶさに

基本の意味 小さな事柄にまで及んでいるようす。

Point! 「詳しい」は、説明・調査や知識が小さな事柄にまで及んで行き届いているようす。「細かい」は「詳しい」より意味の幅が広く、注意や気づかいが小さなことまで及ぶようすをいい、小さいことを問題にしすぎてわずらわしく感じられる場合にも用いる。「こまごま（と）」はいかにも細かいようす。「つぶさに」は、単に細部にわたるというだけでなく、漏れなくそのことをする意が強い。

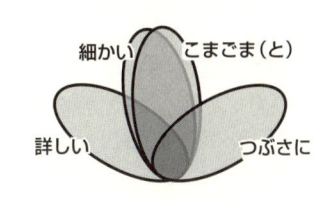

使い分け

表現例	詳しい	細かい	こまごま（と）	つぶさに
A 実態を―調べる	―く○	―く○	○	○
B 絵に―解説が付いている	○	○	△	
C 彼は大阪の地理に―	○			
D ―気を使う		―く○	○	

1. Aのように、調査・説明・報告などが細部にまで行きわたっているようすをいう場合は、どれも使える。
2. Bのように細部まで行き届いた解説という意味では「詳しい」が最適。「細かい」も使えるが、小さな事柄まで書いた解説というだけで行き届いた感じはあまり出ない。「こまごまと」だと、余計なことまでくだくだしく書いているという感じになり、やや使いにくい。「つぶさに」は動作性の語にかかる性質があり、「付いている」という状態を修飾する場合には使いにくい。
3. Cのように、小さなことまでよく知っているという意では「詳しい」しか使えない。
4. Dのように心づかいなどがよく行き届いている意の場合は、「細かい」「こまごまと」が使われる。「細かい」だと小さい点まで気付いてそれとなく気を使うという感じ、「こまごまと」だと、親身に、時によってはわずらわしいと思うほど気を使うといった感じになる。

くわだてる　plan, attempt, plot

企てる・もくろむ・たくらむ

基本の意味 計画を立てたり、そのことの実現のために考えを巡らしたりする。

Point! 「企てる」は、あることの計画を立てる意。ある行動を考えてその実行にかかる意で使われることも多い。「もくろむ」は、何かを実現させようとして考えを巡らせる意。状況などを考慮しながら自分に都合よく事が運ぶように考えを巡らせるといった意味合いが強い。「たくらむ」は、何かよくないことを実現させようとして、その手順や方法を考える意。

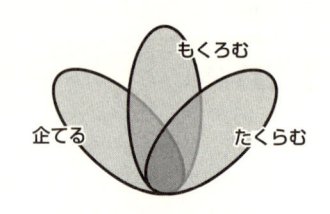

使い分け

表現例	企てる	もくろむ	たくらむ
A　彼女は家出を―て（で）いた	―て○	―ん○	―ん○
B　新しい事業を―	○	○	
C　うまい汁を吸おうと―でいる		―ん○	―ん○
D　完売を―でいたが…		―ん○	

1. Aの場合、それぞれの意味合いで三語とも使える。「企てる」は、「彼女は家出を企てた」とすれば、家出という行為の実行に及んだの意にもなる。
2. Bのように真っ当な行為には「たくらむ」は使えない。「企てる」では計画を立てて実際に動き出す感じ、「もくろむ」では機会をとらえていずれ実行に移そうと構えている感じになる。
3. 「企てる」は主体的に事を起こそうとする意が強く、Cのように状況を狡猾に利用して何かするような場合には使いにくい。
4. Dのように、自分に都合のよい展開を予想し、その線に沿って先のことを考えるという場合は、「もくろむ」しか使えない。

類似の語

図る あることを実現するための手段や方法を考える。また、それを実行する。「混雑緩和を図る」「再起を図る」「自殺を図る」

策する 物事をうまく運ぶために前もってよく手立てを考える。また、その手立てに従って事をなす。「反対派の切り崩しを策する」

けいかく　plan, plot, attempt

計画・企画・企図・企て

基本の意味 何かをしようとしてその内容や方法・手順を考えること。

Point! 「**計画**」は、どのような内容で、どの程度の規模で行うかということも含めて、実現・達成への具体的な筋道を考えることに重点がある。「**企画**」は、主にビジネスの方面でいい、その物事をどういう内容で行うかということに重点がある。「**企図**」「**企て**」は事を起こそうとする考えそのものに重点があり、手順・内容を考えるという要素は薄い。「**企て**」は実行に移すところまで含めていうこともある。

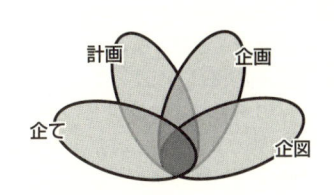

使い分け

表現例	計画	企画	企図	企て
A　新雑誌発刊の― がある	○	○	○	○
B　次のイベントの― を練る	○	○		
C　銀行強盗の― がばれる	○			○
D　家族旅行の―	○			

1. **A**ではどれも使えるが、「計画」が最も一般的に使われる。「企画」は主に内容についていい、実行の手順までは含めないのが普通なので、「新雑誌の企画がある」とするほうがふさわしい。「企図」は文章語で、**A**ではやや大げさな感じになる。「企て」では、ある野心をもっている感じがこもる。
2. 「企図」「企て」は、「計画」「企画」に比べてやや具体性が薄く、**B**のように「練る」とはいいにくい。
3. **C**のように、好ましくないことに関する場合は「企て」が使われる。「計画」は広い意味をもつので使えるが、具体的な実行の方法という感じになる。
4. **D**のように日常的なことに関する場合、「企図」「企て」は大げさな感じで不自然。「企画」は多くビジネスに関することに使うので使いにくい。

類似の語

プラン そのことをどういう内容で、またどういう方法・手順で行うかについての、具体的な考え。「旅行のプランを練る」「生活のプランを立てる」

もくろみ ある事を実現しようとして考えを巡らすこと。また、その内容。

けしき view, scenery

景色・風景・眺め・見晴らし

基本の意味 ある広がりをもって目に映る、外界のようす。

Point! 「景色」は、広くは目に映る外界のありさまの意味で「眺め」と同じようにも使われるが、主として、山野・水面など自然の広がりを背景にとらえた外界のようすをいう。「風景」は、時間の流れの中でとらえられた自然界や人間の活動のようす。「眺め」は四語の中では最も幅広く、ある程度の視界の広がりでとらえたものであれば、比較的近い距離の対象のようすについても使える。「見晴らし」は、広く遠く見渡すこと、またそれによって得られる眺め。

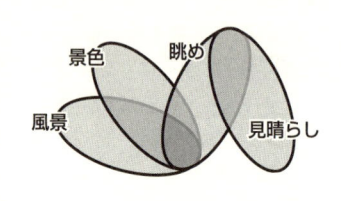

使い分け

表現例	景色	風景	眺め	見晴らし
A　美しい―だ	○	○	○	
B　―が利く			○	○
C　窓から外の―を見る	○	○		
D　開会式の―		○		

1. Aのように対象のようすをいう場合、見渡す行為に重点のある「見晴らし」は使いにくい。
2. 「眺め」「見晴らし」は見るという行為を含んだ表現なので、Bのように「利く」と結び付くが、「景色」「風景」は行為を表さないので使えない。
3. Cのように「―を見る」の形では、「見る」という行為を含む「眺め」「見晴らし」は、「見る」が重なるので使いにくい。
4. Dのような人間が行う事柄についてその場面をとらえていう場合は、「風景」しか使えない。ただし、人の動きも含む外界のようすを一画面としてとらえて「街の眺め」「街の景色」ということはできる。

類似の語

光景 人の注意を引くようなある場面のようす。人や自然の動き、事件の一場面などにいい、修飾語を上に添えて用いる。「ほほえましい光景」

景観 美や風情を感じさせるような、自然や町並みの眺め。「都市の景観」

けずる

scrape off, tear off

削る・はぐ・はがす・むく

基本の意味 表面の部分や表面を覆うものを取り去る。

Point! 「**削る**」は、物の表面を刃物などで薄くそぎ取る意。「**はぐ**」「**はがす**」は表面の薄いものを取り去る意だが、「**はぐ**」ではそのものの表面の部分を引き離す意、「**はがす**」では後からそこにくっついたものを引き離す意が強い。「**むく**」は、中のものを出す目的で外側の皮状のものを取り去る意。

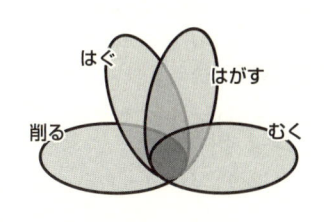

使い分け

表現例	削る	はぐ	はがす	むく
A 木の皮を—	○	○	○	○
B ナイフで鉛筆を—	○			
C 切手を—			○	
D 早く起きろと布団を—		○	○	
E ナイフでリンゴの皮を—				○

1. Aの場合はそれぞれの意味で四語とも使える。「はぐ」では、力を入れて本体から引き離す感じになり、「はがす」では、皮の端をつまんで引き離すような感じになる。「むく」では、木質を出すという目的が強調される。

2. Bの場合、皮のようなものを取り去るわけではないので、「削る」以外は使えない。

3. Cのように、くっつけてあるものを取り去る場合は、「はがす」が適当。「はぐ」は、「動物の皮をはぐ」のように、本体の表面の部分を引き離す意識が強く、Cには使いにくい。「むく」も内側のものをあらわし出すための行為でないので、使いにくい。

4. Dのように布団や着物を無理やり取り去る場合は、「はぐ」「はがす」を用いる。「はぐ」のほうが無理やりにという感じが強い。

5. Eのように果物などの皮を取り去る場合は、「むく」以外は不自然。

類似の語

はぎ取る 表面の部分や表面を覆うものを無理に引き離す。「皮をはぎ取る」

けち

stingy

けち・みみっちい・しみったれ・吝嗇(りんしょく)

基本の意味 わずかな金品をも必要以上に出し惜しむようす。

Point! 「けち」は四語の中では最も一般的な語で、小さいことにこだわって度量が狭い意や、取るに足りない意も表す。「**みみっちい**」は、金品に限らず、小さいことにこだわって大らかさに欠けるようす。「**しみったれ**」「**吝嗇**」はいずれも、金品に関して出し惜しみすることをいう。「**しみったれ**」は、ののしったりさげすんだりしている語で、特に人を指していることが多い。「**吝嗇**」は文章語で、「**けち**」に比べてより強固な信念を感じさせる。

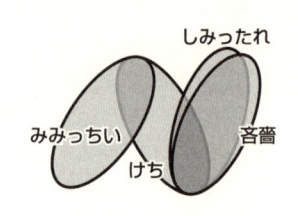

使い分け

表現例	けち	みみっちい	しみったれ	吝嗇
A 出すものは舌でも嫌という―男	―な○		―な○	―な○
B 人の顔色ばかりうかがう―根性	―な○	○		
C 百年の計をうたうにしては考え方が―		○		

1. Aの例のように、金品の出し惜しみが一種の生活習慣や信条となっていると受け取れる場合は、「けち」「しみったれ」「吝嗇」が適当。「しみったれ」は形容動詞として「―な」の形でも使うが、動詞を使って「しみったれた」とすることが多い。「みみっちい」は、気持ちが小さくこせこせしているというニュアンスが強く、Aのように一種の信条を感じさせる文脈で使うと不自然に感じられる。

2. Bのように人間としての度量が小さいという意の場合は、「けち」「みみっちい」を用いる。

3. Cのように、こせこせして大らかさを欠いている感じを表す場合は、「けち」より「みみっちい」が適切。「けち」も「そんなけちな考えは捨てろ」のように小さいことにこだわって度量が小さい意で使われるが、こせこせした感じはあまり出ず、また、この意では「けちだ」と終止形で使いにくい。ただし、「けちくさい」とすれば、「みみっちい」と同じように使える。

けっこう

carrying out

決行・敢行・断行・強行

[基本の意味] 思い切って物事を行うこと。

Point! 「決行」は、多少の障害はあっても予定したとおりに行うこと。重大なことに限らず、日常の催し物などについても使える。「敢行」は、困難や無理を承知の上で実行すること。その気概を是とするプラス評価を帯びる場合もある。「断行」は、決めたことを困難や反対を押し切って行うこと。社会的に影響の大きい事柄や、継続的に行うような事柄についていうことが多い。「強行」は強引に行うことで、その選択をマイナス評価でとらえていう場合も多い。

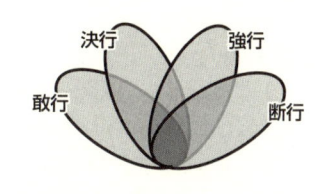

[使い分け]

表現例	決行	敢行	断行	強行
A　かねての計画を―する	○	○	○	○
B　競技は雨天でも―します	○			
C　行政改革を―する			○	○
D　スリーバントを―する	△	○		○

1. Aの場合はそれぞれの意味合いで四語とも使える。
2. Bのような、天候によって催し物を行うかどうかという程度の事柄には、「敢行」「断行」「強行」は使いにくい。「強行」はマイナスの意味合いが生じやすいことからも、主催者側からいったBの例には不適。
3. Cの「行政改革」のような、ある考えのもとに継続的になされるような事柄の場合は、「断行」がぴったりする。「決行」「敢行」は一回性の行為という含みがあってふさわしくない。状況を顧みず無理やり押し切って行うというマイナスの意味をこめれば、「強行」も使われる。
4. Dのように無理かもしれないが、一か八かで行うという場合は、「敢行」が最適。指示を出す監督の立場からは「決行」も使えなくはない。失敗の危険が大きいのに強引にそうするというマイナスの意味合いでは、「強行」が使われる。

けっしん decision, determination

決心(けっしん)・決意(けつい)・決断(けつだん)

基本の意味 取るべき行動・態度について考えを決めること。

Point! 「決心」は、主に個人としての身の処し方など私的な事柄に関して使われる。「決意」は、どうするか意志をはっきりと決めることで、公私を問わず重大な事柄について使われる。

「決断」は、現下の問題についてどう対応するか、いずれを選択するかなどを決めることで、すぐ実行に移されるという含みをもつ。➡「きめる」

使い分け

表現例	決心	決意	決断
A 会社をやめることを―する	○	○	○
B 早起きの―も三日ともたなかった	○		
C 不戦の―を内外に表明する		○	
D 最終的な―を首相に仰ぐ			○

1. Aのように、個人的な問題であっても、生活や家族など他に大きな影響が及ぶ場合は三語とも使える。
2. Bのように、日常的・個人的な事柄で、他に大したかかわりが出ない場合は「決心」が最適で、他の二語では大げさ。
3. Cのように公的な事柄についての硬い表現の場合は、「決心」は不適当。「決断」は決めて実行することまで含まれる感じがあるので、意志を人前で述べる意でとどまる「表明する」とは結び付きにくい。
4. Dのように責任者が決める場合は、直ちに実行につながる感じがあるので、「決断」が適当。「―を下(くだ)す」も同様。
5. 「―がつく」の形では「決心」と「決断」が使われ、「―を固める」の形では「決心」「決意」が使われる。

類似の語

踏(ふ)ん切り 迷いの気持ちを捨てて、きっぱりと心を決めたり行動に移したりすること。「まだ辞表を出す踏ん切りが付かない」

覚悟(かくご) あらかじめ事態を予測して、心構えをすること。「失敗は覚悟の上だ」

けはい

sign, indication

気配・雰囲気・ムード

基本の意味 その場所や物事から何となく感じ取られるもの。

Point! 「**気配**」は、周囲の状況から何となく感じ取られる物事のようす。「**雰囲気**」は、その場所やある個人・集団などからかもし出される特別の感じ。「**ムード**」は、一般に雰囲気の意で使われるほか、ロマンチックな情調、また、世間一般の気分や風潮といった特定の意味でも使われる。

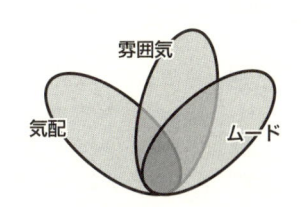

使い分け

表現例	気配	雰囲気	ムード
A 秋の―が感じられる	○	○	○
B 明るい―の人だ		○	○
C 人の―を感じる	○		
D 解散―が高まる			○

1. Aの場合はどれも使えるが、「気配」は周囲の状況から何かを察知するとき、「雰囲気」「ムード」はその時その場で自然にある感じを受けるときに使う。したがって、Aで「気配」といえば、自然の変化などから秋めいてきたことを感じる意だが、「雰囲気」「ムード」といえば、現在の季節とは関係なく、絵画や音楽に接して、秋らしい感じを受けたときなどにも使える。

2. Bのように、ある人の持っている独特の感じの意では「気配」は不適当で、「雰囲気」「ムード」を使う。

3. Cのように何かから人のいることを察知する場合は、「気配」しか使えない。

4. Dのように、名詞のすぐ後に付けて人々の気分や世の動きの傾向をいう場合は、「ムード」以外は使いにくい。

類似の語

空気 その場を包む雰囲気。「険悪な空気になる」「空気を読んで発言する」

気分 その場の人々の間にかもし出されるある特別な感じ。また、いかにもある心境・環境にあるという感じ。「町中に祭りの気分がみなぎる」「気分を出して歌う」 ➡「きもち」

けんい   authority

権威・威信・威光

基本の意味 人をおのずから従わせるような威厳や存在感。

Point! **「権威」**は、支配能力や学識の蓄積によって備わった、他を従わせるだけの威厳。**「威信」**は、他の信望を集めるような威厳ある存在感。**「威光」**は、人々をしてその前にひれ伏させるような、威厳を伴った支配力や存在感。 → 「たいか」

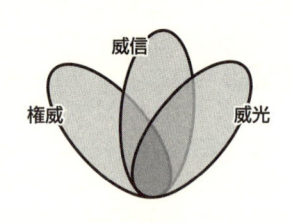

使い分け

表現例		権威	威信	威光
A	わが国の―にかかわる問題	○	○	○
B	公教育の―を傷付ける事件	△	○	△
C	英語圏で最も―のある辞書	○		
D	建築工学の―に話を聞く	○		
E	金の―で相手を従わせる			○

1. Aではそれぞれの意味合いで三語とも使える。
2. Bのように、他からの信頼・信望という面にウエートが置かれている場合は、「威信」が最適。「権威」「威光」も使えなくはないが、他への精神的支配力という権力的な感じが強くなって、違和感を生じる。
3. C・Dのように、学問や技術の分野で最高の信頼を得ていることによる影響力、またそれを有する人物をさす場合は、「権威」しか使えない。
4. Eのような物質的な事物に「権威」「威信」はふさわしくない。「威光」は「胸にぶら下げた勲章の威光」のように物についても使われるが、Eの例の場合は「威厳ある」という意味まではなく、人を従わせる世俗的な力を表している。ただし、具体物としての金銭でなく、抽象的に通貨についていうなら、「ドルの権威（威信）が揺らぐ」のように「権威」「威信」を使うことができる。

類似の語

威厳 堂々としていて近寄りがたい雰囲気。「年長者としての威厳を示す」
重し 人々を迎え鎮める威力。また、それを持つ人物。「世の重しとなる」

げんいん   cause, reason
原因・理由・訳

基本の意味 ある事態を生じるもととなった物事やいきさつ。

Point! 「原因」は、ある事態を起こすもととなった客観的な事物・事柄を直接に指している。それに対し「理由」は、こうだからこうなるという事の筋道に注目した言い方で、ある認識・判断に至ったり、その人がある行動をするに至ったりした根拠をいう。「訳」は、物事の道理・筋道という意から、事がそうなったりある行為に至ったりしたいきさつ・過程を漠然と指している。

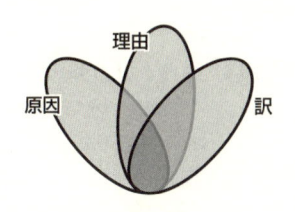

使い分け

表現例	原因	理由	訳
A ろうそくの火が消えた―は不明	○	○	○
B 誤使用は故障の―となります	○		
C 法案に反対する―を述べる		○	○
D ささいな―で二人は別れることとなった	○	○	

1. Aの例で「原因」といえば、例えば知らないうちにろうそくの火が消えたが、風で自然に消えたのか、だれかがひそかに消したのかわからないといったような意味になる。また「理由」を使うケースとしては、例えば火の上にビーカーをかぶせたら火が消えたが、なぜ火が消えたのかその説明が付かないといった意味を表す場合などが考えられる。「訳」もAでは「理由」とほぼ同意で使えるが、口頭語的な言い方。

2. Bでは誤使用(もととなる事柄)から故障(事態)が生じるという筋道が初めから前提とされている。このようにある事態に至った筋道でなく「もととなる事柄」だけを客観的にとらえていう場合は、「原因」しか使えない。

3. Cの場合、法案に反対か賛成か、その判断に至る筋道は人さまざまであり、なぜ反対なのかその根拠・道理が問題となる。このようにある判断や事態に至る根拠・道理が問題となる場合、Bと逆に「原因」は使えない。

4. 「訳」は事のいきさつ全体に注目した言い方で、Dの「ささいな―」のようにある限定的な事柄を取り上げていう場合には使いにくい。

けんきょ modest, humble

謙虚・謙遜・謙譲・つつましい

[基本の意味] 自分を押し出すことがなく控えめであるようす。

Point! 「謙虚」は自分の感情や考えにこだわらず素直であることに、「謙遜」は自分の値打ちや能力を低く扱うことに、「謙譲」は自分を低めて相手を立てることに、それぞれ重点がある。
「つつましい」は、遠慮深く控えめであるようす。

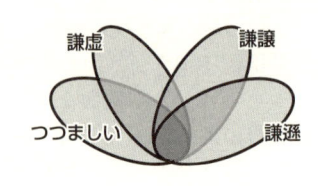

[使い分け]

表現例		謙虚	謙遜	謙譲	つつましい
A	一態度である	一な○	一な○	一な○	○
B	人の忠告を一聞く	一に○			一く○
C	下手な絵と一する		○		
D	一の精神を発揮する		△	○	
E	母子二人で一暮らす				一く○

1. Aの場合はそれぞれの意味で四語とも使える。「謙遜」「謙譲」はへりくだる、ゆずるといった意が含まれ、相手に対する態度を表す場合に使うことが多い。「謙虚」「つつましい」は「―（な）性質」のように、特に相手を前にした態度ということでなく、その人の平常の状態も表し得る。

2. Bのように、「謙虚」は「謙虚に」の形で、素直にの意を表すことがある。「謙遜」「謙譲」はこの意は含まず、また、「―に」の形で使うことはほとんどない。「つつましい」では、しとやかに、礼儀正しくの意になる。

3. Cのように「する」を伴ってサ変動詞となるのは、「謙遜」だけである。

4. Dのような場合、慣用的に「謙譲」を用いる。「謙虚」「謙遜」も意味の上からは使えそうだが、やや不自然。なお、このような場合「謙虚」は「―な」の形を使うのが普通で、「―の」は使いにくい。

5. Eのように、派手でなく控えめだ、質素だという意の場合は、「つつましい」以外は使えない。

けんしき insight

見識・識見・一家言・卓見

基本の意味 物事の本質を見通す判断力、また、そうした判断力に基づく意見。

Point! 「見識」「識見」は、知識や経験に裏付けられた判断力やものの考え方。「見識」は、古風な言い方として気位、自尊心の意でも使う。「一家言」は、その人独自の意見。知識・経験に裏付けられたものとしていうことが多い。「卓見」は、人を啓発するようなすぐれた意見。

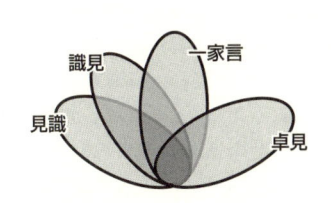

使い分け

表現例	見識	識見	一家言	卓見
A 外交に対する―をもつ	○	○	○	○
B 卓越した―を有する	○	○	○	
C 高い―のある人	○	○		
D おのれの―にかかわる	○			
E 正に―と言うべき所説				○

1. Aの場合はそれぞれの意味で四語とも使える。
2. Bの場合、「卓見」はその語自体にすぐれている意を含むので、「卓越した」と重複して使いにくい。他の三語もその考え方や意見を肯定評価していうが、評価の高さに幅があるため、Bに使っても不自然ではない。
3. Cの場合、「高い」があるので2と同じ理由で「卓見」は使わない。また、「一家言」「卓見」は個々の意見についていうが、Cは総合的な判断力についていっているので、「見識」「識見」以外は使いにくい。
4. Dのように自尊心、気位といった意では「見識」しか使えない。
5. Eのようにすぐれた意見の意の場合は「卓見」が適当。「見識」「識見」は「それも一つの―であろう」というように相対的な幅をもつので、「正に」とそれ一つを取り立てる表現と結び付きにくい。独特の、独自のという点にウエートがある場合は「一家言」を使うが、これもEには使いにくい。

類似の語

一見識 学識・経験に裏付けられた高い見識。「古美術に一見識をもつ」

げんじつ   reality, actuality

現実・事実・実際

基本の意味 現にある状態や事柄。

Point! 「**現実**」は、物事の現にある状態。「**事実**」は、現にある、あるいはあった事柄。「**現実**」が物事のあり方をとらえていうのに対し、「**事実**」はその事柄の存在それ自体をとらえていう。「**実際**」は、現にその場に身を置いたときの物事のあり方。頭で考えたり伝聞によったりしたものでないという意味を込めていう。 ➡「ほんとう」

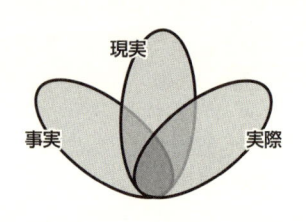

使い分け

表現例	現実	事実	実際
A ─に即して考える	○	○	○
B そういうことは─にはありえない	○		○
C 私の危惧が─となった	○	○	
D 不正の─をつかむ		○	
E ─、そのとおりだ		○	○

1. Aの場合はそれぞれの意味で三語とも使える。
2. Bのように、状況や場合を表す表現では「現実」「実際」が適当で、「事実」は使えない。「─としてありえない」のように、事柄を表す表現にすれば「事実」が適当で、「実際」「現実」はやや不自然になる。
3. Cの場合、「現実」を用いると、危惧したとおりになってしまったという恐れや無念の思いが感じられ、「事実」を用いると、一歩退いて客観的に述べている感じとなる。
4. Dのように現に起こった事柄の意では、「事実」が適当。
5. Eのような副詞としての用法は、「現実」にはない。

類似の語

真実 偽りや見せかけのものでないこと。また、そうした物事のありよう。「真実の感情」「人生の真実に触れる」

本当 言明・話・表現などが、事実・実際に即したものであるようす。また、本来そうあるべきようす。「うわさは本当だった」「体調がまだ本当でない」

けんちく　construction, building

建築・建設・建造・普請

基本の意味 建物などをつくること。

Point! 「**建築**」は主に、建物をつくることにいう。「**建設**」は、建物や道・橋・港湾・飛行場・ダムなど交通・産業に供する施設をつくることをいうほか、国家・文化・政党など、ある組織されたものをつくり上げることにもいう。「**建造**」は、建物・橋・船など、比較的大きな構造物をつくること。「**普請**」は、建物・道・橋などの工事をいう古風な言い方。

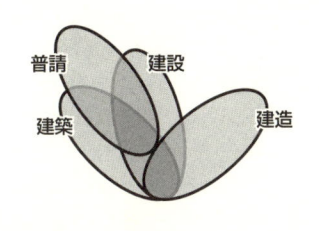

使い分け

表現例	建築	建設	建造	普請
A 高層ビルを―する	○	○	○	
B わが家を―中です	○	△		○
C 原子力潜水艦を―する			○	
D 立派な―を見る	○			○

1. Aのように大規模な建物をいう場合は、「普請」はふさわしくない。
2. Bでは「建築」「普請」が使える。「建築」は、Bのような個人の住まいから大きい建物まで広く使われる。「建設」はやや大げさ。「建造」は、一般には大きな建物や船などについていう語なので、Bには不適。ただし「建造物」といった場合、塀・門のような家屋の付属物や記念碑・塔など地上の構造物を広く含める場合もある。
3. Cのように、艦船をつくる場合は「建造」しか使えない。しかし、この語もあまり小さい舟に対してはふさわしくない。
4. Dのように、建物そのものをいう場合は「建築」「普請」しか使えない。また、「建築」は「和風建築を学ぶ」のように、つくり方・建築技術をいうこともある。

類似の語

築造 建物・堤防・土手など堅固なものをきずき上げること。「城を築造する」
構築 ある基礎の上に、一定の構造・組織をもったものを組み立ててつくり上げること。「砦を構築する」「新しい理論を構築する」

けんとう

possibility

見当・見通し・見込み

基本の意味 物事のありようや成り行きについての推定的な判断。

Point! 「見当」は、物事のだいたいのところについての推定的な判断。だいたいの方角・方向の意味でも使う。「見通し」は、物事が今後どうなるかについての予測。「見込み」は、あることを根拠に先行きの予測をすること。また、先行きにもてる期待の意でも使われる。

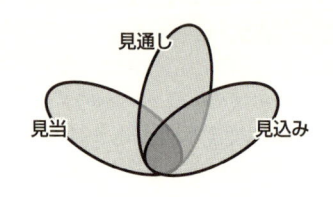

使い分け

表現例		見当	見通し	見込み
A	全く―がつかない	○	○	○
B	かなり売れる―だ		○	○
C	駅の位置はこの―だ	○		
D	―が甘い		○	
E	もう回復する―はない			○

1. Aの場合は三語とも使えるが、「見当」だと現在のことでもかまわないのに対し、「見通し」「見込み」はこれから先のことについていう。
2. Bのように、事の成り行きについて「―だ」の表現をとる場合、「見当」は使えない。「かなり売れると―を付ける」とすれば、「見当」も使える。
3. Cのようにだいたいの方向をいう場合は、「見通し」「見込み」は不適当。
4. 「見当」はやや大ざっぱな予想、「見込み」は期待を込めた予想、「見通し」は冷静な客観的な予想という感じがあるので、Dのように、その判断を「甘い」と評する場合は「見通し」が適切。
5. Eのように先行きにもてる期待・望みの意では、「見込み」しか使えない。

類似の語

見極め 物事のようすや状況をよく見て、その本質・程度・動向・真偽などについて判断を固めること。「情勢の見極めが付かない」

読み 物事のようすや状況を見て、表面にあらわれない動きや今後の変化を推定すること。「プロの棋士だけあって読みが深い」「相場の読みを誤る」

こいに
故意に・わざと・わざわざ・ことさら

purposely, intentionally

基本の意味 意図的に、または必要もないのにそうするようす。

Point! 「**故意に**」「**わざと**」は、意図的にある行為をするようす。「**故意に**」はやや硬い表現、「**わざと**」は日常的な表現。「**わざわざ**」は、そうまでしなくてもよいのに手間や労力をかけてそうするようす。「**ことさら**」は、ある意図があって、必要な程度以上に、または目立つようにそうするようす。また、通常に比べてはなはだしいようすにもいう。

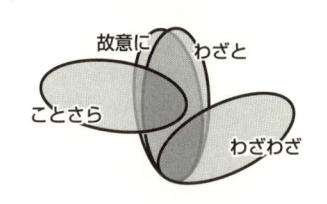

使い分け

表現例	故意に	わざと	わざわざ	ことさら
A　―ぶつかったわけではない	○	○	△	
B　―彼につらく当たった	○	○		○
C　―負けてやった	○	○		
D　―足を運ぶまでもない			○	
E　―今日は暑い				○

1. Aの場合は「故意に」「わざと」が適当。どちらも、意図的ではなくたまたまぶつかってしまったという弁明の言葉になる。「わざわざ」は「わざと」と同じく意図的にそうする意で使われることもあるが、現在ではやや不自然。「ことさら」はある意図から特にそうするようすをいい、Aには不適。

2. Bで「故意に」「わざと」を用いると意図的にの意、「ことさら」を用いると必要以上にの意となる。「わざわざ」というと、「もっとうまい方法があるのに」「そんな手間をかけなくてもいいのに」というニュアンスが出るので、不自然。

3. Cのように、勝てる勝負を、何か目的があって意図的に負けたという場合は、「故意に」「わざと」を用いる。

4. Dのように、そうする必要もないのにあえて手間をかけてといった意では、「わざわざ」が適当。

5. Eのように通常に比べてはなはだしいの意では、「ことさら」を使う。

こうい favor, goodwill

好意・好感・厚意

基本の意味 相手を好ましく思う気持ち。

Point! 「好意」は、その人を好ましく思っていだく親しみの気持ちや愛情。「好感」は、相手の言動・態度・仕事などに接していだく、好ましい感じ・印象。「好意」よりも直観的な要素が強い。「厚意」は、相手のために何かしてあげようと思う気持ち。特に、行為として表される思いやりの気持ちや親切心をいい、人がしてくれたことについて受け手の側からいうことが多い。

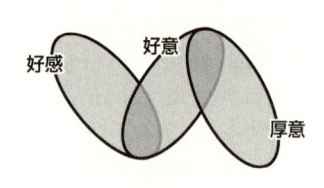

使い分け

表現例	好意	好感	厚意
A 彼に―をいだく	○	○	
B ―を無にしないようにする	○		○
C 彼女に―を寄せる	○		
D 相手に―を与える		○	

1. Aでは「好意」「好感」が使え、「好意」では愛情に近い意になることもある。「厚意」はその気持ちが行為として表される場合にいい、純粋に内面の気持ちだけをいうのではないため「いだく」となじまず、使いにくい。

2. Bのように、自分のために人が何かしてくれた場合には、「好意」「厚意」が使えるが、「好意」では相手のこちらへの親愛の気持ちに重点があるのに対し、「厚意」は相手の親切さに重点が置かれて、親愛感の有無にかかわらず使える。「好感」は単に好ましいと思う感情で意志的な要素はなく、Bには不適当。

3. Cのように愛情というのに近い意でいう場合は「好意」が使われる。

4. Dのように相手に「与える」ことができるのは、直観的な印象を表す「好感」だけである。

類似の語

厚情 思いやりのある親切な気持ち。相手が自分にそうした気持ちを行為や言葉で示してくれた場合にいう。「御厚情を感謝いたします」

こうえん　support

後援・後ろ盾・バックアップ

基本の意味 他の活動を背後から助けること。

Point! 「**後援**」は、表立つ立場からは一歩引いたところで、ある人や団体の活動を物質的・精神的に支えること。「**後ろ盾**」は、背後にいて助けたり守ったりすること、また、その人や団体。「**バックアップ**」は、活動や仕事などを支持して、背後からもりたてること。

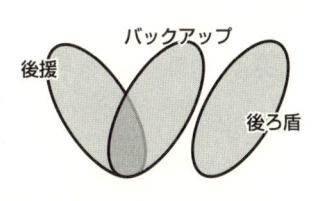

使い分け

表現例	後援	後ろ盾	バックアップ
A　新聞社の―で大会を催す	○		○
B　政治家が―になっている		○	
C　ミレー展がフランス大使館―のもとに開かれる	○		
D　彼の発言を―する			○

1. Aでは「後援」「バックアップ」が適当。「後ろ盾」は主に、存在そのものに威力があってにらみが利く、いざというときに支えて守ってくれるといった場合に使われ、個人的な色合いが強く、Aの例のように、資金を出すなどして援助するような場合には使いにくい。

2. Bのような「―になる」の言い方は、人や団体を表す「後ろ盾」以外は使いにくい。

3. Cのような慣用的な表現では「後援」が使われる。意味の上からは「バックアップ」も使えそうだが、不自然。

4. 「後ろ盾」は動詞の用法がなく、Dには使えない。「後援」は主に資金援助をいうのでDの場合は不適当。「バックアップ」は「後援」と同じようにも使うが、Dのようにある行為を支持するときにも使える。

類似の語

支援　他人や他の団体の活動に力を貸して助けること。「災害救助で自衛隊に支援を求める」「ストライキを支援する」

後押し　背後にいて力を貸したり、そそのかしたりすること。また、その人。

こうか

effect

効果・効き目・効能・効用・効力・効験

基本の意味 ある物事がもたらす望ましい結果、また、それをもたらす働き。

Point! 「**効果**」は、ある行為や作用によって現れる、望ましい結果。「**効き目**」は、特に実感として確認されるような効果。「**効能**」「**効用**」は、ある結果を期待される働きや作用そのもので、「**効能**」はその物のもつ働き、「**効用**」はどのような役に立つかという観点からみたその物事の働きをいう。「**効力**」は働きや作用のもととなる力。「**効験**」は「**効果**」の意の文章語で、現在では薬や祈禱などの働きに限って使われる。

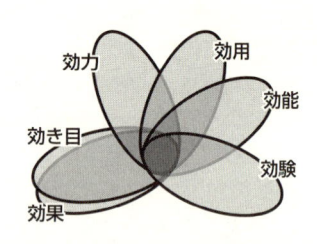

使い分け

表現例	効果	効き目	効能	効用	効力	効験
A 薬の—を信じる	○	○	○	○	○	○
B しかっても—がない	○	○				
C 新建材の—を述べる			○	○	○	
D 猛練習の—があった	○	△				
E 眉毛の—を考える				○		
F 条約の—が切れる					○	

1. Aの場合はそれぞれの意味合いですべて使える。
2. Bのように「しかる」という働きかけの結果についていう場合は、結果に重点のある「効果」「効き目」が適切。「効験」は薬、神仏への祈りなどの場合に限られるので使えない。
3. Cのように働きそのものをいう場合は、「効能」「効用」「効力」が使われる。
4. Dのように結果をいう場合でも、漢語を用いた抽象的な事柄には「効果」が適切で、「効き目」は使いにくい。
5. Eのように、どういう役に立っているかをいう場合は「効用」以外は使いにくい。
6. Fのように、ある働きを生ずるもととなる力をいう場合は「効力」以外は使えない。

こうこく　advertisement
広告・宣伝・ピーアール・コマーシャル

基本の意味 世間に広く知らせようとする活動。

Point! 「**広告**」は、何らかの媒体を通じて、ある事柄を世間に広く告げ知らせること。「**宣伝**」は、商品のよさや主義主張などを、何らかの媒体を通じて、または直接口頭で説明したり訴えたりすること。「**ピーアール**」は、説明を主とした宣伝活動。これらの三語は、商業的な事柄に限らず使う。「**コマーシャル**」は、企業が商品の広告・宣伝のためにテレビ・ラジオで行う放送。

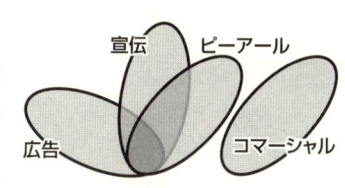

使い分け

表現例	広告	宣伝	ピーアール	コマーシャル
A　新製品を―する	○	○	○	
B　日本の実情を外国に―する		○	○	
C　新聞に求人の―を出す	○			
D　テレビの―を撮る				○
E　息子のことを―して回る		○		

1. Aでは「コマーシャル」以外の三語が使える。「コマーシャル」だけは「―する」の用法がないので、A・B・Eには使えない。テレビ・ラジオなど電波を通じて行われる「コマーシャル」に対し、「広告」は新聞・ポスター・ちらし、テレビのスポットなど、主に視覚的媒体によるものにいう。「宣伝」「ピーアール」はそのどちらにもいえるが、前の二語より動作性が強い。
2. Bのように、商売とは関係なく、存在や状況を理解してもらう目的の場合は、「宣伝」「ピーアール」が適当。
3. Cのように、事実を広く知らせるという場合は、「広告」を使う。「求人」のほか、「謝罪」「死亡」などすべて「広告」以外は不適当。
4. D（「―を撮る」）のように、特にテレビで放映する宣伝用の映像それ自体をいう場合は「コマーシャル」を使う。
5. Eのように、ことさらに吹聴する意では「宣伝」を使う。

こうさん surrender

降参・降伏・投降・屈伏

基本の意味 自分から負けを認めて相手に従うこと。

Point! 「**降参**」は、戦争・戦闘に限らず、喧嘩・議論・口論・ゲームなど日常的な事柄に関しても使う。「**降伏**」と「**投降**」は戦争・戦闘の場合に使われ、「**降伏**」は主に国家やある地域の軍隊全体が上部の判断によって敵に降る場合に、「**投降**」は兵士や兵士の集団が個々の判断で敵に降る場合に使われる。「**屈伏**」は、権力や他からの圧力など外部の力に抗しきれず、服従させられること。

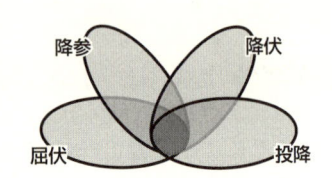

使い分け

表現例	降参	降伏	投降	屈伏
A 力尽きて—する	○	○	○	○
B —の調印が行われる		○		
C この寒さには—だ	○			
D 弁慶が牛若丸の技に—する	○			○
E 上層部からの圧力に—する				○

1. Aの場合はそれぞれの意味で四語とも使える。
2. Bのように、国家や軍隊の正式の行為としていう場合は「降伏」を用いる。
3. Cのように、日常的な事柄に関して、なすすべがなく困るという意の場合は「降参」以外は使えない。
4. Dのように、個人対個人では「降伏」「投降」は使えない。
5. Eのように、漠然と相手側の強い力・勢いに対していう場合は「屈伏」を用いる。

類似の語

帰順 反逆の心を改めて、服従すること。「帰順の意を示す」「帰順したゲリラを収容する」

ギブアップ 格闘技などで、負けを認めて試合を途中でやめること。また一般に、頑張って続けてきたことを成就の見込みがないとしてやめること。「どんな問題にもギブアップしない」

こうしょう　negotiation

交渉・談判・折衝

基本の意味　相手と何事かについてかけあうこと。

Point!　「**交渉**」は、相手に対して要求や希望を伝え、話し合って取り決めようとすること。また、人とかかわり合いをもつことにもいう。「**談判**」は、相手と話し合って取り決めをすることにもいうが、現在は多く、相手に強く文句や要求を言ってかけあうことの意で使う。「**折衝**」は、利害の異なる者同士が、妥協できる線を互いに探り合いながら、問題解決に向けて話し合うこと。

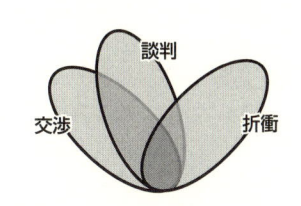

使い分け

表現例	交渉	談判	折衝
A　音を小さくするように―する	○	○	
B　組合が会社側と―する	○	○	○
C　その件に関して彼に―する	○	△	
D　卒業以来彼とは―がない	○		

1. Aのように、日常的なことに関して使う場合は「折衝」は不適当。「交渉」は、穏やかなかけあい、「談判」は、一方的なやや強い感じがある。
2. Bでは三語とも使えるが、「談判」はやや古めかしい感じがあるので、現在はあまり使わない。「交渉」は、要求・希望する事柄がこちら側にあり、それを相手側に提示したうえで、双方が話し合い、折り合いを付ける場合、「折衝」は、双方にとって異なる利害のある問題・事柄を互いに話し合い、折り合いを付ける場合に用いる。
3. Cのように、私的な話し合いの場合は「折衝」は使わない。「談判」は古風な感じがするのでやや不自然。
4. Dのように、関係・かかわりあいの意では「交渉」を使う。

類似の語

駆け引き　相手の出方や時機・状況に応じて、自分に有利になるように物事を進めること。「商売にはかけひきも必要だ」「恋のかけひき」

こうせい just, fair, impartial

公正・公平・公明・平等

基本の意味 考えや人の扱いにかたよりのないようす。

Point! 「**公正**」は、うそをついたり不正をしたりすることなく、どういう立場にもかたよらずに正しく取り扱うようす。「**公平**」は、どちらにもかたよらずえこひいきをしないようす。「**公明**」は、ごまかしや隠し立てがなく、はっきりしているようす。「**平等**」は、差別なく皆を等しく扱うようす。

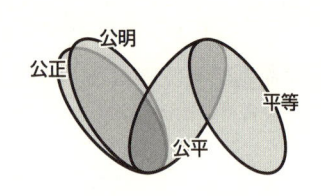

使い分け

表現例	公正	公平	公明	平等
A　—な態度で臨む	○	○	○	
B　—な選挙を行う	○		○	
C　お菓子を—に分ける		○		○
D　男女の—が叫ばれる				○

1. 「平等」は扱い方についていうので、「態度」を形容するAの場合には使えない。「公正」を使えばかたよりがなく正しい態度、「公平」なら、えこひいきしない態度、「公明」なら、ごまかしのないはっきりした態度を表す。

2. Bの場合、「選挙」はだれかを選ぶことだから「公平」も「平等」も使いにくい。「公正」を使えば正しいということに重点が置かれ、「公明」なら、やましい点がないということに重点が置かれる。

3. 「公正」「公明」は多く公の事柄について用いるので、Cのような場合は大げさで不自然。「公平」を使えば、えこひいきしないという感じ、「平等」なら、みな一様にという感じが強くなる。

4. Dのように、それぞれが差別なく扱われることの意では「平等」を用いる。

類似の語

公平無私 公平で、私的な感情や利益をまじえないようす。「公平無私な態度」
公明正大 公明で、やましいこと、恥ずべきことがまったくないようす。
フェア 不正・ごまかしや私利・私情がなくて倫理的に正しいようす。「フェアなやり方」

こうせい / constitution

構成・組織・構造

基本の意味 ある要素のまとまり。

Point! 「**構成**」は、いろいろな役割をする各部分を集めて、一つのまとまったものを作ること、また、その作られ方をいう。「**組織**」は、いろいろな役割をする各部分が相互に関連しているような統一体をつくること、また、その全体をいう。「**構造**」は、一つの統一体を形成している内部のしくみ、また、その関係の具合をいう。

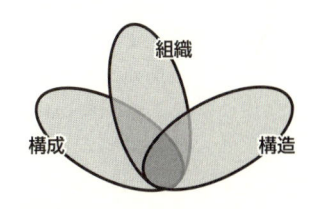

使い分け

表現例	構成	組織	構造
A 社会の—	○	○	○
B 教員で—されている会	○	○	
C 自動車の—			○
D —の一員		○	
E 紙面の—を考える	○		

1. Aは、それぞれの意味でどれも使える。「構成」は、まとまりを形作る要素（この場合は民族や年齢層の割合など）に重点があり、「組織」は、まとまりをなしているものの個々の組み立て（社会の中での人の配置など）に重点がある。「構造」は、経済的な諸関係や階級・階層など、社会がどういうしくみで動いているかをいう。

2. 「構造」は「—する」の用法がないためBには使えない。「構成」を使うと、単に教員が何人か集まって作った会という感じだが、「組織」の場合、会長や役員というような、役割分担のなされた集まりという感じが強くなる。

3. Cのような具体物の場合は「構造」が適当。具体物でも「神経組織」など、生物で、同一の形態や機能をもつ細胞の集まりをいう場合「組織」を使う。

4. Dのように、何の修飾語もなく、ある統一体を表す場合は「組織」しか使えない。

5. Eのように、要素をどう配置して作るかという面から見る場合は「構成」が適当。

こうふく   happiness
幸福・幸い・幸せ

基本の意味 望ましい満ち足りた状態。

Point! 「**幸福**」は、現状に満足していて不平や心配がなく、楽しく感じる状態にあること。「**幸い**」は主として、巡り合わせがよいことにいい、運よくの意で副詞的にも使う。「**幸せ**」は、現状に満足している状態、また、運がいいこと。

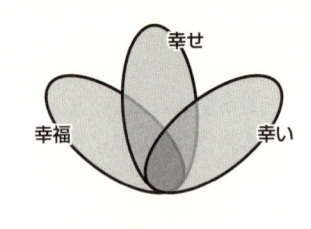

使い分け

表現例	幸福	幸い	幸せ
A　そうなったのは彼にとって―だった	○	○	○
B　今、とても―です	○		○
C　御連絡頂ければ―です		○	○
D　―天気に恵まれた		○	
E　二度も宝くじに当たるなんて―な男だよ			○

1. Aのように、ある状態になって結果的に満足すべきことだという場合はどれも使える。
2. Bのように、自分の気持ちを実感をこめていう場合は、「幸せ」が最適。「幸福」も使えるが、「幸い」は主に巡り合わせのよさをいうので不適当。
3. Cのような相手に婉曲に頼む表現の場合は、「幸福」は不適当。「幸せ」は気持ちが表面に出る言い方、「幸い」は気持ちを客観的に述べた、やや改まった言い方になる。
4. Dのような副詞的用法は「幸い」以外にはない。ただし、「幸福（幸せ）なことに」「幸せにも」のように表現すれば、「幸福」「幸せ」も使える。
5. Eのように、並み外れて幸運で、話し手に潜在的に、驚き・あきれ・羨望などのような思いを抱かせる場合には「幸せ」以外は使いにくい。

類似の語

幸運　巡り合わせがよいようす。「幸運に恵まれる」「幸運を祈る」

ラッキー　幸運なようす。巡り合わせがよいようす。「なくした金が戻ってくるとはラッキーだ」「ラッキーなヒットがでる」

こえる

cross

越える・越す

基本の意味 ある場所を通り過ぎて向こうへ行く。

Point! **「越える」**は、ものの上を通り過ぎて先へ行く経過に重点があるのに対して、**「越す」**は、ものの向こうへ行くという運動の結果に重点がある。**「越える」「越す」**はともに、数量や程度などがある基準以上になる意をもつが、基準や範囲を大きく外れる意では、**「越える」**が使われる。

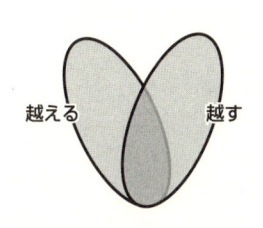

使い分け

表現例	越える	越す
A 山を—	○	○
B 想像を—困難	○	
C 温泉で年を—		○
D 三メートルを—大波	○	○

1. Aの場合はどちらも使える。「越える」だと山道や山の上空を通ってさらにその先へ進むという意を含む。したがって「野越え、山越え、谷越えて…」のようにどんどん先へ行く場合にふさわしい。「越す」だと、ともかく山という場所を通ってその向こう側へ行く意になる。

2. Bのように、「想像」という範囲におさまらない意を表す場合は「越える」が自然で、「越す」は使いにくい。

3. Cのように、単に年の境を通過して新年を迎えることを表す場合は「越す」が適当。ただし「年を越えて温泉で療養する」など、翌年のずっと先までということになれば「越える」も使える。

4. 数値的な基準以上になるDの場合はどちらも使える。「越える」は大幅な超過にも使い「はるかに越える」ともいうが、「はるかに越す」はやや不自然。

ごかい

misunderstanding

誤解・思い違い・勘違い・錯覚

基本の意味 ある事について間違って思い込むこと。

Point! **「誤解」**は、物事や人物などの内容について、間違って理解したり判断したりすること。**「思い違い」**はある物事について、実際と違うことを事実と思い込むこと。**「勘違い」**はある事柄について、うっかり間違って思い込むこと。**「錯覚」**は、客観的事実を違えて知覚すること、転じて、物事を誤ってそのように思い込むこと。

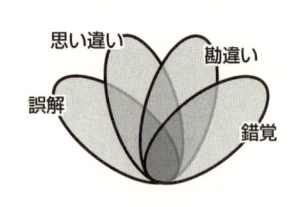

使い分け

表現例	誤解	思い違い	勘違い	錯覚
A 彼のしわざと―した	○	○	○	○
B 君のことを―していた	○	○		
C 今日は水曜日だと―をしていた		○	○	○
D 疲労からきた目の―				○

1. Aの場合はどれも使えるが、「誤解」は、ささいなことから重大なことまで、また、対象も広い範囲に用いられ、この四語の中で最も多用される。
2. Bのように、人柄などについていう場合には「誤解」「思い違い」がふさわしいが、「誤解」は主体の考え方・意識がより強く反映され、単なる「思い違い」より根深い感じがある。
3. Cのように、ついうっかり事実と違うように思い込む場合は、「誤解」では大げさな感じになる。
4. Dのように、視覚などで客観的事実を違えて知覚する意の場合は「錯覚」しか使えない。「錯覚」はこの意味から転じて、A・Cのように「思い違い」「勘違い」と同じような使い方もするようになった。

類似の語

錯誤 間違い。誤り。考えている内容が客観的事実と一致しないこと。「錯誤を犯す」「時代錯誤」

見当違い 目指す方向を誤ること。また、推測・判断したことが、事実や現状と全く合致しないこと。「見当違いの意見」

こくはく　confession

告白・白状・吐露・披瀝

基本の意味 隠していたことや心中の思いを他人に話すこと。

Point! 「**告白**」は、隠していたことを相手に打ち明けることで、自分からそうするという含みがある。「**白状**」は、自分のしたことなどを相手にありのままに話すこと。追及されてやむなく話すような場合に使われることが多い。「**吐露**」「**披瀝**」はいずれも、それまであまり表に出すことのなかった内心の思いや考えを言葉に表すことだが、「**吐露**」は胸に納めておけず口に出す感じ、それに対し、「**披瀝**」は筋道立てて述べる感じが強い。

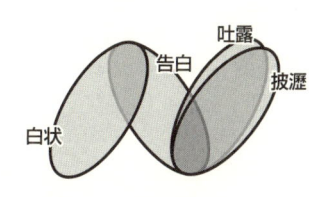

使い分け

表現例	告白	白状	吐露	披瀝
A　苦しい胸の内を―する	○		○	○
B　罪を―した	○	○		
C　互いに胸中を―する			○	○
D　やったならやったと―しなさい		○		

1. 「白状」は、周囲からの圧力・強制などを受けて述べる行為だから、Aの場合は不適当。
2. Bの場合、「告白」を用いると自発的に、「白状」を用いると周囲からの圧力で述べたことになる。「吐露」「披瀝」はある思いを述べるのであって、Bのような場合には使えない。
3. Cの場合は「互いに」とあって、理解し合うためというようなことが言外に感じられることから「披瀝」が最適だが、思い余って口に出す意の「吐露」も可能。
4. Dのように口語的な表現では「白状」以外は使いにくい。

類似の語

自白　自分から自分の罪や秘密を打ち明けること。「犯行を自白する」
自供　容疑者が取り調べに対し、自分の犯罪に関して申し述べること。また、その述べた事柄。「犯行を自供する」「自供の裏付け捜査」

こころえ attitude

心得・心掛け・心構え・気構え

基本の意味 あらかじめしておく心の準備や、ふだんの心の持ち方。

Point! 「**心得**」は、ふだんから注意してそうするよう努めるべきこと、また、何かをする前に、知っておくべき事柄。「**心掛け**」は、よいか悪いかという観点からみた、ふだんの心の持ち方。「**心構え**」は、物事を前にしての心の準備。「**気構え**」は、何かをしようとしたり、起こりそうな何事かを待ったりするときの心の準備。

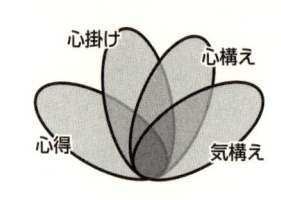

使い分け

表現例	心得	心掛け	心構え	気構え
A 登山に対しての―	○	○	○	○
B 彼は勉強に対する―が違う		○	○	○
C ふだんの―のいい人		○		
D 彼の勝利への―に圧倒される				○
E 茶道の―がある	○			

1. Aの場合はどれも使える。「心得」では登山のとき気をつけて努めるべき事項、「心掛け」では登山をどう考えているかというふだんの心の持ち方、「心構え」では登山に対して前もってしておく心の準備、「気構え」ではさあ登山だと意気込んでいる気持ち、という違いが感じられる。
2. Bのように、他の人と比べての心の持ち方の違いをいう場合は「心掛け」以下は使えるが、「心得」は気の持ち方というより知っておくべき事柄という感じが強く、使いにくい。
3. Cのように、常日ごろの心の持ち方をいう場合は「心掛け」以外は使いにくい。
4. Dのように、相手の気迫が伝わってきて圧倒されるような感じを受ける場合は通例「気構え」以外は不自然。
5. Eのように、たしなみの意の場合は「心得」しか使えない。

類似の語

気組み 物事に積極的に取り組んでいこうとするしっかりした気持ち。

こころみ　trial

試み・試し・試行・小手調べ

[基本の意味] 実際にやってみること。

Point! 「**試み**」は、あることを実際にやってみること、また、結果を確かめるためにやってみること。「**試し**」は、どうなるか確かめるためにやってみること。「**試行**」は、あることを実際に試みてみること。「**小手調べ**」は、本格的に物事を始める前に、調子を見たり整えたりするために、ちょっとやってみること。

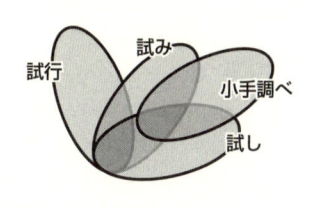

[使い分け]

表現例	試み	試し	試行	小手調べ
A　品種改良の―を繰り返す	○		○	
B　―としてちょっとやってみる	○	△		○
C　この新しい―は好評だった	○			
D　―の段階を経て量産に入る	△	△	○	
E　―に薬を変えてみましょう	○	○		

1. 「小手調べ」は、本番の前にちょっとやってみることで、繰り返すことは特殊な場合を除いてあり得ないので、Aの場合には不適当。「試し」は「腕（力・運・肝）試し」のように複合語として使う以外に名詞としてはあまり使わず、主に「試しに」の形になるので、Aには使いにくい。

2. 「試行」は、多く、繰り返しながら何かを得ようという場合に使う語で、Bの「ちょっと」とは結びつきにくい。「試し」は、「―として」より「―に」というほうが自然。

3. 「試行」「小手調べ」「試し」は本格的に行う前に、または、ちょっとやってみる、という場合に使う語で、Cのように本番と思われる場合には不適。

4. Dのように、やや硬い表現の場合は「試行」が最適。「試み」「試し」はややそぐわない。

5. Eのように、「に」を付けて副詞的に使う場合は「試み」「試し」が適当で、「試行」にこの用法はない。「小手調べ」は「に」を伴って使うが、体を使って行うようなことを、準備・調整のためにやる場合でないと使いにくい。

ことわる refuse, decline, reject

断る・拒む・拒絶する・拒否する

基本の意味 相手の要望・要求・申し出などを受けいれない意志を示す。

Point! 「**断る**」は態度の激しさ・強さよりも、受けいれない意志を示す意に重点がある。「**拒む**」には相手の要求などを阻止する感じがあり、相手を受けいれない態度の中に、不快・敵意のような気持ちが含まれることがある。「**拒絶する**」「**拒否する**」は前の二語よりも、態度の強さが強調される。「**拒絶する**」のほうが相手を受けいれない態度が強く、また、明確な態度表明としてなされたという感じがある。「**拒否する**」は嫌だという感情的な面が強い。

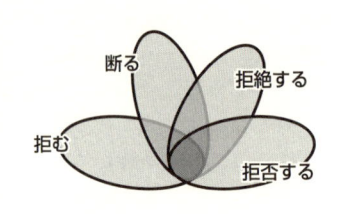

使い分け

表現例	断る	拒む	拒絶する	拒否する
A 面会を―	○	○	○	○
B 風邪で出席を―	○			
C 大河が行く手を―		○		
D 登校を―子供				○

1. Aの場合は、それぞれの意味合いでどれも使える。
2. Bのように、誘いに応じられない、やむを得ない事情のある場合は「断る」以外は不自然。
3. Cのように、進んでくるものを押しとどめる意の場合は「拒む」が適当。
4. Dのように、嫌だという気持ちがあって結果としてある行為をしないことを表す場合は「拒否する」が適当。赤ん坊を抱こうとして、嫌だというしぐさをされたときなども「拒否された」で、「拒絶された」では大げさになる。

類似の語

一蹴する 相手の申し出などを問題にせずはねつける。「提案は一蹴された」

このごろ

these days, recently

このごろ・近(ちか)ごろ・最近(さいきん)・このところ・昨今(さっこん)

基本の意味 現在に近い過去の期間、または時をさしていう語。

Point! 「このごろ」は、現在を含めた少し前からの期間を漠然という。「近ごろ」は、現在に近いある過去の期間を漠然というが、過去のある一時点を指すこともある。多く、現在までの数か月から数年の期間について使われる。「最近」は、遠い過去と比較しての、現在に近い過去をいう。過去の一時点を指す場合も、近い過去から現在までを含めて表す場合もあり、意味が広い。「このところ」は、近い過去から現在までの期間を継続的にとらえた言い方。「昨今」は、近い過去から現在までを含めていう文章語。

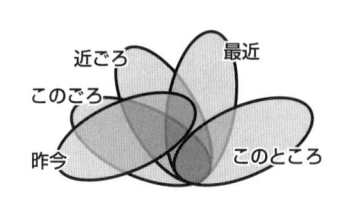

使い分け

表現例	このごろ	近ごろ	最近	このところ	昨今
A 彼に会ったのは―だ			○		
B ―どんな本を読みましたか		○	○		
C ―ずっと風邪気味です	○	○	○	○	
D ―降り続いていた雨がやっと上がった			△	○	
E ―の若者の気持ちは理解できない	○	○	○		○

1. 一回限りのできごと（過去の一時点）をいうAのような場合は「このごろ」「このところ」「昨今」は使えない。「近ごろ」はその意味で使うこともあるが、「近ごろだ」は不自然。「近ごろのことだ」とすれば使える。
2. Bのように、過去のある時点において完了した事柄を表す場合「このごろ」「このところ」「昨今」は使えない。
3. Cのように、やや長い期間を示す語が付くと「昨今」は使いにくい。
4. 現在に近い過去のある期間に継続していたことについて使えるのは「最近」「このところ」であるが、Dの場合は「このところ」が最適。「最近」はやや不自然で、「最近まで」の言い方にすれば自然になる。
5. 「このところ」は、動作・状態が継続している場合に使われ、Eには不適。

こまる

troubled

困る・苦しむ・窮する

基本の意味 つらい状態、また、どうしてよいかわからない状態になるようす。

Point! 「困る」は、自分にとって都合のよくないことに直面して、どうしてよいかわからないような心の状態になるようすを表した語で、他の二語より主観的である。「苦しむ」は、どうしてよいかわからず悩んだり、精神的・肉体的につらいと思ったりする状態が続くようすを表す語。「窮する」は、どうしてよいかわからない状況にあって追いつめられているようすを表す文章語。

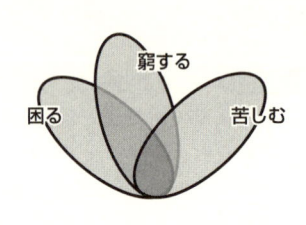

使い分け

表現例	困る	苦しむ	窮する
A　返答に—	○	○	○
B　彼はなまけもので—	○		
C　歯の痛みに—		○	
D　金に—って盗みをはたらく	—っ○		—し○

1. Aの場合はそれぞれの意味合いでどれも使える。「困る」はつらさの程度としては他の二語より軽い感じがある。
2. Bのように、(自分が) 迷惑しているという意の場合には「困る」を用いる。
3. Cのように、肉体的な苦痛には「苦しむ」しか使えない。
4. Dのように、何かが乏しくてつらい思いをする意の場合は「苦しむ」は使えない。

類似の語

困窮する 物事が行き詰まって処置に苦しむこと。「解決策に困窮する」

困り果てる この上困りようがないというほどに困る。「長居の客に困りはてる」

弱る その状況・事態をどう処理・解決してよいかわからなくなる。「彼のわがままには弱っている」

こらしめる　punish

懲らしめる・懲らす・罰する・とっちめる

基本の意味 あやまち・不正などを責めいましめる。

Point! 「懲らしめる」「懲らす」は、あやまちや失敗、不正な行為などをした人に制裁を加えて、二度とやるまいと思わせるようにする意。口頭では「懲らしめる」のほうが普通に使われる。

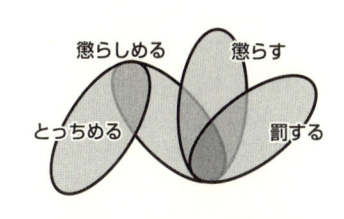

「罰する」は法を犯したり悪事を働いたりした者に罰を与える意。「とっちめる」は俗語で、厳しくしかりつけたり、ひどいめにあわせたりする意。

使い分け

表現例	懲らしめる	懲らす	罰する	とっちめる
A 改心させるために―た	―め○	―し○	―し○	
B 生意気だから―てやれ	―め○			―め○
C 法によって―られる			―せ○	
D 約束を破ったおやじを―よう				―め○

1. Aのように、二度とこのようなことを繰り返させないように制裁を加えるという、上から下への指導・教育の感じがある場合は「懲らしめる」「懲らす」が適当。「罰する」は主として法・きまりによって罰を加える意で、上の二語と場面は違ってくるが、同じ意味合いをもつ。しかし「とっちめる」は、責める行為そのものに重点があるので、改心が目的のような場合は使いにくい。

2. 「懲らす」「罰する」はやや硬い言い方になるので、Bのように、くだけた話し言葉の場合は適当でない。「とっちめる」はごくくだけた言い方であり、責める行為そのものを表すから、Bには最もふさわしい。

3. Cのように「法によって」となると「罰する」以外は使わない。また、「懲らしめる」「懲らす」には受身の表現になじみにくいところがある。

4. Dのように、くだけた軽い表現で下の者が上の者への行為として言う場合は「とっちめる」以外は使いにくい。

ころがる   fall, tumble

転がる・転げる・転ぶ

基本の意味 ころころと動いていったり、ころっと倒れたりする。

Point! 「転がる」は、通常は静止状態にある立体物が面の上を回りながら動いていく意が中心。立っている状態のものが安定を失って倒れる意や、人が横になる意なども表し、幅が広い。「転げる」は、「転がる」の中心的な意味と重なり、また、「転ぶ」意でも使われる。「転ぶ」は、歩いたり走ったりしている人や動物がつまずくなどして倒れる意が中心。

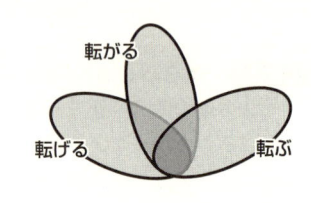

使い分け

表現例		転がる	転げる	転ぶ
A	凍った道で滑って―		○	○
B	外掛けを決められて土俵上に―	○	○	
C	ボールがレフト前に―	○	△	
D	芝生に―て休む	―っ○		
E	どう―でも（ても）損はない	―っ△		―ん○

1. Aのように、歩いたり走ったりしている人や動物が体の平衡を失って倒れる意では、「転ぶ」が普通。「転げる」も使えるがやや俗語的。「転がる」は立っている状態のものが倒れる意では使っても、この場合は使いにくい。
2. Bのように、同じ倒れる意でも、歩いたり走ったりしている場合でなく、立っている状態から倒れる場合は「転がる」「転げる」が使われる。
3. Cのように回転しながら進む意の場合「転ぶ」は使えない。「転げる」も使えなくはないが、主に短い距離にいうのでCにはやや違和感がある。
4. Dのように楽な姿勢で横になる意では「転がる」が使われる。ただし、この意では「寝転がる」のほうが一般的。
5. Eのように、情勢・成り行きが変わる意の場合は「転ぶ」を使う。一般的ではないが、「転がる」が使われることもある。

類似の語

倒れる ある程度の高さのあるものが立っている状態を保てずに横になる。

こんど   this time

今度・この度・この程・今般

基本の意味 何かが行われたばかりの、現在に近い過去のある時を指している話。

Point! 四語はほぼ同義で、「今度」は日常語。「この度」「この程」「今般」の順で、より改まった硬い表現になる。この四語は、近い将来に行われると決まった物事について、その時を指している意もある。また、「今度」は、この次、次回の意や、いつか近いうちの意でも使われる。

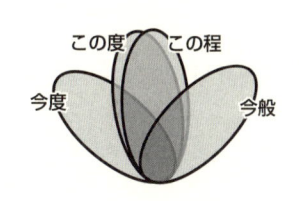

使い分け

表現例	今度	この度	この程	今般
A ―退職することになりました	○	○	○	○
B ―婚約が相調いました		○	○	○
C ―記念講演を行います	△	○	○	
D 失敗を重ねたが―やっと成功した	○	○	○	
E ―飲みに行きましょう	○			

1. 将来行われると決まったことについていう A の場合は、四語とも使える。
2. Bのように、行われたばかりの近い過去のことをいう場合も四語とも使えるが、「今度」は日常普通の語なので文体上そぐわない。「今般」は文書、もしくはかなり改まった場での硬い表現となる。
3. Cのように、近い未来についていう場合は「今般」は使えない。「今度」は2に述べた理由でやや使いにくい。
4. 繰り返し行われる物事についていう場合は、四語とも使えるが、「今般」は硬すぎて、Dのような表現にはそぐわない。
5. Eのように、将来には違いないが、その機会がいつ来るかはっきりしないような場合は「今度」以外は使えない。

類似の語

今回 今行われている、または、行われたばかりのその回。また、近く行われる予定の物事を指している。「実験は今回やっと成功した」「今回は都合が悪いので欠席します」

さいご

the last

最後・最終・びり・しんがり

基本の意味 続いている物事のいちばんあと。

Point! 「**最後**」は一般に物事の終わりのところをいい、四語の中では最も幅広く使える。「**最終**」は時間的にとらえていう語で、事が進んで行った末の最後にくるもの、また最後の局面をいう。「**びり**」は、順位のいちばんあとをいうくだけた言い方。「**しんがり**」は、列や順番・順位のいちばんあと。 ➡「おわり」

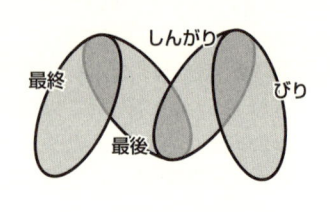

使い分け

表現例	最後	最終	びり	しんがり
A 列の—について並ぶ	○			○
B 成績はいつもクラスで—だ			○	○
C 彼と—に会ったのは三年前だ	○			
D 本日の下りの—の電車	○	○		

1. Aのように隊列の場合は「最後」「しんがり」が使える。「最終」は、時間的に事態の進行を見てそのいちばんあとをいうので、Aには使えない。「びり」は主に順位についていい、単に列の終わりの意には使いにくい。

2. Bのように、成績などの最下位をいう場合は順位の終わりをいう「びり」が最適。「しんがり」も順位に使えるが、Bの例ではやや古めかしい言い方の感じがする。「最後」は「最初」に対する語で、それだけでは「最上位」の対として使えないため不適当。

3. Cのように、時間的にいちばんあとの意では「びり」「しんがり」は使えない。Cの例では「最後」しか使えないが、ある時間的範囲の終わりの部分をいう場合、例えば「今月の—の日曜日」「—のセットで競り勝つ」などは「最終」も使える。

4. Dのようにその日の終わりの電車をいう場合は、「最後」も使えるが、慣用的に「最終」が多用される。

類似の語

どんじり 列・順番・順位などのいちばんあと。俗語。「どんじりになる」

さいこう

the best, the supreme

最高・最上・至上・最大

基本の意味 この上ないこと。

Point! 「**最高**」は、物の高さや、程度・価値・序列が最も高いこと。「**最上**」は、層や段を成すもののいちばん上。また、考えうる中で最も望ましいこと。「**至上**」は、その価値が他のすべてにまさること。「**最大**」は、物の大きさや数量、また、物事の規模・価値が最も大きいこと。

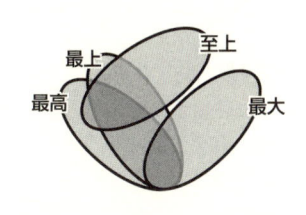

使い分け

表現例	最高	最上	至上	最大
A　わが人生で―の栄誉であった	○	○		○
B　これが―の方策と信ずる	○	○	○	
C　コンディションは―だ	○	○		
D　―に楽しい	○			
E　―の階までのぼる	△	○		
F　航空事故史上―の惨事				○

1. Aの場合は「至上」以外の三語が使える。「最高」「最上」に対して「最大」ではスケールの大きさも問題になる。「至上」は相対的でなく絶対的な価値の高さをいうので、「わが人生で」という範囲の限定があると使いにくい。

2. Bのように、最もすぐれている意では「最大」は使えない。

3. Cのように、程度がこの上ないことをいう場合は「最高」「最上」が適当。「至上」も意味的には使えそうだが、もっと硬い表現でないと使いにくい。

4. Dのように、「に」を伴って連用修飾語としてこの上ない意を表す場合は、「最高」しか使えない。

5. 「アルプス最高の峰」のように、ある範囲の中で最も高いことを表すときは「最高」を使い、「最上」は使わないが、Eのようにいくつかの段階からなるもののいちばん上を指す場合は、「最高」でなく「最上」が自然。

6. Fのように、大きさを特に問題にする場合は「最大」を使う。

類似の語

至高 位や価値が他のすべてより高いこと。「至高存在」「至高の芸術美」

さいそくする   press
催促する・督促する・促す

基本の意味 ある事を早くするように働きかける。

Point! 「催促する」は、早くしてくれるよう相手に要求する意。「督促する」は、約束したにもかかわらずまだ果たされていないことについて早く実行するよう要求する意で、主に借金返済や納税、未了の仕事などに関していう。「促す」は、相手がすみやかにそれをする気になるように働きかける意。

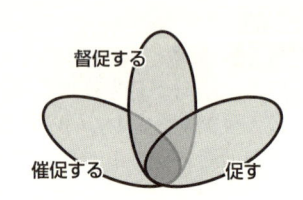

使い分け

表現例	催促する	督促する	促す
A 借金を返すよう―	○	○	○
B 早くおやつにしてよと―	○		
C 未納の税金を納めるよう―れる		―さ○	
D 決断を―			○

1. Aのように金銭に関する場合にはどれも使える。「催促する」は日常的に使われるが、「督促する」は硬い表現になる。「促す」では、相手がこちらの要求に応じる気になるようにするという、間接的な柔らかい感じを伴う。
2. Bのように、日常の会話体の文については「催促する」が適当。他の二語は文章語なので使いにくい。
3. Cのように公的な事柄の場合は「督促する」が適当。「催促する」はややくだけすぎて使いにくく、「促す」は柔らかな言い方なので、納入期限が過ぎている場合は使いにくい。期限前なら「納税を促す広告」のように使える。
4. Dのように、こちらの希望する方向へ相手の気持ちを動かして、それを実行するようにしむけるといった場合は「促す」以外は不適当。

類似の語

せっつく 早くやってくれとしつこく言う。「親をせっついて金を出させる」
せかす 急いでするよう催促する。「仕事をせかす」
せきたてる 急ぐよう強く働きかける。「子供をせきたてて出かける」
迫る 相手に対し、そうするように強く要求する。「退陣を迫る」

ざいりょう　material

材料・原料・素材・資材

基本の意味 何かを作るとき、そのもととなるもの。

Point! 「材料」は四語の中で最も一般的な言い方で、広く使われる。「原料」は、工業的生産で使われる材料のうち、製品になったときにもとの物質の性質が残っていないもの。「素材」は、材料の性質・品質が作られるものに反映するような場合に、その材料を指していう。「資材」は、生産の場で材料と原料をひっくるめていう語。

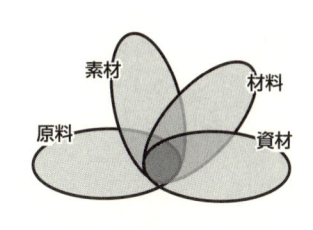

使い分け

表現例	材料	原料	素材	資材
A　―をよく吟味する	○	○	○	○
B　コウゾは和紙の―になる		○		
C　建築用の―を運ぶ	△			○
D　ナイロンを―にしたブラウス			○	
E　小説の―を探す	○		○	
F　結論を下すには―に乏しい	○			

1. Aのように何を作るのかが示されていない表現では四語とも使える。
2. Bのように、製品になるともとの性質がすっかり変わってしまう場合は「原料」が使われる。
3. Cのように、生産の場で多種多様な材料についていう場合は慣用的に「資材」が使われる。
4. Dのように、繊維製品については「素材」が適当。もとの物質の性質が製品の性質に直接反映する感じがある。
5. Eのように、題・資料の意に用いる場合は「材料」「素材」が使われ、他の二語は使えない。
6. Fのように、判断の手がかりや裏付けという意では「材料」しか使えない。

さえぎる　obstruct, interrupt

遮る・妨げる・阻む

基本の意味 物事の進行をじゃまする。

Point! 「遮る」は、途中でじゃまをして、その先へ進まないようにする意が中心。「妨げる」は、物事を行うのに支障となるようなことをする意。「阻む」は、先へ進もうとするのをじゃまして止める意。

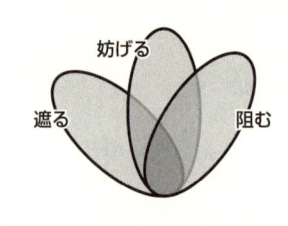

使い分け

表現例	遮る	妨げる	阻む
A　敵の進路を—	○	○	○
B　人の話を—	○	○	
C　カーテンで光を—	○		
D　草木の生長を—		○	○

1. Aの場合はそれぞれの意味で三語とも使える。「遮る」「阻む」ではじゃまをして進行を止めようとする意になるが、「妨げる」は進むのに支障となるようなことをする意で、必ずしも止めようとしなくてもよい。

2. 物事についていう場合、「阻む」はより上の段階に進もうとするのを止める感じが強く、Bのような単なる話の流れの場合には使いにくい。「遮る」では途中でやめさせる意になり、「妨げる」では話と無関係なことがその場に介在してじゃまをするといった感じになる。

3. Cのように、間に何かを入れて、あちらとこちらを隔てる意が強い場合は「遮る」しか使えない。

4. Dのように、より上の状態に移っていく事柄の場合は「遮る」は使えない。「阻む」は生長を止める感じ、「妨げる」はじゃまして生長しにくくする感じが強い。

5. 「横綱の三連覇を—」のように、相手がねらっていたことを完全にできなくする意では「阻む」しか使えず、「騒音が眠りを—」のように、よくできないようにじゃまする意では「妨げる」以外は不自然になる。

類似の語

阻止する　ある行為や動きのじゃまをして、させないようにする。⇒「せいし」

さかり   prime, peak

盛り・真っ盛り・最盛・全盛

基本の意味 盛んな状態にあること、また、その時期。

Point! 「盛り」は主に、四季の変化や加齢といった自然な推移によって最も成熟した状態に達したこと、また、その時期をいう。「真っ盛り」は「盛り」を強めた言い方で、「盛り」の時期をより狭く限定する。「最盛」は、「盛り」「真っ盛り」の漢語的な言い方だが、自然の推移による場合にも人為的な事柄にも広く使われる。「全盛」は、人や人が生み出す物事について、最も勢力・人気などが盛んであることをいい、他の存在を圧してという意味合いを含むことが多い。

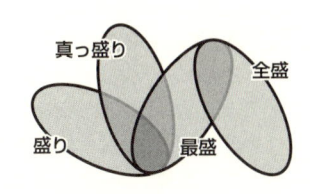

使い分け

表現例	盛り	真っ盛り	最盛	全盛
A 今、マツタケが―です	○	○	△	
B 彼の人生は―を過ぎた	○			
C 伊勢平氏の―の時代			○	○
D 現代は情報機器が―だ				○

1. Aのように、農作物や自然の産物に関しては一般に「盛り」「真っ盛り」を使うが、文章語的な表現で「最盛」も使われることがある。ただし「最盛」は「最盛期」の形で使われることが多い。

2. Bのように、特に時期・期間についていう場合、「最盛」「全盛」はそれだけでは使いにくい。両語は時期を表す場合、「期」「時代」を付ける。「真っ盛り」は「盛り」よりも短い期間にふさわしく、Bには使いにくい。

3. Cのように、集団・国家などの勢力や文化の繁栄がある程度長く持続する場合は、「最盛」「全盛」が使われる。Cの場合、「最盛」を使うと伊勢平氏として最も盛んなことをいい、「全盛」だと他の平氏、さらには他の氏族と比較しても最も隆盛を極めていたという感じになる。

4. Dのように、人気が高い、流行している、高く評価されている、などの状態を表す場合は「全盛」が使われる。

さくせい production
作成・作製・制作・製作・製造

基本の意味 何かを作ること。

Point! 「作成」は主に文書や文案・プランなどに、「作製」は道具・機械などの物品や図面・印刷物に、「制作」は美術作品や映画・演劇・放送番組などに、「製作」は道具や機械、また「制作」と同じく映画・演劇・放送番組などについていう。「製造」は、原材料を加工したり、部品を組み立てたりして作ることで、大量に作ったり商品として作ったりする場合にいう。

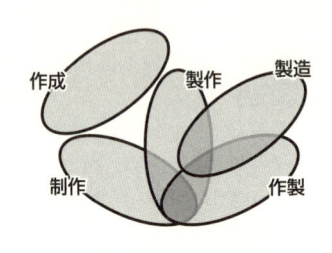

➡「つくる」

使い分け

表現例	作成	作製	制作	製作	製造
A 彫刻の―にいそしむ		○	○		
B 車の部品を大量に―する					○
C A社が―した機械		○		○	○
D レポートを―する	○				
E テレビ番組の―			○	○	

1. Aのように、芸術的なものの場合は「制作」が最適だが、物品を一つずつ作るということで「作製」も使う。
2. Bのように、大量に作る場合は「製造」以外は使えない。また、食品・薬品など、原料を加工して商品にするような場合も「製造」を使う。
3. Cの場合、「製造」では工場で商品として作ったという感じになり、「作製」「製作」ではA社が開発した機械といった感じの表現となる。
4. Dのように、書類についていう場合は「作成」を使う。
5. Eのように、番組についていう場合は「制作」「製作」を用いる。「制作」を使えば、作品としての番組を作るという感じになり、「製作」を使えば、商業的な事柄までも含めて、物として作り上げるという感じになる。

類似の語

調製 注文や好みに合わせて作ること。「和菓子を調製する」
生産 生活に必要なものを作ること。「米を生産する」「大量生産大量消費」

さけぶ　shout

叫ぶ・どなる・わめく

基本の意味 大声を出す。

Point! 「**叫ぶ**」は、遠くの方に向かって声を発する感じが強く、特に相手がいなくても、痛みや苦しみ、喜びや悲しみの表現としての大声を出す行為をも含む。「**どなる**」は、特定の相手に向かって、怒りあるいは警告の表現として何かを荒々しく伝える感じが強い。「**わめく**」は、興奮してやたらに大きな声を出すような場合にいう。

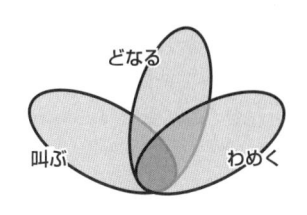

使い分け

表現例	叫ぶ	どなる	わめく
A 「泥棒！」と―た（だ）	―ん○	―っ○	
B 「痛いよ痛いよ」と―	○		○
C 「いいかげんにしろ」と―れた		―ら○	―か△
D そうわあわあ―なくてもわかる		―ら○	―か○

1. Aのように、一言大声を出す場合は「わめく」とはいいにくい。
2. Bのように、痛みを訴える表現の場合は、「どなる」は使えない。
3. Cのように、相手をしかる場合は、「どなる」しか使えない。ただし、「部員を前に部長が一人でわめいている」など、大声を上げている主体を否定的に突き離してとらえる場合には、しかる行為を「わめく」で言い表すことも可能。
4. Dのように、大声でわあわあ言うことにマイナスの評価を与える場合には「わめく」「どなる」を使う。「どなる」だと具体的な内容をもった怒りの表現ということになる。

類似の語

がなる 必要以上に大きな声で何か言ったり歌ったりする。聞いて不快な場合にいう。俗語的な言い方。「演歌をがなる」

さける

さける・よける

avoid

基本の意味 好ましくないものにかかわりあったり触れたりしないように、それから離れて位置する。

Point! 「**さける**」は、ある物事や状況とかかわりにならないようにする意が中心で、抽象的な事柄に関しても使える。「**よける**」は、こちらに向かってくるものや進む先にあるものと接触しないように、移動したり隔てを置いたりする意で、行為としての具体性が強い。

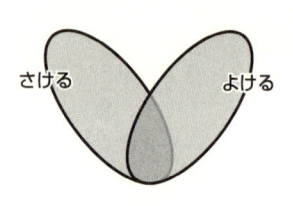

使い分け

表現例	さける	よける
A 端に寄って車を—	○	○
B 都会を—て田舎に住む	—け○	
C 身をかわして刀を—		○
D 失敗した彼の二の舞は—たい	—け○	

1. Aのような動きのある具体物については「よける」を使うのが適切だが、「さける」も使える。「よける」は車が来るのを見て端に移動する感じ、「さける」は、はじめから端にいてぶつからないようにしている感じが強い。
2. Bのように、ある場所に近付かないようにする意の場合は「さける」が適切。もっと具体的な「水たまりを—」のような場合なら両語とも使える。
3. Cのように、具体的にその場で体を動かして当たらないようにする場合は「よける」が適切。
4. Dのように、好ましくない結果を招かないようにする意では「よける」は使えない。

類似の語

回避する 悪い結果・事態が生じないようにする。また、そのためにある事を行ったり引き受けたりするのをやめる。「武力衝突だけは回避したい」「体調不良で出走を回避する」「彼は責任を回避している」 ➡「ひなん」

かわす 向かってくるものを、身をひるがえしてよける。また、自分に向けてなされたことをうまくそらす。「とっさに身をかわす」「追及をかわす」

さそう invite, induce

さそう・いざなう・勧める・勧誘する・慫慂する

基本の意味 あることをするよう他に働きかける。

Point! 「**さそう**」は、自分と一緒にある所へ行くように、または一緒に行動するように相手に働きかける意。「**いざなう**」は「さそう」の雅語的な言い方。「**勧める**」は、そうするほうがよいと相手に言う意。「**勧誘する**」は、自分の関係している物事のよさを言って相手に加入を働きかける意。「**慫慂する**」は、そうすることの意味や価値を説いて、それをするように本人に勧める意。

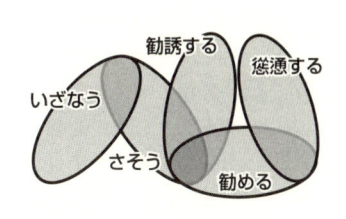

使い分け

表現例		さそう	いざなう	勧める	勧誘する	慫慂する
A	仲間になるよう—	○		○	○	
B	恋人を観劇に—	○	○			
C	友を悪の道に—	○				
D	会長就任を—			○		○
E	叔母に保険加入を—			○		
F	叔母を会に—	○			○	

1. Aのような日常的な表現では、「いざなう」は雅語、「慫慂する」は改まった文章語なので使いにくい。
2. Bのように一緒に行くよう働きかける場合は「さそう」「いざなう」を使う。ただし「いざなう」は雅語的なので使いにくくなる場合もある。
3. Cのように、好ましくない方向に行かせる場合は「いざなう」は使えない。漢語表現では「誘惑する」となる。
4. Dのように、公的なことについてそうしてほしいとわきから働きかける場合は「慫慂する」が最適。「勧める」だと、やや弱い感じになる。
5. 「人に…を」の文型では「勧める」「慫慂する」が使えるが、Eのように私的な事柄の場合、「慫慂する」は改まりすぎて不自然である。
6. Fのように「人を…に」の文型では「さそう」「いざなう」「勧誘する」が使えるが、「いざなう」は雅語なので不自然。

ざつおん noise

雑音(ざつおん)・騒音(そうおん)・ざわめき

基本の意味 耳にうるさく感じられたり、騒がしく聞こえたりする音。

Point! 「雑音」は、ある音に入りまじる余分な音。主に、受信・再生された音声にまじって不快に聞こえる音にいい、音量としては小さい場合もある。「騒音」は、大きくて不快な音。

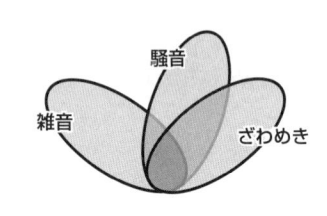

「ざわめき」は、多くのものが声を立てたり動いたりして発する音。音量としてはさほど大きくない場合にもいい、また、不快な音とは限らない。

使い分け

表現例	雑音	騒音	ざわめき
A 隣室の―で気持ちが集中できない	△	○	○
B ラジオに―が入って聞きとりにくい	○		
C 新幹線の―		○	
D 幕が上がって劇場内の―がやんだ		△	○

1. Aでは「騒音」「ざわめき」が適当。「騒音」は隣室の住人がテレビを大音量でかけているといった場合でもいいが、「ざわめき」は何人もが集まって立てるざわざわした小さな音の集合の場合にいう。「雑音」はある音にまじる音をいうので、単に静寂を乱されるという意味ではぴったりしないが、気持ちを集中して何かを聞こうとしているときに隣室の音が耳に入り込んでくるといった特定の場合、あるいは比喩としてなら使えなくはない。

2. Bのようにラジオなどに入ってくる正常な音以外の音には「雑音」を使う。

3. Cのように単一の物が発する音の場合、「ざわめき」は使えない。大きく、しかも連続性のある音には「騒音」がふさわしいが、爆発音など大きくても単発の音に「騒音」は使えない。「雑音」は**1**に述べた理由で不適。

4. Dのように、多数のものの動きによって生じるあまり大きくない音を指す場合には、「ざわめき」が適切。もし「騒音」を使えば、幕が上がる前は話し声や笑い声などで喧噪(けんそう)を極めていたことになる。

類似の語

ノイズ 雑音。また、再生画像やコンピュータの電気信号などの乱れにもいう。

さっそく at once, immediately

早速・早急・即刻・即座
（さっそく・さっきゅう・そっこく・そくざ）

基本の意味 物事を行うのに時間を置かないようす。

Point! 「早速」は、しようと思ったり決まったりしたことをすぐ実行に移すようすだが、その場でただちにそうする場合に限らず、実行できる機会を得たらすぐにという意でも使える。

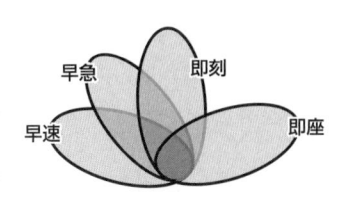

「早急」は急いで対処するようすに重点があり、その場でただちにという意までは含まない。それに対し「即刻」「即座」はその場でただちに事が行われる場合にいう。「即刻」は猶予期間を置かずその時点でただちにそうするようす。「即座」は物事への対応がその場で行われるようす。

使い分け

表現例	早速	早急	即刻	即座
A ―連絡をとる	○	―に○	○	―に○
B ―お土産を開けてみた	○			
C ―委員会を開きます	○	―に○	△	
D 不法侵入者は―退去せよ			○	
E ―言い返す				―に○

1. Aの例ではそれぞれの意味合いで四語とも使える。

2. Bのように、日常的な事柄に関する場合は「早速」が適当。「即刻」「即座」は大げさな感じで不自然。「早急」はこれから急いでそうするという場合にいうので、意味的にそぐわない。

3. Cのように事務的・公的な事柄に関し「急いで」という意では「早急」が適当だが、やわらかい言い方で「早速」も使える。Cの例では委員に連絡するなど委員会を実際に開くまでに時間が必要で、こうした場合「即座」は使えない。「即刻」は言明の時点から間を置かずに開かれるなら可能。

4. Dのように今ただちにという意を強調していう場合は「即刻」が適当。「早速」「早急」では弱く、物事への対応の問題ではないので「即座」は不適。

5. Eのように、対応がすぐその場で行われるようすに注目している場合は、「即座」が適当。

ざつだん　chat

雑談・歓談・閑談・懇談

基本の意味 肩の凝らない雰囲気でいろいろなことを話すこと。

Point! 「**雑談**」は、特に話題を定めずに気楽にあれこれと話すこと。「**歓談**」は、うちとけて楽しくあれこれと話し合うこと。「**閑談**」は、さして意味もないことをのんびりした気分で話すこと。「**懇談**」は、ある事柄について互いの考えや事情などを説明しながらうちとけた雰囲気で話し合うこと。「**雑談**」「**閑談**」は話し手が聞き手に聞かせる一方的な行為にもいうが、「**歓談**」「**懇談**」はその場の面々が互いに話し合う行為にいう。

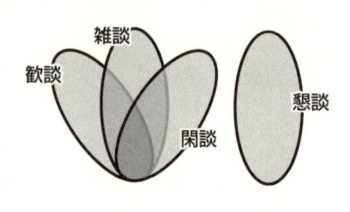

使い分け

表現例	雑談	歓談	閑談	懇談
A　旧友たちとにぎやかに―する	○	○		
B　山荘の老友を訪ねて―する	△	○	○	
C　生徒の進路について両親と―する				○
D　―を交えながら講演を進める	○		△	

1. Aのように、にぎやかにという場合は「閑談」は使いにくい。また、「懇談」は、多く教師と親、政治家と記者のように立場の異なる者が集まって親しく話し合う場合に使われ、Aの状況にはそぐわない。

2. Bのように、当面の問題から離れて、静かに、のんびりとという感じが強い場合は「閑談」が最適。「閑談」は枯れた感じがあって、大成した者同士の話し合いにふさわしい。「歓談」も使えるが、「閑談」のようなニュアンスは消える。「雑談」は風情がなさすぎてBの例にはやや使いにくい。

3. Cのように、明白な目的があって話し合う場合には「懇談」以外は不自然。

4. Dのように話し手が一方的に話す場合は、「歓談」「懇談」は使えない。「閑談」は使えなくはないが、「講演」のような時間に制限のある場では悠長すぎる感じがすることから、Dでは「雑談」が適当。

類似の語

無駄話 当座の話題とは関係がなかったり、何の意味もなかったりする話。

さりげなく

casually

さりげなく・それとなく・暗(あん)に

基本の意味 自分の意図や目的を表面に出さずに振る舞うようす。

Point! 「**さりげなく**」は、何事もないかのように何かしたり言ったりするようすで、三語の中では最も幅広く使える。「**それとなく**」は、特にそうしているというようすも見せずに何か言ったりしたりするようすで、特に相手があってする行為に使う。「**暗に**」は、はっきり相手に伝えるのでなく遠回しに言ったりしたりするようす。

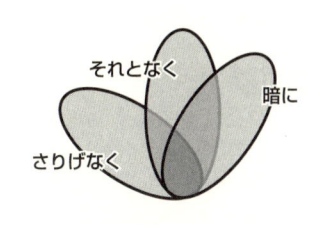

使い分け

表現例	さりげなく	それとなく	暗に
A ―注意を与える	○	○	○
B トイレに行く振りをして―抜け出す	○		
C 何事も―振る舞うところがよい	○		
D ―彼の気持ちを聞いてみてください	○	○	
E 彼は―私を責めていた		△	○

1. Aの場合はそれぞれの意味合いで三語とも使える。
2. B・Cのように、特定の相手に向かってする行為でない場合は、「さりげなく」が適当。Bでは内心の意図を周囲の人に気付かれないよう行動するようす、Cでは押し付けがましくなく振る舞うようすを表す。Cのように、「さりげなく」はプラスの評価を伴うことがある。
3. Dの場合、「さりげなく」では聞くさいの表情や態度に、「それとなく」では話の持って行き方や言葉の選び方に、それぞれ焦点を当てた感じになる。「暗に」はまだ実現していないDの場合には使いにくい。
4. Eのように、その言動にひそむ相手の意思を推測していう場合は「暗に」が適当。「それとなく」も意味的には使用可能だが、表現として弱い。

類似の語

何気(なにげ)なく 格別意識しないで、または、そのように見せて、何か言ったりしたりするようす。「何気なく聞いてみる」

さわる

touch

触る・触れる・接する・接触する

基本の意味 何かの先端や面がある物に当たる。

Point! 「**触る**」は、手など体の一部を物に軽く当てるようにする意が中心。逆に物が体の一部に軽く当たる場合にもいうが、いずれにしても一方が体の一部である場合に使われる。「**触れる**」は、「**触る**」より意味が広く、物と物とが軽く当たる場合にもいう。「**接する**」は、間を置かずぴたりとくっつく意が中心。「**接触する**」は、物が対象に近づいてくっついたり当たったりする意。

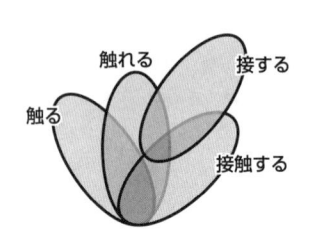

使い分け

表現例	触る	触れる	接する	接触する
A 枝に手が―	○	○		△
B この件には―ないでおく	―ら○	―れ○		
C 木の枝が軒に―		○	○	○
D いろいろな人と広く―			○	○
E 敷地が県道に―ている			―し○	

1. Aのように軽く当たるという意の場合、「接する」は使いにくい。「接触する」は使えるが、硬い表現なので日常会話の場合はやや不自然。
2. この四語は他とかかわり合う意をもつ点でも共通するが、対象が事柄の場合、「接する」は「英文学に接する」「訃報に接する」のように、「(何かの事柄に)出合う」「(知らせを)受ける」の意になり、Bには使いにくい。「接触する」は事柄を対象として使うのは不自然。
3. 「触る」は、両方もしくは一方が人などの体でないと使えないから、Cのように物と物の場合は不適当。
4. Dのように他の人とかかわりをもつ意の場合は、「接する」「接触する」を使う。ただし、「接触する」のほうが、「接する」より積極的な働きかけのニュアンスがあり、やや受身的な感じで応対する場合、例えば「来客に―」のような場合は「接する」が自然で、「接触する」は使いにくい。
5. Eのように他と間を置かず隣り合う意では、「接する」以外使えない。

ざんねん regrettable

残念・無念・遺憾・心外

基本の意味 望んだところと違って、不満だったり悔しかったりするようす。

Point! 「残念」は四語の中では最も一般的な語で、軽い気持ちでいう場合から悔しさを強く表す場合まで含み、幅が広い。「無念」は「残念」より強い表現で、悔しくてならない気持ちを表す。「遺憾」は、そのような結果となって残念だという意で、形式張った表現によく使われる。「心外」は多く、自分の気持ちと違うことを人にされたり言われたりしたような場合に使われ、多少の腹立たしさを含む。

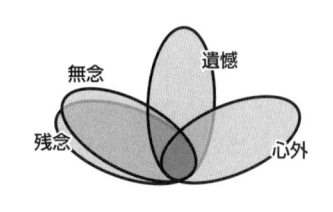

使い分け

表現例	残念	無念	遺憾	心外
A 彼にそう思われるのは―だ	○	○	○	○
B 接戦の末負けて―だった	○	○		
C ―の意を表する			○	
D ―なことを言われて腹が立つ				○

1. Aの場合はそれぞれの意味合いで四語とも使える。
2. Bのように惜しくも負けたというような場合は、他人の行為を問題にしているのではないので「心外」は不適。「遺憾」は形式張った感じが強く、使いにくい。「残念」では結果に対して心残りであることを表す程度だが、「無念」では悔しさが強調される。
3. Cのような改まった表現では「遺憾」が使われる。「遺憾の意を表する」は、政治や外交の場面での決まりきった言い方で、残念なことであり申し訳ないという軽い謝罪の場合や、そのようなことをされて残念だという婉曲な抗議の場合に使われる。
4. Dのように相手への腹立たしさを含む場合は「心外」が最適。

類似の語

心残り 何かした後までそれが気になったり、不満や未練などの思いが残ったりして、気が晴れないようす。「もう心残りなことは何一つない」

痛恨 取り返しのつかないことで非常に悔やむこと。「痛恨の極み」

さんぽ

walk

散歩・散策・逍遥

基本の意味 気の向くままにぶらぶら歩くこと。

Point! 「**散歩**」は、気分転換や健康維持などのために歩くことで、比較的短時間の歩きにいい、場所は自宅の近所でもどこでもいい。「**散策**」と「**逍遥**」は、町並み・自然など周囲の景観や雰囲気を味わいながら歩くことに重点が置かれる。「**逍遥**」は硬い文章語。

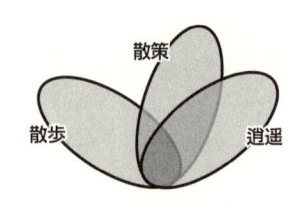

使い分け

表現例	散歩	散策	逍遥
A 郊外を―する	○	○	○
B 駅までちょっと―してくる	○		
C 野山を―する		○	○
D 春を探しに野原へ―に出かける		○	
E 犬を―させる	○		

1. Aの場合は三語とも使える。「散策」「逍遥」では、「散歩」に比べて、周囲の自然などに目を向けながら歩くような感じが加わる。また「逍遥」は、「散歩」「散策」よりも広い範囲を歩き回る感じがある。
2. 「散歩」は、Bのように「駅まで」という限定をつけても使うが、他の二語は使いにくい。
3. Cは自然などの景観を楽しみながら歩く場合なので「散策」「逍遥」が適当。「野山」は広範囲なので「散歩」は使いにくい。
4. 「―に出かける」の表現では「散歩」「散策」が使えるが、Dのように風雅な内容の場合は「散策」が適当。「散歩」は日常的すぎてそぐわない。
5. Eのように、人以外の犬・猫などについては「散歩」しか使えない。

類似の語

そぞろ歩き 気ままにのんびりと歩くこと。「公園のそぞろ歩き」

漫歩 特にどこへ行くという目的もなく、気ままにぶらぶらと歩くこと。「秋の海岸を漫歩する」

し

death

死・死亡・死去・逝去
（し・しぼう・しきょ・せいきょ）

基本の意味 死ぬこと。

Point! 「死」は、人や人以外の動物、また細胞・植物など、生命を持つもの一般について使う。「死亡」は、主に人が死ぬことをいうが、価値ある動物やペットなどについては使うこともある。「死去」「逝去」は人にしか使わない。「死亡」が死んだことを事実として表すだけであるのに対し、「死去」は婉曲な言い方で、死者を悼むニュアンスも感じられる。「逝去」は「死去」の尊敬表現。➡「しぬ」

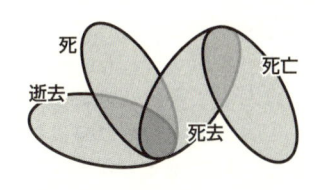

使い分け

表現例	死	死亡	死去	逝去
A　生あるものは必ず—を迎える	○			
B　銃撃戦で犯人三人は—した		○		
C　父は昨年—しました			○	
D　学長の—を悼む	○		○	○

1. Aのように、生に対して命が絶えるという概念を表す場合は「死」を使う。
2. Bのようにサ変動詞の用法の場合、「死」は不適。「死する」は文語的な表現でまれに使われるだけである。また、Bのように単なる事実を感情抜きに述べる場合には「死去」「逝去」は使えない。
3. Cのように身内の人間についていう場合、敬意の念がこもる「逝去」は使えない。身内でなく「友人—の報に接する」のような場合なら「死亡」は使いにくく、「死去」を使うのが普通。
4. Dのように、敬意を表すべき人の場合は「逝去」が最適だが、表現者と学長との関係が薄く、事実を報道するような文の中であれば「死」「死去」も使える。

類似の語

永眠（えいみん） 死を安らかな眠りとしてとらえていう語。「八十五歳で永眠する」

他界（たかい） 仏教で、死者の世界。また、そこへ行くことから、人が死ぬことを婉曲にいう語。「彼が他界してもう一年になる」

臨終（りんじゅう） 人の命がまさに終わろうとする時。また、死ぬこと。「臨終を看取る」

しがい

dead body, corpse

死骸・死体・遺体

基本の意味 死んだものの体。

Point! 「**死骸**」は人と人以外の動物について使うが、人に使うと放置されたり野ざらしの状態だったりする感じも含まれる。「**死体**」は人に使うほか、哺乳類などの動物に使われる。「**遺体**」は死者に対する敬意がこもった言い方で、人に使う。ただし学術用語としては動植物全般に使われる。

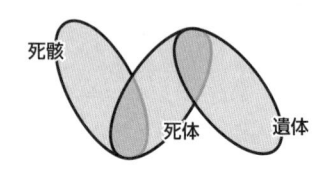

使い分け

表現例	死骸	死体	遺体
A　ネズミの―を片付ける	○	○	
B　虫の―にアリがたかる	○		
C　―を解剖する		○	○
D　遺族が―を確認する			○

1. Aのような学術以外の一般的文脈では、人間以外のものに「遺体」は使わない。「死骸」は「死体」よりも時間がたって変形している感じが強い。
2. 人以外の動物でも、Bのように小さいものの場合は「死体」は使いにくい。
3. Cの場合、「死体」を使うと医学的なことを教えたり学んだりするための解剖という感じになり、「遺体」を使うと死者への敬意がこもり、死因究明のための解剖ということになる。「死骸」はだれともわからず、しかも風雨にさらされて放置されているような感じが強いので使いにくい。
4. Dのように遺族のすることに関する場合は、敬意のこもる「遺体」が適当。

類似の語

遺骸 死んだ人の体。「遺体」と同じく敬意がこもる。「兄の遺骸にすがって泣く」のように、身内の者に関して愛情が強く表れる内容の場合は「遺体」より「遺骸」のほうが自然。

なきがら 死んだ人の体。「遺体」「遺骸」と同じく敬意がこもる。多く文学的表現に使われる。「なきがらと最後の別れをする」

しかばね 死んだものの体。主に人に使うが敬意は含まれない。多く文学的表現に使われる。「戦場にしかばねをさらす」

しかた

way

仕方・仕様・やり方・致し方

基本の意味 物事をする手順や方法。

Point! 「仕方」「仕様」「やり方」は、いずれも物事をするさいの手順や方法を表すが、この意味では「やり方」が最も一般的で幅広く使える。「仕方」「仕様」は「仕方がない」「仕様がない」など打消しの語を伴って慣用句的にも用いられ、特に「仕様」は一般にはこの使い方が中心。「致し方」は「仕方」の改まった言い方だが、「致し方がない」など、打消しの語を伴ってあきらめるほかないの意を表すのに使うことが多い。⇒「やむをえない」

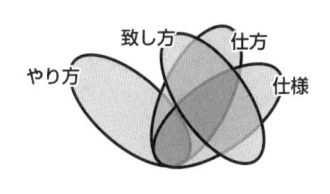

使い分け

表現例	仕方	仕様	やり方	致し方
A 掃除の―を教える	○	△	○	
B これでは言い訳の―がない		○		
C 私が悪いのですから―がありません	○	○		○
D まったく―のない男だ	○	○		
E 彼の―にはついていけない			○	

1. Aのように、ある物事をするさいの手順や方法という意の場合、「致し方」は改まりすぎて不自然。「仕様」は可能な言い方だが、実際にはあまり使われない。「仕方」と「やり方」では、「やり方」のほうが口頭語的。
2. Bのように、打消しの語を伴って、どうやってもそうすることができないという意を表す場合は、「仕様」しか使えない。
3. Cのように、打消しの語を伴って、あきらめるほかないという意を表す場合は慣用的に「仕方」「仕様」を用いるが、改まっていうときは「致し方」も使われる。
4. Dのように、「ない」を伴って、始末に負えない、手に負えないの意を表す場合は「仕方」「仕様」が使われるが、「仕様」のほうが普通。
5. 「仕方」「仕様」「致し方」は、「―がない」という慣用的な言い方以外は、「勉強の―」のように行う事を具体的に示さないと使いにくい。したがって、Eの場合は「やり方」だけが適当。

しがみつく

cling

しがみつく・すがりつく・むしゃぶりつく・へばりつく

基本の意味 しっかりと取りつく。

Point! 「**しがみつく**」は、対象に抱きついたり、対象をしっかりつかんだ状態で体を寄せたりして、そのものから離れまいとする意。「**すがりつく**」は頼りとするものをつかんで離すまいとする意。「**むしゃぶりつく**」は、激しい勢いで相手に抱きついたり食べ物にかじりついたりする意で、動きに重点がある。「**へばりつく**」は、張りついたようになって離れなくなる意で、上の三語と異なり、虫などや物を主語としても使われる。

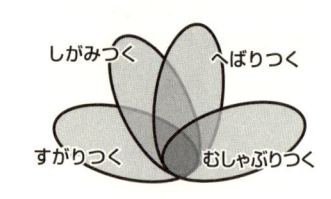

使い分け

表現例		しがみつく	すがりつく	むしゃぶりつく	へばりつく
A	小さい子が母に—ている	—い○	—い○	—い○	—い○
B	枝に—て助かる	—い○	—い○		
C	彼の友情に—しかない		○		
D	怒って相手に—			○	
E	社長の椅子に—	○			○

1. Aの場合どれも使えるが、「へばりつく」では、人見知りする子が人前で母親にくっついて離れまいとしているといった特定の状況が前提とされる。

2. Bでは「しがみつく」「すがりつく」が適当。「むしゃぶりつく」は、抱きつくような場合は対象が人間でないと使いにくい。「へばりつく」は面でつく感じが強く、「人が枝に」という場合は不自然。

3. Cのように、ある物事を必死の思いで頼りとする意の場合、「すがりつく」以外は使いにくい。

4. Dのように、喜び・怒り・悲しさなどのあまり我を忘れて相手に取りつく意では、「むしゃぶりつく」が最適。「しがみつく」や「すがりつく」は、向かって行く意に乏しいので使いにくい。

5. Eのように比喩的に、役職や地位、過去の栄光などに執着して、それから心が離れられない意に使う場合、「しがみつく」「へばりつく」が適当。

しけん

examination, test

試験・テスト・考査・実験

基本の意味 実際の状態を知るために試したり調べたりすること。

Point! 「**試験**」は、製品・商品・原材料などの性質・性能や人の能力・知識などについて、実際のところはどうなのか試してみること。「**テスト**」は「**試験**」とほぼ同じだが、日常的な軽い意味合いでも使われる。「**考査**」は、評価や判定を目的として人物・能力・成績・経営状態などについて調べること。「**実験**」は、ある対象をある条件に置いた場合にどういう結果が生じるか、また、立てた予測・仮説・理論が正しいかどうか、などを実地に試してみること。

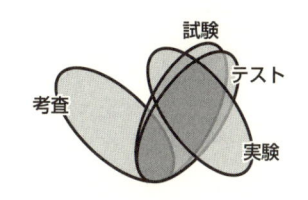

使い分け

表現例	試験	テスト	考査	実験
A 機械の性能を厳しく―する	○	○		
B ―の結果、理論の正しさが証明された	△	△		○
C 英語と数学の―を行う	○	○	○	
D 人物について十分に―する			○	
E どのくらい切れるか―してみる	○	○		○

1. Aのように、判定・評価の基準がまずあって、対象がそれにかなっているかどうか評定するという場合は、「実験」は使わない。「考査」も「機械の性能」については使わないので、Aでは「試験」「テスト」だけが使える。

2. Bのように、仮説・理論などが実際に正しいかどうか実地に確かめる場合は「実験」が適当。「試験」「テスト」では理論の裏付けにする行為としては軽い感じとなるが、例えば試作品を試験してみたところ、当初の理論の正しさが改めて認められた、といった場合なら使える。

3. Cのように、生徒や学生の能力・学力・知識などの程度を測ることをいう場合は「試験」「テスト」「考査」を使う。

4. Dのように、人物について行状・能力などを調べて査定する意では「考査」を使う。「試験」「テスト」は「十分に」との結び付きが悪く、使いにくい。

5. Eのように、物についてあることを試してみる場合は「考査」は使えない。

しごく

extremely

至極・ごく・至って・極めて

基本の意味 程度や状態を強調している語。

Point! 「至極」はやや古風な言い方で、口頭よりも文章中で使われることが多い。「ごく」「至って」は文章でも口頭でも使われるが、「至って」はやや改まった言い方になる。この三語は、主として日常的・世間的な文脈・場面での穏やかな強調に使われ、論文や公用文のような硬い文章で使われることは少ない。「極めて」は主に文章で使われ、上記三語に比べてやや硬い言い方になる。

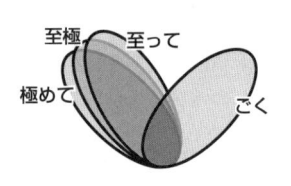

使い分け

表現例	至極	ごく	至って	極めて
A それは—簡単なことだ	○	○	○	○
B 私は—幸福だ	○		○	○
C 悪いのは— 一部の者だ		○		
D —大きい建物	△		△	○

1. Aの場合はすべて使えるが、「極めて」ではやや強い強調になる。他の三語はここでは意味的に差がなく、文体の差があるだけである。

2. Bのように、極限・限度のはっきりしない状態についていう場合「ごく」は使いにくい。他の三語は普通以上ということを強調するだけにも使える。

3. Cのように、ある一部分に限定してその程度に過ぎないと強調する場合は「ごく」しか使えない。数の少なさを示す「少数の者」とすれば、「極めて」「至って」も使える。

4. Dのように、客観的な大きさの程度をいう場合は「極めて」が最適。「至極」「至って」は、「―元気だ」などのように自分とかかわりの深い事柄に使われることが多く、この場合はやや使いにくい。また、「ごく」は小さい方には使えるが、「大きい」のように限度のはっきりしない方には使えない。

類似の語

とても 程度を強調している語。口頭語で、本来は「とてもできない」のように打消しを伴って実現不能なことの強調に用いた。 ➡ 「たいへん」

しこたま

quite a lot

しこたま・たんまり・うんと・たんと

基本の意味 数量や程度が大きいようす。

Point! 「**しこたま**」は、自分の身に取り込んだり受けたりした物事が通常の水準を超えてたくさんあるようす。マイナスの事柄にもいう。「**たんまり**」は、あると望ましいものがたくさんあるようす。「**うんと**」は、数量が多かったり、他との比較で程度がずっと上だったりするようす。四語の中では最も用法が広い。「**たんと**」は、物や機会が十分にあったり、満足の行くまで十分に何かをしたりするようす。いずれも俗語的な言い方である。

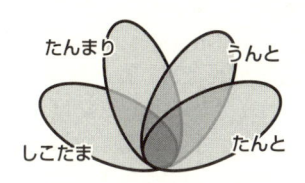

使い分け

表現例	しこたま	たんまり	うんと	たんと
A 株で―もうけたらしい	○	○	○	○
B 礼は―払うよ		○	○	○
C 遠慮せずに―お上がり			○	○
D 前より―いい成績をとった			○	

1. Aはそれぞれの意味合いでどれも使えるが、「たんと」はやや古めかしい言い方になる。
2. 「しこたま」は、自分の身に取り込んだり自分のものとして持っていたりする場合にいうのが基本で、Bの場合には使えない。ただし、「しこたま」は他から何かをされる場合にもいうので、「追徴金をしこたま払わされた」のように受身の形なら「しこたま」と「払う」の結び付きは可能。
3. Cは、満足するまでという意味で「たんと」が最適。一般的に「たくさん」の意味で「うんと」も使える。「しこたま」「たんまり」は欲が張って品のない感じで、Cのように飲食物を相手に勧める場合には使いにくい。
4. Dのように、形容詞や形容動詞を修飾して程度のはなはだしさを表せるのは、「うんと」だけである。

類似の語

どっさり 持てあますほどたくさんあるようす。重くて手ごたえのあるようすからいう。「両手にどっさりと食料を買い込む」「宿題がどっさり出る」

ししょう   obstacle, hindrance
支障・差し支え・差し障り

基本の意味 物事の実行や進行を妨げるような事柄。

Point! 「支障」は、物事を進めている最中にその進行を妨げるような事柄にもいうが、**「差し支え」**は、これから何かしようとするときに生じたまずい事柄を主にいう。また、**「差し支え」**は「差し支えない」の形で、かまわない、それでよいといった形式的な軽い意味でも使われる。**「差し障り」**は、主として他者との関係で生じるまずい事柄にいう。

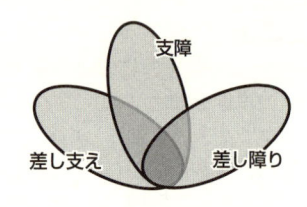

使い分け

表現例	支障	差し支え	差し障り
A　―があって行けない	○	○	○
B　少々痛いが歩くのには―がない	○	○	
C　―のない答弁をする			○
D　彼の功績といっても―ない		○	
E　大会は―なく終わった	○		

1. Aの例では三語とも使えるが、「差し障り」では、例えば立場上行けないといったような人間的・社会的関係への顧慮が働いたように受け取れる。
2. **Point!** と1で述べたように、「差し障り」は他者との関係で生じる不都合という意味合いが強いので、Bの自分の歩行のような、他者とかかわりのない事柄については使いにくい。逆にCのように、他人や組織内での自分の立場を顧慮してそれを不都合と見る場合は、「差し障り」が適切。
3. Dのように、「―ない」の形で、かまわない、それでよいという意に用いる場合は、「差し支え」が適当。
4. Eのように「―なく」の形で無事に、滞りなくといった意を表すのは「支障」だけである。

類似の語

不都合 しようと思っていること、また自分の立場などにとって、具合の悪い事柄。「不都合が生じて行けなくなる」「自社に不都合なデータを隠す」

じしょく resignation

辞職・退職・辞任

基本の意味 ある職や役目をやめること。

Point! 「**辞職**」は、ある職にある人が自分からその職をやめることで、ほとんどの場合、職をやめると同時にその勤め先からも離れる。「**退職**」は、自分の意志によるものでも定年や解雇によるものでも、とにかく職をやめてその勤め先を離れる場合にいう。「**辞任**」は、役目を自分からやめることであって、必ずしもその勤め先を離れるとは限らない。

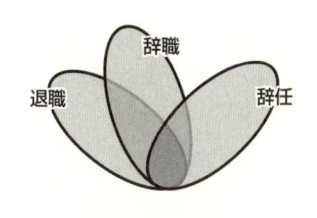

使い分け

表現例	辞職	退職	辞任
A 取締役を―する	○	○	○
B 会社を―する	○	○	
C 町内会の会長を―する			○
D 定年で―する		○	

1. Aの場合はそれぞれの意味で三語とも使える。「辞職」「辞任」は自分からやめる場合だが、「退職」ではやめる理由は限定されない。「辞任」の場合、取締役をやめたあと相談役など他の名目で会社に残るケースも考えられなくはないが、「辞職」では、やめたらその会社の人間でなくなるのが普通。
2. 「辞任」は勤め先をやめることまでを含まないから、Bの場合は使えない。
3. 「退職」は勤め先をやめることだから、Cのように職業でない場合は不適当。Cで、任期満了などの理由で役目を離れる場合は「退任」を使う。「辞職」は必ずしもその職を専業としている場合とは限らないが、町内会の会長のように本業のかたわら無報酬で行うような役目については使いにくい。
4. Dのように、定年で勤め先をやめる場合は「退職」が適当。

類似の語

離職 その職業をやめて職場から離れること。一般には、倒産や人員整理など雇用者の事情によって、やむを得ず職を離れることにいう場合が多いが、法令では広く、退職・辞職・免職などを含めていう。「離職後の生活」

退任 組織の役職についていた人が、その役職をやめること。「退任の弁」

しずむ

sink, set

沈む・没する・潜る

基本の意味 水平面から下の方へ向かう。

Point! 「**沈む**」は、基準となる面や位置からの下方への動きをとらえた言い方で、動きに重点がある。「**没する**」は、基準面から中に入り込んで見えなくなる意。「**潜る**」は、水中やものの下に入り込む意で、主として意志的な動作にいう。 ➡「しぬ」「しょげる」

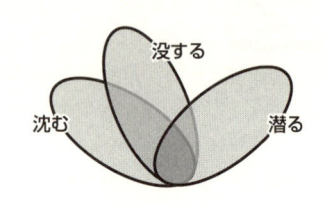

使い分け

表現例	沈む	没する	潜る
A 海中に―	○	○	○
B 太陽が西に―	○	○	
C 大量の土砂に―た家		―し○	
D 海に―て貝を採る			―っ○

1. Aのように「何が」ということが示されなければどれも使えるが、「船が」と補えば、「潜る」は使えなくなる。また、「潮が満ちて岩が海中に―」のように動かずにいるものが水に隠れる状態になる場合は「没する」が適当で、「沈む」はやや不自然。「潜る」は、「海中に潜って撮影する」のように意志的行為の場合に用いる。

2. Bのように、太陽・月などが下降するような自然的・現象的な動きの場合には、「潜る」は使えない。

3. Cのように、何かに覆われて見えなくなる意の場合は、「没する」が適当。

4. Dのように、意志的な動作の場合には、「沈む」「没する」は不適。

類似の語

沈没する 船などが水中に沈んで見えなくなる。「沈没した船」

沈下する それまで位置していた面から沈むように下がる。「地盤が沈下する」

したく

preparation

支度・用意・準備

基本の意味 ある物事のために必要なものをととのえること。

Point! 「**支度**」は、そのことがすぐにできるように必要なものをととのえることで、主に食事や服装などについていう。「**用意**」「**準備**」は、何かをしたり迎えたりするために必要なものをあらかじめととのえておくことで、「**支度**」よりも意味が広い。「**用意**」が必要なものをそろえるといった具体的な意味合いが強いのに対し、「**準備**」はその物事への態勢や環境をととのえるといったことも含めて使われる。

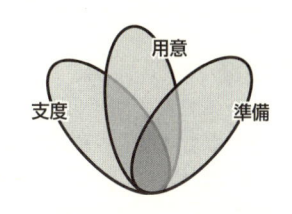

使い分け

表現例	支度	用意	準備
A 食事の―をする	○	○	○
B 台風に対する―		○	○
C 慌てて外出の―をする	○	○	
D 心の―ができていない			○

1. Aの場合はどれも使えるが、「支度」「用意」「準備」の順にその内容がものものしくなる感じがある。「支度」だとこれから実際に料理にかかるという感じが強いが、「用意」だと料理の材料をそろえる段階も入り、「準備」だと、例えば来客用に場所をととのえる仕事なども入るという具合である。
2. 「支度」は主に食事や服装に関していい、Bのように何かが来るのに備える場合には使いにくい。「用意」では必要なものをとりそろえておく感じが強く、「準備」では総合的に態勢をととのえるといった意味合いになる。
3. Cのように短い時間の場合、「準備」は大げさで不自然。
4. Dのように心に関する場合は、慣用的に「準備」を使う。「用意」も細かく気を配る意で、心に関して使うこともあるが、Dの場合とは意味の上でも異なり、「心」と「意」が重なるということもあって使いにくい。

類似の語

備え 将来起こる、または起こるかもしれない物事に対処するため、あらかじめしておく準備。「老後の備えは万全ですか」「地震への備えが不十分だ」

したしい intimate, close

親しい・むつまじい・近しい・気が置けない

基本の意味 心に隔てのない間柄であるようす。

Point! 「**親しい**」は、うちとけた付き合いのできる関係にあるようす。四語の中では最も一般的に用いられる。「**むつまじい**」は、特に夫婦や男女の仲のよいようすにいう。「**近しい**」は、よく行き来して親密な間柄であるようす。「**親しい**」よりも関係が密なようすをいう。「**気が置けない**」は、気を許して付き合える意。

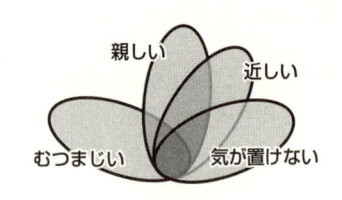

使い分け

表現例		親しい	むつまじい	近しい	気が置けない
A	二人は―仲だ	○	○	○	○
B	彼は前からの―友人だ	○		○	○
C	夫婦の間が―		○		
D	隣家と―付き合っている	―く○		―く○	
E	人々の耳に―	○			

1. Aの場合は、それぞれの意味合いでどれも使える。
2. Bのように友人、特に同性の友人についていう場合は「むつまじい」は使えない。
3. Cのように、夫婦など男女の仲についていう場合は「むつまじい」が使われる。
4. Dのように、よく行き来したりして親密である意の場合は「親しい」「近しい」を使う。「気が置けない」は「―く」の形で動詞にかかる用法がないので使えない。
5. Eのように、よく見聞する意では「親しい」しか使えない。

類似の語

ねんごろ うちとけて親しいようす。特に、男女の情を通じた間柄にいうことが多い。やや古風な言い方。「女将とねんごろになる」

懇意 友人・知人関係で、親しく付き合っているようす。「懇意にしている店」

じっこう

practice

実行・実践・実施

[基本の意味] 物事を実際に行うこと。

Point! 「**実行**」は、考えたことや約束などを実際に行うこと。「**実践**」は、思想・理論など頭で考えられた事柄に対する、実地の具体的な行動・行為のこと。また、「―する」の形で、思想・理論などを自分で実際に行う意にいう。「**実施**」は、法律・計画などの決定事項を実際に行うことで、組織的・公的な事柄にいう。

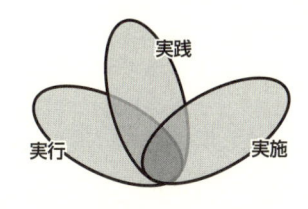

[使い分け]

表現例	実行	実践	実施
A 計画を―する	○	○	○
B 決意のみで―が伴わない	○	○	
C 約束を―してください	○		
D 孝行を―する		○	
E 法案の―は来年度からだ			○

1. Aのように「計画」の場合はどれも使えるが、個人的な計画では「実行」が普通。「実践」は精神的・理念的に何らかの意味をもつ計画であるような場合に使われ、「実施」は組織的に決定された計画の場合に使われる。
2. Bのように個人的な事柄の場合、「実施」は不適当。
3. Cの場合も、「約束」というと個人的な感じなので「実施」は不適当。「実践」も「約束」にはそぐわない。
4. Dのようにある徳目を実際に行うという場合は、「実践」がふさわしい。
5. Eのように、公的なことには「実施」以外は使いにくい。

[類似の語]

施行 決定した事項を実際に行うこと。また、公布された法令の効力を実際に発生させること。「区画整理を施行する」「新憲法が施行される」

執行 決定されたことを実際にとり行うこと。「差し押さえを執行する」「死刑の執行は法務大臣が命令する」

履行 そうするものと定められたことを実際に行うこと。「契約を履行する」

じったい　actuality

実態・実情・現状

基本の意味 物事の実際のありさま。

Point! 「**実態**」は、外からではわからないような物事の実際のありさまにいい、それが意図的に隠されているような場合にも多く使われる。「**実情**」は、部外者にはわからないような実際の状態や内部的な事情。「**現状**」は、一般に現在の状況・状態の意で、外部からはわからないという意味合いは特にもたない。

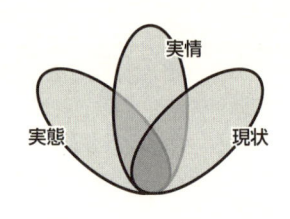

使い分け

表現例		実態	実情	現状
A	会社の―を説明する	○	○	○
B	―の調査にのりだす	○	○	
C	―を維持する			○
D	生活の―が明らかでない動物	○		
E	帳簿を見せて―を話す		○	○

1. Aの場合はどれも使えるが、「実態」では、見せかけと違ってよからぬことをしているといった含みが生じ、内部告発者や調査員が自分の知り得たことを説明するという感じになる。「実情」では逆に、会社の内部の者が外部の者や従業員に会社の置かれた状況を説明して理解を求めるという感じが強い。「現状」はより客観的な言い方で、特別な含みはもたない。

2. Bのように表に現れにくい内部のようすという場合、「現状」は使いにくい。

3. Cのように、現在あるとおりの状態・状況の意では「現状」を使う。

4. Dの場合は、Bと同様の理由で「現状」は使えない。また、「実情」は、事の次第、わけというような意味合いが含まれるので、動物には使いにくい。

5. Eのように、事情を示して理解を求めるような場合は「実情」が最適。単に今の状態を報告するということなら「現状」も使える。

類似の語

内実 見かけや名目とは異なる、物事の実際の状態。「内実は火の車だ」
内情 部外者にはわからない内部のようすや事情。「内情を知る者の犯行」

しぬ   die

死ぬ・亡くなる・事切れる

基本の意味 生命体を維持する機能が止まって生命が終わる。

Point! 「**死ぬ**」は、人・動物のほか、細菌・細胞などにも広く使う。「**亡くなる**」は、「**死ぬ**」の婉曲な言い方で、人の死についていう。「**事切れる**」は、呼吸や脈が止まって生から死へ移る瞬間に注目した言い方で、人の死についていう。

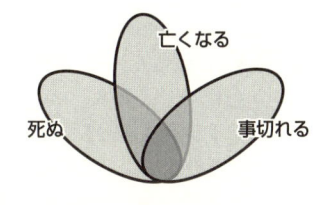

使い分け

表現例		死ぬ	亡くなる	事切れる
A	駆けつけたが、母はすでに―て(で)いた	―ん○	―っ○	―れ○
B	兄が―て(で)三年になる	―ん○	―っ○	
C	国のために―うと思った	―の○		
D	―れた御母堂様のお形見		―ら○	

1. Aの場合それぞれの意味合いでどれも使える。「亡くなる」を使うと、丁寧さや上品さを伴った言い方になる。「事切れる」を使うと、到着寸前までは生きていたという感じがこもる。
2. Bのように、歳月を経ると「事切れる」は不適当。
3. Cのように、意志的な場合は「死ぬ」しか使えない。
4. Dのように、尊敬表現「れる(られる)」とともに使う場合は「亡くなる」が自然。「お亡くなりになる」も使われる。「死ぬ」は直接的な言い方で、敬語として使いにくい。「死なれる」は受身の感じが強く、「お死にになる」は不自然。

類似の語

死亡する 死ぬ。特別に感情を交えず客観的に人の死を述べる場合に使われるが、動物についても使われることがある。「病気で死亡した人」 ➡ 「し」

没する 死ぬ。主に過去の人の死についていう文章語的な言い方。「彼は五年前にアメリカで没した」 ➡ 「しずむ」

逝く 「死ぬ」の改まった言い方。「君逝きてはや十年」「卒然として逝く」

果てる 命を終える。死ぬ。「異国の地で果てる」 ➡ 「つきる」

しばらく for a while

しばらく・しばし・暫時(ざんじ)・当分(とうぶん)

基本の意味 そう長くない、またはやや長く感じられる時間。

Point! 「**しばらく**」は、「少しの間」という程度の短い時間から、ある程度長く感じられる時間まで表し、幅が広い。それに対し、「**しばし**」「**暫時**」は短いと感じられる時間の場合にいい、特に「**暫時**」は実時間としてもそう長くない場合にいう。「**しばし**」はやや古風、「**暫時**」は硬い文章語。「**当分**」は、現在からある程度先の時期までの期間。その状態がある程度の長さで続くという意識でいう。

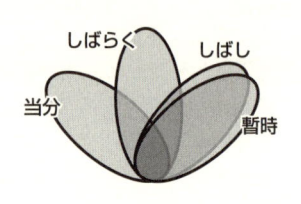

使い分け

表現例	しばらく	しばし	暫時	当分
A ―作業を中止する	○	○	○	○
B ―前からお待ちしていました	○			
C 夜が明けても―吹雪は続いた	○	○	○	
D ここ―は仕事が忙しい	○			○

1. Aでは四語とも使えるが、「しばし」「暫時」はあまり長くない時間を表し、「当分」は、場合によって数か月にも及ぶかもしれないような、ある程度長い期間を表す。「しばらく」は、「しばし」「暫時」程度の短い間である場合も、それよりずっと長い間である場合もありうる。

2. Bのように、過去から現時点までの時のつながりを表す場合は「しばらく」が適当。「しばし」「暫時」には「―前」というように直接名詞を修飾する用法はない。「当分」は過去からの時間に使うことはない。

3. Cのように、過去のある時を基点とした少しの時間をいうときには「しばらく」のほか「しばし」「暫時」も使える。

4. Dのように、やや長い時についていう場合は「しばし」「暫時」は不適当。

類似の語

当面(とうめん) その後はわからないが、さしあたり。「当面は何も起こらないだろう」

当座(とうざ) 何かがあってしばらくの間。また、先はともかく、今からしばらくの間。「当座はだいぶ苦労した」「当座はこれで間に合う」

しばる　tie, bind

縛る・くくる・束ねる・絡げる

基本の意味 あるものにひも状のものを巻き付ける。

Point! 「**縛る**」は、ひも状のものをきつく巻き付けてその端を結び、動いたり離れたりしないようにする意。「**くくる**」も同様の行為を表すが、巻き付け方がさほどきつくない場合も含まれる。「**束ねる**」は、細長いものや平たいものをまとめて一つにするところに重点がある。「**絡げる**」は、一つにまとめてくくる意のやや古風な言い方。

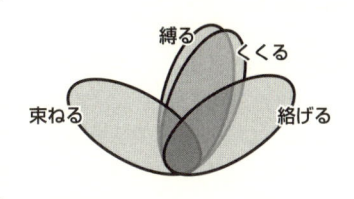

使い分け

表現例	縛る	くくる	束ねる	絡げる
A　まきを荒縄で―	○	○	○	○
B　リンゴ箱をひもで―	○	○		○
C　五十枚ずつ―てある紙			―ね○	
D　捕虜を柱に―	○	○		

1. Aの例ではそれぞれの意味合いで四語とも使える。
2. Bのように、すでにまとまっているものに扱いやすいようにひもを掛ける場合は、「束ねる」は使えない。
3. Cのように帯状の紙などを巻いて一まとめにする場合は「束ねる」が適当。
4. 同類のものをまとめるのではなく、Dのように人を柱にゆわえつけて自由にさせないという場合は「縛る」「くくる」以外は不適当。人を縛るのはおだやかでない感じが強いので、「赤子を背中に―」などではややゆるい感じも含む「くくる」しか使えない。
5. 上以外「規則で縛る」「括弧でくくる」「社員を束ねる」「尻を絡げる」など、四語それぞれにある特別な使い方は、他の語では置き換えられない。

じゃま　hindrance, obstacle

邪魔・妨げ・妨害・障害・阻害

基本の意味 物事が十分に行えないようにすること、また、そのもの。

Point! 「邪魔」は、意図的にそうする場合にも意図的行為でない場合にも使われ、その行為・作用だけでなく、それをなす人や物事を指してもいう。
「妨げ」は、意図的な行為よりも、ある事柄が結果的にマイナスの作用をなす場合にいうことが多い。「妨害」は、他の行為・行動を意図的に妨げること。「障害」は、物事が進行したり機能したりするのを妨げるもの。「阻害」は、物事の進行・成長・発展に対して結果的にマイナスの作用を及ぼすこと。

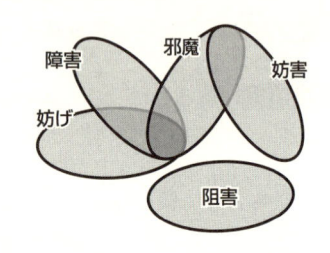

使い分け

	表現例	邪魔	妨げ	妨害	障害	阻害
A	経歴が結婚の—になる	○	○		○	
B	あいつがどうも—だ	○				
C	身体に—のある人				○	
D	生産意欲が—される					○
E	歩行者の通行を—する	○		○		

1. 「阻害」は妨げる物・事柄・人そのものは表さないので、Aには使えない。「妨害」も同様だが、意図的に妨げる場合にしか使えない点からも不適。
2. Bのように、妨げる物・事柄・人に対する不快感を主観的に表していう場合は、「邪魔」以外の語は使えない。
3. Cのように身体的な故障をいう場合は、「障害」以外は使えない。
4. 「—する」の形で使えるのは「邪魔」「妨害」「阻害」の三語だが、Dのように視覚でとらえにくい、自然発生的な作用についていう場合は「阻害」だけが適当。「邪魔する」も「向かいの高層ビルが眺望を邪魔している」のように擬人的に使いうるが、Dには不自然。
5. Eのように、動詞「—する」の形で意図的な行為を表す場合は「邪魔」「妨害」が使われる。「妨げ」「障害」には「—する」の用法がないが、「…通行の—になる」の形にすれば使うことができる。

じゅうきょ

dwelling, house

住居・住まい・住宅

基本の意味 住んでいる所や住むための建物。

Point! 「住居」「住まい」は、そこに寝起きし、生活の本拠としている場所、またその建物をいう。「住宅」は、人が住むための建物を一般にいう。

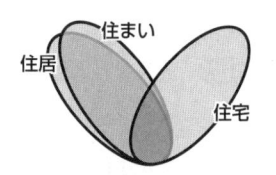

使い分け

表現例	住居	住まい	住宅
A 自然災害で―を失う	○	○	○
B 郊外に―を移す	○	○	
C ―を十戸建てる			○
D 君の―はどこ？	△	○	

1. Aの場合、一般的な表現では「住居」「住まい」が自然だが、公用文などで厳密に家屋を指していうときには「住宅」も使われる。
2. Bのように別の家に引っ越すという場合は、「住居」「住まい」が適当。「住宅」だと、今住んでいる建物を移動させる感じで不自然。
3. Cのように、一般的に人の住む建物を指していう場合は、「住宅」が適当。「住居」「住まい」は現に住んで生活の本拠としている感じが強いので使いにくい。
4. Dの場合、「住居」は文体的に硬いということもあるが、住んでいる地域を漠然と尋ねる場合は「住まい」以外は使いにくい。「住居はどこですか」というと何町何番地と具体的に聞くような感じになる。「住宅」は「君の住宅は木造か鉄筋か」というような場合にふさわしく、住んでいる所を尋ねる場合には不適。

類似の語

住所 住んでいる所。特に、行政上の住居表示に従って表記されるものをいう。「住所・氏名を明記する」「住所不定」

居 住む所。硬い文章語的な言い方。「居を定める」

すみか 住む所。人目を忍んで住む所、また、好ましくないものの住む所という意味合いで使うこともある。「終のすみか」「盗賊のすみか」

じゅうたい　delay

渋滞・停滞・停頓・足踏み

基本の意味　物事がつかえて先へ進まなくなること。

Point!　「渋滞」は、物事の流れが悪くなることに、「停滞」は、そこでとどこおって先へ進まなくなることに重点がある。「停頓」「足踏み」は、物事がある段階で止まってそれ以上進行・進展しない状態になること。「停頓」は硬い文章語。

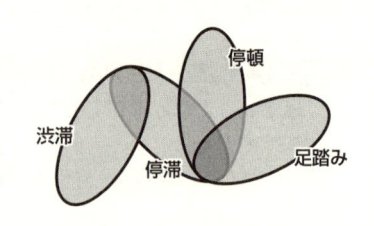

使い分け

表現例	渋滞	停滞	停頓	足踏み
A　事務が―する	○	○		
B　台風が鳥島南方で―している		○		○
C　産業の―をきたす		○	○	
D　売り上げが―状態だ		△	○	○

1. Aのような仕事の流れに関していている場合は「渋滞」「停滞」の両語を使うが、意味は少し異なる。「渋滞」はスムーズには流れないが、止まったり動いたりして全体として少しは流れている状態、「停滞」は流れるはずのものが止まっている状態をいう。「停頓」「足踏み」は物事の流れには使いにくい。

2. Bのように、一つのものの動きの場合は「停滞」が最適で、「渋滞」「停頓」は使いにくい。「足踏み」は擬人的な用法として使用可能である。

3. 「渋滞」は流れについていう感じが強いので、Cのように、ある物事の発展・進展をいう場合には使えない。「足踏み」は、「きたす」のようなかたい表現とは結び付きにくい。

4. 「足踏み」は、事がよい方向、本来の方向、予想された方向などに向かうと想定したうえで、中途である状態にとどまっているという感じが強いので、Dの場合に最適。「停頓」も使えるが、硬い表現になる。「停滞」も意味の上から使えなくはないが、「状態」との結び付きはやや不自然。「渋滞」は3と同じ理由で使えない。

類似の語

遅滞　物事の処理や進行が予定や期日より遅れること。「郵便物が遅滞する」

しゅうだん
集団・群れ・グループ
group, mass

基本の意味 人などの集まり。

Point! 「**集団**」は、多くの人または動物・植物が集まってひとかたまりとなったもの。「**群れ**」は、人または動物が多数寄り集まった状態。「**グループ**」は、共通の目的や行動のために集まった人・団体・動物の集団、また、共通する性質によって分けられた人・団体・動植物・事物などの集まり。

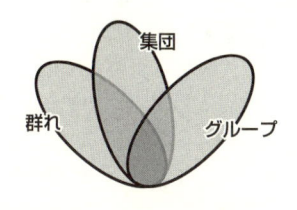

使い分け

表現例	集団	群れ	グループ
A　学生の―	○	○	○
B　―ごとに研究テーマを決める			○
C　作品を三つの―に分類する			○
D　羊が―をなして移動する	○	○	
E　―で登校する	○		△

1. Aの場合はどれも使えるが、「グループ」ではある共通性や共通の目的をもったものの集まりという感じが強まる。
2. Bのように、大きい集まりをいくつかに分けた小さい集まりという意味をそれ自体で表しうるのは「グループ」だけ。「集団」を「クラスを三つの集団に分ける」のように使うのは可能だが、Bの例で「集団」を使うとすれば、事前に小集団に分けたということを示した上でなければならない。
3. Cのように事物についていう場合も、「グループ」が一般的。「集団」は学術的な文章では事物の集まりにも使われるが、一般的文脈では使いにくい。
4. Dのように、多数の人または動物がひとかたまりになるような場合は「集団」「群れ」が使えるが、人間以外の動物については「群れ」が最適。
5. Eは家の近い児童・生徒が何人か集まって一緒に学校に行く場合で、「集団」が最適。単に登校するときだけの集まりに「グループ」は使いにくい。「群れ」は雑然と寄り集まった感じのものをいうので、Eには不適。

類似の語

仲間（なかま）　一緒に何かをする間柄の人。また、同類の人やもの。「同業の仲間」

じゅうてん　main point, important point

重点・力点・主眼・眼目

基本の意味 物事の重要な箇所。

Point! 「重点」「力点」は、何かを行ったり表現したりするときに、大事な事柄として特に力を入れたり強調したりする部分。「力点」は「重点」よりも、行為・表現においてそこに積極的にアクセントを置く感じが強い。

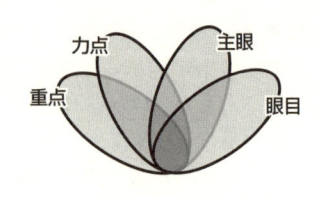

「主眼」「眼目」は、主要な目的・ねらい。また「眼目」は、話・文章などの中心となる内容・事柄の意でも使われる。

使い分け

表現例	重点	力点	主眼	眼目
A 話の―はそこにある	○	○	○	○
B 守備に―を置いた練習	○	○	○	
C 体力増強に―をしぼる	○	△		
D 生活改善を―とする			○	○
E 数学を―的に指導する	○			

1. Aの場合はどれも使えるが、「重点」「力点」では話者が重きを置いて話した点、「主眼」では話のそもそものねらい、「眼目」では中心テーマ、またはねらい、といった意味になる。

2. Bのように「―を置く」の表現の場合は、「重点」「力点」が適当で、「主眼」も使えるが、「眼目」は使いにくい。

3. Cのように、いくつかあるうちの一つにするという場合は「重点」が最適。「力点」も使えなくはないが、他の二語はいくつかあることを暗示する表現には不適当。

4. Dのように「―とする」の言い方で目的・ねらいとする意を表す場合は、「主眼」「眼目」が使われる。

5. Eのような「―的」の表現は、「重点」以外にはない。

類似の語

要点 物事の、特に注意すべき大事な箇所。「問題の要点を説明する」

キーポイント 問題や事件を処理・解決するための最も重要な点。

しゅうり   mending, repair
修理・修繕・改修・補修

基本の意味 物の不具合が生じた箇所などを直すこと。

Point! 「**修理**」は広い意味では建物などにも使われるが、日常的な用法では、機械・装置や可動性の器具など何らかの仕掛けをもった物品について、その不具合を直し、本来の機能を回復させる場合に多く使われる。「**修繕**」は主に、実用的な物品や建造物を対象とした部分的・小規模な直しに使われる。「**改修**」は、建造物・道路など大きな対象物について、老朽化した部分の作り直しや構造の改良などを目的として比較的大がかりな作業を行う場合にいう。「**補修**」は部分的な直し、特にいたんだり傷ついたりした部分を直す場合について使われる。

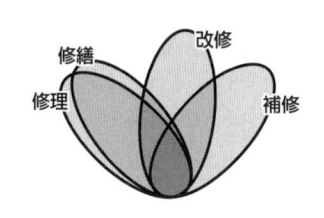

使い分け

表現例	修理	修繕	改修	補修
A 壊れた橋を―する	○	△	○	○
B 時計を―に出す	○	○		
C 穴のあいた鍋を―する	△	○		○
D 旧式な球場を―する			○	△

1. Aの場合、「改修」なら全面的に手を入れる、「補修」なら部分的に壊れたところを直す意になる。「修理」「修繕」も使えるが、橋のような建造物に「修繕」というのはやや古い言い方。

2. 「改修」は建物のような大きな対象物にいうのでB・Cには使えない。Bの時計は「修理」「修繕」が使えるが、「補修」は主に外形の直しにいい、機械的な機能を回復させる意の場合は使いにくい。Cの鍋は穴をふさぐ程度の直しだから「修繕」「補修」が適当だが、「修理」も使えなくはない。

3. Dのように対象が大きな施設である場合、「修理」「修繕」は不適。「改修」が最適だが、老朽化した部分を直すということなら「補修」も使える。

類似の語

修復 破損した箇所を直してもとの状態に戻すこと。「寺の本堂を修復する」
手直し 不完全な部分をつくり直すこと。「文章を手直しする」「計画の手直し」

しゅっぱつ　start, departure

出発・スタート・出立・門出

基本の意味 どこかに向けて出かけること。

Point! 「出発」は、目的地を目ざして出かけること。また、行動や事業を新しく始めることにもいう。「スタート」は、競技などで、ある地点・時点から走り出したり行動を開始したりすること。一般に、ある物事を開始することや組織・制度などが始まることにもいう。「出立」「門出」はやや古風な言い方で、旅に出ること。「門出」は新しい生活の始まりにもいう。

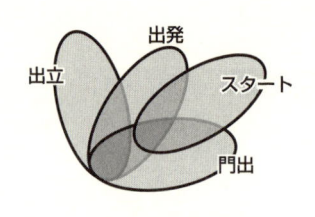

使い分け

表現例	出発	スタート	出立	門出
A　新しい人生の―を祝う	○	○		○
B　一泊旅行に―する	○		○	
C　新学区制が―した		○		
D　列車は八時に―した	○			
E　無事を祈って―の杯を交わす	△		△	○

1. Aのように、改まった晴れがましい感じには「門出」が最適。やや軽くいうなら「スタート」がよく、「出発」は平凡な感じになる。物事を主体としてその始めをいう場合は「出立」は使いにくい。「新しい人生への出立」ならいえる。

2. Bのように、小規模の旅の場合は「出発」「出立」が適当。「門出」はもっと大がかりな旅でないと使いにくく、「スタート」も大ぜいが注目するような場合でないと不自然になる。

3. Cのように、制度や組織が新しく動き出す意の場合は、「スタート」が適当。他の三語は制度などについては使いにくく、やや改まった言い方なら「発足(ほっそく)」を使う。

4. Dのように、乗り物の場合は「出発」以外は不自然。

5. Eのように、やや古風な内容で大きな旅についていう場合は「門出」がふさわしい。「出発」「出立」も使えなくはないが、「杯を交わす」ような状況にはやや不自然。

しゅんかん moment, second, instant

瞬間・一瞬・瞬時・束の間

基本の意味 きわめて短い時間。

Point! 「瞬間」「一瞬」「瞬時」はいずれも、まばたきをするほどの間の意でごくわずかな時間をいうが、用法には多少の差がある。「束の間」も、ほんの少しの間をいうが、主観的な言い方で、上の三語に比べ、実時間として比較的長い場合にも使われうる。

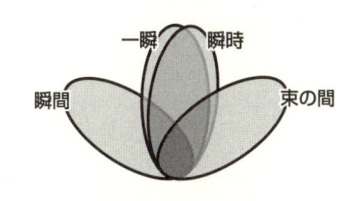

使い分け

表現例	瞬間	一瞬	瞬時	束の間
A　―の出来事だった	○	○	○	○
B　―も油断できない		○	○	○
C　打った―ホームランとわかる当たり	○			
D　―にしてすべてを悟る		○	○	
E　―驚いたが、すぐ平静を取り戻した	○	○	○	

1. Aではどれも使えるが、「瞬間」が最も客観的な表現で、「一瞬」以下の三語は主観的に短い時間としてとらえる感じが強い。
2. Bのように助詞「も」を伴い、打消しの表現と結び付いて「ほんの少しの間も」の意で用いる場合は、主観性の強い「一瞬」以下の三語が使われる。
3. Cのように連体修飾句をのせて副詞的に用い、「その時点で」の意になる場合は「瞬間」が適当。
4. Dのように「にして」を伴う言い方は、「一瞬」「瞬時」が使われる。
5. Eのような副詞的用法では四語とも使いうるが、「束の間」は「日ごろの憂さを束の間忘れる」のように、主観的には短くても実時間としてある程度の長さがある場合に使われ、Eには不適。「瞬時」は文章語的な表現になる。

類似の語

刹那（せつな） きわめて短い時間。また、その時点、その時。「刹那に相手の気持ちを悟る」「その刹那、すべてを理解した」

瞬く間（またたくま） まばたきをするほどのごく短い間。「またたく間に時がたつ」 ➡ 「たちまち」

じょうず

good, skillful, well

上手・巧み・巧妙
(じょうず・たくみ・こうみょう)

基本の意味 物事のやり方がうまいようす。

Point! 「**上手**」は、三語の中で最も一般的・日常的な言い方。「**巧み**」は、手際がよかったり、目的に合わせてうまく考えられていたりするようす。「**巧妙**」は、普通ではちょっと考えられないほどにうまく物事がなされているようす。

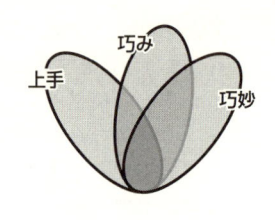

使い分け

表現例	上手	巧み	巧妙
A ―に作られている	○	○	○
B 字が―な人	○	△	
C ―な仕掛け		○	○
D ―で悪辣な手口		△	○

1. Aの場合はどれも使える。「巧み」はやや文章語的で、手際のよいさまが加わってうまいようす、「巧妙」はちょっと考えつかないような工夫がこめられているようすを表す。
2. Bのように、字のうまさについていう場合は「上手」を用いるのが普通だが、「巧み」も使えなくはない。「巧妙」は入り組んだ手作業などについていうことが多く、Bには使いにくい。
3. Cのように、そのもの自体の精巧さをいう場合は「巧み」「巧妙」を使う。「上手」は、それをする人の技量が問題にされるときに用いるほうが適切。
4. Dのように、「悪がしこい」という語感が強い場合は「巧み」も使えるが、「巧妙」が最適。

類似の語

うまい やり方や技術などが、人を感心させるほどのレベルにまで達しているようす。「絵をかくのがうまい」「言い訳がうまい人」

器用(きよう) 細かい仕事やわざを、手早くきれいにやれるようす。また、物事の処理がじょうずなようす。「器用に編み物をする」「どんな役でも器用にこなす俳優」

しょうする

call

称する・名乗る・銘打つ・言う

基本の意味 その名前・言葉で呼ぶ。

Point! 「**称する**」は、自分自身、またある物・場所・事柄などをある名前・言葉で呼ぶ意。物事に聞こえのいい名目や理由を付ける意でも用いる。「**名乗る**」は人に関していう語で、自分の名や身分を明らかにする意、また、ある名を自分の姓名・号などとする意。「**銘打つ**」は本来、器物に製作者の名を刻む意で、転じて、ある物や物事にそれを目立たせるような特別の呼称・形容を与える意に用いられる。「**言う**」は、その名前・言葉で呼ぶ意で、四語の中では最も幅広く使われる。 ➡ 「いう」

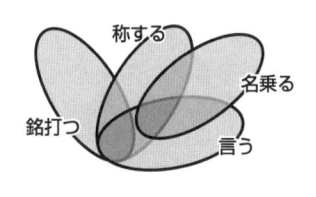

使い分け

表現例	称する	名乗る	銘打つ	言う
A　のちに羽柴姓を―	○	○		
B　刑事と―男	○	○		△
C　空前絶後と―れる事業	―さ○		―た○	―わ○
D　自分が盗んだと―て出る		―っ○		―っ○

1. Aのように自分の名とする意では、「名乗る」のほか「称する」も使える。
2. Bでも「称する」「名乗る」が使えるが、この場合は実体がそのとおりであるとは限らず、特に「称する」では怪しさを伴う。「言う」はこのままでは使いにくいが、「○○署の刑事という男」などと限定すれば使える。
3. Cのように物・物事をそう呼ぶ意では、「名乗る」は使えない。Cで「称する」を使うと、言葉どおりには受け取れないという懐疑的ニュアンスが強まる。「銘打つ」「言う」だとその感じは薄いが、いずれにしても「…と呼ばれる」という意味の表現なので、表現者自身がその呼称・形容を完全に認めているのではない含みがある。なお、「銘打つ」は「銘打たれた」とするほうが自然。「称される」は「称せられる」の形でも用いる。
4. Dのように自分がその当人であると申し出る場合は「名乗る」が最適。「言う」も使えるが、弱い。「称する」は「認許を得たと称して売る」のように、正当と聞こえるような名目・理由を付ける意でも使うが、Dには不自然。

しょうたい natural shape, true character

正体・実体・本体・得体

基本の意味 あるものの本当の姿。

Point! 「**正体**」は、他のものを装ったり見かけを変えたりして人前に現れるものの、本当の姿。「**実体**」は広く、具体的な形・内容を備えていてこれと指し示すことができるものをいい、表面的な見かけや名目の奥にあるものという意味合いでも使われる。「**本体**」は「**正体**」「**実体**」とほぼ同じ意でも使われたが、現在では多く、物の主要な部分の意で使われる。「**得体**」は、「得体が知れない（わからない）」の形以外にほとんど使われない。

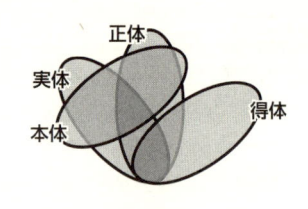

使い分け

表現例	正体	実体	本体	得体
A　偽善者の一を見抜く	○	○		
B　一のよくわからぬ組織だ	○	○		○
C　一の知れぬ男で薄気味悪い	○			○
D　公会堂の一ができ上がった			○	
E　一もなく酔っている	○			
F　遺伝子の一を探る	○	○	○	

1. A・Bのように、表面に現れない具体的内実についていう場合、現代語では「本体」は使いにくい。
2. Cの「一の知れぬ」の言い方には「得体」が最適。「正体」も使えるが、「実体」は気味悪さとは結び付きにくいので不自然。「男の実体をつきとめる」のような言い方なら使われる。「本体」は、1と同じ理由で使わない。
3. Dのように、建造物や機械などで、付属的なものを除いた主要な部分をいう場合は「本体」以外は不自然。
4. Eのように、正常な気持ちや意識を表す場合は「正体」以外は使えない。
5. Fのような、調べてつかみとるような本当の姿、本来の形の意の場合、「正体」「実体」「本体」が適当。

類似の語

実像 比喩的に、外見をはぎ取った真実の姿をいう語。「スターの実像に迫る」

じょうたい　state, condition, situation
状態・事態・状況・情勢

[基本の意味] 物事のその時のありさま。

Point! 「**状態**」は、ある時点でとらえた物事のようす。時とともに移り変わっていくものという意味合いを含んでいる。「**事態**」は、事が平穏無事に運ばなくなって生じた、問題視されるような物事のありかた。「**状況**」は、人や物事を取り巻く、刻々と変化する環境や諸事情。「**情勢**」は、いま現在どうであり、今後どうなりそうかという観点でとらえた状況。主に社会状況や主体を取り巻く物事とのかかわりに注目していう。

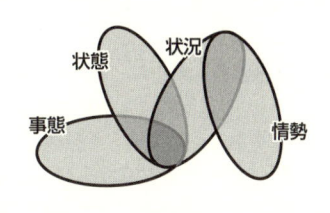

[使い分け]

表現例		状態	事態	状況	情勢
A	最悪の―に立ち至る	○	○	○	
B	貿易をめぐる海外の―			○	○
C	今、彼の精神の―は不安定だ	○			
D	世界の―に通じている			△	○
E	稲の発育の―が心配だ	○		○	

1. Aのように、物事が動いて行き着いた結果という意識でとらえる場合は、「情勢」は不自然。「状態」ではその物事それ自体がどういうありさまかということに、「事態」では問題が容易ならぬことになっていることに、「状況」では周囲とのかかわりの面に、それぞれ重点が置かれる。
2. Bのように、他とのかかわりとか物事が置かれて動いている場という意識でとらえる場合は、「状況」「情勢」がふさわしく、他の二語はやや不自然。
3. Cのように、個々の事柄それ自体のあり方をいう場合は「状態」が適当。
4. Dのように、広い範囲のことを現在から将来への展開を含めていう場合は「情勢」が最適。「事態」「状態」は一定時点での物事のありさまをやや固定的にとらえていう語なので、今後どう動いていきそうかということまでは表しにくい。「状況」はある一局面についていうことが多く、Dのように広くいうときは、やや使いにくい。
5. Eのように、人の動きを含まない事柄では「状態」「状況」しか使えない。

じょうたつ　improvement, proficiency, skill

上達・熟達・熟練・習熟

基本の意味 技術が身に付いて上手になること。

Point! 「上達」は、学んだり練習したりしていることについて、その技能水準が上がること。「熟達」「熟練」「習熟」はいずれも経験を積んだ結果、技術が上手になることだが、「熟達」は技能水準が高度なものとなることに、「熟練」は、主に仕事の上の技術について長く経験して慣れることに、「習熟」は実地の経験によって技能が身に付いたものになることに、それぞれ重点がある。

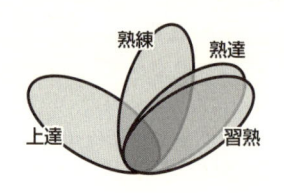

使い分け

表現例	上達	熟達	熟練	習熟
A　技術の―をめざす	○	○	△	○
B　ピアノが―する	○			
C　英語に―している		○		○
D　―を要する仕事		○	○	○

1. Aのように、うまくなる物事を連体修飾語にした形ではそれぞれの意味でどれも使えるが、中では「熟練」がやや使いにくい。「熟練」は現在上手である場合に多く使い、Aのような目標としての言い方にはそぐわない。

2. Bのように、うまくなる物事を「…が」の形で表現する場合は、「上達」以外は使いにくい。

3. Cのように、うまくなる物事を「…に」の形で表現する場合は、「上達」は使いにくい。他の三語は使えるが、Cの英語のような学問的な事柄の場合、「熟練」は不適当。「機械の操作に―する」なら「熟練」も使う。

4. Dのように仕事によく慣れることをいう場合、「上達」は使わない。「上達」は、あまり練習や経験を積まなくても上手になりさえすれば使えるが、他の三語はすべて「熟」が付いていることからわかるとおり、経験を積んで慣れるという意が含まれる点で異なる。

類似の語

円熟　経験を積むことで人格・技芸などが豊かな内容をもつに至ること。

じょうだん

joke, humor

冗談(じょうだん)・ユーモア・ジョーク・諧謔(かいぎゃく)

基本の意味 おもしろみ、おかしみのある言葉。

Point! **「冗談」**は、本気でなくおもしろ半分にする話や人の笑いを誘おうとして言う言葉。**「ユーモア」**は、言葉・絵・身ぶりなどの表現から感じられる、気の利いたおかしみ。**「ジョーク」**は、人の笑いを誘おうとして言う言葉。**「諧謔」**は文章語で、おもしろみや笑いを感じさせる、気の利いた言葉や表現の意。

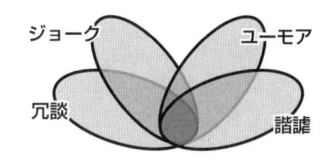

使い分け

表現例	冗談	ユーモア	ジョーク	諧謔
A　―を交えて話をする	○	○	○	○
B　きつい―を言う	○		○	
C　彼は―のある人だ		○		
D　―に富んだ話しぶり		○		○
E　―じゃない、いやだよ	○			

1. Aの場合はどれも使える。このうち「諧謔」は表現が硬く、日常一般にはあまり使われない。
2. 「冗談」「ジョーク」は、度が過ぎる場合もあるのでBの場合に使えるが、「ユーモア」「諧謔」はプラスの評価の語だから、Bには使いにくい。
3. 「冗談」「ジョーク」「諧謔」は言葉だから、Cのような表現には使えない。機知に富んだ上品なおかしみの意の「ユーモア」だけが適当。
4. Dのように、それが豊かに交えられているというプラスの言い方の場合は「ユーモア」「諧謔」が適当。
5. Eのように、相手の言動が意に反していて、とんでもないという気持ちを表す場合は「冗談」しか使えない。

類似の語

軽口(かるくち) たわいない調子で口にされる、滑稽(こっけい)みのある言葉や話。「軽口をたたく」

洒落(しゃれ) 興を添えるための滑稽な文句。特に、同音・類音に掛けたもの。

ギャグ 演劇・漫画などで、人を笑わせるために挿入するせりふやしぐさ。

しょくぎょう　occupation, profession

職業・職・勤め・仕事

基本の意味 働いて報酬を得るために従事している事柄。

Point! 「**職業**」は、それによって収入を得ると同時に社会人として自己実現を図るなどの目的で従事している事柄。「**職**」は、組織の中で担当する業務。また、「職業」の意味でもいう。
「**勤め**」は雇われて働くことで、ふつう、職場に通って働くことにいう。「**仕事**」は、一般に体や頭を使って働くことをいうが、「職」や「職業」の意味でもいう。 ➡「にんむ」

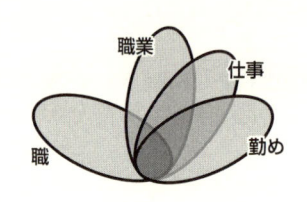

使い分け

表現例		職業	職	勤め	仕事
A	自分に適した―を探す	○	○	○	○
B	お（ご）―は何ですか	ご○		お△	お○
C	―は銀行員です	○			○
D	部長の―にある		○		
E	―に出る			○	○

1. Aの場合はそれぞれの意味で四語とも使える。
2. Bのように、「お」「ご」を付ける用法の場合、「職」は使えない（「貴職」という言い方はする）。「勤め」は仕事の内容より仕事の場に重きを置いているので、Bには使いにくい。「お勤めはどちらですか」であれば可能。
3. Cのように、職業を表す場合、「勤め」は**2**と同じ理由で不自然になる（「勤めは区役所です」という言い方ならできる）。「職」は使えそうだが、改まった感じを伴うためかしっくりしない（「銀行員を職としている」なら可能）。
4. Dのように、仕事・役職の上での地位を表す言い方の場合は「職」以外は使えない。
5. Eのように働くことそれ自体をいう場合、「職業」「職」は使えない。

類似の語

勤労 社会人の義務として働くこと。「勤労に対する報酬」「勤労奉仕」
稼業 生計を立てるための仕事。「しがない稼業」

しょげる   be depressed, be dejected

しょげる・ふさぐ・めいる・沈(しず)む

基本の意味 気分が落ち込んで元気のない状態になる。

Point! 「**しょげる**」は、失敗したりしかられたりして、元気がなくなる意で、外面的にとらえたようすにいう。「**ふさぐ**」は、憂鬱(ゆううつ)そうで元気のないようすを外面的にとらえていうほか、「気が―」などの形で憂鬱な気持ちになる意にも使う。「**めいる**」は、置かれた状況や身辺の環境などから憂鬱な気持ちになる意で、内面の状態に重点がある。「**沈む**」は、悲しみ・悩み・心配などで気分が落ち込む意で内面的にも外面的にもいう。➡「しずむ」

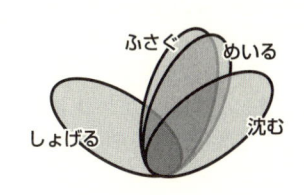

使い分け

表現例	しょげる	ふさぐ	めいる	沈む
A 彼、妙に―て（で）いるね	―げ○	―い○	―っ△	―ん○
B しかられてちょっと―た顔をする	―げ○			
C 雨の日は気分まで―て（で）しまう		―い○	―っ○	―ん○
D 悲しみに―				○
E なぜか最近ずっと―て（で）いる		―い○	―っ△	―ん○

1. 「めいる」は外に現れたようすよりも内面的な状態に重点がある。他人の内面のようすにも使えるが、**A**のように外面的にとらえた文脈ではやや使いにくい。

2. **B**のように、少し元気がなくなる、しかもそれがごく短期間で元の状態になりそうな場合については「しょげる」が適当。

3. **C**のように、周囲の状況や環境が原因の場合「しょげる」は使いにくい。

4. 「沈む」は自分のことにも、他人のことにも広く使う。**D**のような、落ち込んだ状態を「…に」で表す言い方は「沈む」以外にはない。

5. **E**のように、やや長い時間にわたる場合は「しょげる」は不適当。また、**A**と同じ理由で「めいる」もやや使いにくい。「沈む」は使えるが、憂鬱さを伴うような状態には「ふさぐ」が最適。

しらせ
information, notice

知(し)らせ・通知(つうち)・通達(つうたつ)・通報(つうほう)・報知(ほうち)

基本の意味 ある事柄を他に伝えること。

Point! 「**知らせ**」は最も一般的な語。「**通知**」は文書などで知らせる意。「**通達**」も多く文書によるが、下位の者や機関に対する知らせに使う。「**通報**」は多く口頭・電話などで、緊急の内容を知らせる場合に使う。「**報知**」は、広い意味では新しい事実・情報を知らせることだが、現在は緊急事態の知らせ、特に装置によるそれをいうことが多い。

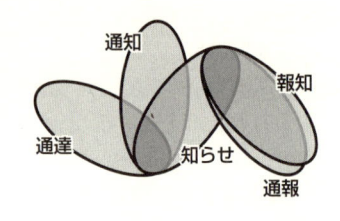

使い分け

表現例	知らせ	通知	通達	通報	報知
A 事故発生の—があった	○			○	○
B 役所からの—	○	○	○		
C 知人に転職の—を出す	○	○			
D 法務大臣が—を発する			○		
E ガス漏れを—する装置				△	○

1. 「通知」は、やや時間的に余裕が感じられ、Aのように、緊急事態の発生を告げる場合は不自然。また、「通達」は上部から下部へ、主に文書で知らせる場合に使うから、Aには不適当。「通報」「報知」がふさわしいが、最も幅広い用法をもつ「知らせ」も使える。

2. Bのように、文書による場合には「知らせ」「通知」「通達」が使われる。「通達」を使えば、役所が所管する機関・職員に対する文書による伝達で、「知らせ」「通知」なら、一般の人への書面による伝達ということになる。

3. Cは上下関係がなく、文書での場合なので、「知らせ」「通知」を使う。

4. Dのような「発する」という改まった表現の場合は「知らせ」「通知」は不自然。上部から下部への指示であるから「通報」「報知」も使えず、「通達」だけが使える。

5. Eのように、ベル・ブザー・点灯など、装置による伝達の場合は「報知」が適当。「通報」も急いで知らせる場合に使われるが、言葉によることが多く、Eにはやや使いにくい。

しらせる　inform, report, tell

知らせる・告げる・報じる

基本の意味 あることを人に伝える。

Point! 「**知らせる**」は、相手の知らない事柄を、何らかの手段によって相手に伝える意。「**告げる**」は、大事な事柄や自分の意図などを言葉や音声によって相手に伝える意で、やや硬い言い方。「**報じる**」は文章語で、新しい事実・情報を、不特定多数に、または公式に伝えるべき事柄として特定の相手に、伝える意。

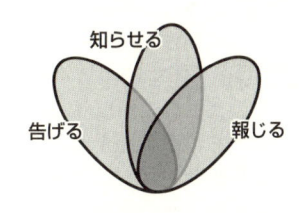

使い分け

表現例	知らせる	告げる	報じる
A　使者が急を―	○	○	○
B　だれにも―ずに出発する	―せ○	―げ○	
C　別れを―		○	
D　新聞が停戦を―	△		○

1. Aの場合はどれも使える。「知らせる」は日常的な語で最も広く使われ、伝達の手段としては言語以外のもの（例えば「ひじでつついて知らせる」など）も用いられる。
2. Bでは、伝える内容が個人的なものであり、不特定多数の人々を対象としたものでもないため、「報じる」は使いにくい。
3. Cの場合は「告げる」を用いる。ここでの「告げる」はこちらの意図を一方的に伝えるという意味で、ほとんど「言う」と同義であり、このような用法は他の二語にはない。
4. Dは「報じる」の典型的な例。「報じる」は、ある事実を広く、または報告として伝えるという意で使われ、意見や要望を伝達するのには用いない。

類似の語

伝える　言葉、またはそれに代わる手段によって、相手がその事柄を知ることができるようにする。「手紙で消息を伝える」「目で気持ちを伝える」

教える　知っていることを伝えて、相手にそのことがわかるようにする。「人に道を教える」「息子に木の名を教える」

しらべる examine, investigate

調(しら)べる・取(と)り調(しら)べる・調査(ちょうさ)する

基本の意味 あれこれ見たり聞いたりして不明な事柄を明らかにしようとする。

Point! 「調べる」は、ある物事について、文献を読んだり、人に尋ねたり、対象を直接観察したりして、不明の点を明らかにしようとする意。「取り調べる」は、主に犯罪や事件に関して事実を明らかにするために証拠などを調べる意だが、特に、容疑者や参考人などを尋問する意でもいう。「調査する」は、物事の事情を明らかにするために多くの対象に当たって調べる意。

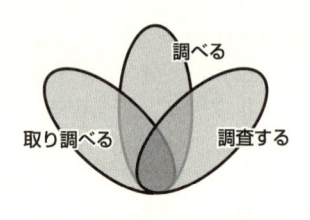

使い分け

表現例	調べる	取り調べる	調査する
A 事件との関係を—	○	○	○
B 容疑者を—	○	○	
C かばんの中を—	○		
D 被害状況を—	○		○

1. Aでは三語とも使えるが、「取り調べる」は、捜査機関が容疑者・参考人などに対してあれこれ問いただす意で使われることが多い。
2. Bのように、尋問する意の場合は「調査する」は使えない。犯罪に関して問いただす意の場合は「取り調べる」が最適だが、「調べる」も使える。
3. Cのように、ある範囲を限ってそこにあるものを、また、そこにあるかどうかを知ろうとする場合は「調べる」が適当。「調査する」はあれこれと多くのことをという感じが伴うので、Cの場合には大げさで不自然になる。
4. 「取り調べる」は人、または人がからんでいる物事、事件・事故などについて調べる意が強いので、Dのような災害の実情などの場合には使いにくい。他の二語はどちらも使える。ただし「被害状況の—」のように名詞形の場合、「調査」は自然だが、「調べ」は不自然。

類似の語

検査(けんさ)する 基準に照らして異状の有無、適不適などを調べる。「胃を検査する」

じれったい

impatient, irritating

じれったい・もどかしい

基本の意味 物事の進行や実現が遅くていらいらするようす。

Point! 「**じれったい**」は、主として他者の行為や状況の動きなど、自分がその進行に直接関与していない物事についていう。「**もどかしい**」は、容易に目的が達せられなかったり、待ち望んでいることがなかなか実現しなかったりして、いらだたしく感じるようす。主として、自分や自分の側の者の行為など、事の進行・実現に自分自身が大きくかかわっている場合に使われる。

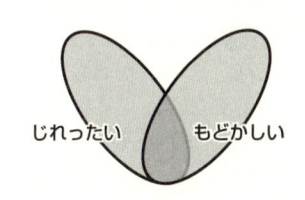

使い分け

表現例	じれったい	もどかしい
A ぐずぐずしていて—	○	○
B ああ、—。早くしろ	○	
C 封を切るのも—く手紙を開く		—く○
D うまく言い表せないのが—		○

1. Aの場合はそれぞれの意味合いでどちらも使える。
2. Bのように、いらだちを相手にぶつける表現では「じれったい」が適当。
3. Cのように自分の行動に関して、待ちきれなくて早く先へ進みたい気持ちをいう場合は「もどかしい」を用いる。
4. Dのように、表現力の不足から十分に目的を達せられずいらだつ気持ちをいう場合も、「もどかしい」を用いる。

類似の語

歯がゆい 思うように事が運ばなくて、不満な気持ちを抑えられないようす。「彼の優柔不断さは歯がゆい限りだ」

いらだたしい 思うようにいかなかったり、神経に障るようなことをされたりして、気持ちが不快に高ぶるようす。「仕事ぶりが遅くていらだたしい」

しんい　real intention

真意・本意・本心・本音

基本の意味 本当の考えや気持ち。

Point! 「**真意**」は、文章や話の本当の意味・意図の意でもいい、隠されているわけでなく単に人に伝わりにくいという場合も含めて広く使える。「**本意**」は、身を置く現実に対して、心に抱く本当の気持ち・意思をいう場合に使われることが多い。「**本心**」は、偽りや見せかけでない本当の気持ち。文脈により、表にあらわれないという意をもつこともある。「**本音**」は、口に出しにくい本当の気持ち、また、それを表した言葉。

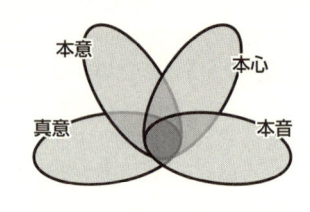

使い分け

表現例	真意	本意	本心	本音
A　あなたの―をうかがいたい	○	○	○	○
B　―がわかってもらえない	○		○	
C　思わず―を吐く				○
D　―からそんなことを言うのか			○	
E　退学したのは私の―ではない		○		

1. Aの場合どれも使えるが、「本心」「本音」はかなり感情的な意味合いが加わっているのに対し、「真意」「本意」は冷静な判断による考え、意図するところという意味合いが強く、前二語より改まった感じがある。

2. Bのような日常の表現の場合、「本意」は改まりすぎて不適当。「本音」は口に出す・出さないという面に重点があるので、やはり不適当。

3. Cのように、口に出す意で「吐く」と結び付くときは「本音」以外は使いにくい。

4. Dのように、「から」を伴う場合は「本心」しか使えない。また、「本心に立ち返る」のように、本来の確かな心の意は他の語では置き換えられない。

5. Eのように、事の実現について、それが本来の考え、本当の望みか否かをいう場合は「本意」が適当。「真意」はそれを否定する言い方の場合には、やや不自然。「本心」は考えというより気持ちの意味合いが強く、表現としても「本心からではない」とするほうが自然。

しんけん　serious

真剣・本気・真摯・本腰
（しんけん・ほんき・しんし・ほんごし）

基本の意味 気を入れて、まじめに物事と取り組むようす。

Point! 「**真剣**」は遊びやいつわりの気持ちがないことに、「**本気**」は心からそういう気持ちになっていることに、「**真摯**」はまじめでひたむきであることに、それぞれ重点がある。「**本腰**」は、物事を本格的に行おうとする気構えや態度の意で、「本腰を入れる（を据える・になる）」などの形で用いる語。

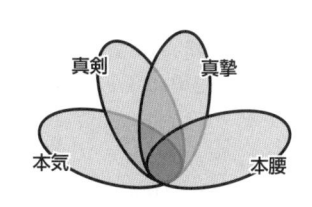

使い分け

表現例	真剣	本気	真摯	本腰
A　問題に―取り組む	―に○	―で○	―に○	―で○
B　さあ―仕事をするぞ	―に○	―で○		
C　彼の―な態度に打たれる	○		○	
D　あんな言葉を―にするな		○		
E　仕事に―を入れる				○

1. Aのような「取り組む」の場合は、四語いずれにも続く。しかし、「真剣」「真摯」は「―に」、「本気」「本腰」は「―で」の形になる。

2. Bのような話し言葉の場合には、文章語の「真摯」はなじまない。「本腰」は、「本腰を入れて（据えて）」などの慣用的な言い方にすれば、Bの場合も使える。

3. Cのように「―な」の形をとる場合は「真剣」「真摯」の二語を使う。「本気」も形容動詞の性質をもつが、「本気な」はあまり自然でない。なお、「―な人柄」のように「性格」などの内容を表す場合には「真剣」は使えず、「まじめでひたむき」という意をもつ「真摯」のみが使える。

4. Dのように、真実でないものを真実であると思ってしまう意の場合は「―にする」の形で「本気」を用いる。「真剣」と「本気」は共通領域が大きいが、「真剣」にはこの用法はない。

5. Eのような「―を入れる（据える）」の形は「本腰」の慣用的な言い方で、他の語には置き換えられない。

しんじん newcomer, novice

新人・新顔・新入り・新米

基本の意味 新しく仲間などに加わった人。

Point! 「**新人**」「**新顔**」は、その集団・組織・部署に新しく加わった人のほか、その分野・社会に新たに現れた人にもいう。一般に「**新人**」ではその仕事・技能に関して経験が浅いことを含意するのに対し、「**新顔**」は今まで見かけなかった人という意が強く、その仕事・技能に関して経験者であることもありうる。「**新入り**」は、その集団・組織に新しく入ったこと、また、その人。仲間に入ったばかりの者として軽んじていう含みが感じられる。「**新米**」は、それを始めたばかりでその仕事・技能にまだ慣れていないことに重点を置いた言い方。

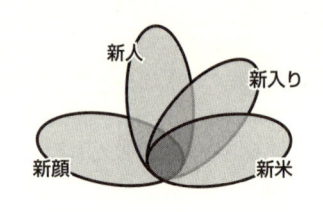

使い分け

表現例	新人	新顔	新入り	新米
A ―の社員	○	○	○	○
B ―の発掘に力を入れる	○			
C ―なので失敗ばかりだ	○		○	○
D 常連にまじって―の客もいる		○		
E ―の者です。よろしく			○	

1. Aのように、社員についてはそれぞれの意味で四語とも使える。
2. Bのように、期待できる要素を含む場合は「新人」が使われる。
3. Cのように、能力的なマイナス面を述べる場合は「新米」を用いるのが最適。「新顔」は能力的なこととは結び付きにくい。
4. Dのように、飲食店の客などについていう場合は「新顔」を使う。「新顔」は「製品のラインアップに新顔が登場」など、人以外に使うこともある。
5. Eのように、「―の者」という形で、新たに仲間に加わった、の意に使えるのは「新入り」だけである。

類似の語

新参 新たに仲間に入ること。また、その人。やや古風な言い方。「新参者(もの)」
ルーキー 新人選手。また、一般に、新人。「期待のルーキー」

しんぱい / worried

心配・気がかり・不安

基本の意味 物事の成り行きや結果が気になって心が落ち着かないこと。

Point! 「心配」は、物事の状況や先行きを気にして心を悩ますこと。「心配する」の形で、能動的な心の動きにもいう。「気がかり」は、成り行きなどが気になること。悪い結果を予想する場合に限らず、結果が未定で落ち着かないような場合にもいう。「不安」は、悪い結果などを想像して心が落ち着かないことで、恐れの気分に重点がある。

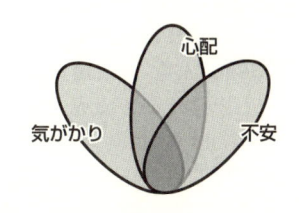

使い分け

表現例	心配	気がかり	不安
A わが子の将来が―だ	○	○	○
B 近ごろ―な夫の健康	○	○	
C よけいな―をする	○		
D ―に襲われる			○
E 伝染病発生の―	○		○

1. Aではどれも使えるが、「心配」「気がかり」は多く具体的な理由がある場合、「不安」は漠然と悪いことを予想して落ち着かない気持ちである場合にいう。
2. Bのように、何か具体的な兆候によって気にする場合は「心配」「気がかり」が使われる。
3. Cのように、「―(を)する」の形では「心配」しか使えない。
4. 漠然とした落ち着かない感じをいうDの場合、「不安」以外は使いにくい。
5. Eのように、対象の内容を連体修飾語としてとる場合は形容動詞性の強い「気がかり」は使いにくい。「伝染病発生が気がかりだ」のような表現なら使うことができる。

類似の語

懸念（けねん） 好ましくない事態を予想して気にすること。また、その気持ち。「安否が懸念される」「交渉決裂の懸念がある」

危惧（きぐ） 現状から見て、好ましくない事態になるのではないかとおそれること。「危惧の念を抱く」「前々からこうなるのを危惧していた」

じんぼう popularity

人望・信望・人気

基本の意味 立派だ、または、好ましいとして認めるまわりの人々の気持ち。

Point! 「人望」「信望」は、人格のすぐれた信用できる人として周囲・世間が寄せる信頼・尊敬の念を意味する点で共通するが、「人望」は日常語としても使われ、その人の人柄に対する周囲の信頼という感じが強い。それに対し、「信望」は硬い文章語である分、倫理性・学識・実行力といった面からのその人への尊敬・信頼の念という意味合いが強まる。「人気」は、好ましいとして受けいれる周囲や世間の人の気持ちで、人に限らず物事についてもいう。

使い分け

表現例	人望	信望	人気
A　—のある政治家	○	○	○
B　—の厚い人	○	○	
C　急に—の出た歌手			○
D　世人の—を得る	△	○	△

1. Aの「—のある」の言い方ではどれも使える。ただし、「—のある漫画(スポーツ)」など、人でなく物事についていう場合は「人気」しか使えない。
2. Bのように「—が厚い(薄い)」といえるのは「人望」「信望」で、「人気」は使えない。「人気薄」という使い方ならある。
3. Cのように、急に世の人に迎えられるという場合は「人気」が適当で、「人望」「信望」は、あるとき突然に出るというようなものではない。
4. 「人望」「信望」は意味的にも近いが、Dのように「世人」というと「人望」の「人」が重なるためか、やや不自然。「人気」も「人」が重なる上に、「世人」という硬い表現とやや釣り合わない感じがある。

類似の語

衆望 多くの人々から寄せられる期待や信頼。「衆望を担う」
名望 世間が寄せる高い評価と尊敬・尊重の念。「名望が高い」「名望家」
声望 その人に寄せる世間の評価と期待や信頼の念。「声望とみに高まる」

しんりゃく invasion

侵略・侵攻・侵犯・侵入

基本の意味 他の領分に不法または暴力的に入り込むこと。

Point! 「**侵略**」は、他国に入り込んで領土・財産などを奪い取ったり、その国の主権をおかしたりすること。「**侵攻**」は、他が支配する土地に攻め込むこと。「**侵犯**」は、不法・不当に他の領域に立ち入ったり、他の権利・権限を損なったりすること。「**侵入**」は、他の領土や領域に不法に入り込むこと。

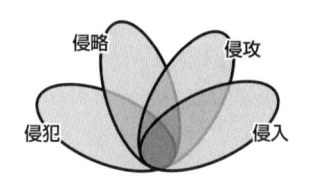

使い分け

表現例	侵略	侵攻	侵犯	侵入
A 他国の—を防ぐ	○	○	○	○
B 領空を—したことを認めた			○	
C 敵軍が領内に—してきた		○		○
D 賊が窓を破って—する				○

1. Aの場合、それぞれの意味で四語とも使える。
2. Bのように、誤って他の領域に入ってしまった場合も含む表現の場合は「侵犯」が適当。「侵犯」は、領海・領空など明確な境界線の引けない場所で領域をおかす場合に多く使われる。「領空に—」の形であれば、「侵入」も使えるが、「侵略」「侵攻」は意図的に攻め入る場合にいうので不適。
3. Cのように、相手側がずんずん攻め込んでくる意の場合は「侵攻」「侵入」が適当。「する」を伴うとき、「侵略」「侵犯」は「…を」、「侵攻」「侵入」は「…に」の形をとる。
4. Dのように、個人の家に不法に入り込む場合は「侵入」以外は使わない。

類似の語

侵害 他人の権利・利益・領域などをおかして、損害を与えること。「プライバシーを侵害する」「人権侵害」

侵食 他の領域を次第におかし、損なうこと。「領土を侵食される」

進入 人や車両が進んで行ってその場所に入ること。「侵入」と違って、「不法に」という意味まではもたない。「消防士が窓から進入する」「車両進入禁止」

すいじ
炊事・煮炊き・調理・料理

cooking

基本の意味 食品材料に手を加えて食べられる状態にすること。

Point! 「**炊事**」は、家庭や共同生活の場で家族や構成員の食卓に供する食べ物を作ることで、特に煮たり炊いたりする行為を中心としている。「**煮炊き**」は、一般に食物を煮たり炊いたりすること。「**調理**」「**料理**」はいずれも、材料に手を加えて食べられる状態にすることだが、「**料理**」が食卓に供することができる状態にするまでの全体的過程をいうのに対して、「**調理**」は下ごしらえ程度の行為にもいい、個々の作業が分業的に行われる場合にもいう。四語とも「―する」の形でサ変動詞としても使われ、「**炊事**」は自動詞、他は他動詞で使う。

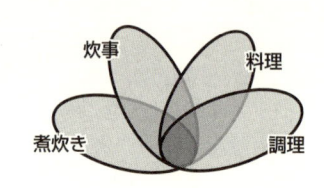

使い分け

表現例	炊事	煮炊き	調理	料理
A 台所で―にとりかかる	○	○	○	○
B 包丁一本で魚を―する			○	○
C 給食センターで―して配送する			○	△
D 心のこもった―を味わう				○
E 君の奥さん、―がじょうずだね	△			○

1. Aではそれぞれの意味で四語とも使える。
2. Bのように単に材料を切りととのえるだけの行為には、「炊事」「煮炊き」は使えない。この両語は火を使って食事を作る意に使われるのが普通。
3. Cのように多人数の食事を分業的に作る場合は、「調理」が最適。
4. Dのように作った食べ物そのものを指すことができるのは、「料理」のみ。
5. Eのように日常会話の中でいう場合は「料理」が適当。「調理」は材料を味のよい食べ物に仕上げるまでの全過程をいうにはふさわしくない。「炊事」は、味のよしあしよりも食事の支度の手際がいいという意味では使えなくもない。「煮炊き」では事柄が限定されないので不自然。

類似の語

割烹 切ったり煮たりする意で、食べ物を料理すること。特に日本料理にいう。

ずうずうしい

impudent, cheeky

ずうずうしい・厚(あつ)かましい・図太(ずぶと)い・ふてぶてしい

基本の意味 無遠慮で平然としているようす。

Point! 「ずうずうしい」は普通なら遠慮してしないことを平気でするようすに、「厚かましい」は恥ずかしいとも思わないようすに、「図太い」は少々のことでは動じないようすに、「ふてぶてしい」は人にどう思われてもかまわないといったようすに、それぞれ重点がある。

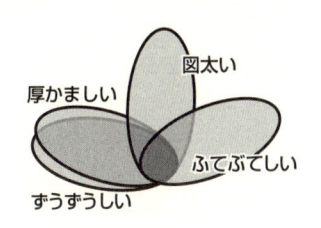

使い分け

表現例	ずうずうしい	厚かましい	図太い	ふてぶてしい
A なんて―やつだ	○	○	○	○
B ―お願いですが…	○	○		
C 隣の猫が―上がり込む	―く○	―く△		
D ―人でないとつとまらない			○	
E ―面構えの犯人				○

1. Aの例ではそれぞれの意味合いで四語とも使える。
2. Bのように、自分で自分の行為をいう場合は「ずうずうしい」「厚かましい」を使う。
3. 動物を擬人化していう場合はどれも使えなくはないが、「厚かましい」「図太い」は恥知らずとか大胆といった心理的な面が強く、普通には使いにくい。動物には外から見たようすの面が強く出る「ずうずうしい」「ふてぶてしい」が使えるが、Cでは「ずうずうしい」が適切。「いくら追っても逃げない―猫」のような場合は「ふてぶてしい」のほうがふさわしい。
4. Dのように、神経が太いという意の場合は「図太い」以外は使いにくい。
5. Eのように、外見を形容する場合は「ふてぶてしい」以外は使いにくい。

類似の語

厚顔(こうがん) 普通なら恥ずかしくてできないことをして、平気な顔でいるようす。
横着(おうちゃく) ずうずうしくてずるいようす。また、楽なやり方で済まそうとするようす。

すぎる

pass

過ぎる・たつ・経る

[基本の意味] 時が移る。

Point! 「**過ぎる**」は、時が移って、ある時点を越えたり、ある時期・期間が終わりになったりする意。「**たつ**」も「**経る**」も時が移る意だが、「**たつ**」は過程を問題にせず、過ぎ去ったことに重点を置いた言い方。「**経る**」はある時期を過ぎてゆくことに注目した文章語的な言い方。

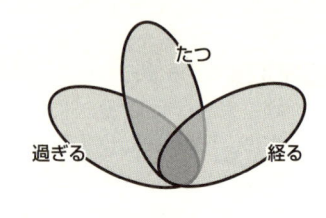

[使い分け]

表現例	過ぎる	たつ	経る
A 建てて十年―た家	―ぎ○	―っ○	へ○
B 月日が―	○	○	
C 月日を―			○
D 十時を―	○		
E 彼と別れてからだいぶ―た		―っ○	

1. Aのように助詞の入らない表現では三語とも使えるが、「たつ」は期間の終わりに着目する言い方で、「過ぎる」「経る」は幅のある期間を感じさせる言い方。
2. B・Cのように、漠然と「月日」という場合は、助詞「が」をとると「過ぎる」「たつ」、助詞「を」をとると「経る」を使う。
3. Dのように、ある時点を示していう場合は「過ぎる」しか使えない。
4. Eのように直接、時間・期間を示す語のない場合は、「たつ」以外は使いにくい。また、ある時期が終わりになる意「春が過ぎて夏になる」や、時が流れて過去のこととなる意「過ぎた日々」などは、「たつ」「経る」は使いにくい。

[類似の語]

経過する ある時間がたつ。また、ある期限を過ぎる。「すでに三時間を経過した」「申し込み期限はとっくに経過している」

流れる 時が過ぎてゆく。「月日は流れて早十年」

移る 時が過ぎて他の時点に至る。「季節が移る」

すぐれる

excel, surpass

すぐれる・まさる・しのぐ・凌駕(りょうが)する

基本の意味 能力・価値・規模などが他よりも上の状態にある。

Point! 「**すぐれる**」は、質や能力の面で普通よりもずっとよい状態にある意。「**まさる**」は、能力・質・価値・規模などが他に比べてプラス価値の方向で高い状態にある意。「**しのぐ**」は、能力・力量や物事の程度・規模が他を越えてその上に出る意。被害・損害の規模など、マイナス価値の事柄に関して他のもの以上である場合にも使われる。「**凌駕する**」は、ほぼ「**しのぐ**」の意にあたる硬い文章語だが、もっぱらプラス価値の事柄について他を越える場合に使われる。

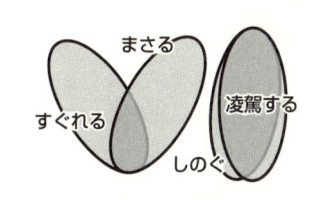

使い分け

表現例	すぐれる	まさる	しのぐ	凌駕する
A　実力は彼より―ている	―れ○	―っ○		
B　他を―力量をもつ			○	○
C　―た才能の持ち主	―れ○			
D　ゴッホに―気迫		○		

1. 「すぐれる」「まさる」は自動詞、「しのぐ」「凌駕する」は他動詞。Aの場合は、「すぐれる」「まさる」が使える。Bの場合は、「しのぐ」「凌駕する」が使えるが、やや硬い表現で、特に「凌駕する」は多く文章で用いる。
2. Cのように、漠然と普通のものに比べて秀でているような場合には「優れる」以外は使いにくい。
3. Dのように、助詞「に」をとって明確に他と比較する場合は「まさる」が適当。助詞「を」をとれば「しのぐ」「凌駕する」が使われる。

類似の語

秀(ひい)でる　際立ってすぐれる。「一芸に秀でる」
長(ちょう)じる　そのことに人並以上の能力・知識・技術などをもつ。「学問に長じる」
たける　ある方面のことに人並以上の知恵や腕前をもつ。「奸知(かんち)にたける」
ぬきんでる　他の多くのものに比べ、際立って程度が上である。「彼の企画力は社内でぬきんでている」「ぬきんでた才能」

すごい terrible, extraordinary

すごい・ひどい・激しい

基本の意味 程度のはなはだしいようす。

Point! 「**すごい**」は、「すごく」の形で単に程度がはなはだしい意にも使うが、本来は恐れ・驚き・感心などの気持ちをこめた主観的表現に用いられる語。「**ひどい**」は、好ましくない事柄について程度のはなはだしいようすをいうのが本来だが、俗な言い方では「ひどく」の形で好ましい事柄について修飾することもある。「**激しい**」は、勢い・強度・動きなどの程度がはなはだしい意が中心。

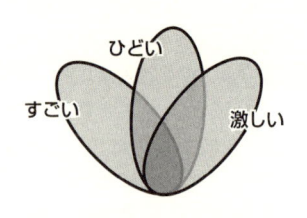

使い分け

表現例	すごい	ひどい	激しい
A　―雨に見舞われる	○	○	○
B　―うるさい	-く○	-く○	
C　―美人だ	○		
D　―しかりつける		-く○	-く○

1. Aの場合は三語とも使えるが、「すごい」では降りが驚くほど多量で強い感じ、「ひどい」では被害など自分の身に及ぶマイナスを示す感じ、「激しい」では降る勢いが非常に強い感じが、それぞれ表れる。

2. Bのように状態を表す語を修飾する場合は、「激しい」は使えない。

3. CもBと同じ理由で、「激しい」は不適当。「ひどい」は多く好ましくない物事についていい、Cには使いにくい。

4. Dでは「ひどい」「激しい」が使われ、「ひどい」では、そこまで強くしからなくてもと思えるほど度を越えてという感じ、「激しい」では、荒々しい口調で、という感じになる。「すごい」は「すごく揺れる」「すごく喜ぶ」のように「すごく」の形で動詞も修飾するが、Dのような一回性の能動的・意志的動作について、その激しさや強度をいう場合は使いにくい。

類似の語

すさまじい　恐ろしさや寒々しさを感じさせるようす。また、驚くほど勢いが強いようす。「すさまじい轟音だ」「すさまじい売れ行き」

すじみち reason

筋道・筋・道理・理屈

基本の意味 物事の当然そうあるべき順序や考え方。

Point! 「**筋道**」「**筋**」は、物事を行うさいの正しい順序や、そうあるべき正しい考え方。「通す」「通る」「立つ」「立てる」などの動詞を伴うことも多い。「**道理**」は、物事がそうあるべきもっともな論理。「**理屈**」は矛盾のない論理のことだが、うまくつじつまを合わせた論理、というマイナスの意味にも使う。

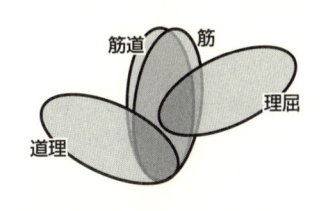

使い分け

表現例	筋道	筋	道理	理屈
A ―の通った話をする	○	○		○
B 彼に一言断るのが―だ	○	○	○	
C 彼が怒るのも―だ			○	
D ―ではわかっている				○

1. Aの例で「筋道」「筋」を用いると、物事の正しい順序を踏まえる意になり、「理屈」を用いると、論理的に正しい意になる。「道理」はすでに理の通ったものという感じがあるため、「通る」と結び付くと「通用する」という異なる意味になり、この場合は使えない。

2. Bのように、事を行う正しい順序の意の場合は「筋道」「筋」が適当。「道理」も使えるが、その場合はそれが当然だの意になる。「理屈」は論理という感じが強いので、Bのように事の順序をいうのには不適当。

3. Cのように、事の状況からそうなって当然であるの意の場合は「道理」以外は使いにくい。

4. Dのように、論理的に考えた結果の意では「理屈」を使う。

類似の語

ことわり もっともな道理。物事のそうなるべき道理や理由をいう古風な言い方。「彼が怒るのもことわりである」「それも世のことわりだ」

条理 社会通念、人の行動原理などに示された、物事のすじみち。「条理に反した行動」「条理に合わない議論」

すでに　already

すでに・とっくに・もはや・もう

基本の意味 現時点より以前に、ある物事が行われたり、ある状態になっていたりするようす。

Point! 「**すでに**」は、ある事柄が完了していることを客観的に表すほか、知らないうちに状況が変わってしまったことへの驚き・詠嘆など主観的な気分を表しても使われ、後者の用法で「**もはや**」と重なる。「**とっくに**」は、ずっと以前に事が完了しているようす。「**もはや**」は、状況・事態が以前とは変わってしまったことを表す、やや硬い言い方。「**もう**」は、「まだ」に対する語で、ある基準・水準に達した状態に現時点でなっている、または近い将来なることを表し、前者の意では「**もはや**」「**すでに**」と重なる。

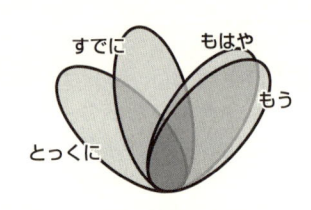

使い分け

表現例	すでに	とっくに	もはや	もう
A　列車は―出発していた	○	○	○	○
B　―述べたとおり	○	△		
C　熱が引いたから―心配ないよ			△	○
D　―手遅れです	○		○	○

1. Aの場合はどれも使える。「すでに」「もはや」はやや硬い表現で、「とっくに」「もう」は日常語的な表現。「とっくに」ではずっと前である感じ、「もはや」では追いつかない感じが強く表れる。

2. Bのように、単に過去のことをいう場合は「もはや」「もう」は使いにくい。「とっくに」はそのことの完了を強調する場合でないと使いにくい。

3. Cのように今この時点である状態に達したという意識でいう場合は、「もう」が適当。過去からの状況の変化を強調する「もはや」も意味的には使えそうだが、会話の文体に合わないうえ、大げさな感じがする。なお、「もう来るだろう」のように先のことをいう場合は「もう」しか使えない。

4. Dのように、現時点となってはどうしようもないという意の場合、「とっくに」は不適。終わったことを強調して「とっくに手遅れになっている」などとすれば使える。

すみ corner

隅・片隅・一隅・一角

基本の意味 中央から離れたはしの部分。

Point! 「**隅**」は、囲まれた区域の、角のあるあたりや中央から離れたはしの場所・部分をいう語。「**片隅**」は片方の隅の意だが、転じて中央から離れた目立たない所という意味で使うことが多い。「**一隅**」は、一方の隅、中央から離れた隅の部分をいうやや硬い言い方。「**一角**」は、一つの角、または隅の意で、具体的な場所だけでなく、ある領域などの一部分もさす。

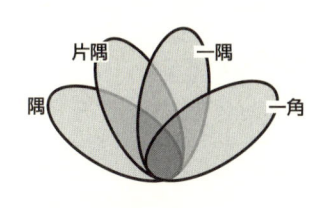

使い分け

表現例	隅	片隅	一隅	一角
A 庭の―に木を植える	○	○	○	○
B 箱の―にほこりがたまる	○			
C 都会の―でひっそりと暮らす	○	○	○	
D 建物の―に花屋がある			○	○
E 画壇の―を占める				○

1. Aの場合はどれも使える。「一隅」「一角」はやや硬い表現だが、「隅」「片隅」よりは広い部分をさす感じがあり、特に「一角」は最も広く、存在を主張するような場合に使われる。
2. Bのように小さいものの場合は、最も一般的な「隅」がよく、他は不自然。
3. Cのように、中央から離れた目立たない所の意には「片隅」が最適。「隅」「一隅」も使える。「一角」はひっそり暮らすのにはそぐわず、むしろ存在を主張するときに使う。
4. Dのように、隅ではあってもそこで活動しているような場合は「一角」が最適。「一隅」も使えるが、「隅」「片隅」だと、ただ置かれているというだけの感じが強く、不自然。
5. Eのように、一部分を自分のものとしているような場合は「一角」を使う。

類似の語
端 細長いものや広がりをもつものの、中央から一番遠い部分。➡「ふち」
角 物のはしのとがっている所や、道などの折れ曲がっている場所。「机の角」

ずるい

cunning, sly

ずるい・こすい・悪賢(わるがしこ)い・狡猾(こうかつ)

基本の意味 不当に自分に都合のいいようにしてしまうようす。

Point! 「**ずるい**」は、自分が有利になるよう不正なことをしたり、すべきことを怠けたりするようす。「**こすい**」は、ちょっとしたことでも抜け目なく立ち回って自分の利益を図ろうとするようす。利にさとくけちである意を含む。「**悪賢い**」は、悪いことに知恵が回るようす。「**狡猾**」は、抜け目なく悪知恵を働かせるようす。

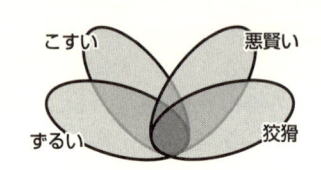

使い分け

表現例		ずるい	こすい	悪賢い	狡猾
A	あいつは―やつだ	○	○	○	―な○
B	逃げるなんて―よ	○	○		
C	兄貴は金には―		○		
D	―手段で人を陥れる			○	―な○
E	―狐にまんまと鶏をさらわれる			○	

1. Aのように、性質をいう場合は四語とも使える。「ずるい」「こすい」はほぼ同義に用いられるが、「こすい」は俗語でかなりくだけた表現。「悪賢い」は「ずるい」「こすい」よりももっと悪知恵を働かせる感じがある。「狡猾」は、ずるい上に悪賢さが加わり、対象となる事柄も複雑。

2. 「ずるい」「こすい」は、主として行為の結果を表し、「悪賢い」は、行為に至るまでの手段・過程に対する知恵の働かせ方を表す。したがってBの場合「悪賢い」は使いにくく、また「狡猾」はもっと複雑なことでないと大げさで不自然。

3. Cのように、けちである意でも使えるのは「こすい」のみ。

4. Dのように、人を陥れる場合には「狡猾」が適当。「悪賢い」も使えるが、性質を表す感じが強いのがやや難点。

5. Eのように、動物についていう場合は「悪賢い」を用いる。

類似の語

こすっからい 抜け目なく自分の利を図るようす。けちである意を含む。

せいかつ   life, living
生活(せいかつ)・暮(く)らし・生計(せいけい)・家計(かけい)

基本の意味 何かで収入を得ながら日々を過ごすこと。

Point! 「生活」は、生きる上でのさまざまなことをしながら毎日を送っていくこと。他の三語と違って動物の生きる営みにもいう。「暮らし」は、「生活」のうち、特に衣食住など家庭を中心とした日々の営みに焦点を当てた言い方。「生計」は、生活するための経済上の手立て、またそれによって生活していくことで、生活を経済面でとらえていう。「家計」は、一家の金銭の出入り、また、その状態。

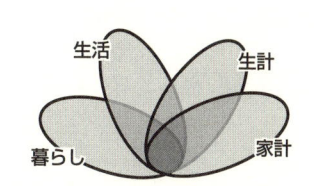

使い分け

表現例	生活	暮らし	生計	家計
A　―が苦しい	○	○	○	○
B　贅沢(ぜいたく)な―をする	○	○		
C　学校での楽しい―	○			
D　―を預かってやりくりする			△	○
E　―の道を確保する	○		○	

1. Aのように経済的な余裕のありなしという文脈では四語とも使える。
2. Bのように、日々を過ごすことという一般的な意味では、「生活」「暮らし」が適当。「家計」「生計」には「―をする」という使い方はない。
3. Cのように、社会の一部面に身を置いて日を送ることをいう場合は「生活」以外は使えない。また、「アリの―」のように人以外の動物についても「生活」以外は不自然だが、擬人的な言い方なら「暮らし」を使うこともある。
4. Dのように、家の金銭の出入りの意の場合は「家計」が最適。「生計」も使えなくはないが、「家計」ほど具体的でないので、やや不自然。「生活」「暮らし」は漠然としすぎて不適当。
5. Eのように、やや硬い表現には「暮らし」は不適当。また、「家計」は生きる手立てという意味には使いにくい。

類似の語

暮(く)らし向(む)き　主に豊かか貧しいかという観点からみた暮らしの状態。

せいげん restriction, limitation

制限・制約・規制・限定

基本の意味 行為や物事について、なしうる範囲・限度などを決めること。

Point! **「制限」**は、許可・許容・受けいれなどのできる範囲や限界を定めること。**「制約」**は、自由な活動のできる領域を狭めること。人間の直接の意志的行為としてそうするというよりも、法令・規則などや客観的状況が結果としてそう作用する場合に使われることが多い。**「規制」**は、決まりによって自由・無秩序な活動を抑えること。**「限定」**は、数量や範囲をどこまでと限ること。

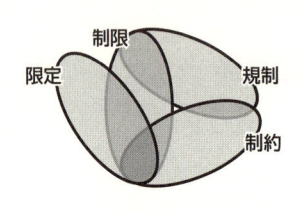

使い分け

表現例	制限	制約	規制	限定
A 一人三つまでという―がある	○	○		○
B 法の―を受ける		○	○	
C 車のスピードを―する	○		○	
D 部数を―して出版する				○

1. 「規制」は何か好ましくない事態を予想して許す限度を決めるという感じが強いので、Aのような場合は使いにくい。
2. Bのように、漠然と広く「法」という場合は「制約」「規制」が適当。「制限」「限定」はその限度を決める事柄、人数とか時間などが表現されていないと使いにくい。
3. Cのような法的処置の場合は「規制」が最適。ある限度内におさえる意で「制限」も使えるが、「制約」は数量的にきちっと決めるという場合には使いにくい。また、「限定」は「五十部限定の私家版」のように数量について使えるが、ある数値を越えることを禁ずる意のCには使えない。
4. 他から決められるのではなく、Dのように自分のほうで限る場合は「限定」が最適。「制限」はどちらの場合にもいうので、Dにも使えなくはない。

類似の語

規整 一定の基準・決まりに従って物事を正しく整えること。「計器の規整」
規正 物事のあり方を正しいほうへ改めること。「政治資金の流れを規正する」

せいし　restraint, control

制止・阻止・防止

基本の意味 何かが行われたり起こったりするのを止めること。

Point! 「**制止**」は、人がある行動や発言にかかろうとするのをわきから止めること。「**阻止**」は、ある事が行われたり、何かが入り込んだりしようとしている場合に、そうさせないようにすること。「**防止**」は、前もって何らかの対処をすることで、好ましくないことが起こらないようにすること。➡「さえぎる」

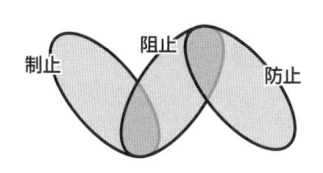

使い分け

表現例	制止	阻止	防止
A 現場に入り込もうとしてガードマンに―される	○	○	
B 不審者の侵入を―する		○	○
C 係員の―を聞かずに入場する	○		
D 敵の猛攻を―する		○	
E 事故の―に万全の対策を立てる			○

1. Aのように、現に行われようとしている行為を止める意では、「防止」は使えない。「制止」では、わきから声をかけるなどして止める意、「阻止」では、無理に入ろうとするのを体を張って止める意になる。
2. Bのように、相手をはっきり対抗・排除すべき存在ととらえていう場合、わきから働きかけて止めようとする意の強い「制止」は使いにくい。「阻止」では、現に入ってこようとしている「不審者」を入らせないようにする意が強く、「防止」では、施錠したりセンサーを設置したりして、「不審者」が入り込まないように手立てを講じておく意になる。
3. Cのようにわきから声をかけて止める場合は「制止」が適当。Dのように相手に真っ向からぶつかって力ではばむ場合は「阻止」を使う。
4. 「制止」「阻止」は、主に人の起こす行動をはばむことに使う語で、Eのように、何かが起こるのを未然に防ぐという意味の場合には使えない。

類似の語

抑止 ある事をさせないように抑えること。「戦争を抑止する」

せいしつ nature, character

性質・性格・たち
（せいしつ・せいかく・たち）

基本の意味 その人や物事を特徴づける本質的な傾向。

Point! 「**性質**」は、個人や事物・事柄などに関して広く使われ、持って生まれたもの、本来的なものという含みが強い。「**性格**」は、個人や犬・猫・馬など高等動物の個体、また、主に人為的に生じた物事に関して使われ、本来的というより、環境や他との関係の中で形づくられたものという含みが強い。「**たち**」は口頭語的な言い方で、人の性質や体質、また、よしあしの点で見た事物・事柄の性質をいう。

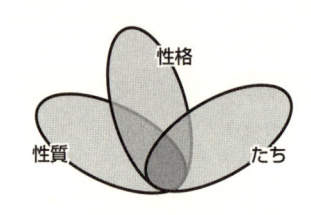

使い分け

表現例	性質	性格	たち
A　すなおな―の人	○	○	○
B　仕事の―をのみこむのが早い	○	○	
C　―の悪い風邪			○
D　割れにくい―のガラス	○		
E　趣味的な―の濃い会		○	

1. Aのように、その人の行動などにあらわれる感情や意志の傾向をいう場合は、それぞれの意味合いで三語とも使える。
2. Bのような抽象的な事柄について「たち」は使いにくい。ただし「たちのいい（悪い）」という表現なら使うこともある。
3. Cは「たち」の慣用的な言い方で、「性質」「性格」は使われない。
4. Dのように物の持つ特色の意では「性質」が適当。もう少し複雑な仕組みのものだと「性格」を使うこともある。
5. Eのように人為的に変わりうる事柄の場合は、「性格」が適当。

類似の語

性向（せいこう）　その個人や物事の持つ性質・性格。特に指向性に焦点を当てている。「性向の異なる兄弟」「消費の性向」

特性（とくせい）　その個人や物事に特有とみられる性質。「各人の特性を伸ばす」

属性（ぞくせい）　そのもの、またはその名で呼ばれるものに備わる性質。「金属の属性」

せいみつ　precise

精密・精巧・綿密・緻密

基本の意味 細部に至るまで注意を行き届かせているようす。

Point! 「**精密**」は、細かい点まで正確を期して行ったり作られていたりするようす。単に細かいだけでなく正確さという意を含んでいる。「**精巧**」は細工や工作物・機械などについて言い、細かいところまでよくできているようす。「**綿密**」は、物事のやり方に注目した表現で、細かい点もおろそかにせず注意を行き届かせるようす。「**緻密**」は、思考や注意力が細部まで及んできめが細かいようす。

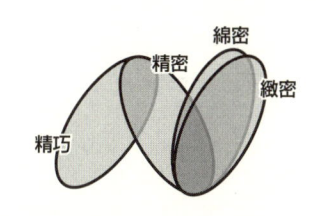

使い分け

表現例	精密	精巧	綿密	緻密
A　この機械は―だ	○	○		
B　―な計画			○	○
C　―に検査する	○		○	△
D　―な研究	○		○	○

1. Aのように、細部に至るまで狂いがなく正確にできている意では「精密」「精巧」が適当。

2. Bのように正確という観点の入らない場合は、「綿密」「緻密」が適当。「綿密」は細かい点まで手落ちがない、「緻密」はきめ細かい仕上がりという感じが強い。

3. 「精巧」は機械・細工などについて言うので、Cの場合には使えない。検査は、正確に、手落ちなくということが大切だから「精密」「綿密」が適当。「緻密」は人が直接行う検査には使いにくいが、例えば微細な映像の得られる医療機器を用いた検査などには使われうる。

4. 3に述べた理由で、Dの場合「精巧」は使えない。その他の三語は使えるが **Point!** で述べたような違いがある。

類似の語

厳密 正確を期し、細かい点まで思考や注意を行き届かせて厳格に行うようす。「言葉の意味を厳密に定義する」「厳密に言えば、それは規則違反だ」

せき

seat

席・座・座席

基本の意味 座る場所。

Point! 「**席**」は、腰をかける形式の場合も、日本式に畳・床・地面などに何かを敷いて座る形式の場合にもいう。「**座**」は、「座に着く」などの慣用的な言い方で多く使われる。「**座席**」は主に、腰をかける形式の場合にいう。

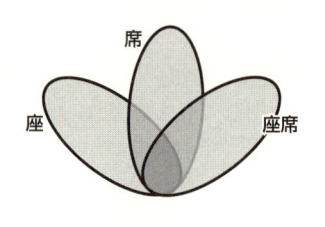

「**席**」「**座**」は、人が集まって何かする場所の意、「**座**」はまた、支配関係・身分関係において占める位置の意でも使われるが、「**座席**」にはこうした用法がない。

使い分け

表現例		席	座	座席
A	全員が―についた	○	○	○
B	いちばん前の―で芝居を見る	○		○
C	政権の―につく		○	
D	そっと―を外す	○	○	
E	会議の―で発言する	○		

1. Aの場合は三語とも使えるが、「座席」はふつう、腰かけ式の場合にいい、「席」は腰かけ式にも、日本式に座る場合にもいう。「座」は「座に着く」「座を立つ（外す）」のような慣用的な言い方に使われるので、腰かけるのかどうかは問題にならないが、語感としては日本式に座る場合にふさわしい。
2. Bのように、劇場などの座る場所には「座」は使いにくい。
3. Cのように、ある地位の意では「座」以外は使えない。
4. 「座席」は具体的な腰かけの感じが強く、Dの場合に使おうとすると、腰かけを取り外す意になってしまい不適当。
5. 多くの人の集まる場所の意の場合は、「席」「座」が使われるが、「座」は「―をとりもつ（持たせる）」など、その場全体の感じが強く、Eのようにその場での個々の人に関することをいうときには使いにくい。

類似の語

椅子（いす） 腰をおろして座るための家具。役職や高い地位の意味でもいう。

せまい

narrow, small

狭い・狭苦しい・せせこましい・手狭

基本の意味 面積・空間などが小さく、ゆとりのないようす。

Point! 「狭い」は、四語の中で最も一般的で意味も広く、面積・幅・間隔など空間的な狭さにいうほか、行動・事柄の及ぶ範囲や気持ちのあり方といった抽象的な事柄にもいう。「狭苦しい」は、狭さを不自由・不快と感じる場合にいう。「せせこましい」は、ゆとりがなくていかにも窮屈そうに感じられるようすで、空間だけでなく、人の態度や考え方についてもいう。「手狭」は、家・部屋などの空間が、暮らしたりある物事をしたりするには狭いようす。

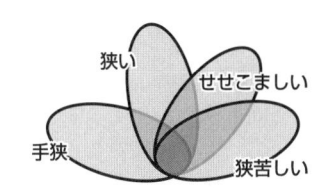

使い分け

表現例	狭い	狭苦しい	せせこましい	手狭
A 三人で住むには—	○	○	○	—だ○
B 幅（ひたい・交際）が—	○			
C 心が—度量に乏しい	—く○		—く○	
D 家の建て込んだ—町並み		○	○	

1. Aではそれぞれの意味で四語とも使える。
2. Bのように、単に客観的・物理的な狭さ、行動・事柄の及ぶ範囲の狭さなどを表す場合は、「狭い」以外は使えない。
3. 心にゆとりがない意のCでは、「狭い」「せせこましい」を使う。「狭苦しい」「手狭」は抽象的事象には使えない。
4. Dのように実際の狭さよりも、込みあっている感じを感覚としてとらえた言い方では、「狭苦しい」「せせこましい」が適当で「狭い」は使いにくい。また、「手狭」はAのように何らかの目的が示されていないと使えない。

せめる

blame, reproach

責める・責め立てる・なじる・とがめる

基本の意味 相手の過失・怠慢などを取り上げてその非を言う。

Point! 「**責める**」は、その非を強い言葉で指摘したり反省を求めたりする意で、他人だけでなく自分を対象としても使え、また、厳しく催促する意でも使う。「**責め立てる**」は、盛んに責める意。「**なじる**」は、激しい口調で非難する意。「**とがめる**」は、過失や違反を指摘して正すように言う意、また、怪しく思って問いただす意。

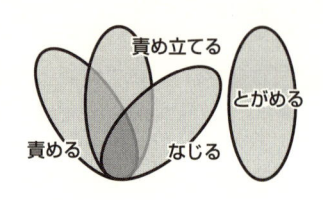

使い分け

表現例	責める	責め立てる	なじる	とがめる
A 借金を返せと―	○	○		
B お前は薄情だと―	○	○	○	
C ガードマンが入館者を―				○
D 良心に―られる	―め○			

1. Aのように厳しく催促する意の場合、「なじる」「とがめる」は使えない。
2. 「とがめる」は、とがめる側が比較的冷静に事実をとらえて相手に指摘し、それを正すよう促す場合に用いる。したがって、Bのように「お前は薄情だ」という内容では「とがめる」は使いにくい。他の三語は使えるが、「なじる」だとかなり感情的に問い詰める感じになる。
3. Cのように不審な者を問いただす意の場合は、「とがめる」しか使えない。また、「制帽のかぶり方を―」のように、単によくない点を指摘するという程度の表現も「とがめる」が適当で、他の三語は不自然になる。
4. 自分自身の行為に対していえるのは「責める」と「とがめる」だが、Dの形では「とがめる」は使えない。「とがめる」は「良心がとがめる」や「気がとがめる」などの形で、自分の行為に後ろめたさを感じる意で用いる。

類似の語

難詰(なんきつ)する 相手の非を取り上げて、どうするつもりかと問い詰める。「対応のまずさを難詰される」

ぜんいん　　　　　　　　　　　　all the members
全員・一同・総員・総勢

基本の意味 その集団や組織のすべての人。

Point! 「**全員**」「**一同**」は、その場にいたり、その集団・組織に属していたりする人みな。「**全員**」は一般的な言い方、「**一同**」は、みなで一緒に何かしたり、全員をひとまとまりに扱ってある働きかけをしたりする場合にいう。「**総員**」は、ある組織・団体に属するすべての人。主によく統制された組織・団体の場合にいう。「**総勢**」は、一団になって行動する人々の全体、またその全体の人数。

使い分け

表現例	全員	一同	総員	総勢
A　―集合して気勢を上げる	○	○	○	○
B　家族―で旅行する	○	○		
C　従業員が―百人を超す企業			○	○
D　クラス―が高校に合格した	○			
E　―三万の徳川方				○

1. Aの場合はそれぞれの意味合いで四語とも使える。「総員」「総勢」では、比較的多人数で結束の固い集団といった感じが強くなる。
2. Bのように、小集団の場合は「総員」「総勢」は、大げさな感じがして使いにくい。ただし、冗談めかして「家族総勢で押し出した」のように使うことはある。「全員」を使うとだれも欠けることなくという感じが強く、「一同」を使うとみなで一緒に行動するという感じが強い。
3. Cのように、人数を表す語を直接付けられるのは「総員」「総勢」だけ。ただし「―で百人」とすれば「全員」も使える。
4. Dのように、結果としてあの人もこの人もすべての人という場合は「全員」を使う。「一同」「総員」はまとまって行動する感じが強いので使いにくく、「総勢」は名詞の直後に付きにくいので不自然。
5. Eのように、軍勢を表す場合は「総勢」を使う。近代的な軍隊なら「総員」も使えるが、3に述べた理由で「全員」「一同」は使えない。

せんじつ

the other day

先日・過日・この間・先ごろ・先達て

基本の意味 近い過去のある日、またある時。

Point! 「先日」「この間」「先達て」に対して、「過日」「先ごろ」はそれよりやや遠い以前まで含んでいい、特に「先ごろ」は「先日」以下の三語より少しさかのぼった時点から以前をいう意識で使われる。また、「先日」「過日」はある一日を指すが、「この間」「先ごろ」「先達て」は漠然と過去のある時をいい、ある程度の幅を持った時間意識で使われることもある。五語とも名詞形のほか、副詞的にも使う。

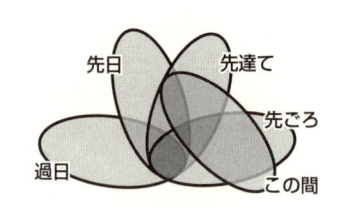

使い分け

表現例	先日	過日	この間	先ごろ	先達て
A ―御相談の件につき	○	○		△	△
B 彼には―の水曜日に会った	○		○		○
C つい―のことだ	○		○	○	○
D ―中休んでいた			○		○
E ―あげたばかりでしょ			○		○

1. 「過日」は文章語で、Aのような改まった挨拶や手紙文にふさわしい。「先日」は日常語だが、改まった表現にも使え、使用範囲が広い。「この間」は主に話し言葉に使われ、Aには使いにくい。「先ごろ」「先達て」は使えなくはないが、形式ばった表現にはあまり適していない。

2. 「先ごろ」は、他の語に比べてやや遠い以前のことを表し、Bのように数日前のことには使いにくい。「過日」は硬い表現なので、B・Cのような話し言葉には不適当。

3. 「先日」「過日」は、ともに過去のある一日をいうので、Dのようにある期間をいう場合は使えない。「先ごろ」も「―中」の形では使わない。

4. 「この間」は、現在にかなり近い時点をいうときに日常の話し言葉としてよく使われるので、Eのような場合にはふさわしい。「先日」「過日」「先ごろ」は、Eのようなくだけた言い方には不適当。「先達て」は使えるが、やや古風な言い方になる。

ぜんたい
全体・すべて・全部・一切・みんな

the whole

基本の意味 その物・物事のあらゆる部分・要素にわたること。

Point! 「**全体**」は「部分」に対する語で、ひとまとまりの物・物事について、もれる部分のない総体をいう。「**すべて**」「**一切**」「**みんな**」は名詞としては、個別の物・物事の集まりについて、一つ一つをもれなく含んだ総体をいう。「**すべて**」ではそのどれもこれもという意識、「**みんな**」では一体としてとらえる意識、「**一切**」では一つの例外もなくという意識が強い。「**全部**」も名詞としては主に個別の物・物事の集まりの総体をいうが、副詞的には一つの物の全体の意でもいう。

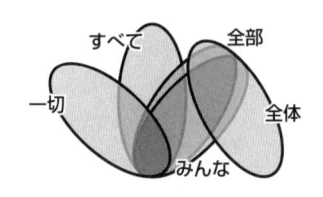

使い分け

表現例	全体	すべて	全部	一切	みんな
A　一から見れば大したことではない	○				
B　イワシは頭から一食べられる		○	○		○
C　財産を一失ってしまった		○	○	○	○
D　部員は一で四十人です	○		○		○

1. Aのように部分や個々の要素に対する総体という意では「全体」を用いる。
2. Bのように、形ある一つのものの全体という意で副詞的に用いる場合は、「全部」が最適。Bの例では「すべて」「みんな」も使えるが、この二語では、頭・はらわた・尾といった個々の部位を意識した上で、そのどれもこれもという感じが強い。「全体」はこの意味では副詞で使わない。「一切」は個々のものの集まりの場合にいい、形あるものの全体については不適。
3. Cの「財産」のように、複数のものの集まりについて、その一つ一つのどれもこれもという場合は、「すべて」以下の四語が使える。Bと同じく、「全体」はこの意味では副詞で使わない。
4. 総計の意では「全体」「全部」「みんな」が使えるが、Dでは「全部」が最適。ややくだけた言い方なら「みんな」も使える。「すべて」は個別の要素のどれもこれもという意識が強く、単に数に還元していう場合は不適。

ぜんちょう　sign, omen, symptom
前兆・前触れ・兆し・兆候（徴候）

基本の意味　物事の起こるしるし。

Point!　「**前兆**」「**前触れ**」は、何か重大な物事が起こる前に、それをあらかじめ知らせるかのように生じた事柄。「**前触れ**」はもともとは、ある事を前もって人に告げ知らせる人間の行為をいう。「**兆し**」「**兆候（徴候）**」は、何かを前もって知らせるというよりも、いまだ表には現れないながら少しずつ動き始めた物事について、その潜在的な動き・変化を感知させるような現象にいう。

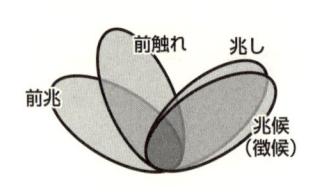

使い分け

表現例	前兆	前触れ	兆し	兆候（徴候）
A　断続的な地震が噴火の―だった	○	○		
B　景気好転の―が現れた			○	○
C　目まいはこの病気の―である	○	○	△	○
D　何の―もなく訪ねてきた		○		

1. 「前兆」「前触れ」は大きな出来事が起こる前に現れるしるしであり、「兆し」「兆候（徴候）」は、主として物事がある方向に進み始めたしるしとして起こる現象や動きをいう。Aの場合、地震と噴火は因果関係があるかもしれないにしても、地震が常に噴火に結び付くものではない。やがて起こる噴火を前もって知らせるという意味で「前兆」「前触れ」がよい。
2. Bの場合はその方向に進み始めたと思わせる現象をいっているので、「兆し」「兆候」が適当。
3. Cでは四語とも使用可能だが、前の二語と後の二語では意味に微妙な差がある。「目まい」を重大な病気に向かう一つのしるしと見るときには「前兆」「前触れ」も使える。一方、「目まい」をその病気の端緒的な症状と見ている場合には「兆し」「兆候（徴候）」を使う。ただし、客観的・科学的にいう場合は「兆し」はやや使いにくく、「徴候」が最適。
4. Dのように人の行為にいう場合は「前触れ」しか使えない。

ぜんぽう front

前方・前部・前面・正面・前

基本の意味 視線の向いている方向や進んで行く方向、また、その面・部分。

Point! 「**前方**」は前の方向。「**前部**」は物の前の方の部分。「**前面**」は物の前の面、またその前に広がる空間。「**正面**」は「**前面**」と重なるが、いくつかある側面のうちの表側と意識される面にいう。「**前**」は最も一般的な言い方で、幅が広い。

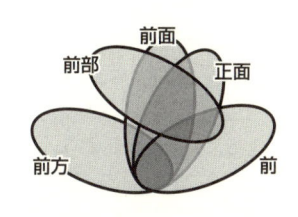

使い分け

表現例	前方	前部	前面	正面	前
A　旅館の―にそびえている山	○		○	○	○
B　建物の―の入り口		△	○	○	○
C　車の―が破損した		○	○	△	
D　要求を―に押し出す			○	△	
E　問題に―から取り組む				○	

1. **A**のように、ある物から離れた前の方向を示す場合は「前方」「前面」「正面」「前」が使える。「前方」は他の三語より距離感がある。「正面」はまっすぐ前をいい、他の三語より幅が狭い。また、「前面」と「正面」は、物について前を向いた平面をとらえている場合と、その平面をそのまま押し出したような空間的な広がりとしてとらえている場合とがあり、**B**・**C**は前者の例、**A**は後者の例である。

2. **B**のように、その物自体の前の部分をいう場合は「前方」は使えない。「前」「前面」はほぼ同様だが、「正面」は主な、正式のという意味合いが強い。「前部」は乗り物などにいうことが多く、建物には使いにくい。

3. **C**の場合も**B**と同様で「前方」は使えない。乗り物なので「前部」が使え、特に前の面をいう場合には「前面」を使う。**C**の例で「正面」はやや使いにくいが、「正面のガラスが」などとすれば使える。

4. **D**のように、「目立つおもての方」の意の場合は「前面」が使われる。ごまかさずまともにという気持ちが強いなら「正面」も使えなくはないが、「正面」は、むしろ**E**のような場合に適している。

そうさ investigation

捜査・捜索・探索

基本の意味 何かを見つけ出すためにあちこちさがしたり調べたりすること。

Point! 「**捜査**」は、警察官・検察官などが、行方のわからない人間をさがし出したり、犯罪事件の真相を明らかにしたりするために、さまざまな調査活動を行うこと。「**捜索**」は、行方のわからない人や証拠物件などを見つけ出すためにある範囲の場所をさがすこと。「**探索**」は広く、目的の物・人や情報を見つけ出すために、いろいろ手を尽くしてさがすこと。

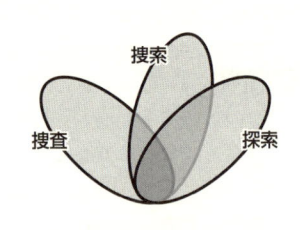

使い分け

表現例	捜査	捜索	探索
A　強盗事件の現場周辺を―する	○	○	○
B　脱税に関して―する	○		
C　遭難者の―が行われる		○	△
D　古文書を―して先人の事蹟を調べる			○

1. Aの場合は三語とも使える。「捜査」は主に、具体的な事実や犯人がまだ明確になっていない段階で行われるもの、「捜索」は多く、犯行の内容、あるいは犯人などがある程度明らかになった段階で、証拠となるような個々の事実を得るために行うもので、ともに公的機関によるものだが、「探索」は私的であってもかまわない。

2. Bのように、脱税の疑いがあるというまだ明確ではない件に関して調べる意の場合は、「捜査」が適当。

3. Cのように、行方のわからなくなった人を見つけ出そうとしてある限られた範囲をさがし求める場合は、慣用的に「捜索」が使われる。一般的ではないが、意味的には「探索」も可能。「捜査」も行方不明者や家出人について使われるが、「捜査」は警察などが広範囲に調べる場合にいい、Cのように、ある限られた場所を対象とする具体的な行動については使いにくい。

4. Dのように私的な調査の場合は「探索」が適当。

そうぞう　imagination

想像・空想・夢想・幻想

基本の意味 現実にないことを心に思い描くこと。

Point! 「**想像**」は、現実に体験したり見たりしたものでない場面や事柄を心に思い描くことで、ある程度、現実をもとに類推・推測する場合にいう。

「**空想**」「**夢想**」は、現実からかけはなれた場面・事柄をあれこれ思い描くことで、「**空想**」は意識的にそうする場合に、「**夢想**」は漠とした内容で一種のあこがれを含むような場合にいう。

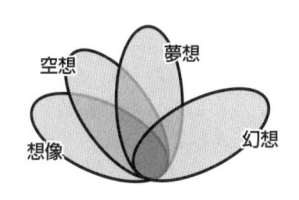

「**幻想**」は、現実にない場面や事柄を主に無意識的・病理的に心に思い描くことで、それを現実であるかのように思い込む場合に多く使われる。

使い分け

表現例	想像	空想	夢想	幻想
A　―の世界に遊ぶ	○	○	○	○
B　百年先の世界を―する	○	○	○	
C　―をたくましくする	○	○		
D　―がつかないような出来事	○			
E　甘い―を抱く				○

1. Aの場合はそれぞれの意味で四語とも使える。
2. 「幻想」は意識的な精神の働きというよりも、無意識のうちに非現実的な想念にとらわれることを主にいうので、「幻想する」の動詞形はあっても、Bのように意識的な場合には使いにくい。
3. Cのように、具体性を伴って意識的にあれこれの場面を思い描くような場合は、漠とした感じの「夢想」や無意識的な「幻想」は使えない。
4. Dのように、現実的な事柄に関し、経験からの類推に従ってこうではないかと思い描くという場合は、「想像」しか使えない。
5. Eのようにそれが現実であるかのように思い込む場合は、「幻想」が適当。

類似の語

妄想 不道徳・不健全な欲求からあれこれ想像をめぐらすこと。また、想像に過ぎないことを事実だと信じこむこと。「妄想がふくらむ」「被害妄想」

そうりつ establishment, foundation
創立・創設・創建・創業

基本の意味 組織・機関・企業などを新しくつくること。

Point! 「**創立**」は、会社・学校・病院などにいう。「**創設**」は、学校・病院といった施設、会社・会・部署といった組織・機関、また制度・事業・資格などの抽象的事物についてまで広く用い、四語の中では最も幅が広い。「**創建**」は建物や組織をつくることだが、寺社や宗派についていうことが多い。「**創業**」は会社や商店にいう。四語とも「する」を伴って動詞としても使用される。

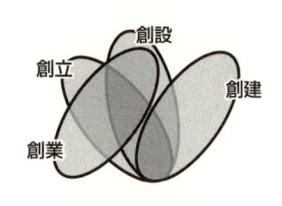

使い分け

表現例	創立	創設	創建	創業
A　大学を―する	○	○	△	
B　最澄の―になる寺		△	○	
C　―以来六十年になる会社	○	○		○
D　大正の末に放送局が―された	△	○		

1. Aのように、ある組織・機関に建物などを加えていくときは、「創立」「創設」が適当。「創建」は建物に重点を置くときは使えなくはない。「創業」は事業についていうので不適当。

2. Bのように、寺社についていう場合は「創建」が適当だが、宗派組織という意味を含んでいう場合は用法の広い「創設」も使える。

3. Cの場合「創立」「創設」を使えば一般の企業の感じであるが、「創業」を使えば、老舗（しにせ）、あるいは個人商店から出発し、発展した会社という感じになる。また、「創立」「創設」は「つくる」という面が強いが、「創業」は「（仕事・営業などを）はじめる」という面に重点がある。

4. 「創立」は学校・病院などに使われるが、その場合、施設というより組織・経営体としてとらえていう感じが強い。Dの「放送局」の場合は施設を主に指していると考えられるので、「創設」が最適。

類似の語

開業（かいぎょう）　新規に事業や営業を始めること。また、営業していること。「開業中」

そこく
祖国・母国・故国・本国
mother country

基本の意味 自分の属する国。

Point! 「**祖国**」は、祖先からその国に住んでいるという精神的なつながりに重点を置いた言い方。「**母国**」「**故国**」は、主として自分の国を離れて他国にいる場合にいう語で、生まれ育ったふるさとである国という意味で使われる。しかし、親が外国に居留している間にその地で生まれ育ったという場合、その外国を「**母国**」「**故国**」とはいわない。「**本国**」は、自分の国を離れている者について、国籍がある国という法的な意味で使われ、また、植民地や海外拠点に対して、その国本来の領土を指してもいう。

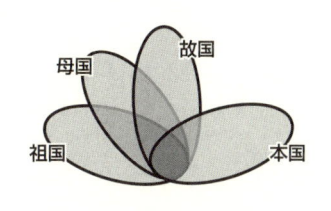

使い分け

表現例	祖国	母国	故国	本国
A　―に帰る	○	○	○	○
B　―防衛のために戦う	○			
C　―を捨てて上京する			○	
D　密航がばれて―に送還される				○
E　外国で―の言葉を耳にする	○	○	○	

1. Aのように自分の国に帰るという表現ではどれも使える。ただし「本国」では、植民地にいた人や外国勤務だった人が自分の本来の国に帰るといった意味合いも生じる。
2. Bのように自分の国にいていう場合は「祖国」が適当。他の三語は国外にいて自分の国を指していうのが普通。
3. Cのように生まれ育った地方、ふるさとの意では、「故国」しか使えない。
4. Dのように、法的処置についていう場合は「本国」が適当。また、他の三語を使うと、相当な期間、外国にとどめられていた感じになって不自然。
5. Eのように法的・事務的なこととは無関係の場合は「本国」は使いにくい。

類似の語

自国 自分の国。話題として取り上げたその国について、「その国自身」の意でもいう。「自国の利益を図る」「自国語」

そだてる　bring up, raise

育てる・養う・はぐくむ

基本の意味 世話をして成長させる。

Point! 「**育てる**」は成長発達を助けて大きくさせる意、「**養う**」は生命・生活が維持できるように面倒をみる意、「**はぐくむ**」は大切に守りながら育てる意が、それぞれ中心となる。

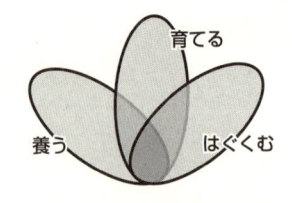

使い分け

表現例	育てる	養う	はぐくむ
A 子供を—	○	○	○
B 稲を—	○		
C 有望な弟子を—	○	○	
D 年老いた母を—		○	
E 子供の夢を—	○		○

1. Aのように子の場合は三語とも使える。ただし「子供を芸術家に—」のように、能力面で一人前にする意では「育てる」しか使えない。
2. Bのように植物の場合は「育てる」だけが使える。「育てる」は人・動物・植物について広く使うが、「養う」「はぐくむ」は植物には使わない。
3. Cのように、能力面での成長を助ける意では「育てる」が適当だが、生活の面倒をみることも含むと考えれば「養う」も使える。
4. Dのように、老人の場合は「育てる」「はぐくむ」は不適当で、生活の世話をする意の「養う」が使われる。
5. Eのように、外からの圧力でこわれやすいものの場合は、大事にかばう意の「はぐくむ」、豊かになるよう助ける意の「育てる」が適当。「学力を—」「英気を—」のように、不足のない状態にまで力やエネルギーをつける、あるいはつけさせる意が強い場合は「養う」が使われ、「育てる」「はぐくむ」は使いにくい。「克己心を—」のような精神面の事柄になると、「育てる」「養う」ともに使うことができる。

類似の語

養育する 子供を養い育てる。多く、子供を引きとって養い育てる場合にいう。「父母の死後、おばに養育された」

そば

side, neighbor

そば・わき・かたわら

基本の意味 ある物・人のすぐ近く。

Point! **「そば」**は、前後左右を問わず近くの位置をいう。**「わき」**は、腕の付け根の下をいう「わき」と同語で、横手のすぐ近くをいい、物の左右の側面や、ある場所の中心から両側へ寄った所にもいう。**「かたわら」**は、横手の位置をいう意味合いが強いが、中心となる物に寄り添うような位置を漠然と指してもいう。

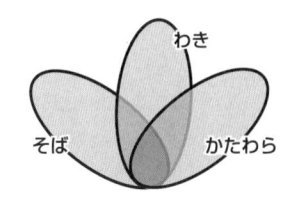

使い分け

表現例	そば	わき	かたわら
A 母の―に猫がうずくまる	○	○	○
B 耳の―のほくろ	○	○	
C 机の―にかばんを掛ける		○	
D ―の文具屋まで一走りする	○		
E 道の―に立って車をよける		○	○

1. この三語は、主となるものに近い所をいう点で共通し、Aのような例ではどれも使える。
2. Bのように主となるものが体の部分である場合、「かたわら」は使いにくい。
3. Cのように、物の左右の側面をいう場合は、「わき」しか使えない。
4. Dのように、隣やすぐ近くではなく、走って行く程度の近さの場合は「そば」以外は不自然。
5. Eのように、道の左右のはしの辺りをいう場合は「わき」が最適。「かたわら」も使えるが、「そば」は不自然。

類似の語

ほとり 海・川・湖などの水面が陸地と接する辺り、特に、陸地の水面に近い所。また、ある場所のかたわら。「池のほとり」「墓地のほとりの家」

そる warp

反る・反り返る・反っくり返る・のけ反る

基本の意味 体が後ろの方へ弓なりに曲がる。

Point! 「反る」は四語の中では意味が広く、一般に、まっすぐな物や平らな物がいずれかの方向へ弓なりに曲がる意に用いる。**「反り返る」**は、体や平たい物が後方へ反る意で、偉そうにいばった状態にもいう。**「反っくり返る」**は、「反り返る」よりも動作性が強調され、主に人間の動作・状態にいう。**「のけ反る」**は、上体が急に後ろの方へ曲がる意で、反射的な動作という感じが強い。

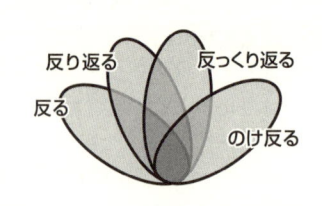

使い分け

表現例	反る	反り返る	反っくり返る	のけ反る
A　体を—せる	—ら○	—ら○	—ら○	—ら○
B　板が乾いて—てしまう	—っ○	—っ○	—っ○	
C　偉そうに—ている		—っ○	—っ○	
D　—て驚く			—っ△	—っ○

1. Aの場合はそれぞれの意味合いで四語とも使える。
2. Bのように物についていう場合は「のけ反る」は使えない。「反っくり返る」はやや俗語的な感じを伴う。
3. Cのようにいばって体を後ろの方へ反らす意の場合は、「反り返る」「反っくり返る」を使う。これは実際の動作を表すというより、多くは比喩的に使われる。「反る」は比喩的には使わないので、Cには不適当。「のけ反る」は驚く意では比喩的に使われるが、この意味では使わない。
4. Dのように急に上体を後ろの方へ曲げる意の場合は、「のけ反る」が最適。この語は「のけ反って内角の球をよける」のような、反射的動作にふさわしい。Dはやや誇張した表現なので、「反っくり返る」も使えなくはない。

類似の語

踏ん反り返る　腰かけた状態などで、上体を後ろへ反らす。転じて、いばった態度を取る。「椅子にふんぞり返る」「ふんぞり返って横柄な口をきく」

しなう　弾力があって、折れずにやわらかに曲がる。「体がよくしなう」

そんがい loss, damage

損害・損失・損
（そんがい・そんしつ・そん）

基本の意味 利益や財産を失うこと。

Point! **「損害」**は、他からの行為や事故・災害などで物質的・金銭的な不利益をこうむること、また、その不利益。軍事などの場面では、死傷や施設の損壊にもいう。**「損害」**が自分の責任でなくこうむった不利益という意識が強いのに対し、**「損失」**は、自分の見込み違いで生じた場合なども含めて、不利益が発生すること一般をいう。**「損」**は、財産を失うということも含むが、むしろ収支がマイナスになったり、結果的に報われなかったりする状態をいうのが中心。

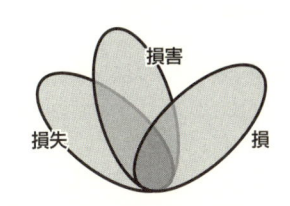

使い分け

表現例	損害	損失	損
A　三千万円の―だ	○	○	○
B　―に対して賠償金を支払う	○	△	
C　彼の死はわが国にとって大きな―だ		○	
D　あんなに心配をして―をした			○

1. Aの場合はどれも使えるが、「損害」「損失」は社会的・公的場面で多く用い、「損」は個人的な場面で多く使う。したがって、前者二語のほうが表現としては硬くなる。

2. Bの場合「損失」も語義的には使用可能であるが、具体的な事柄については「損害」を用いるほうが自然。「損」は改まった表現には使いにくい。

3. Cのように、金銭的・物質的なことではなく、人材や精神的な事柄などに関する場合、特に惜しいという気持ちの含まれる場合は「損失」しか使えない。自分の利益を中心にいう場合、例えば「彼がやめたのはチームにとって大きな―だ」なら「損害」も使えなくはない。

4. Dのように、努力や労力に対して結果的にその効果が得られないことをいう場合は、「損」しか使えない。

類似の語

実害（じつがい）　実際に生じる害や損失。「実害が大きい」

たいか authority, master

大家・巨匠・第一人者・泰斗・権威

基本の意味 ある方面で特にすぐれている人。

Point! 「**第一人者**」は最も広い対象に関して使われ、「**大家**」は芸術・学術などに、「**巨匠**」は主に芸術に、「**泰斗**」は主に学術に、「**権威**」は学術や何らかの専門領域に使われる。➡「けんい」

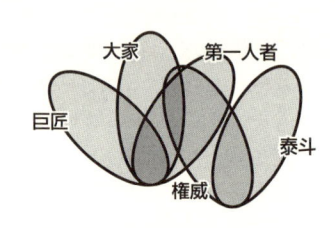

使い分け

表現例	大家	巨匠	第一人者	泰斗	権威
A 楽壇の―と仰がれる	○	○	○		
B 法学界の―として名高い				○	○
C 西鶴研究の―	○		○		○
D マラソン界の―			○		

1. Aのような芸術の世界の場合は、「泰斗」「権威」は使いにくい。使用されるとすれば学術的な意味合いの加わった領域を表す場合である。

2. Bのように、学術方面に関していう場合は「巨匠」は使えない。「大家」は「…界の―」というように大きくとらえた言い方には使いにくく、「…学の―」「…研究の―」というように、その人の専門とする内容に「の」を付けて続ける言い方がふさわしい。「第一人者」は、ある特定分野で最もすぐれた人にいう語で、やはりBのように広くとらえた言い方には使いにくい。

3. Cのように、対象が狭く限られている場合は「大家」「第一人者」「権威」が使われ、「巨匠」「泰斗」は使いにくくなる。

4. Dのように、学術でも芸術でもない場合は「第一人者」以外は使えない。

類似の語

耆宿（きしゅく） 学識や人間性にすぐれ、その分野で敬意をもって遇されている老人。「英文壇の耆宿」

大御所（おおごしょ） 大家としてその分野で大きな影響力を持っている人。「画壇の大御所」

大立て者（おおだてもの） その分野で大きな影響力を持っている実力者。「財界の大立て者」

巨頭（きょとう） 国家や政界・財界などの最高の地位にあり、その世界を動かすような力を持っている人。「各国の巨頭が一堂に会する」「巨頭会談」

たいがい   generally

大概(たいがい)・大抵(たいてい)・大方(おおかた)・大体(だいたい)

基本の意味 大多数の場合がそうであるようす。また、全体のうちの大部分。

Point! 「**大概**」「**大抵**」は、副詞的用法としては、数的に数えられる物事についてその大多数の場合に及ぶようすを、頻度や確率に注目している。「**大方**」は、数的・量的に見て全体の大多数・大部分に達するようすをいうのが基本。「**大体**」は数的にも量的にもいい、かつ、多少の誤差を許容して全体を大づかみにとらえる場合にも使われ、四語の中では意味が広い。

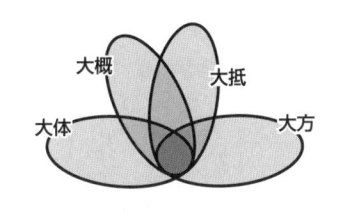

使い分け

表現例	大概	大抵	大方	大体
A　明日は―晴れるだろう	○	○	○	○
B　この結果は―予想どおりだ			○	○
C　―一メートルの長さの棒				○
D　―の評判を得る			○	
E　事件の―を報道する	○			○
F　ふざけるのも―にしろ	○	○		

1. Aの場合は四語とも使える。「大概」「大抵」では十中八九晴れるだろうという意だが、「大方」「大体」では、多少雲は出るかもしれないが晴れ間が多いだろうという意にもなりうる。
2. Bのように、ある一つの事柄に関しそのほとんどの部分にわたってという意でいう場合、「大概」「大抵」は使いにくい。「大方」では比率・割合から見ていう感じ、「大体」では内容的に大づかみにいってという感じになる。
3. Cのように大づかみな数量をいう場合は、「大体」しか使えない。
4. Dのように世間一般の人々の意の場合は、「大方」以外は不適当。
5. Eのように、名詞として物事のあらまし・大筋の意を表す場合は「大概」「大体」を用いるが、この意での「大概」は硬い文章語。
6. Fのように常識的な範囲から出ない程度という意では、「大方」「大体」は使えない。

たいしゅう the people
大衆・民衆・庶民

基本の意味 社会を構成する、特に名も地位もない大多数の人々。

Point! 「**大衆**」は、社会の大多数の人々の意味で価値としては中立的に使われるとともに、支配者に対し受け身の存在であり状況に流されやすいという含みをもって使われることもある。

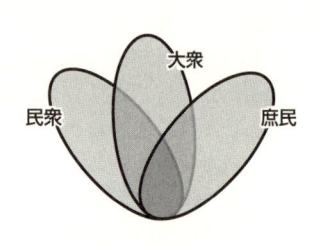

「**民衆**」は、為政者や特権階級に対する大多数の人々という文脈で使われ、政治的主体としてとらえていう場合もある。「**庶民**」は、平凡ではあっても健全な常識を備えた生活者という含みで使われることが多いが、意識のあまり高くない人々というマイナスの含みで使われる場合もある。

使い分け

表現例	大衆	民衆	庶民
A　―の支持を得る	○	○	○
B　独裁政権打倒に―が立ち上がる	△	○	
C　―のスポーツとなったゴルフ	○		○
D　――としての意見			○

1. Aの場合にはそれぞれの意味合いで三語とも使える。
2. Bのように、政治的な問題に積極的に立ち向かうという場合は「民衆」が適当だが、政治運動・革命運動の用語としては、「指導部」「党」などに対する「一般大衆」の意味で「大衆」が使われる。
3. Cのように、特別な階級、財産家などではない、日常的な普通のという意味の強い場合は、「大衆」「庶民」が適当。
4. Dのように個人についていう場合、普通に使えるのは「庶民」で、「大衆」「民衆」は大ぜいをまとめていう場合でないと使いにくい。

類似の語

人民 その国家・社会を構成する人々。ふつう支配者に対する被支配者をいう。
公民 国家や地域社会の構成員として権利と義務を有する人々。「公民館」
市民 国政に参加する権利と資格を持つ人々。また、西洋近代史で、貴族・僧侶に代わって政治的権力を持った階級。「市民運動」「市民階級」

たいせい
大勢・趨勢・動向・傾向

tendency

基本の意味 物事が全体として移り進んで行く方向や動きのようす。

Point! 「**大勢**」は、物事の全体的な優劣の関係や成り行き。対立を含みながら進展して行く事象についていう。「**趨勢**」は、社会的な事象について、それが動いて行く方向と大体のようすをいう。「**動向**」は、個人・集団の行動についてその現下のありようをいうほか、社会的な事象について、それが現在どのようで今後どう動いていくかという、そのありようをいう。「**傾向**」は一般に、物事が全体としてある状態になっている、またはある方向に進んでいると判断されること。

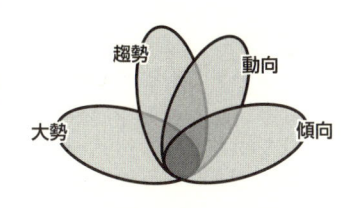

使い分け

表現例	大勢	趨勢	動向	傾向
A 社会の―に従う	○	○	○	△
B 三回で試合の―が決まる	○			
C 現代文学の―を探る		○	○	○
D 政治家の―に詳しい人			○	
E 勉強意欲が出たのはいい―だ				○

1. Aのように漠然と「社会の―」という場合は「傾向」はやや不自然。逆に、「最近の売れ筋商品の―」のように限定すれば「傾向」が適当で、「大勢」「趨勢」は使いにくく、「動向」もやや不自然な感じになる。

2. Bのように、結果がどうなりそうかという大体のようすをいう場合は「大勢」しか使えない。

3. 「大勢」は対立する物事の状態にいうから、Cには使いにくい。他の三語はいずれも、どういう方向に移り動いていくかというそのようすの意で使うことができる。

4. Dのように、個人についていう場合は「大勢」「趨勢」は使えない。「傾向」はAと同様もう少し限定しないと意味がはっきりしないので、不適当。

5. Eのように、個人的で具体的な事柄の場合は「傾向」が適当。「いい」「好ましい」「困った」などで修飾できるのも「傾向」だけである。

たいへん

very

大変・大層・非常に・甚だ・とても

基本の意味 程度が並でないようす。

Point! 「大変」「大層」は、副詞としてはいずれも程度が並でないようすを表し、意味的に大差ないが、「大層」はやや古風な改まった言い方で、「大変」より強調の度合いが穏やかな感じもある。「非常に」は強調の度合いが「大変」「大層」よりやや強く感じられる。「甚だ」はやや古風で、好ましくない事柄の程度にいうことが多い。「とても」は口頭語的で主観的な感じが強い。「大変」「大層」は形容動詞としても使われ、「大変」は事が容易でない意、「大層」は分際を越えた、大げさなといった意も表す。

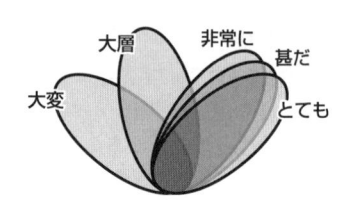

使い分け

表現例	大変	大層	非常に	甚だ	とても
A ―迷惑な話だ	○	○	○	○	○
B ―立派な人物	○	○	○	△	○
C ―なことを言う	○	○			
D 子育ては―だ	○				
E ―な言い方だ		○			

1. Aでは五語とも使える。
2. 「甚だ」は多く好ましくない物事について用いるので、Bの場合は使えなくはないがやや不自然。
3. Cの場合は、単なる程度の強調でなく「こと」の内容を表さなければならず、また「―な」の形がないことから「甚だ」「とても」は使えない。「大変」では話の内容が尋常ではない意、「大層」では大げさの意になる。
4. Dのように、容易でない意の場合は「大変」しか使えない。
5. Eのように、大げさな意の場合は「大層」しか使えない。

類似の語

大いに 通常の程度以上に何かをしたり、物事が一通りの程度でなかったりするようす。「今日は大いに飲んで語ろう」「大いに迷惑だ」

極めて その状態・程度がいちじるしいようす。「極めて美しい」 ➡「しごく」

たいめん honor

体面・メンツ・沽券・面目

基本の意味 他に対する自己の値打ちとそれに伴う名誉。

Point! 「**体面**」は、地位・身分に応じて世間的に期待される表向きのありかたをいい、中身よりも見かけに重点がある。「**メンツ**」「**沽券**」は、能力や信用について世間や他人から受けている評価とそれに伴う名誉をいい、その人がすでにある程度以上の評価を周囲から受けていることを前提にしていう。いずれも「**体面**」に対し、実質的な信用や能力評価を問題にしていう語だが、「**沽券**」のほうがより実質的。「**面目**」は「**メンツ**」「**沽券**」と似ているが、より幅広く、周囲からの高評価を前提としなくても使える。「めんもく」ともいう。

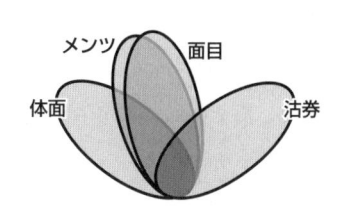

使い分け

表現例	体面	メンツ	沽券	面目
A できなくては―にかかわる	○	○	○	○
B このことで彼は―を失った	○	○		○
C ―を立ててほしい		○		○

1. Aでは四語とも使えるが、ぴったりするのは「メンツ」「沽券」「面目」で、「体面」では外見ばかり気にしているような感じになる。

2. Bのように「―を失う」という言い方の場合は、「体面」「メンツ」「面目」が使われる。「沽券」は「沽券が下がる」のように主格として用いる以外は、「沽券にかかわる」という慣用句が使われるくらいである。

3. Cのように「―を立てる」という言い方の場合は、「メンツ」「面目」が使えるが、「メンツ」と「面目」では意味が異なる。「メンツを立てる」では相手の名誉を尊重する意、「面目を立てる」では自分の価値・名誉を高める、または維持する意となる。「体面」は、「保つ」「つくろう」「維持する」のような現状を守るという意の表現にふさわしいこともあり、不適。

類似の語

体裁 他人の目を意識して整えた、物事の形やよう。「体裁をつくろう」 ➡ 「ていさい」

たいら　flat

平ら・平たい・平べったい・平坦

基本の意味 高低・でこぼこ・傾斜などがないようす。

Point! 「平ら」は面に注目していう語で、面そのものにでこぼこや傾斜がないようすをいう。「平たい」「平べったい」は、面そのものよりも立体物としての形状に注目した言い方で、側面から見て厚みや高さに乏しく、側面以外の面がかなりの広さをもっていて高低があまりないようすをいう。「平べったい」は「平たい」に比べて俗語的。「平坦」は、「平ら」と同じく面の状態に注目した語で、地面に傾斜やでこぼこがないようす、また、物事が起伏・波乱なく進行するようす。

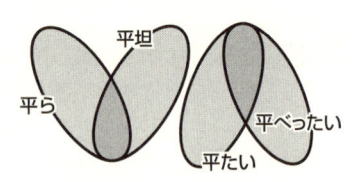

使い分け

表現例	平ら	平たい	平べったい	平坦
A 　―道	―な○			―な○
B 　―なべ		○	○	
C 　もっと―置いてください	―に○			
D 　―言えばこうだ		―く○		
E 　―人生を送る				―な○

1. **Point!** で述べたように、「平ら」「平坦」が面そのものに注目するのに対し、「平たい」「平べったい」は立体の厚み・高低に注目するという違いがある。よってAは「平ら」「平坦」、Bは「平たい」「平べったい」が適当。
2. Cのように、水平で傾斜がないように位置させる場合は「平ら」が適切。
3. Dのように表現が平易である意では「平たい」以外は使えない。
4. Eのように物事に関し起伏・波乱がないという意では、「平坦」を用いる。

類似の語

扁平 平たいようす。あまり大きくないものについていい、また、高低のあるのが普通もしくは期待される場合にいう。「扁平な顔」「扁平な胸」

フラット 土地や物の表面に傾斜・起伏・凹凸がないようす。平ら。「フラットなトレーニングコース」

たさい variety

多彩・多種・多様・多種多様

基本の意味 種類や内容・状態などがさまざまであること。

Point! 「**多彩**」は、あれこれとあって変化に富んでいることで、その状態をプラスととらえる意味合いが他の三語より強い。「**多種**」は種類の多いこと。「**多様**」は形・内容・状態などがさまざまであること。「**多種多様**」は「**多種**」と「**多様**」を合わせた言い方。

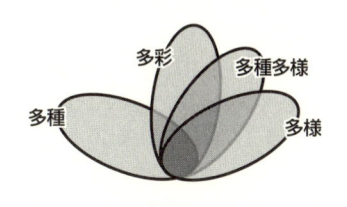

使い分け

表現例	多彩	多種	多様	多種多様
A ―な（の）作品が展示された	○	○	○	○
B 品を―そろえる		○		
C ―な（の）催しがある	○		○	○
D 客の―な要求に応じる			○	○
E ―な攻撃を繰り広げる日本チーム	○			○

1. Aの場合はそれぞれの意味でどれも使える。「多彩」「多様」では「―な」、「多種」では「―の」が普通。「多種多様」はどちらも普通にいう。
2. Bのように、副詞的に使えるのは「多種」だけである。
3. Cのように、内容がさまざまであることを表す場合は「多種」はやや不自然な感じである。
4. DもCと同様、内容をいっているから「多種」は使いにくい。また、「要求に応じる」というように負荷としてかかってくる事柄に「多彩」はそぐわない。
5. Eのように、変化に富んだ目立つ感じを表す場合は「多彩」が最適。「多種多様」も使えるが、華やかな感じには乏しくなる。

類似の語

色々（いろいろ） 形・内容・性質・状態などの異なるものが多くあるようす。また、多くの事柄・内容にわたるようす。「いろいろな品物」「いろいろ話す」

様々（さまざま） 形・内容・性質・状態などがそれぞれ異なるようす。「形がさまざまに変わる」「さまざまな臆測（おくそく）が飛び交う」

たずねる　ask

尋ねる・問う・問い掛ける・問い合わせる

基本の意味　人にものを聞く。

Point!　**「尋ねる」**は、物事の跡を探り追って行く意から、何かを知ろうとして人にものを聞く意に用いられる。**「問う」**は、人にものを聞く意では文章語的な硬い言い方となり、責任や罪状を追及する意や、問題として取り上げる意で多く使われる。**「問い掛ける」**は、こちらから進んで質問を発するという意味合いで使われ、相手が予期していないような場合に使われることが多い。**「問い合わせる」**は、不明な点を電話・手紙などで関係者や知っていそうな人に聞く意。

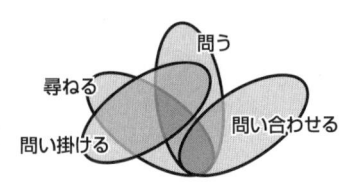

使い分け

表現例	尋ねる	問う	問い掛ける	問い合わせる
A　乗客の安否を—	○	○		○
B　彼に意見を—	○	○	○	
C　母を—てさまよう	—ね○			
D　事故の責任を—れる		—わ○		

1. Aのように、質問されることが当然もしくは十分予想される場合は、**Point!** で述べた特徴から「問い掛ける」は不適。
2. 「問い合わせる」は、客観的な事柄についてそれを知っていそうな人に手紙や電話などで聞くという限定された意味で用いられ、Bのように相手が何を考えているか聞くという場合には使われない。
3. Cのように所在不明の人や物を探し求める意では「尋ねる」しか使えない。
4. Dのように責任の所在などを明らかにするためにただすという意では、「問う」しか使えない。

類似の語

聞く　相手から答えを得ようとして言葉を発する。「訊く」とも書く。「地元の人に道を聞く」

伺う　「聞く」「問う」の謙譲語。「ちょっと伺いますが…」

たちば　viewpoint

立場・観点・視点・見地

基本の意味 物事を評価したり判断したりするときに立脚する位置。

Point! 「立場」は、その人の置かれている境遇という意が基本にあり、評価・判断の立脚点という意味でいう場合も、人間関係・地位・身分など具体的な環境・状況の中に置かれたものとしてのそれをいう。それに対し、他の三語は観念的・抽象的な立脚点をいい、「**視点**」「**観点**」「**見地**」の順に、依拠する位置や目の向け方が広くなる感じがある。

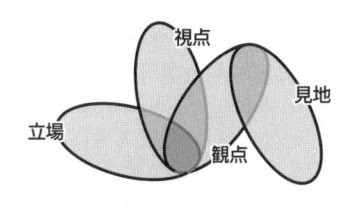

使い分け

表現例	立場	観点	視点	見地
A ―を変えて論じる	○	○	○	
B 長期的な―が欠けている		○	△	
C 観光開発に―が置かれた政策			○	
D 人道の―から援助を行う		○		○

1. Aのようにそれを変えるという場合は、「立場」「観点」「視点」が使える。「見地」は個人的でなく、より高いところから広い範囲に目を向けて、それに基づく感じが強いので、「…を変える」という表現にはそぐわない。

2. 「視点」はある一点に目を向ける感じが強いのに対し、「観点」はより広い範囲に目を向ける感じがあり、Bのように長期的という場合は「観点」が適切。「立場」「見地」は長期というだけの修飾では不十分で、考えの内容が示されないと使いにくく、また「立場」は「欠ける」と結び付きにくい。

3. Cのように、一つの事柄に目を向ける意では「視点」が適当。他の語は「…が置かれる」という表現にはそぐわない。

4. Dのように、「人道」という普遍的価値を持つとみられる事柄については、ある限定された立脚点を示す「立場」「視点」は使いにくい。「国際的な人道の―から」などと限定的に示せば「立場」「視点」も使える。

類似の語

次元 物事を考えたりしたりする際の水準。「次元の違う問題」「次元が低い」

たちまち　immediately

たちまち・たちどころに・見る見る

基本の意味　短い時間のうちに、ある状況や変化が生じるようす。

Point!　**「たちまち」** は、短時間のうちに状況が大きく変わることに重点が置かれ、**「たちどころに」** では、何かが行われてから時を置かずその結果が現れることに重点が置かれる。**「見る見る」** は、外見でとらえられるような状態・状況の変化にいう。

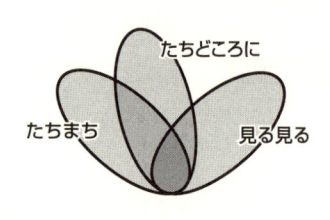

使い分け

表現例	たちまち	たちどころに	見る見る
A　火の手は―広がった	○	○	○
B　薬を飲んだら痛みが―消えた	○	○	
C　数か月で―飽きてしまった	○		
D　どんな問題でも―解いてみせる	○	○	

1. Aの例ではそれぞれの意味合いで三語とも使える。
2. Bのように、目に見えないことにいう場合は「見る見る」は不適当。Cも同様。
3. Cのように、その場ですぐというよりある時間の幅での変化の大きさをいう場合は「たちまち」が適当で、「たちどころに」は使いにくい。
4. Dのように、人の力によってすぐその場で行われる物事には、「たちまち」も使えなくはないが、「たちどころに」が最適。「空が曇って―雨が降り出した」のような自然現象なら「たちまち」が最適。「―表情がくもった」のように、見ているうちに変わっていくようすには「見る見る」が最適。

類似の語

見る間に　見ている間に。物事の目に見える状態が短時間の間に変化するようす。「船は見る間に海中に没した」

瞬く間に　極めて短時間のうちに。「瞬く間に一流企業に成長した」

あっと言う間に　「あっ」と声を出すくらいの極めて短い時間のうちに。実時間としてはかなり長い場合にもいう。「夏休みはあっと言う間に終わった」

たびたび

often

たびたび・しばしば・ちょくちょく

基本の意味 あまり間を置かずに同じことが何度も繰り返されるようす。

Point! 「**たびたび**」は、二度三度と回数が重なることに重点があり、頻度は必ずしも問題にならず、短い間に数度繰り返されて終わるような場合にもいう。それに対し、「**しばしば**」「**ちょくちょく**」は、頻度に重点があり、一定の期間に断続的に何度も行われたり起こったりするという意識で使われる。「**しばしば**」は、繰り返しの間隔がある程度長く頻度もさほどでない場合にも使うが、「**ちょくちょく**」は間隔が短く、より頻度の高い感じがある。「**しばしば**」はやや文章語的で、「**ちょくちょく**」は口頭語的。

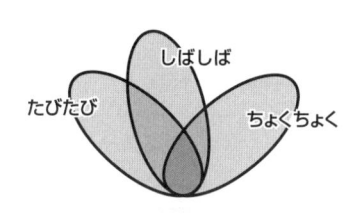

使い分け

表現例	たびたび	しばしば	ちょくちょく
A 一忘れ物をする人	○	○	○
B 別れたいと思ったことも一だった	○	○	
C 一お手数をかけ申し訳ありません	○		
D これからも一おいでよ			○

1. Aの例では三語とも使え、「ちょくちょく」がやや頻度が高い感じがある以外は、意味的に大差ない。
2. Bのように「一だ」の表現の場合は、「ちょくちょく」は使いにくい。
3. Cのように「重ね重ね」の意識でいう場合は「たびたび」が適切。「ちょくちょく」は軽すぎ、「しばしば」はもう少し長い期間の繰り返しの場合に使われる。
4. Dのようなくだけた表現の場合は「ちょくちょく」が適当で、「たびたび」「しばしば」は不自然。

類似の語

よく 多く行われたり起こったりするようす。「若いころはよく山に行ったものだ」「よく雨が降る」

たべる eat

食べる・食う・食らう

基本の意味 食べ物をかんで腹の中へ入れる。

Point! 「食べる」は「食う」の丁寧な言い方だが、現在では「食べる」が普通の言い方で「食う」はぞんざいな言い方と意識されることが多い。「食らう」は「食べる」「飲む」のぞんざいな言い方。

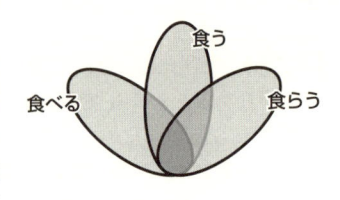

使い分け

表現例	食べる	食う	食らう
A　めしを―	○	○	○
B　―ていくのに困る	―べ○	―っ○	
C　よくかんで―なさい	―べ○		
D　不意打ちを―		○	○
E　時間を―仕事		○	

1. Aの例はどれも使える。「食べる」が最も普通の言い方だが、「めし」よりは「ごはん」を使うほうがより自然。「食う」はややぞんざいな言い方になり、「食らう」はさらにぞんざいな感じが強く、女性はほとんど使わない。また、「食らう」は酒など飲み物にも使うことがあるが、現在では「食べる」「食う」はほとんど飲み物にはいわない。

2. Bのように暮らしを立てる意では、「食らう」は使わない。

3. Cのように「なさい」を付けていう場合、「食べる」以外はぞんざいで不適当。

4. Dのように好ましくないことを身に受ける意の場合、「食べる」は使えない。

5. Eのように多く使うという意では、慣用的に「食う」だけが使われる。また、他の勢力範囲を侵す、相手を圧倒し負かすなどの意も「食う」しか使えない。

類似の語

召し上がる　「食べる」「飲む」の尊敬語。「何を召し上がりますか」

頂く　「食べる」「飲む」の謙譲語。丁寧語としても使う。「熱いうちに頂く」

だます deceive, cheat

だます・欺く・ごまかす・偽る

基本の意味 うそを本当だと思わせたり、真実がわからないようにしたりする。

Point! 「だます」「欺く」では本当でないことを本当だと思わせる意が、**「ごまかす」**では本当のところがわからないように曖昧にしたり、表面を取り繕ったりする意が、**「偽る」**では事実や本心と違うことを言う意が、それぞれ中心となる。

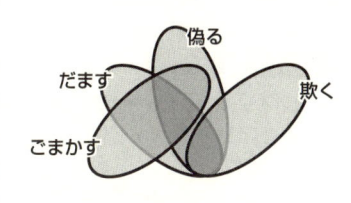

使い分け

表現例	だます	欺く	ごまかす	偽る
A 親を―て金を引き出す	―し○	―い○		―っ○
B 頭が痛いと―	○		○	○
C 計算を―			○	
D 名前を―			○	○

1. Aのように人を目的語とする場合、「ごまかす」は使いにくいが、「親の目」とすれば使える。「欺く」「偽る」は文章語的で、特に人を目的語にとる形での「偽る」は文章語的性格が強い。また、「だます」に比べて「欺く」では、ある期待を持たせながらそれにそむく感じがこもる。

2. Bのように「と」による引用の表現に直接続ける場合、「欺く」は使いにくい。「だます」「ごまかす」は「頭が痛いと言って」としたほうがはっきりするが、「偽る」は「言う」の意を含むので「言って」を添えにくい。

3. Cのように、事柄を目的語とし、それについて不正をするという意を表す場合は、「ごまかす」以外は使えない。「だます」「欺く」は事柄を目的語としては使わない。

4. Dも事柄を目的語にしているので「だます」「欺く」は使えない。この場合、「偽る」ではうその名を言う意になるが、「ごまかす」では曖昧な受け答えをして本当の名が何かを相手にわからせないようにする意になる。

類似の語

たぶらかす うまいことを言って人を誤った判断に導く。「娘をたぶらかす」
かたる 金品をだまし取る。また、地位・名前などを偽る。「大金をかたられる」

だめ useless

駄目・台無し・ふい・おじゃん

基本の意味 物事が価値を失ったり、うまく行かなくなったりすること。

Point! 「**駄目**」は、四語の中で最も一般的な語で、無価値・無益・不能・不適などマイナスの意味を幅広く表す。「**台無し**」は、それまでよかったものやうまく運んでいた物事がすっかり悪くなってしまうことで、残念な気持ちが打ち出される。「**ふい**」は多く「ふいになる」「ふいにする」の形で、努力してつかんだものやつかみかけたチャンスが失われてしまう意にいう。「**おじゃん**」は俗語的で、こうしようと思っていたことが急にできなくなってしまうこと。

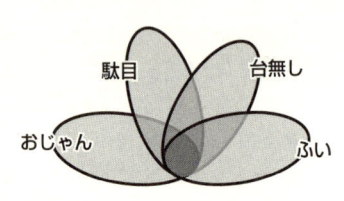

使い分け

表現例	駄目	台無し	ふい	おじゃん
A 計画が—になってしまった	○	○	○	○
B このハムはもう—のようだ	○			
C せっかくの信用を—にする	△	○	○	
D 雨でせっかくの晴れ着が—だ		○		
E 一日で百万円が—になった			○	

1. Aではそれぞれの意味で四語とも使える。
2. Bのようにごく日常的な事柄で、物が使用に供せなくなることを一般的にいう場合は、「駄目」以外は不自然。
3. Cのように、これまで積み上げてきた物事の価値が失われることをいう場合には、「台無し」「ふい」が適当。「駄目」も幅が広いので使えなくはないが、表現としては弱い。
4. Dのように、いいものなのに何かのためにすっかり価値を失ったという残念さを特に表していう場合は、「台無し」が使われる。「駄目」は「—になった」とすれば一般的な言い方として使える。
5. Eのように、あるものが急に失われてなくなってしまう、特に入ってくるべき金銭が急に失われてしまう意では、「ふい」が使われる。

ためらう

hesitate

ためらう・躊躇する・逡巡する・渋る

基本の意味 決断がつかなかったり気が進まなかったりして、なかなか物事を行わないでいる。

Point! 「ためらう」は、その行為に確信が持てなかったり、恐れや気後れを感じたりして、思い切って実行できずぐずぐずする意。「躊躇する」は「ためらう」の文章語的な言い方。「逡巡する」も文章語的な言い方だが、いざ実行という段になって恐れ・気後れなどからためらう感じが強い。「渋る」は、ぐずぐずするというよりも、気が進まないようすを見せる意に重点がある。

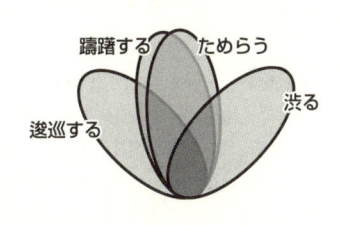

使い分け

表現例	ためらう	躊躇する	逡巡する	渋る
A 何も—ことはない	○	○	○	○
B —ないでさっさとやりなさい	—わ○	—し○		—ら○
C 帰っていいものかどうか—ている	—っ○	—し○	—し△	
D 筆が—				○

1. Aではそれぞれの意味で四語とも使える。
2. Bのような日常会話の表現には、硬い感じの「逡巡する」は不自然。「ためらう」「躊躇する」は決断がつかない感じ、「渋る」は気が進まなくていやがる感じをいう。
3. Cのように、実行に移すべきかどうか迷っている場合は、「渋る」は使えない。「逡巡する」は事を行う決心がつかずしり込みするという感じがあるので、Cの場合には、やや大げさ。
4. Dのように人以外のものを主語にしている場合は、「渋る」以外は不適当。

類似の語

たじろぐ 相手に圧倒されたり、困難にぶつかったりしてひるむ。「強敵を前にたじろぐ」「少しもたじろがず意見を述べる」

しり込みする 進んですることに不安を感じて、ぐずぐずと消極的な態度を示す。「いざとなると皆しり込みしてしまう」

たもつ

keep, maintain

保つ・維持する・持続する

基本の意味 状態をそれまでと変わらないようにする。

Point! 「保つ」「維持する」は、ある状態が変わらずに続くようにする意で、「保つ」が結果的にそうなる場合も多く含むのに対し、「維持する」は意志的にもちこたえるようにする、または変動させず以前のままとするという感じが強い。「保つ」「維持する」が他動詞なのに対し、「持続する」は他動詞・自動詞両用があり、動作・作用やある状態を一定の時間続ける意、または続く意に用いる。

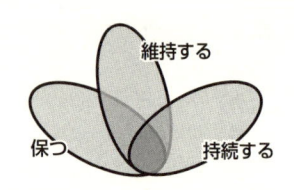

使い分け

表現例		保つ	維持する	持続する
A	今シーズンは好調を―ている	―つ○	―し○	―し○
B	温度を二十度に―	○	○	
C	長い時間運動を―ことのできる筋肉			○
D	薬効が―			○
E	肌を清潔に―	○		
F	店を―ための資金		○	

1. Aの場合はそれぞれの意味で三語とも使える。
2. Bのように、具体的な度合いを「…に」の形で示す表現の場合は「持続する」は不適当。
3. Cのように、ある動作をしつづける意では「持続する」しか使えない。また、Dのような自動詞の用法をもつのも「持続する」だけである。
4. Eのように具体的な物や場所をある特定の状態で変わらないようにすることをいう場合は、「保つ」が適当。「維持する」は主に抽象的な事柄にいう。
5. Fのように事業などを衰えないように運営する意では、「維持する」以外は使えない。

類似の語

保持する 失わないように保ち続けること。「輝かしい伝統を保持する」
もつ 好ましい状態が一定の期間損なわれずに続く。「天気がもつ」

たるむ   loosen

たるむ・緩(ゆる)む・だれる・だらける

基本の意味 張りや締まりがなくなる。

Point! 「**たるむ**」は、ぴんと張ったものが張りや締まりを失う意。「**緩む**」は意味が広く、締め方や張り方、固まり方、受ける力の厳しさ、速度などがゆるくなる意。「**だれる**」は、気分的に緊張感や集中力を欠いた状態になる意。「**だらける**」は、緊張感を欠いてだらしない状態になる意。

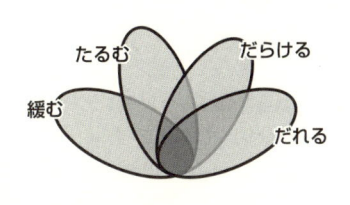

使い分け

表現例		たるむ	緩む	だれる	だらける
A	気分が―て（で）くる	―ん○	―ん○	―れ○	―け○
B	張った綱が―	○	○		
C	国際間の緊張が―		○		
D	客席が―			○	○
E	―た（だ）服装をしている	―ん△			―け○

1. この四語は、心の張りや緊張を欠いて締まりがなくなる意をもつ点で共通し、Aのように気分についてはどれも使える。

2. Bのように、ぴんと張っていたものが張りをなくす意の場合は「たるむ」「緩む」を使う。ただし、線状でない「皮膚」などには「たるむ」を、きつく締めてあった「ねじ」「たが」などには「緩む」を使う。

3. Cのように、状態がやわらぐ意には「緩む」が適当。「寒さ」「暑さ」なども「緩む」を用いる。「たるむ」をよい状態になる意で使うことはまれ。

4. Dのように、雰囲気などに締まりがなくなる意の場合には「だれる」「だらける」を使う。他の二語は、気分・心などの状態を示すものでないとしっくりしない。

5. Eのように服装がだらしなくなる意では「だらける」が最適。「だれる」は気持ちや態度を表すにふさわしく、服装そのものについてはいわない。規律の乱れなど精神面に注目していう場合は「たるむ」も使えなくはない。

類似の語

弛緩(しかん)する 緊張を失ってゆるんだ状態になる。筋肉・精神などにいう。

たれる　hang down

垂れる・滴る・垂れ下がる・ぶら下がる

基本の意味 ある長さを持ったものや液状のものなどが、ある位置からそれ自身の重みで下へ下がる。

Point! 「**垂れる**」は、やわらかみがあって棒状・ひも状・布状・房状などの形状をしたものの端または一部が自然に下方に下がる意、また、液状のものがしずくとなったり糸を引いたりして落ちる意を表す。「**滴る**」は、液体がしずくとなって落下する意。「**垂れ下がる**」は、液状のものにいわない以外はおおむね「**垂れる**」と重なる。「**ぶら下がる**」は、上の方を固定されたものが揺れやすい状態で垂直に下がっている意、また、人や動物が何かにつかまって体をぶらりと宙に位置させる意にも用いる。

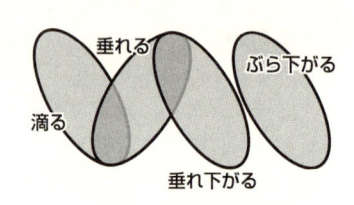

使い分け

表現例	垂れる	滴る	垂れ下がる	ぶら下がる
A　しずくがぽたぽたと—	○	○		
B　蠟が溶けて—ている	—れ○			
C　—ていた緞帳が上がる	—れ○		—っ○	
D　—ている提灯が揺れる				—っ○

1. Aのように、液状のものに「垂れ下がる」「ぶら下がる」は使えない。

2. 「滴る」は、しずくとなってぽたぽた落ちる場合に使い、液状のものでもBのように糸状に連なって落ちる場合には使えない。

3. Cのように液体でない場合は「滴る」は使えない。「ぶら下がる」はぶらりと下がって揺れやすい状態にふさわしく、緞帳などには使いにくい。

4. Dでは「ぶら下がる」だけが使われる。「垂れる」「垂れ下がる」は細長いものや布状のものだけでなく、花房・乳房など房状のものや首などの立体物にもいうが、それ自身の重みで、自然にという含みがあり、Dの提灯のような取り付けた立体物については不適。また、四語の中で意志的行為を表すのは「ぶら下がる」だけであり、「つり革に—」の場合も「ぶら下がる」しか使えない。

たんき　quick-tempered, short-tempered

短気・気短・せっかち・性急

基本の意味　ゆったり構えていることのできない気質や態度。

Point!　「短気」「気短」は、物事が思いどおりに運ばないと、すぐいらついたり腹を立てたりするようす。また、そうした性格。「短気」は特に、性格的に怒りっぽいという意味合いを多く含む。「せっかち」は、思いついたことをすぐ実行に移そうとしたり、すぐ結果を出したがったりするようす、また、そうした性格。「性急」は、急いで事を進めようとするようすで、性格的な面よりも個々の態度にいうことが多い。

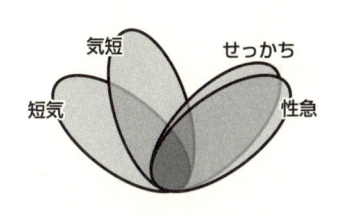

使い分け

表現例	短気	気短	せっかち	性急
A　―な男	○	○	○	○
B　―を起こすな	○			
C　―に事を進める			○	○
D　父は―ですぐ怒る	○	○		

1. Aの場合はそれぞれの意味で四語とも使える。
2. Bのように、「―を起こす」という表現の場合は「短気」しか使わない。
3. Cのように事を急いで行うようすをいう場合は、「短気」「気短」は不適当。「性急」は単に急いでする意でもいうが、「せっかち」を使うと、その人の性格的な面に重点を置いた表現になる。また、「性急」は形容動詞として使うのが普通だが、「せっかち」は「あいつのせっかちにも困ったものだ」のように名詞にも使われる。
4. Dのように、怒りっぽい性格をいう場合は「短気」「気短」が使われる。

類似の語

気早　すぐその気になったり、先のことをすぐにも始めようとしたりするようす。「気早な性格」「気早に出発の準備にかかる」

短慮　よくも考えないで事を行うこと。また、「短気」「気短」の古風な言い方。「短慮を起こす」

たんしょ   defect

短所・欠点・欠陥・難点・弱点

基本の意味 その物・物事や人の、不十分だったりよくなかったりする点。

Point! 「短所」は人の性格や物の機能・性能にいうことが多いが、「欠点」は美的評価などの場合にも使われ、「短所」より幅が広い。「欠陥」は、構造上不完全だったり大事な要素が欠けていたりするなど、実際の悪影響が多い場合にいう。「難点」は問題となるような不都合な点といった意で、他との比較で評価・評定を下すような場合にいうことが多い。「弱点」は、そのものが十分に対応できない点や、そこを突かれると弱い点。

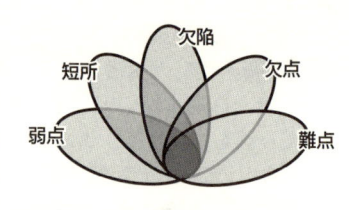

使い分け

表現例		短所	欠点	欠陥	難点	弱点
A	ガソリンを食うのがこの車の―だ	○	○	△	○	
B	―のある商品を取り替える			○		
C	このマンションは駅から遠いのが―だ		○		○	
D	人の―をつかむ					○
E	自分の―を知る	○	○	△		○

1. 「欠陥」はそのままにしておけないような悪い点という感じが強く、Aの場合にはやや使いにくい。
2. Bのように商品として交換を要するほどの場合は、「欠陥」が適当。
3. 「短所」「弱点」は物についても使うが、Cのような住居の条件の場合は不適当。「欠陥」も地理的条件には使えない。
4. Dのように、付け込まれると困る点の意では「弱点」以外使いにくい。
5. Eのように、自分の性格や能力にいう場合は「短所」「欠点」「弱点」が適当。「難点」は他から見た場合にいうので使いにくい。「欠陥」はこのままでは使いにくいが、「自分の性格的欠陥を知る」のように何の欠陥か限定すれば使える。

類似の語

粗 人や作品・仕事などの欠点。「粗が目立つ」「粗を探す」

たんじょう　birth

誕生・出生・生誕

基本の意味 生まれること。

Point! 「**誕生**」は最も普通の言い方で、動物や団体・組織・商品などにもいい、三語の中では最も幅広く使える。「**出生**」は、人が生まれることについてやや事務的に述べる場合に使われる。読みは「しゅっしょう」「しゅっせい」いずれも行われるが、「しゅっしょう」が本来で、「しゅっせい」は新しい言い方。「**生誕**」は、主に偉人や歴史的人物についてやや敬意を込めていう場合に用いる。

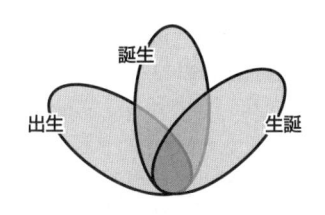

使い分け

表現例	誕生	出生	生誕
A　北原白秋―の地	○	○	○
B　長男が―する	○	○	
C　子犬（新会社）が―する	○		
D　ゲーテ―二百年目にあたる	△		○
E　―の知れない人		○	

1. Aの場合はそれぞれの意味合いで三語とも使える。
2. 「生誕」は偉人や歴史的人物にいうのが普通で、Bには使いにくい。
3. 「出生」「生誕」は人間以外には使わないから、Cでは「誕生」だけが適当。
4. Dのような偉人の場合は「生誕」が最適。「誕生」は使えなくはないが、「出生」は事務的すぎて不自然。
5. Eのように、生まれたときのさまざまな状況や環境を含めていう場合は、「出生」が使われる。

類似の語

降誕 神仏・聖人・偉人などがこの世に生まれること。硬い文章語。「降誕会」「降誕祭」

発祥 物事が初めてそこに起こること。歴史的な事柄にいう。「古代文明の発祥の地」

ちがい　difference

違い・相違（そうい）・差（さ）・差異（さい）

基本の意味　それぞれの間の異なる点や数量的な隔たり。

Point!　**「違い」**は、内容や形状が同じでないことにも、数量的な隔たりにもいう。**「相違」**は、もっぱら内容や形状が同じでないことにいう。**「差」**と**「差異」**は、**「違い」**と同じく、内容・形状にも数量にもいうが、**「差」**では異なり具合を隔たり・開きとしてとらえる意識がある。**「差異」**は、学術や文学の分野で多く使われる語で、数量にいう場合も、日常的・具体的な数の差に使うことはほとんどない。

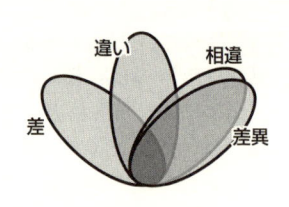

使い分け

表現例	違い	相違	差	差異
A　日本製品と外国製品との—	○	○	○	○
B　意見の—を明確にする	○	○		○
C　年齢的に彼とは一つの—しかない	○		○	
D　三メートルの—をつける			○	
E　文字の—を指摘する	○			

1. 「違い」「差」は数量的にも質的にも使われるが、「相違」「差異」は主に質的なものに関していう。Aの場合は質的な事柄だから四語とも使える。
2. Bの場合も質的であるが、Aと異なり、「意見」という形に現れないものである。感覚的に意見の隔たりをいうときは「意見の差」ともいえなくはないが、「明確にする」と続くときは使いにくい。
3. Cのような数量的な違いに「相違」は使えない。また、年齢の差のような日常的・具体的な数量差に「差異」は不自然。
4. Dも数量的な違いだが、「—を付ける」の言い方は「違い」にはなく、「差異」はCと同じく不自然で、「差」だけが適当。
5. Eのように、誤りの意の場合は「違い」以外は不適当。

類似の語

格差（かくさ）　等級・階層などの上下の差。「所得の格差が広がる」
落差（らくさ）　水などが落ちるときの高度差。転じて、物事の水準や価値の差。

ちがう

differ

ちがう・反(はん)する・たがう・異(こと)なる

基本の意味 ある物事が他の物事と同じでない状態にある。

Point! 「**ちがう**」は、四語の中で最も一般的な語で幅広く用いられ、正しい状態の基準から外れる、間違うの意も表す。「**反する**」は、単に同じでないだけでなく、反対の状態、逆らう状態である意。「**たがう**」は「**ちがう**」と意味的に重なる部分が多いが、古い言い方で現在では固定化した表現にのみ使われる。「**異なる**」は、互いに同じでない状態にある意で、「**ちがう**」よりも硬い表現。

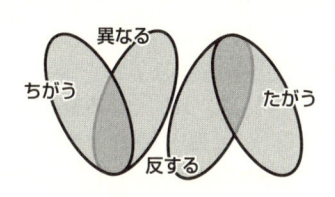

使い分け

表現例	ちがう	反する	たがう	異なる
A　言語の―民族が集まる	○			○
B　親の教えに―		○	○	
C　この答えは―ている	―っ○			
D　予想に―て強敵に勝つ			―し○	

1. Aのように、互いに同じでないという意では「反する」は使わない。「たがう」も固定化した表現に使用が限られて、Aでは使えない。

2. Bの例で、「反する」を用いると、意志的に逆らう意にもなり、「たがう」を用いると、結果的に親の教えに背く意となる。「ちがう」「異なる」は多く助詞「と」に付くのでBの例には使えないが、「親の教えと―」の形にすれば使える。ただしその場合は、何か他の教えが親の教えと比べて同じでないという意味になる。

3. Cのように間違うの意の場合は「ちがう」以外は使えない。

4. Dは意味の上からは四語ともあてはまるが、「予想に―」の形をとるのは「反する」「たがう」の二語だけである。「たがう」は **Point!** で述べたように固定化した表現でないと使いにくく、「予想にたがわず…」など使い方は限られる。

類似の語

相反(あいはん)する　二つの物事が互いに反対の関係・立場になる。「利害が相反する」

ちぢまる　shrink

縮まる・縮む・縮れる・つづまる

基本の意味 物の長さ・面積・体積などが小さくなる。

Point! 「**縮まる**」は、長さ・距離・面積などが小さくなる意。「**縮む**」は、体積・面積・長さなどが小さくなる意。「**縮れる**」は、しわがよって小さくなったり、毛髪などが巻いた状態になったりする意。「**つづまる**」は、物の長さや言葉・文章などが短くなる意。

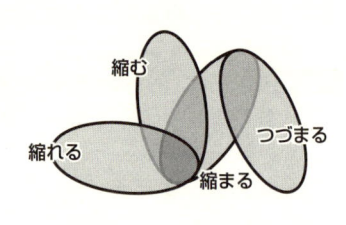

使い分け

表現例		縮まる	縮む	縮れる	つづまる
A	布が—	○	○	○	
B	工事期間が—	○			△
C	空気が抜けて風船が—	△	○		
D	恐ろしさで身が—	○	○		
E	頭の毛が—ている			—れ○	
F	この文章は半分くらいに—だろう	○			○

1. Aのように面積が小さくなる場合は「つづまる」は使いにくい。
2. Bのように期間などが短くなる意の場合は「縮まる」が適当。「つづまる」も使えなくはないが、やや不自然。
3. Cのように体積が小さくなる意の場合は「縮む」が適当。「縮まる」も使えなくはないが、かさが減ることにはやや言いにくい感じである。
4. Dのように人の体についていう場合は「縮む」「縮まる」を使う。
5. Eのように、毛髪など細長いものが細かい波状や巻いた状態になる意の場合は、「縮れる」だけが使われる。
6. Fのように文章などが簡潔になる意の場合は「縮まる」「つづまる」が使われる。人手を加えて短くする場合には「縮む」は使いにくい。

類似の語

縮こまる 寒さ・恐怖などのために、体を丸めて小さくなる。

しぼむ 開いていた草花などが生気を失って縮む。また、膨らんでいたものが張りを失って小さくなる。「花がしぼむ」「夢がしぼむ」

ちほう   district, area

地方・地域・地区・区域

基本の意味 何らかの基準によって区分された、ある範囲の土地や場所。

Point! 「地方」「地域」は、自然条件・風土・歴史・経済・行政などの観点から区分された一定範囲の土地。「地区」は、主に行政・事業などの観点から区分された一定範囲の土地。一般には「地方」が最も範囲が広く、次いで「地域」で、「地区」はやや狭い。「区域」は、人為的に区切られた空間的範囲。土地に限らず、水域・空域や施設内・屋内の場所などにもいう。広狭の限定はないが、「地方」「地域」「地区」と組み合わせて使う場合には、最も狭いものとしてとらえられる。

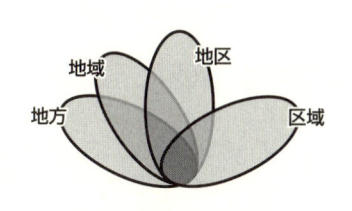

使い分け

表現例	地方	地域	地区	区域
A 受け持ちの―	○	○	○	○
B ―の代表が決まる	○	○	○	
C この―は雪が多い	○	○		
D ―から上京する	○			
E 遊泳禁止の―				○

1. Aの場合は、受け持つ事柄によってどれも使うことができる。
2. Bの場合、「区域」は「地区」より狭い範囲を意味し、使いにくい。「地区」はスポーツの催しなどでは「関西地区」のように広い範囲にも使う。
3. Cのように、自然的・風土的な表現の場合は「地区」「区域」は使いにくい。
4. Dのように、首都以外の土地の意には「地方」しか使えない。
5. Eのように、ある範囲の水域をいう場合は、「区域」しか使えない。

類似の語

地帯 ある広がりと特定の性質・状態を有する一定の土地や場所。「安全地帯」

ちゃくじつ steady

着実・堅実・手堅い・危なげない

基本の意味 物事のやり方が確実であるようす。

Point! 「着実」は、事の進め方に注目した語で、一つ一つミスや落ちがないように慌てず急がず物事をやっていくようす。「堅実」は、主体の考え方や態度に注目した語で、冒険を避けて失敗のないように物事をするようす。「手堅い」は「堅実」と似ているが、個々の具体的な行為に注目してそれが確実に行われるようすをいう。「危なげない」は、はたから見た印象に重点があり、不安に思わせる点が全くなくて安定しているようす。

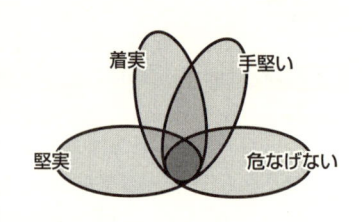

使い分け

表現例	着実	堅実	手堅い	危なげない
A ―演技	―な○	―な○	○	○
B ―計画は進んでいる	―に○			
C ―家庭を築く		―な○		
D ―得点を重ねる	―に○		―く○	
E ―包丁さばきだ				○

1. Aではそれぞれの意味合いで四語とも使える。
2. Bのように物事の進み具合を形容する場合は、「着実」以外は使いにくい。
3. Cのように安定して内容が充実しているようすを表す場合は「堅実」が適当。「手堅い」は内容よりやり方についていうことが多くCには不自然。
4. Dのように、一歩一歩確実に事を進める意の場合は「着実」が最適。危険の少ないやり方で、という意に受けとれば「手堅い」も使うことができる。「堅実」も意味の上からは使えそうだが、「―に」の形はあまり使われない。
5. Eのように、手先の仕事などで失敗や危険を感じさせない意が強い場合は「危なげない」以外は不自然。

類似の語

地道 こつこつとまじめに事を進めていくようす。「地道な努力」

ちゅうおう center, middle
中央・中心・真ん中

基本の意味 周囲または両端・両側から等距離にある位置。

Point! 「**中央**」は、線または面としてとらえたものについて、その両端・両側または周囲の線のどの位置からも等距離にある位置や部分をいう。「**中心**」は、立体または面としてとらえたものについて、立体ではすべての面のどの位置からも、面では周囲の線のどの位置からも等距離にある位置や部分をいう。「**真ん中**」は、図形上の位置に関して「**中央**」とほぼ同じ意味で日常語的に使われるほか、順番・序列や数値についてちょうど中間の位置の意でも使われる。

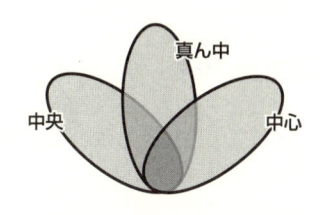

使い分け

表現例	中央	中心	真ん中
A　広場の—にある噴水	○	○	○
B　枝が—からぽっきり折れた	○		○
C　地球の—には核と呼ばれる部分がある		○	△
D　一国の経済の—となる都市		○	
E　私は三人兄弟の—だ			○

1. Aではどれも使えてほぼ同じ意味になる。「町の—」のような例では「中央」「真ん中」は位置をいうが、「中心」の場合は、町の機能をつかさどる組織や商業の集中している所という意味になる。

2. Bのように線状のものにいう場合は、「中心」は使いにくい。

3. Cのように立体を三次元でとらえていう場合は、「中心」が適当。「地球の中央」というと、例えば宇宙船から撮った写真の地球のように、円として面的にとらえていることになる。「真ん中」は日常語的には立体の中心部の意味で使うこともあるが、漠然とした言い方になりCにはそぐわない。

4. Dのように、「かなめ」の意味で最も重要な位置・立場・箇所などをいう場合は、「中心」しか使えない。ただし国やある組織の中で中心となる機関・部署の意味では、「中央銀行」「中央委員会」など、「中央」が使われる。

5. Eのように順番・序列の中間の意では、「真ん中」しか使えない。

ちゅうこく

advice

忠告・勧告・助言・アドバイス

基本の意味 その人のためになるように教えたり勧めたりすること。

Point! 「**忠告**」は、その人の悪い点などを本人のために指摘して、それを改めるように勧めること。「**勧告**」は、あることをするように公的な立場から勧めること。「**助言**」は、その人が事を行う上で助けになるようなことをわきから言うこと。「**アドバイス**」は、うまくできるようにちょっとしたことを教えてやること。

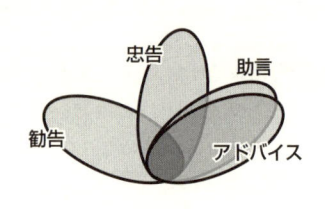

使い分け

表現例	忠告	勧告	助言	アドバイス
A 上司の―に従う	○	○	○	○
B 退職の―を受ける		○		
C あまり飲むなと―する	○			
D 先輩の―を守って合格する	○		○	△
E 友人に―を求める			○	○

1. Aではそれぞれの意味で四語とも使える。
2. Bのように、公的な立場からの勧めには「勧告」を使う。
3. Cのように、やめろとさとす場合は「忠告」しか使えない。
4. Dのように、こうしなさいと私的に教えたり勧めたりする場合は、「勧告」は不適。「アドバイス」は意味上使えるが、結び付く動詞は「与える」「受ける」が普通で、「守る」はやや不自然。
5. 「忠告」や「勧告」は相手に与えるものであって求めるものではないから、Eの場合には使いにくい。「助言」「アドバイス」は、ある行動に対してわきからちょっと教えることでそれがうまくいくようにするものだから、行動する側から求めることも可能。

類似の語

警告 適切に対処しないと不都合な事態が生じるとして、強く注意を促すこと。「警告を無視する」「厳重に警告する」

ちゅうし cancellation, interruption
中止・中断・中絶

基本の意味 続けてきたことや予定していることをやめること。

Point! 「中止」は、現にやっている物事を途中でやめることにも、予定していた物事を取りやめたり延期したりすることにもいう。「中断」は、それまで続いてきた物事を途中でやめること、また、そうした状態になること。「中断」は、実際にどうなるかは別として、その後の再開を前提とした意識でいう。「中絶」は、途中でとぎれてそれ以上行われなくなること、また、そうすること。「中絶」では、その後の再開ということは必ずしも意識されていない。

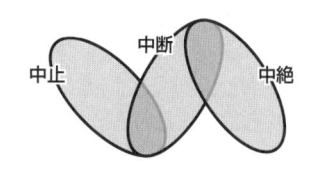

使い分け

表現例	中止	中断	中絶
A 会議を―する	○	○	
B 雨のため遠足は―となる	○		
C 足音で虫の鳴き声が―する		○	
D 叢書の刊行は―したままだ		○	○

1. Aの場合、「中止」を用いると、現に行われているか、行われる予定であった会議をやめる意となり、「中断」を用いると、行われていた会議を途中で一時的に停止する意となる。「中絶」は「中断」より用法がやや狭く、主に交際・交流・通信・出版など、少し時を置いて継続するものの場合に使われ、Aのようにある時間ずっと続くものには使いにくい。
2. Bのように、予定を取りやめる場合は「中止」を使う。
3. Cのようにある時間ずっと続くものの場合は、1と同様「中絶」は不適で「中断」を使う。「中止」は自動詞的表現には使えない。
4. Dのように、時間を置いて継続してきたものの場合は、「中絶」「中断」が適当。

類似の語

休止 動きを続けていたものが、一時その動きを止めること。また、止まること。「作業を休止する」「計画が休止して一か月たつ」

ちょうしょ

merit

長所・利点・取り柄・美点

基本の意味 その物・物事や人の、よい点。

Point! 「**長所**」は、主に人の性格や物の機能・性能にいう。「**利点**」は、有利・便利な点の意で、物や物事に関して功利的な観点からいう。「**取り柄**」は、取り上げて用いるべきよい点という意で、人・物・物事について広く使われるが、ほかにあまりいいところがない場合にいうことが多い。「**美点**」は、主に精神的・文化的・倫理的な観点から、その人・物事が備えるよい点をいう。

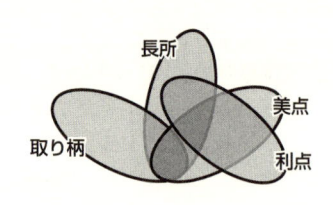

使い分け

表現例	長所	利点	取り柄	美点
A 彼の—は朗らかなことだ	○		○	○
B A社の製品には—がいくつかある	○	○		
C 健康だけが—です			○	
D 少人数教育の—が発揮された	○	○		○

1. 「利点」は人には使いにくく、Aの場合には不適当。Aで「長所」「美点」を使えば、積極的によい点を表し、「取り柄」を使うと、たいしてよいところはないが、あえていえばその点がよいというような感じになる。

2. Bのように、いくつかよい点があるものをいう場合、「取り柄」は使いにくい。「美点」は物について使うこともあるが、実用的・功利的な文脈にはそぐわない。

3. CはBと逆に、ほかにあまりよいところはないが、という気持ちでいう場合なので、「取り柄」が適当。

4. Dのように、他にはないそのもののよさについていう場合は「取り柄」は使えない。Dで「長所」「美点」はほぼ同じ意になるが、「利点」を使えば、生徒や先生にとって有利・便利な点の意になる。

類似の語

特長 その物・物事・人が備えるよい点。他との比較においていう。「この生地の特長は通気性に富んでいることだ」 ➡ 「とくちょう（特徴）」

ちょうじょう
top, summit, peak
頂上・いただき・てっぺん・頂点・絶頂

基本の意味 山などの最も高い所。

Point! 「頂上」は、物理的にいちばん高い所の意では、ほぼ山・丘などに限っていう。「いただき」は、山・丘のほか、建造物・岩石などある高さをもった地物、波、人の頭などに使われ、「頂上」より意味が広い。「てっぺん」は、一般に高さのある物や山について、そのいちばん高い所をいう、やや俗語的な言い方。「頂点」は、物体の最も高くとがった箇所や土地の最も高い地点をいう文章語。「絶頂」は、山のぬきんでた頂上をいう文章語だが、日常語として物事が最高潮に達した状態の意で使うほうが多い。

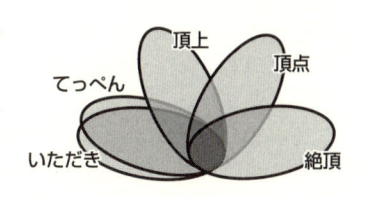

使い分け

表現例	頂上	いただき	てっぺん	頂点	絶頂
A 山の—に立つ	○	○	○	○	○
B 丘の—にかけ上る	○	○	○		
C 電柱の—にカラスがとまる		○	○	△	
D 三角形の—				○	
E 今が不況の—だ	△			○	○

1. Aのように「山頂」の意ではどれも使うが、「頂点」「絶頂」は硬い言い方。
2. 「頂点」と「絶頂」は最高点がはっきりしていて、しかも比較的狭い部分を示すときに多く使われる。Bの場合は「丘」の語意から考えて、その上部を漠然と広く指している感じがあるので「頂点」「絶頂」は使いにくい。
3. Cのように、一般にある高さをもった物の最も高い所を指している場合は「てっぺん」が普通だが、文章では「いただき」「頂点」も使われる。ただし「頂点」は幅も高さもある立体にふさわしく、柱状のものにはそぐわない感じもある。「頂上」「絶頂」は、物理的に最も高い所の意を表す場合、山以外（「頂上」では山や丘以外）のものには使いにくい。
4. Dのような数学用語では「頂点」を使う。
5. Eのように物事にいう場合は「頂点」「絶頂」が適当で、特に時間的な意では「いただき」「てっぺん」は使わない。「頂上」も使えるがやや古風。

ちょうど

just

ちょうど・ちょっきり・きっかり・ぴったり・きっちり

基本の意味 過不足なく一致するようす。

Point! 「**ちょうど**」は、ある基準や目的に現実の物事が合致するようすをいい、たまたまうまく合ったという含みを持つことも多い。「**ちょっきり**」は、やや俗語的で、数量や時間について区切りがよく半端がないようすに多く使われる。「**きっかり**」は基準となる数や時刻に過不足なく一致するようすのほか、区切りよく半端がない意も表す。「**ぴったり**」「**きっちり**」は、要求・期待・予測される数量・時間・内容と、寸分の違いもなく合うようす。「**ぴったり**」がたまたまうまく合う場合も含むのに対し、「**きっちり**」は、合致するように意図した結果そうなる場合に使われることが多い。 ➡「まるで」

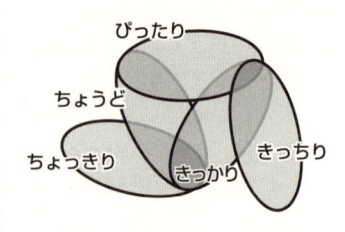

使い分け

表現例	ちょうど	ちょっきり	きっかり	ぴったり	きっちり
A　バスは定刻通り一九時七分に来た			○	○	○
B　飲んで食べて料金は一万円—	○	○	○		
C　画面のイメージに—合う曲	○			○	

1. Aのように定められた数や時刻にわずかの違いもなく一致する意では、「きっかり」「ぴったり」「きっちり」が適切。「ちょっきり」は「ちょっきり十時にやって来た」のように端数のない場合に使われることが多く、Aでは使いにくい。「ちょうど」は「三百八十四円、ちょうど頂きます」のように、その時々で変わる数字については端数にも使うが、定められた時刻どおりにという意のAには不適。

2. Bのように端数のない意では「ちょうど」「ちょっきり」が一般に使えるが、金額・時間などには「きっかり」も使える。「ぴったり」「きっちり」は、単に端数がないだけでなく何かの基準に合致する場合でないと使いにくい。

3. Cのように数字でなく物事の内容にいう場合、「ちょっきり」「きっかり」は使いにくい。「きっちり」は細部まで厳密に合う意が強く、Cに不適。「ぴったり」に対し「ちょうど」では、たまたまうまく合うという感じになる。

ちょくせつ
直接・じかに・直々

directly

基本の意味　間に他のものをはさまないようす。

Point!　**「直接」**は、間に他の物・事柄・人をはさまないようす。名詞としても副詞としても用いられる。**「じかに」**は**「直接」**（副詞的用法）の口頭語的・和語的な言い方。**「じきじき」**は、普通は間に人が入って行うところを直接相手に向かって、または、本人が直接行うようす。

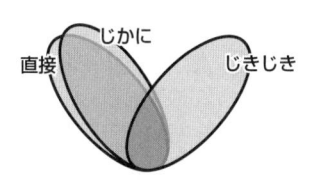

使い分け

表現例	直接	じかに	じきじき
A 大臣に―申し上げる	○	○	―に○
B 社長―のおでましだ			○
C ストがあっても―影響はない	○	△	
D ワイシャツを―着る	△	○	

1. Aの場合はどれも使えるが、「じきじき」は間に人を介するのが普通の場合でないと使いにくい。したがって「友人にじきじきに話す」は不自然。
2. Bのように、社会的地位の高い人が自分自身でという意の場合は「じきじき」が適当。「社長が直接おいでになる」のように「直接」も副詞的用法なら使えるが、「―の」の言い方には使いにくい。
3. Cの「影響」のような抽象的な事柄では「直接」が最適。「じかに」は人を対象とする場合以外では、物が空間的・物理的に触れてくる感じが現れないと現在ではやや使いにくくなっている。「じきじき」は人を対象にする場合にしか使えないので不適。
4. Dのように、空間的に間に他のものをはさまない意の場合は「じかに」が最適。「直接」は「肌に直接着る」というほうが自然。

類似の語

ダイレクト　途中で間に入るものや作用をやわらげるものがなく、直接であるようす。「事実をダイレクトに伝える」

直　間に何も入れないで、直接にするようす。俗語。「直で取引する」

ちらかる be scattered

散らかる・散らばる・散乱する

基本の意味 こまごましたものがばらばらに辺りに存在する。

Point! 「**散らかる**」は、整頓・掃除されているべき場所のあちこちに物が乱雑に存在する意。「**散らばる**」は、一箇所にまとまっていたものや同種のものが、あちこちに広がって分かれる意。「**散乱する**」は、物がもとのまとまりや形をなくしてその場所のあちこちに散る、また、そのような状態であちこちにある意。

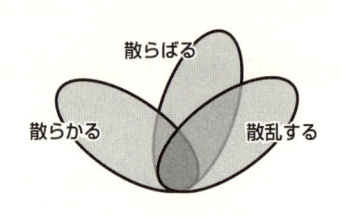

使い分け

表現例	散らかる	散らばる	散乱する
A 部屋中に書類が—ている	—っ○	—っ○	—し○
B 道路にガラスの破片が—ていた		—っ○	—し○
C 室内が—ている	—っ○		
D 有力選手はシードされて—ている		—っ○	

1. Aの場合はそれぞれの意味で三語とも使える。「散らかる」では、整理されているべきものが乱雑になっているというマイナス評価が感じられるが、「散らばる」「散乱する」では事実を客観的に述べる感じが強い。「散らばる」だと仕事の都合で部屋のあちこちに書類を置いたような場合も含まれ、「散乱する」だと泥棒の入った後でもあるような乱雑さを感じさせる。

2. Bでは「散乱する」が最もふさわしく、「散らばる」も使えるが表現としてはやや弱い。その場所が乱雑であることに焦点を置く「散らかる」はBにそぐわない。

3. Cのように空間を主語とした表現は状態性の強い「散らかる」しか使えない。

4. Dのように人を主体にして使えるのは「散らばる」だけである。「散らばる」は「兵士たちは左右に散らばった」のように人の意志的動作にも用いる。

ちりょう medical treatment

治療・療治・診療

基本の意味 病気・けがなどを治すために手当・処置をほどこすこと。

Point! 「**治療**」「**療治**」は意味的に大差ないが、「**治療**」が医師など専門家の手による行為をいうことが多いのに対して、「**療治**」は、素人が自分で行う場合なども含む。「**診療**」は、医師による診察と治療の意。

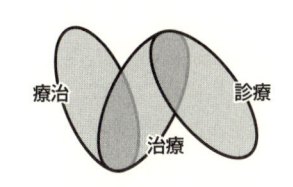

使い分け

表現例	治療	療治	診療
A 最新の科学療法で—する	○	△	
B 肩凝りの—にははりがいい	○	○	
C 心臓外科で—を受ける	○		○
D 思い切った—で会社を立て直す		○	

1. Aの例の場合、診察と治療の両方を意味する「診療」は、「診察」の意が余分でしっくりしない。「療治」は使えるが、語感がやや古く、はり・きゅう・あんま・温泉など近代医学以外の療法にふさわしい感じもある。

2. Bの場合、「治療」「療治」の両方が使える。「治療」は新旧いずれの療法にも不自然なく使えるので、その分「療治」より用法が広い。「診療」は1で述べた理由で使わない。

3. Cのように、近代医学の「心臓外科」の場合「療治」は古い感じを伴うので使いにくい。「治療」はすでに病名・病因のわかっている場合であり、「診療」は、診察の段階から治療までを含む。

4. 「療治」だけは、医療関係のみでなく、Dのように比喩的に、物事の悪いところを取り除いてよくすることの意でも使う。「荒療治を加える」などの言い方は、体の治療にも物事に対する処置にも両方使われる。

類似の語

加療 病気やけがを治すために必要な手当てをすること。「入院加療を要す」

療養 長引く病気やけがの手当を行いながら、体をゆっくり休めること。「田舎に帰って療養する」

ついきゅう pursuit

追求・追究・追及・探求・探究
（ついきゅう・ついきゅう・ついきゅう・たんきゅう・たんきゅう）

基本の意味 何かを手に入れたり明らかにしたりしようとすること。

Point! 「**追求**」は、手に入れようとして求めつづけること。「**追究**」は、わからないことを調べて明らかにしようとすること。「**追及**」は、逃げる相手を追って行くこと、またあれこれ調べて責任の所在などを明らかにすること。「**探求**」は、得ようとしてさがし求めること。「**探究**」は、物事の本質・意味・真実などを明らかにしようとすること。「**探求**」「**探究**」は抽象的な事柄について使われる。

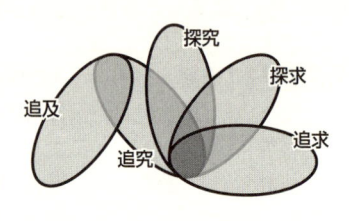

使い分け

表現例	追求	追究	追及	探求	探究
A 幸福の—を第一とする	○	△		○	△
B 利潤の—に明け暮れる	○				
C 美の本質を—する		○			○
D 事故の原因を—する		○	○		
E 逃げる敵軍を—する			○		
F 幹部の不正を—する			○		

1. Aの場合、「追求」は幸福を手に入れるまでどこまでも求めつづける感じ、「探求」は幸福というものを実際に知ろうとしてそれをさがす感じになる。また、「追究」「探究」も使えなくはないが、その場合は、幸福ということの本質・意義を明らかにするという意味になる。

2. Bのように、それを手に入れようとして追い求める意では「追求」が適当。「探求」ははっきりしないものをさがし求める意で、Bには合わない。

3. Cのように本質を明らかにするという意では、「追究」「探究」が適切。

4. Dのように、事態の原因を具体的に明らかにするという意では、「追究」のほか、責任をはっきりさせるという意味で、「追及」も使える。「探究」は抽象的な事柄に使われ、事故の原因など具体的な事柄には使いにくい。

5. Eのように先に行くものを追いかける意、また、Fのように責任や罪などをどこまでも調べたり問いただしたりする意では、「追及」しか使えない。

つかう

use, spend

使う・費やす・用いる

基本の意味 あることをするために何かをそれに当てる。

Point! 「**使う**」は、その用に当てる、また、用に当てて減らす意で、三語の中で最も幅広く使える。「**費やす**」は、物・金・時間・労力などについて、用に当てて減らす意が中心で、文脈によりむだに減らす意も表す。「**用いる**」は、有用性や価値を認めて特に取り上げる意が強く、減らすという意までは含まない。「**費やす**」「**用いる**」は文章語的。

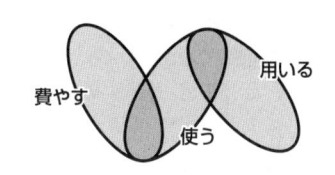

使い分け

表現例	使う	費やす	用いる
A　この仕事に―た人員	―っ○	―し○	
B　はさみを―て切る	―っ○		―い○
C　彼は気を―ている	―っ○		
D　会社で重く―られている			―い○

1. Aの場合、「使う」では単に雇うといった程度の意となり、「費やす」では集中的に多くの人を送り込んだ感じとなる。「用いる」は、人を目的語としてとると、特に能力や適性を認めて取り立てる意となり、この例のような場合には使いにくい。
2. Bのように、あるものを道具や手段として役立てるという場合には、「費やす」は使わない。
3. Cの「気を使う」は、「使う」の慣用的な表現。
4. Dの「重く用いる（用いられる）」は「用いる」の慣用的な表現で、能力を認められて重要なポストに置かれている意を表す。

類似の語

使用する 何かのために、物・場所・人などを使う。「着色料・保存料は一切使用しておりません」

役立てる ある目的のためにその価値を発揮させる。活用する。役立たせる。「学んだ知識を仕事に役立てる」

つかまえる catch

つかまえる・とらえる

基本の意味 つかんだり押さえたりして、離れていかないようにする。

Point! 「つかまえる」は、逃げたり離れたりしようとするものを、取り押さえたり引き留めたりする意が中心。「とらえる」は、逃げようとしたり実体がつかみにくかったりする対象を自分の支配下に置く意が中心で、抽象的な事柄についても使え、「つかまえる」より意味が広い。いずれも漢字では、「捕らえる」「捉える」、「捕まえる」「摑まえる」「捉まえる」と意味により書き分けることがある。

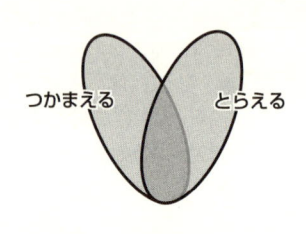

使い分け

表現例	つかまえる	とらえる
A 網で魚を—	○	○
B タクシーを—	○	
C 真相を—		○
D 機会を—て話す	—え△	—え○

1. Aの場合はどちらも使える。「つかまえる」では、逃げようとする魚を網の中に取り込んで逃げられなくする感じが強いが、「とらえる」では、網を仕掛けておいて自然に魚がかかるのを待つような場合も含まれる。
2. Bのように、その場から去ってしまわないようにとめる意の場合、「とらえる」は使いにくい。
3. Cのような抽象的な事柄の場合、「つかまえる」は使いにくい。また「レーダーが機影を—」のように、機械を操作してある範囲内に取り込む意の場合も「つかまえる」は不自然。
4. Dも抽象的な事柄だが、手でおさえるようにうまく自分の利用できる状態にするという感じを出そうとする場合には「つかまえる」も使われることがある。

類似の語

取り押さえる 逃げようとする犯人などを捕らえる。「泥棒を取り押さえる」

つかむ

hold, grasp

つかむ・握る

[基本の意味] 指を内側に曲げて物を手の中に入れ、放さないようにする。

Point! 「**つかむ**」は、対象を取り逃がさないようにする行為で、瞬間的な動作に焦点を当てている。「**握る**」は、対象の全体を手の中に保持する意が中心で、この場合、継続的動作という含みをもつ。

[使い分け]

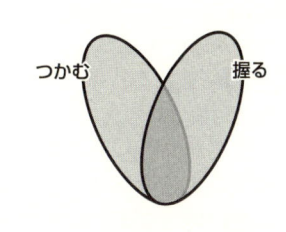

表現例	つかむ	握る
A 手を―／野球のボールを―	○	○
B 襟を―で引き倒す	―ん○	
C 犯人はAだという証拠を―た（だ）	―ん○	―っ○
D 権力を―		○

1. Aの二つの場合はどちらも使えるが、「手をつかむ」といえば、対象は他人の手であり、離すまいと働きかける感じが強いのに対して、「手を握る」は自分の手でこぶしを作る意になることも多く、他人の手の場合でも親愛の気持ちの表れといった静的な感じが強くなる。ボールの場合も、瞬間的に手に納めるのが「つかむ」で、「握る」では継続的に保持する感じが強い。

2. Bのように、物の一部を手の中に入れて持つという場合は「つかむ」が適当。物の一部でも棒や輪のようなもので、そのまわりを手の中にすっかり入れられる場合は「握る」が使える。「ステッキ（ハンドル）を握る」など。

3. Cではどちらも使えるが、「つかむ」では得にくいものをうまく入手した感じ、「握る」では自分の思うようにできる材料を手にした感じになる。

4. Dの「権力」のように、思うようにできる状態を保つ意では「握る」が適当。「手がかり」「きっかけ」など部分的なものを瞬間的に得る意では「つかむ」が適当である。

つかれる   be tired

疲れる・くたびれる・へたばる

基本の意味 体の使いすぎなどで元気の出ない状態になる。

Point! **「疲れる」**は、肉体的疲労にも精神的疲労にも使え、三語の中では最も用法が広い。**「くたびれる」**は、精神的疲労を含む場合もあるが、主として肉体的な疲労にアクセントを置いて使われる。**「へたばる」**は、疲れきってそれ以上動けない状態になる意で、疲れてその場に座り込む意を含むこともある。 ➡「へたばる」

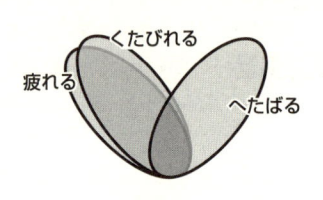

使い分け

表現例	疲れる	くたびれる	へたばる
A 駆け通しですっかり― た	―れ○	―れ○	―っ○
B 人生に―た人	―れ○	―れ○	
C 長時間の勉強で頭が―	○	△	
D この機械はだいぶ―ている	△	―れ○	
E これくらいのことで―な			○

1. Aのように体を使う場合はどれも使えるが、「疲れる」は最も普通の表現、「くたびれる」はややくだけた表現で、「へたばる」は俗語的。また、「へたばる」は動けなくなって座り込むという感じが強い。

2. Bのように長く続いて嫌になるという感じのこもる場合、「へたばる」は使いにくい。

3. Cのように精神的な疲労という面が強い場合、主語に「頭(気・心・精神・神経)」などが置かれると「へたばる」は使えない。ふつう「疲れる」を用いるが、くだけた言い方で「くたびれる」も使うことがある。

4. Dのように使い古されて働きが悪くなる意では、「くたびれる」が最適。「―た背広」のように形が崩れる場合も「くたびれる」を使う。ただし油・土壌などは「疲れる」が普通で、「くたびれる」とはあまりいわない。

5. Eのように禁止の「な」を付けて励ます場合は、「へたばる」が使われる。「疲れる」「くたびれる」はその人の疲労感をいうので、Eには不自然。

つぎつぎ　one after another

次々・続けざま・立て続け・矢継ぎ早

基本の意味 物事が間を置かずに行われたり起こったりするようす。

Point! 「次々」「続けざま」「矢継ぎ早」の三語はいずれも、物事が短い間隔で続く場合に使われるが、「立て続け」はそれ以外に、一つの行為や事象がとぎれず続く場合にも使われる。「次々」は、連続的に出現・生起する物事の時間的近接を言うだけでなく、物事の内容や行為の主体がそれぞれ多種多様であるという含みをもつ。「続けざま」は、物事と物事との時間的間隔の近接にもっぱら注目して言い、連続の回数は最少二回でもよい。「矢継ぎ早」は主に人間の意志的行為について言う。

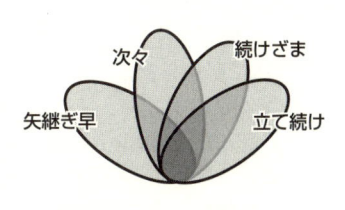

使い分け

表現例	次々	続けざま	立て続け	矢継ぎ早
A　男は―に質問を投げかけた	○	○	○	○
B　難題が―に生じる	○	○	○	
C　彼は―にくしゃみをした		○	○	
D　一人で―に三時間も話す			○	

1. Aの例ではそれぞれの意味合いで四語とも使える。「続けざま」「立て続け」「矢継ぎ早」では行為の時間的近接を表すだけだが、「次々」では質問の内容がさまざまであるという意味合いも強く表れる。

2. Bのように、動作・行為でなく事態の生起・出現についていう場合は、**Point!** で述べた特徴から「矢継ぎ早」は使いにくい。

3. Cの「くしゃみ」は意図的な行為ではないので「矢継ぎ早」は使いにくい。また「次々」は、単数の主体が「くしゃみ」のように内容に変化のない同じ物事を繰り返す場合には使えない。「みんな―にくしゃみをした」のように、複数の主体が短い間隔で同一のことをする場合には「次々」も使える。

4. Dのように物事がとぎれず続く場合は、「立て続け」しか使えない。

類似の語

続々 物事が絶え間なくやって来たり現れたりするようす。「客が続々と来る」

つきる　run out

尽きる・果てる・尽き果てる

基本の意味 それまであったものがなくなったり、物事が終わったりする。

Point! 「**尽きる**」は、減っていってなくなる意が中心で、続いていた物事が終わる意にも用い、後者の意で「**果てる**」と重なる。「**果てる**」は、続いていた物事がそこで終わる意。また、「**果てる**」には慣用句的な用法が多く、やや古風な語感をもつ。「**尽き果てる**」は、「**尽きる**」に接尾語としての「**果てる**」が付いた語で、すっかり尽きる意。 ➡「しぬ」

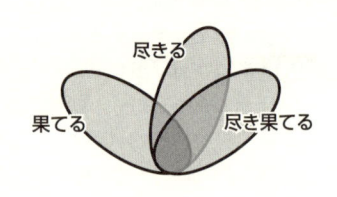

使い分け

表現例	尽きる	果てる	尽き果てる
A　道の—ところ	○	○	○
B　食糧が—		○	○
C　話は—ませんが、この辺で	—き○		
D　宴が—		○	

1. Aのようにそこまで続いていたものがとだえる意では、三語とも使える。
2. Bのように、ある物がだんだん減ってなくなってしまうの意の場合は「果てる」は使えない。
3. Cのように、「話(というもの=話題)がなくならない」という意の場合は「尽きる」を用いる。しかし、「話は—ことなく続く」だと、「話（という行為）が終わらない」と受け取れるので、「果てる」を使うこともできる。
4. Dのように時間がたって終わりになる意の場合は「果てる」しか使えない。

類似の語

無くなる　ものの量が減って存在しなくなる。「金がなくなる」 ➡「きえる」

つく
stick
付く・くっ付く・引っ付く・こびり付く

基本の意味 他のものの表面やすぐそばに位置を占めて離れない状態になる。

Point! 「付く」は、色・におい・しわ・傷など、それ自体として実体を伴わないものが付着する場合も含めて、幅広く使える。「くっ付く」は、密着・付着した状態だけでなく、物と物が互いに極めて近接して位置する状態にもいう。「引っ付く」は、面や線で接して密着するような場合に多く使われる。「こびり付く」は、表面に固く密着して容易にとれなくなる意が基本。

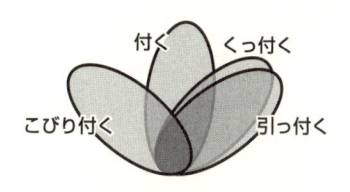

使い分け

表現例	付く	くっ付く	引っ付く	こびり付く
A のりが手に—	○	○	○	○
B 服にしみが—	○			
C 汗でシャツが体に—	△	○	○	
D いつも彼に—て飲みに行く	—い○	—い○	—い△	
E そのことが頭に—て離れない	—い○			—い○

1. Aの場合はどれも使えるが、「付く」「くっ付く」「引っ付く」「こびり付く」の順に付着の度合いが強くなる。「引っ付く」はくだけた言い方。

2. Bの「しみ」と同様に、色・におい・しわなどの場合、「くっ付く」「引っ付く」「こびり付く」は使えない。「くっ付く」「こびり付く」も「ペンキが服にくっ付く」「汚れがこびり付く」などと使うが、この場合の「ペンキ」や「汚れ」は粘着性の実体物ととらえられている。

3. Cのようにぬれて張り付く感じの場合は「くっ付く」「ひっ付く」が適当。「付く」はやや弱い感じ、「こびり付く」は固くなる場合でないと不適当。

4. Dのように付き従う意では「こびり付く」は使えない。また、「引っ付く」も体が触れる感じが強く、やや不自然。

5. Eのように、比喩的に頭に刻まれて残る意の場合は「こびり付く」が最適。「付く」も使えるが、やや弱い感じになる。

つくる

make

つくる・こしらえる・製する

基本の意味 形あるものを生み出す。

Point! 「**つくる**」は、無意志的にある物事・状態を生じさせる場合にも使え、幅が広い。「**こしらえる**」は、ある状態に仕立てる意で、意図的行為にいう。「**製する**」は、原材料に手を加えて物品にする意。

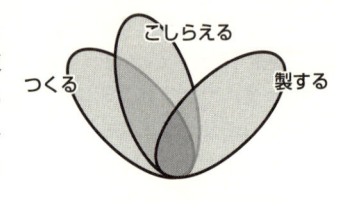

使い分け

表現例	つくる	こしらえる	製する
A 菓子を—	○	○	○
B 資金を—	○	○	
C 群れを—て生活する	—っ○		
D 言い訳を—て休む	—っ△	—え○	

1. この三語は材料などに手を加えてあるものにする意をもつ点で共通し、Aの場合はどれも使える。「つくる」は最も普通の言い方、「こしらえる」は家庭での手づくりという感じが強く、「製する」は硬い文章語で、専門に、または大量生産的に行う感じが強い。
2. Bのように、抽象的なものの場合は「製する」は不適当。「こしらえる」では、あれこれと苦心工夫してという感じが「つくる」より強くなる。
3. ある状態を新たに生み出す意では「つくる」も「こしらえる」も使われるが、Cのように本能的なことや、「前例をつくる」「記録をつくる」のような結果として出てくる物事などには、「こしらえる」は使えない。
4. Dのように、本当らしく思わせる状態に仕立てる意の場合は、「こしらえる」が最適。「つくる」も使うことがあるが(話・声・表情など)、「言い訳」「理由」などには「つくる」はやや不自然。

類似の語

仕立てる ある働き・機能を持ったものとして使用・供用できる状態にする。「布地を浴衣に仕立てる」「実際の事件をドラマに仕立てる」

製作する 道具や機械、また映画・放送番組などをつくる。➡「さくせい」

つつむ

wrap

つつむ・くるむ・覆おう

基本の意味 紙・布などを密着させて物が外部と接しないようにする。

Point! 意志的・具体的動作としての、「**つつむ**」「**くるむ**」は一方から見て見えない部分（地面に置かれた物体の底部など）まで外部から遮断する場合にいい、「**おおう**」は見える部分・面だけを外部から遮断する場合にいう。「**つつむ**」に対し、「**くるむ**」は物に巻き付けるようにする点に特徴があり、密着度は「**つつむ**」より少なく、対象物の一部分は外に出ていてもよい。

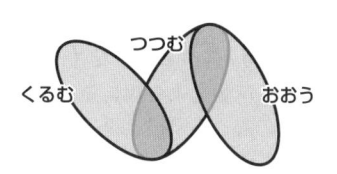

使い分け

表現例	つつむ	くるむ	おおう
A 手のひらで目を—			○
B 書類をふろしきで—	○	○	
C 魚を新聞紙で一巻きして—		○	
D カラスの大群が空を—			○
E 深い霧に—れた街	—ま○		—わ○
F 気まずい沈黙が部屋を—	○		
G —きれない喜び	—み○		

1. **Point!** に述べたところから、Aでは「おおう」、Bでは「つつむ」「くるむ」が使われる。

2. Cのように回転させて付ける感じを含む場合、「くるむ」以外は使いにくい。

3. D～Gのような人以外の物・事が主体となる比喩的表現に「くるむ」は一般に使われない。Dでは **Point!** に述べた理由で「おおう」だけが使える。E・Fは両方とも使えるが、Gの場合、都合の悪いことを隠すという意味合いも含む「おおう」は不自然。

- 肩を覆う
- ふろしきでつつむ
- 赤ちゃんをくるむ

つむ　pile, heap

積む・積み重ねる・積み上げる

基本の意味　ある物の上に他の物を載せて高くする。

Point!　「**積む**」は、具体的な行為としては荷物を乗り物に載せる意も表し、この場合、いくつも上に載せて高くするという要素は必ずしも含まれない。「**積み重ねる**」は、平らな面をもつ物の上に似たような形の物を一つ一つ重ねていくということに重点があり、「**積み上げる**」は、物を重ねて高くすることに重点がある。

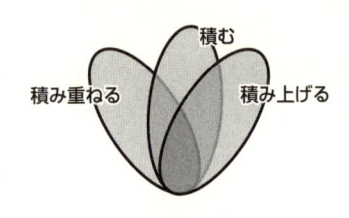

使い分け

表現例		積む	積み重ねる	積み上げる
A	机の上に本が―て（で）ある	―ん○	―ね○	―げ○
B	手押し車にリンゴを―		○		○
C	経験を―		○	○	
D	実績を―		○	○	○
E	討議を―			○	

1. Aではそれぞれの意味で三語とも使える。
2. Bのように、運搬のため乗り物に物を載せる意では「積む」を一般に使うが、山のようにリンゴを載せるという場合なら「積み上げる」も使える。
3. Cのように、比喩的に、物事を段階を踏んで何度も行うという意では、「積む」「積み重ねる」が使える。「積み重ねる」のほうが繰り返しの度合いが強い。「積み上げる」は、段階を追ってその物事を高い水準に持っていくような場合に使われ、「経験」には使いにくい。
4. Dのように対象が「実績」の場合は「積み上げる」も使える。「積み上げる」では人に認められるまで一歩一歩実績を重ねてきた感じが強調される。
5. Eのように繰り返し、何度もという点に表現の重点がある場合は、ある行為を繰り返す意の「重ねる」を強調して「積み重ねる」が使われる。

類似の語

重ねる　平たい物の上に同種の物を載せる。また、ある行為を繰り返す。

つりあい balance

釣(つ)り合(あ)い・均衡(きんこう)・バランス・均整(きんせい)

基本の意味 物事の調和や平均が保たれている状態。

Point! 「釣り合い」は、主に二つのものの間で、力・重さ・数量・価値・位置などが一方に偏らず、安定した状態にあること。「均衡」は、特に勢力・力関係や数量的に表される事柄について、その釣り合いをいう。「バランス」は「釣り合い」と似ているが、「釣り合い」が主に二つのものの比較でいうのに対し、三つ以上のものの比較でも言い、個々の要素の全体の配分の安定度という意味でも使う。「均整」は、体や物の形が偏らず、全体として整っていること。

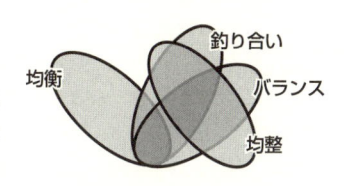

使い分け

表現例	釣り合い	均衡	バランス	均整
A 背広と帽子の色の―を考える	○		○	
B 収入と支出が―を保つ	○	○	○	
C ―の取れた体つきだ	○		○	○
D 頭でっかちで全体の―が悪い論文			○	
E ○対○の―が崩れる（破れる）		○		

1. Aのように色の調和の意の場合は「釣り合い」「バランス」が適当。「均衡」「均整」は **Point!** に述べた特徴から、Aには不適。
2. Bのように金銭についていう場合は「均整」以外の三語が使えるが、「均衡」はやや硬い表現となる。
3. Cのように体形についていう場合は、「均衡」は使わない。
4. 「―がよい（悪い）」という言い方では「均衡」「均整」は使われず、「バランス」「釣り合い」が使われるが、Dのように、起承転結といった全体の布置の安定度についていう場合は「バランス」が適当。「釣り合い」は二つのものの比較でいう意味合いが強く、不適。
5. Eのように力関係や勢力にいう場合は「均衡」が使われる。

類似の語

平衡(へいこう) 重さや力が一方に偏らず、釣り合いが取れていること。「平衡感覚」

つるす

hang

つるす・つる・ぶら下げる・垂らす

基本の意味 対象物を上の方で固定して下方へ下がった状態にする。

Point! 「**つるす**」は、垂直方向に長さのあるものやひも・糸などを付けたものの上方を固定して、上から下がっている状態にする意。「**つる**」は、上に引き上げる力によって物を地上から離れた所に位置させる意で、「**つるす**」と異なり、対象物は水平方向に長いものでもよい。「**ぶら下げる**」は対象物の上方の一端を固定して、揺れやすい状態で垂直方向に下げる意。「**垂らす**」は、細長いものや液状のものをそれ自身の重みによって、下方へ移動させたり下がった状態にしたりする意で、上の三語と異なり対象物の下方への動きに焦点を当てている。

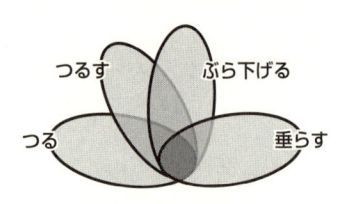

使い分け

表現例	つるす	つる	ぶら下げる	垂らす
A 幕を—	○	○		○
B 軒に風鈴を—	○	○	○	
C ロープを屋上から—	○		○	○
D ハンモックを樹間に—		○		
E 前髪を—				○

1. Aの「幕」の場合は「つる」「垂らす」が使え、細長い幕なら「つるす」も使える。「つる」ではひも・フックなどで幕の上辺を固定して掛け渡した感じになり、「垂らす」では上から下へ幕を下ろした感じが強調される。「ぶら下げる」は揺れやすいものにいい、「幕」には使いにくい。
2. Bのように、その状態が上方から下方への動きの結果でなく、地上から離れた位置に取り付けた結果である場合は、「垂らす」は不適。
3. Cのようにひも・縄などそれ自体を下げる場合、「つる」は不適。
4. Dのように、幅のある対象物について両端や四方を固定する場合は、「つる」が適当。蚊帳や棚についても四語の中では「つる」だけが使われる。
5. Eのように、対象物の上部を固定するという動作を含まず、対象物がそれ自身で自然に下方に下がるようにする場合は、「垂らす」しか使えない。

つれる   take, be accompanied

連れる・伴う・率いる・引き連れる

基本の意味 他の者を同行させる。

Point! 「連れる」は、一緒について来させる意で、主となる者が主導権を持って先に立って行くという意味合いを多かれ少なかれ含む。「伴う」は、一般に人を同行させる意で、必ずしも主となる者に対し同行するほうの側が受け身あるいは下位者とは限らない。「率いる」は、リーダー・指導者として先頭に立って大ぜいの者を従えて行く意で、組織や集団を統率する意にも用いる。「引き連れる」は、「連れる」を強調した語で、目下の者を何人も後に従えて行く感じが強い。

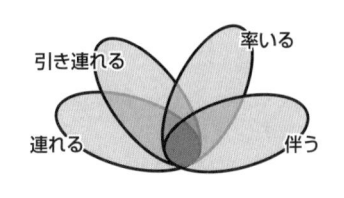

使い分け

表現例	連れる	伴う	率いる	引き連れる
A　生徒を—て美術館へ行く	—れ○	—っ○	—い○	—れ○
B　犬を—て散歩に出かける	—れ○			
C　弁護士を—て出頭する		—っ○		
D　部下を—て豪遊する	—れ○			—れ○

1. Aの場合はどれも使えるが、「伴う」というと学校行事でなく、教師が個人で生徒を連れて行く意になる。また、「連れる」「伴う」は生徒が一人でも複数でもよいが、「率いる」は多人数、「引き連れる」は複数の場合にいう。
2. Bのように動物に対していうのは「連れる」のみで、「伴う」は用いない。
3. Cのように主となる者に対して同行する者が従属的・受動的な立場にない場合は、「伴う」以外は不適。また、「伴う」は「父に伴って上京する」のように、自動詞として人に同行する意でも用いる。
4. Dのように、何人かを後に従えるという意の場合は、「引き連れる」が最もふさわしい。意味はやや弱くなるが、「連れる」も使える。「率いる」は統率の感じが強く、Dの場合はやや不自然である。

類似の語
従える 上位者が下位者を後に連れる。「部下を従えて行く」

ていさい   appearance

体裁・外見・外観・見掛け・見てくれ

基本の意味 外から見たようす。

Point! 「体裁」は、他人の目を意識して整えられるものという意味合いを持ち、行為・言葉や物事の形式など抽象的な事柄についても幅広く使う。「外見」は見た目の感じ。ざっと大まかに見た感じをいうことが多い。「外観」は、外から見たそのもの全体のようす。比較的大きいものやデザイン・スタイルが問題になるものにいうことが多い。「見掛け」は、内実は異なるという含みを持ち、外面と実体・内容とが食い違う場合に多く使われる。「見てくれ」は、もともと人目を意識して作ったようす・形の意だが、単に全体的な見た目のようすの意でも使い、外面と内実の食い違いという含みは「見掛け」より少ない。 ➡「たいめん」

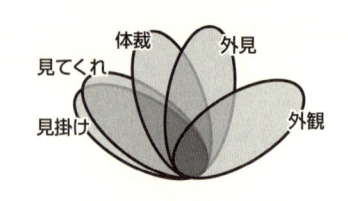

使い分け

表現例	体裁	外見	外観	見掛け	見てくれ
A ―は悪いが頑丈な机	○	○	△	○	○
B ―を取り繕う	○	○			
C 豪壮な城の―に驚く		△	○		
D ―だけの安物時計だ	○	○		○	○

1. Aのような場合はどれも使える。ただし、「外観」は、見た目やスタイルのよしあしが問題になるものに使われることが多く、Aではやや使いにくい。
2. Bの場合、「外観」は見たときの全体的なようすについていうので、部分的な「取り繕う」とは結び付きにくい。「見掛け」「見てくれ」はすでに取り繕ってあると考えられるので使いにくい。
3. Cのように外面と実体・内容とが異なるという意識を含まず、単に外に表れたようすをいう場合には、「外観」が適当。「外見」は一見した感じという意味合いの語で、中身とは別との含みをもつ分、違和感が生じる。
4. Dのように、外に表れたものと実体・内容が違っていることを前提として「外」を表す場合には「体裁」「見掛け」「見てくれ」がよい。「外見」も使えるが、「外観」は時計のような小さな対象物にはふさわしくない。

ていねい   polite

丁寧・丁重・慇懃
ていねい・ていちょう・いんぎん

基本の意味 態度や振る舞いがきちんとして礼儀正しいようす。

Point! 「丁寧」は、物事の取り扱いや態度が雑でなく注意が行き届いているようす。また、人への接し方や対応がよく相手に配慮して礼儀正しい、あるいは親切であるようす。「丁重」は、礼儀に欠けたり相手を不快にさせたりすることがないように、注意を行き届かせて応接・対応するようす。品物の取り扱いについても使われるが、その場合も対象物を人格化されたものとして扱う含みがある。「慇懃」はやや古風な言い方で、人への接し方がへりくだって礼儀正しいようす。上の二語に比べて外面的な態度に重点がある。

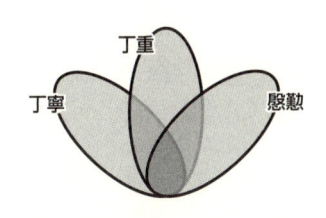

使い分け

表現例	丁寧	丁重	慇懃
A　彼女は一に挨拶をした	○	○	○
B　一な字を書く	○		
C　品物を一に取り扱う	○	○	
D　一にお引き取りを願った		○	

1. Aの場合はそれぞれの意味で三語とも使える。
2. Bのように、人ではなく物事に対する動作が乱暴でない意の場合は、「丁寧」以外は使えない。
3. Cのように、物品の扱いについては「丁寧」「丁重」が使えるが、「丁重」では粗相のないように心をこめてという感じが強くあらわれる。
4. 「丁寧」は人に対する行為については心を込めてそうする感じがあり、Dのように形式的な礼儀正しさを感じさせる文脈ではそぐわない。「丁重」は外形の礼儀正しさに重点が置かれることもあり、Dに使える。「慇懃」は、現在では相手や他人の行為を客観的に見ていうときに使うことが多く、Dのような自分の行為の形容には使いにくくなっている。

類似の語

恭しい　相手への敬意を表して、礼儀正しく、慎み深く振る舞うようす。

てがかり　clue, key

手掛かり・糸口・端緒

基本の意味 事を進めたり始めたりするきっかけやよりどころ。

Point! 「**手掛かり**」は、よじ登るさいなどに手をかける所の意から、物事を考えたり調べたりするときの最初のよりどころを表す。「**糸口**」は、束ねた糸の端の意から物事の出発点を表すが、事態を打開・解決に導く最初のきっかけの意で使うことが多い。「**端緒**」は、上の二語より意味が広く、新しいことを始めたり、何かが行われたりするきっかけとなるもの、また、物事の出発点の意で使われる。「たんちょ」ともいう。

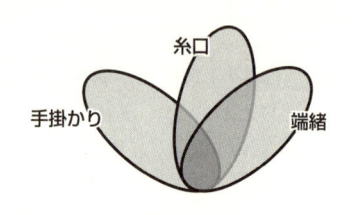

使い分け

表現例	手掛かり	糸口	端緒
A　事件解決の―を見いだす	○	○	○
B　両者が和解する―が開ける			○
C　話の―がつかめないで困った		○	○
D　何の―もない	○		

1. Aではそれぞれの意味合いで三語とも使える。
2. Bのように、「―が開ける」という表現の場合は「端緒」しか使えない。
3. Cのように、そこからだんだんに話に入っていくという場合は「糸口」「端緒」が適当。ただし、「端緒」は文章語的でやや硬い表現。「手掛かり」は研究・調査・捜査などの場合が主で、話には使いにくい。
4. Dのように、単に「―がない」という場合は「手掛かり」が適当。他の二語は何についてかが示されていない表現には使いにくい。

類似の語

足掛かり　発展・進展のためのきっかけ。「芸能界進出への足がかりとする」

取っ掛かり　物事に着手した時点。また、物事を開始・進展させるきっかけとなるもの。「仕事のとっかかりでつまずく」「話のとっかかりがない」

発端　物事が起こる最初のところ。また、事のきっかけとなった事柄。「論争の発端はA氏の雑誌論文だった」

でき finish

出来・出来映え・仕上がり・仕上げ

基本の意味 ある物事が完成することや、その完成の具合。

Point! 「**出来**」は、ものや作業が完成すること、また、その完成の具合。広く、農作物の実り具合や、学業・トレーニングなどの結果としての成績・状態のよしあしにもいう。「**出来映え**」は、見た目・内容の優劣や完成度が問題になるものについて、結構なできあがり具合であること、また広く、できあがった状態のよしあしをいう。「**仕上がり**」は、いくつかの過程を経て完成した状態になること、また、その完成の具合。「**仕上げ**」は、いくつかの過程を経て完成させること。特に、完成前の最後の段階、また、そこでの作業にいうことが多い。

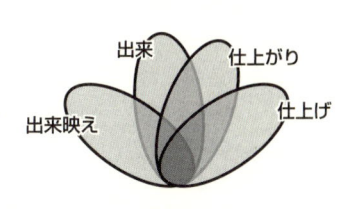

使い分け

表現例	出来	出来映え	仕上がり	仕上げ
A この本は―がよくない	○	○	○	○
B ―のいい学生	○			
C この作品はすばらしい―だ	○	○	○	
D 仕事は丁寧だが―が遅い	○		○	○

1. Aの場合はどれも使える。ただし「出来」では主に内容面に、「出来映え」では内容面と装丁・製本など物としての面の両面に、「仕上がり」では主に物としての面に重点が置かれる。「仕上げ」は、特に物事を完成するさいの最終段階の意で用いられることが多いので、Aの場合もそういう意味合いが強く感じられる。

2. Bのように、学業の成績をいう場合は「出来」しか使えない。

3. 「仕上げ」は最終段階の意が強いので、Cのようにできた状態を表す場合は使いにくい。また、「仕上がり」は1で述べたように主に外観についていうため、「作品」といっても主に衣服・工芸品などのようなものにいい、小説のようなものには使いにくい。

4. Dのように、できあがること、作りあげることの意の場合、「出来映え」は使えない。

てきせつ proper
適切・適当・適正・適度

基本の意味 物事が条件にかなっていてふさわしいようす。

Point! 「**適切**」は、物事への対応、やり方、表現などが、その状況・場面にかなっていて望ましいようす。「**適当**」は、物事がある条件・目的・要求などにうまく合うようす。「**適切**」が状況・場面とぴったり合うという意をもつのに対し、「**適当**」は条件への当てはまり具合に幅をもたせる含みがあり、そこから、ほどほどに行うようすや、表面的につじつまを合わせて済ませるようすの意でも使う。「**適正**」は、物事の状態・水準などが道理や基準にかなっていてふさわしいようす。「**適度**」は、物事の度合いがほどよいようす。 ➡「いいかげん」

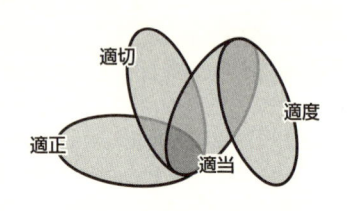

使い分け

表現例	適切	適当	適正	適度
A ―な処置をする	○	○	○	
B 健康のために―な運動が必要だ		○		○
C ―な言葉がみつからない	○	○		
D ―に返事をして聞き流す		○		
E ―価格を示す			○	

1. Aのように、程度でなく内容が問題である場合「適度」は使えない。
2. Bのように、ほどよい程度をいう場合は、基準に即して行うような事柄ではないので「適正」は使えない。ぴったりと合う意の「適切」も不自然。
3. Cのように、その場にうまくあてはまるようすをいう場合は「適切」「適当」を用いる。
4. Dのように、「いいかげん」の意の場合は「適当」以外は使えない。
5. Eのように、ある基準にかなっているという意では「適正」を用いる。

類似の語

好適 そのことをするのにちょうど条件がよいようす。「スキーに好適な斜面」
最適 いちばん適しているようす。「最適な温度」
妥当 判断や処置が道理にかなっていると認められるようす。「妥当な評価」

てじゅん　plan, arrangements

手順・段取り・運び・手はず

基本の意味 あることを行うときの順序や進め方。

Point! 「**手順**」は、物事を進めていく順序。事に際して決める場合のほか、初めから定式として決まっている進行の順序にもいう。「**段取り**」は、事をどう進めるかについての計画や、それに従っての準備。事を進めていく過程でのある段階の意でもいう。「**運び**」は、取りかかった物事の進行の具合、また、事が進行して至ったある段階。「**手はず**」は、事前に考えた事の運び方や、それに従っての準備。「**段取り**」に意味が近いが、「**段取り**」が全体の進行を大きくとらえていうのに対し、「**手はず**」は具体的な個々の事柄に即していう感じが強い。

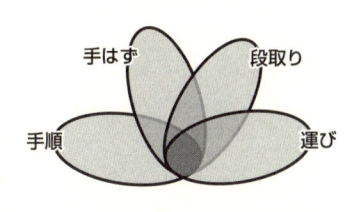

使い分け

表現例	手順	段取り	運び	手はず
A　仕事の—が悪くてはかどらない	○	○	○	○
B　やっと着工の—になった		○	○	
C　引っ越しの—をする		○		○
D　事を—よく進める	○	○		

1. Aのようにそのよしあしをいう場合は、それぞれの意味でどれも使える。
2. Bのように、物事を進めていく過程でのある段階をいう場合は「段取り」「運び」が使われる。
3. Cのように、どのように行うかを決めてそのように準備する意の場合は「段取り」「手はず」が使える。「手順」「運び」は「—をする」とは言わない。
4. Dの場合は「手順」「段取り」が適当。「手順」では、順序よくてきぱきと行う感じ、「段取り」では、行う順序や方法が適切で事がスムースに進んでいく感じになる。「運び」は「…の運び」の形でないと使いにくい。「手はず」は個々の事柄に即した感じがあり、全体の進行に関しては使いにくい。

類似の語

手続き　あることをする上で必要な、一定の形式・順序に従った処置。「入学の手続きをする」「論証に必要な手続きを踏んでいない」

てすう

trouble

てすう・てかず・手間(てま)・造作(ぞうさ)

基本の意味 何かをするために費やす労力や時間。

Point! 「**てすう**」「**てかず**」は、意味は同じ。「**てかず**」が本来の言い方だが、現在では「**てすう**」のほうが普通に使われる。「**てすう**」「**てかず**」が、あれこれとしなければならず面倒であるというニュアンスを含むのに対して、「**手間**」では、煩わしさよりも、そのことに要する労力と時間に重点が置かれる。「**造作**」は、現在では「造作もない」など慣用的な言い方でしか使われない。

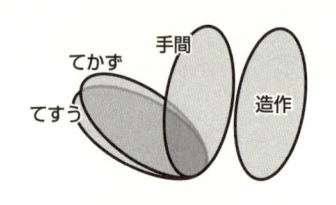

使い分け

表現例	てすう	てかず	手間	造作
A ―を省く	○	○	○	
B お―ながらお越しください	○	○		
C 途中で―が取れて遅刻した			○	
D 彼にとって―のないことだ				○

1. 「造作」は「―〔の・も〕ない」「―をかける」という慣用的な言い方でしか使わず、Aの場合には使わない。
2. Bのように、他に対してする骨折りの意の場合は「てすう」「てかず」が適当だが、「てすう」のほうがより多く使われるようになってきている。
3. Cの「―が取れる」は「手間」以外の語では置き換えられない。「手間を取る」「手間が取れる」は「手間」の慣用的な用法で、あれこれとして時間がかかる意を表す。
4. Dの「造作〔の・も〕ない」は面倒でない、たやすいの意の慣用表現で、このままの形では他の語と置き換えられない。しかし、「てすう(てかず)のかからない」「手間をとらない」のような言い方であれば使える。

類似の語

手間暇(てまひま) 手数と時間。多く「―(が)かかる」「―(を)かける」の形で使う。「手間暇かけて古い文献を調べる」

労力(ろうりょく) 何かをしたり作ったりするのに要する肉体的・精神的な力。

てぬかり

oversight, fault

手抜かり・手落ち・落ち度

基本の意味 物事がうまく運ぶのを妨げるような不注意や過失。

Point! 「手抜かり」は、注意が行き届かないで取るべき処置を取らなかったような場合にいい、準備・計画段階の遺漏や不十分さをいうことが多い。
「手落ち」は、当然すべきこと、しておくべきことをしなかったという意味合いで使われ、責められるべきであるというニュアンスが「手抜かり」より強い。「落ち度」は、人のとがめを受けるような失敗や過失をいう。

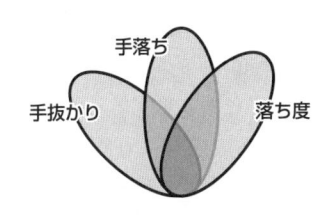

使い分け

表現例	手抜かり	手落ち	落ち度
A 当方に―があったことは確かだ	○	○	○
B ―のないように準備する	○	○	
C さしもの知能犯にも―があった	○		
D 重大な―とされて過怠金を取られる		○	○

1. Aの例ではそれぞれの意味合いで三語とも使える。
2. Bのように、準備の段階についていう場合は「落ち度」は使いにくい。
3. Cのように、好ましくないことについていう場合は「手抜かり」以外は不自然である。
4. Dのように、責任を問われて処分の対象となるような事柄には「落ち度」が最適だが、「手落ち」も使える。「手抜かり」ではぴったりしない。「落ち度」はもと「越度」と書いた語で、通行許可証を持たずに関所を越える罪の意から、決まりに反することや過失を表すようになったもの。

類似の語

抜かり 計画・準備などの行き届かないところ。「抜かりなく準備する」
不手際 仕事の進め方や物事の処理の仕方が悪いこと。「クレームへの対応に不手際が目立つ」
手違い 段取りや連絡などにミスが生じること。「ちょっとした手違いで品物が届かなくなる」

てびき guidance

手引き・手ほどき・案内

基本の意味 ある事柄について、それを知らない人、初心者などを導くこと。

Point! 「**手引き**」は、手を引いて人をある場所へ導くということから、外部の者を引き入れることや、初心者・初学者などに知識を授けることの意で使われる。「**手ほどき**」は、初めて学ぶ人に初歩から教えること。「**案内**」は、人を導いて、求める場所へ連れていったり、見せて回ったりすることから、物事のようす・内容などを知らせることの意でも用いる。三語とも、名詞形のほかに「する」を伴ってサ変動詞としても用いられる。　→「おしえ」

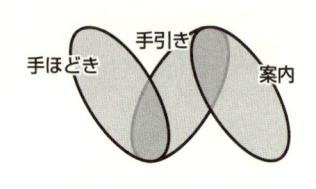

使い分け

表現例	手引き	手ほどき	案内
A　商いの―をしてもらう	○	○	
B　奇術の―を受ける		○	
C　客を部屋へ―して行く			○
D　ハワイ観光の―	○		○

1. Aのように、商売についていう場合、「案内」は使えない。「手引き」「手ほどき」には、初歩を教え導くという意があるが、「手引き」については、初心者に対してでなくても用いられる。

2. Bのように、文字どおり実地に手を取って技術などを教えるという場合には、「手引き」は不自然で「手ほどき」がぴったりとする。

3. 人を導いて行くという意では「手引き」「案内」が用いられる。しかし、「手引き」のほうは、「手を引いて」というニュアンスが払拭しきれないため、Cのように先に立って導くという場合には使いにくい。なお、「内部の者の―でしのび込む」のような好ましくないことの場合は、Cとは逆に「案内」が使いにくい。

4. Dのように、ある事柄について情報・知識を与える本や文書の意では「手引き」「案内」を用いる。

てほん　model

手本・模範・範・亀鑑

基本の意味 見ならうべきこと、または見ならうべき物や人。

Point! 「**手本**」は、字や絵をかくときに手もとに置いてよりどころにするものの意から、広く、物事を行うときに見ならうべきものの意でいう。「**模範**」は、物事を行うときに見ならったりまねたりすべき行為、また、そのような人や物。「**範**」は、見ならうべき物事や人をいう硬い文章語。「**亀鑑**」は、「範」よりさらに硬い文章語で、人の行いの規準となるものという倫理的な意味で使われる。

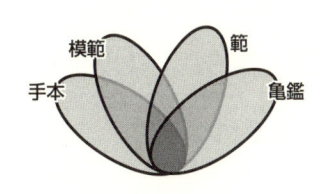

使い分け

表現例	手本	模範	範	亀鑑
A　彼こそ教育者の―である	○	○	○	○
B　一世の―と仰がれる			○	○
C　平泳ぎの―を示す	○	○	○	
D　市販品を―にして作る	○	○		
E　他の失敗を―とする	○			

1. Aの場合はどれも使える。「手本」が最も一般的でよく使われ、次いで「模範」の使用度が高い。「範」「亀鑑」は文章語だが、現在ではあまり使われなくなっている。

2. Bのようなきわめて改まった表現や、硬く重々しい表現の場合には「範」「亀鑑」が適当。「手本」「模範」のような日常語はぴったりしない。

3. Cのように、純粋に技術的なものについていう場合は倫理的な要素の強い「亀鑑」は使えない。

4. Dのように、技術や具体物の仕様について、それに倣ったり合わせたりするもとのものをいう場合は「手本」「模範」が適当。

5. Eのように、悪い行為にかかわるものについていう場合は「手本」以外の語は使えない。

類似の語

規範　行動したり物事を判断・評価したりするときに従うべき手本・規準。

とうぜん   of course
当然・当たり前・勿論・無論

[基本の意味] 論ずるまでもなくそうであるようす。

Point! 「**当然**」は、事の筋道から言って、だれが見ても疑問の余地なくそうなるようす。形容動詞としても副詞としても用いる。「**当たり前**」は「**当然**」とほぼ同義で用いられるが、副詞の用法はなく、特に変わったところがない、普通であるの意でも用いる。「**勿論**」「**無論**」は副詞の用法が基本。いずれも、あれこれ言うまでもなくそうであることを表すが、「**無論**」は「**勿論**」よりやや硬い言い方になる。

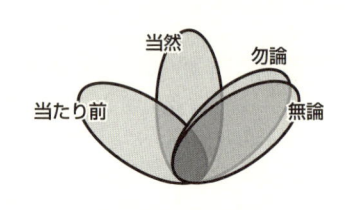

[使い分け]

表現例	当然	当たり前	勿論	無論
A 君にも一手伝ってもらうよ	○		○	○
B あんな練習では負けるのが―だ	○	○		
C 一着くはずの時刻だ	○			
D この暑さは―ではない		○		
E 「昨日の試験できた？」「―さ」	△	△	○	△

1. Aの例では、副詞的用法をもたない「当たり前」は使えない。「当然」では手伝ってもらう理由のあることが強調され、「勿論」「無論」では、手伝ってもらうことについては今さら言うに及ばないという感じになる。
2. Bのように、理由を示した上でその結果を言うまでもないと判断する場合は「当然」「当たり前」が使われる。
3. Cのように、客観的に考えて着くはずだという場合、「勿論」「無論」は主観的な感じが強いので使いにくい。「三時には―着くだろう」のように、主観性を出せる表現なら使うことができる。
4. Dのように、普通だという意味の場合は「当たり前」以外は使えない。
5. Eの場合、「無論」も使えなくはないが、「勿論」より硬い感じなので単独ではやや不自然で、「無論できたさ」のように被修飾語を添えるのが普通。また、「当然」「当たり前」を使うなら、「あんなやさしい問題なら」というような理由を示す語句を添えるほうが自然である。

とき

time

時・時間・時刻
(とき・じかん・じこく)

基本の意味 事物の生成や移り変わりを通してその経過が感じられるもの、また、その経過の中の一点。

Point! 「時」「時間」はいずれも概念として、過去・現在・未来ととどまることなく一定の速さで流れてゆくと考えられるものを表す。「時」はさらに、その流れの中のある一点やある期間を表す。「時間」は、上の概念的な意のほか、その流れのある点からある点までの長さを漠然ととらえていうが、日常語としては「時刻」の意でも使う。「時刻」は、時の流れの中の「○時○分」と計られるある一点。 ➡「ばあい」

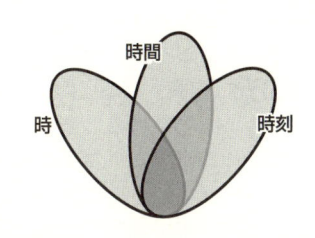

使い分け

表現例	時	時間	時刻
A チャイムで―を知らせる	○	○	○
B 約束の―は九時です		○	○
C ―がたつのも忘れる	○	○	
D ―を見て話をする	○		

1. 「時間」はもともとある長さをもった時を表すが、日常語ではある一時点をいうことも多く、Aの例ではどれも使える。

2. Bの場合、正確には「時刻」だが、1で述べたように「時間」も使われる。「時」も時刻の意に使えるが、「時刻」よりやや大づかみで、実質的な名詞としては「時を告げる」のような慣用表現に使われ、そのほかは形式名詞的な用法が多いので、Bの例では使いにくい。

3. Cのように幅をもった時には「時刻」は使いにくい。

4. Dのように都合のよい時点の意では「時」しか使えない。

どきょう

courage, bravery

度胸・肝っ玉・胆力・勇気

基本の意味 物事に立ち向かっていく気力や、何があっても動じない心。

Point! 「**度胸**」は、危険や困難を恐れない心。物事に動じないというだけでなく、自分から物事に向かっていく気の強さがある場合にいう。「**肝っ玉**」は、広い意味では気力の発する源としての心をいうが、気が強いか弱いか、物事に動じないでいられるかどうかという観点からその人の心のあり方を問題にする場合に多く使われる。「**胆力**」は、物事に驚いたり恐れたりしない強い精神力。「**勇気**」は、困難や危険があっても恐れることなく立ち向かっていく強い気持ち。「**度胸**」が単に神経が太いだけの場合にも使われるのに対し、「**勇気**」は意志的な精神の強さをいうことが多い。

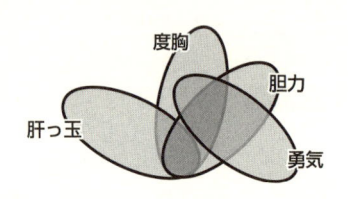

使い分け

表現例	度胸	肝っ玉	胆力	勇気
A　彼は―のある人だ	○		○	○
B　―がなくて彼女に話しかけられない	○			○
C　―の小さい奴だ		○		
D　―が据わっている人	○	○	○	

1. Aでは「肝っ玉」以外の三語が使える。「肝っ玉」は肝にある魂の意で、大小や太い細いの違いはあってもだれにでもあるものだから、ありなしを問題にしているAでは使いにくい。
2. Bのように、危険や困難にあえて立ち向かってゆく気力の意では、「度胸」「勇気」が適当。「度胸」を用いると一か八かでやってみるような感があり、「勇気」を用いると精神的な感じが強くなる。
3. Cのように、大きい小さいなどと使う場合は「肝っ玉」だけが使われる。
4. Dのように「据わる」と結び付くのは、内臓を表す「胸」「肝」「胆」の付く三語で、「勇気」は使えない。

類似の語

根性 物事に耐え、やり抜こうとする気力。「根性のない男」 ➡「きしょう」

とく

untie, undo

解(と)く・ほどく・ほぐす

基本の意味 固まっているものや絡まっているものを分け離す。

Point! 「**とく**」は、結んだり縛ったりしてあるものを分け離す意が基本。そこから、拘束や禁止を取り除く、緊張やわだかまりを消す、疑問や問題の答えを得る、などの意にも用いられる。「**ほどく**」は、結んだものや絡まったもの、また、編んだものや縫ったものを、その状態になったのと逆の順をたどるようにして分け離す意。「**ほぐす**」は、固まりになっていたりこわばったりしているものを、分け離し、またはやわらかくする意。

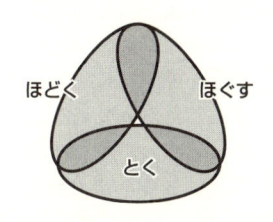

使い分け

表現例		とく	ほどく	ほぐす
A	ふろしきを―た	―い○	―い○	
B	彼の誤解を―たい	―き○		
C	セーターを―てマフラーを編む		―い○	―し△
D	魚の身を―			○
E	笑わせてみんなの緊張を―	○		○

1. 「ほぐす」はふろしきのように結んであるものには使いにくく、Aには不適。結び目をときはなす具体的動作には「ほどく」が適当。「とく」は、「包みをあけて中のものを示す」という感じが強い。

2. Bのように、問題や疑問などを消す意の場合は「とく」しか使えない。

3. Cのように、編んであるものや縫ってあるものなどの、目を外してばらばらにしたり、糸を外したりする意の場合には「ほどく」「ほぐす」が使われるが、それをさらに別のものに作り上げるときは「ほどく」が適当。

4. Dのように、繊維状のものが固まっているものを細かくとき分ける場合には「ほぐす」を用いる。

5. Eの場合は、「とく」「ほぐす」が使える。「とく」は緊張状態をなくすことに、「ほぐす」は緊張状態をやわらげることに重点がある。

とくちょう *characteristic*

特徴・特長・特色

基本の意味 他と異なる目立つ点や、そのもののもつすぐれた点。

Point! 「**特徴**」はよくも悪くも他と異なって目立っている点を、「**特長**」は特に目立ってすぐれた点を表す。「**特色**」は他の二語の両方の意味合いをもつが、普通はすぐれた点について、やや改まった感じで用いる。 ➡ 「ちょうしょ」

使い分け

表現例		特徴	特長	特色
A	明朗さが彼の―だ	○	○	○
B	誌面に―を出す	△		○
C	サーブが強いのが彼の―だ		○	△
D	―のない顔	○		

1. Aの場合はそれぞれの意味で三語とも使える。
2. Bのように、他と異なる点の意の場合は「特徴」「特色」が使えるが、「特徴」はすでにあるものについていうことが多く、意識的に特異な点を作り出すという場合はやや使いにくい感じがある。
3. Cのように、その人のもつ特にすぐれている点を表す場合は「特長」を用いる。「特色」もすぐれた点をいうが、サーブが強い人は他にも多くいると考えられるから、この場合、他と異なってすぐれている点をいう「特色」はやや不自然。
4. Dのように、単に外見的な他との相違点を表す場合には「特徴」を用いる。

類似の語

特質 そのものだけに見られる特別な性質。「平安文化の特質」

個性 他とは違う、その人やものだけに備わっている特有の性質。「個性豊かな人」「個性を殺す」

とくべつ   special, particular
特別・特殊

基本の意味 他と異なっているようす。

Point! 「**特別**」は、他の一般のものと区別して扱われるべきものであるようす。「**特殊**」は、そのもののもつ性質が、何かの点ではっきり普通・一般のものと異なっているようす。

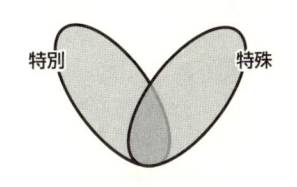

使い分け

表現例	特別	特殊
A ―な薬品を使うと症状がおさまる病気	○	○
B 日本文化の普遍性と―性		○
C 今日は―暑い	○	
D この机は―に注文したものです	○	

1. Aの例ではどちらも使えるが、「特別」を用いると、普通一般の薬ではない、その病気のための薬品という意味になり、「特殊」を用いると、その薬は、性質・成分などがきわめて特異であるということになる。
2. Bのように、他と大きくかけ離れた性質という意味の場合は「特殊」を用いる。
3. Cのように、程度が普通でないという意味の場合は「特別」を用いる。また、「特別」は副詞的に用いるが、「特殊」にはその用法がない。
4. Dのように、他の一般と区別してわざわざという意味の場合は「特別」を用いる。

類似の語

格別 物事の度合いが普通と違って著しいようす。また、特に他と区別されるようす。「今年は格別に寒い」「風呂上がりのビールは格別だ」「格別用事はない」

別格 定められた格式とは別であること。また、特別の扱いをすること。「別格の待遇」「別格官幣社」

独特 他と違って、そのものだけが特にもっているようす。本来、独自に会得しているようすの意で「独得」と書いた。「彼独特の言い回し」「当社の独特な工法です」

どくりつ independence

独立・独り立ち・一本立ち・自立

基本の意味　他の援助・支配などを受けずに、自分で物事を行っていくこと。

Point!　「**独立**」は、他の一部ではなく別のものとして存在すること。他の束縛や支配を受けずに、自分の力で行動したり生活したりすることにもいう。「**独り立ち**」は、他に依存しなくても一人で仕事や生活ができるようになること。「**一本立ち**」は、何かを習得して自分一人でやっていけるようになること。「**自立**」は、他に依存したり他の支配を受けたりせずに、自分の力でやっていくこと。

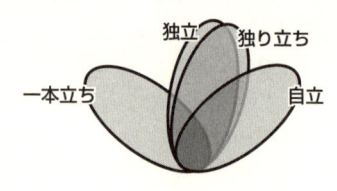

使い分け

表現例	独立	独り立ち	一本立ち	自立
A　―してやっていく	○	○	○	○
B　親から―して生活する	○	△		△
C　五年修業してやっと―となる			○	
D　精神的に―すべきだ				○

1. Aではそれぞれの意味合いで四語とも使える。
2. Bのように、今まで援助・支配などを受けていたものから離れて別になる意に重点がある場合は「独立」が最適。「独り立ち」「自立」も使えなくはないが、「…から」という表現にはあまりそぐわない。「一本立ち」は「…から」には付けられない。
3. Cのように、何かを習得して自分一人でやっていく状態になることや、その人を表す場合は「一本立ち」を用いる。「独り立ち」は本来、親に育てられて成長した結果、独力でやっていける状態になることをいう。Cのような例には比喩的に使えるが、その場合は「独り立ちする」の形になる。「独立」「自立」も同様に、「独立する」「自立する」とすれば使える。
4. 「自立」は他との関係よりも、正しく自分の力で立つ、自分の力で判断し行動していく意味合いに重点を置いている。したがって、Dのように精神的な事柄を述べる場合には「自立」を用いるのが適当。

とげる

accomplish

遂げる・果たす・し遂げる・なし遂げる・やり遂げる

基本の意味 最後まで事を行ってしおえる。

Point! 「**遂げる**」は、自分でやろうと思ったことをなしおえる意。「**果たす**」は、自分でやろうと思ったことや、期待されていることをなしおえる意。「**し遂げる**」「**なし遂げる**」「**やり遂げる**」はいずれも物事を完全にやりとおす意だが、一般的な「**し遂げる**」に対して、「**なし遂げる**」は文章語的、「**やり遂げる**」は日常語的。

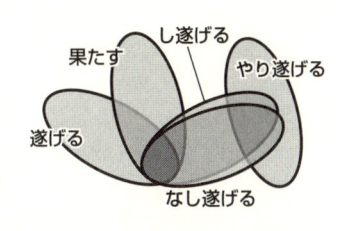

使い分け

表現例	遂げる	果たす	し遂げる	なし遂げる	やり遂げる
A みごと優勝を―	○	○	△	○	
B 所期の目的を―	○	○			
C 壮烈な最期を―	○				
D 責任（約束）を―		○			
E 困難な仕事を―			○	○	○

1. Aの例で、「遂げる」では自分の望んでいた優勝という感じ、「果たす」では他から期待されていた優勝という感じ、「なし遂げる」では困難を乗り越えての優勝という感じが強い。「し遂げる」も使えなくはないが、やや表現が弱く不自然。「優勝をやる」とは言わないので、「やり遂げる」は不適。
2. Bのように、「目的」という漠然とした表現の場合には、「し遂げる」以下の三語は使いにくい。
3. Cのように、最終的にそういう結果になるという意では「遂げる」を使う。
4. 他に対してすべきことを全うするというDの場合は「果たす」を使う。
5. Eのように、仕事・研究・事業などを完全にやりとおす意の場合は「遂げる」「果たす」は使えず、「し遂げる」以下が使われる。「なし遂げる」は文章語でやや改まった言い方、「やり遂げる」はややくだけた感じのこもった言い方、「し遂げる」は色合いのない普通の言い方だが、それだけに弱い感じで、使いにくいことが多い。

ところ　place, spot

所・場所・場・位置

基本の意味 身を置いたり、物が存在したり、事が行われたり起こったりする、空間中の一定の範囲。

Point! 「**所**」は、空間的な一定範囲だけでなく、ある物・物事の特定の部分を指してもいい、意味が広い。慣用的な言い方を除き、多くの場合、連体修飾語を伴って使われる。「**場所**」は、「所」よりも具体的・限定的に特定の物・人・事柄が占める空間的領域を表す。「**場**」は、その時の状況や環境・雰囲気に重点を置いてその空間をいう。「**位置**」は、全体の中でそのものが占める空間または階層中の一点を、他との相対的関係においてとらえていう語。

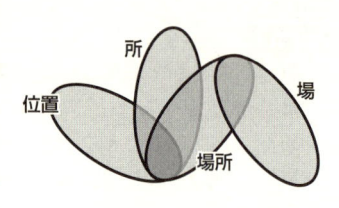

使い分け

表現例	所	場所	場	位置
A　元の―に戻る	○	○		○
B　荷物が―をふさいでいる		○	○	
C　この辺りが城のあった―だ	○	○		
D　この―になって尻込みする			○	
E　世界における日本の―				○

1. 「場」は多く「場をふさぐ(外す)」など慣用的な表現で用い、Aのような普通の表現では使いにくい。

2. 「所」は具体的な箇所の意では連体修飾語を伴わないと使いにくく、「位置」はある広がりが感じられるような場合は使いにくい。したがってBの表現では「場所」「場」が使われる。

3. Cでは1と同じ理由で「場」は不自然、2と同じ理由で「位置」も不適。

4. Dのように、その時の状況・場面の意では「場」だけが適当。「所」にも類似の意味があるが、「所をわきまえる」「所構わず」のように、上に修飾語を添えない慣用的な言い方で使う。なお、「彼には冷淡な所がある」のように、問題とされる点の意では「所」しか使えない。

5. Eのように、立場・地位の意では「位置」しか使えない。

とじる

shut, close

閉じる・閉める・閉ざす

基本の意味 開いていない状態にする。

Point! 「**閉じる**」は、ある点や軸を支えにして、合わせ目の広げられている仕切りやおおいなどを動かし、元のとおりに合わせる意。「**閉める**」は、仕切りやおおいなどを動かして、あいた部分をなくす意。「**閉ざす**」は、戸口・門などをふさいで、出入りができない状態にする意。

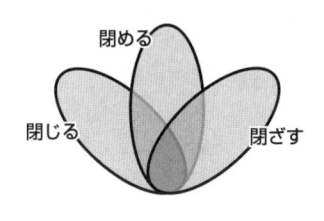

使い分け

表現例	閉じる	閉める	閉ざす
A　ドアを—	○	○	○
B　雨戸を—	△	○	○
C　箱（ふた）を—	○	○	○
D　引き出しを—		○	
E　傘（扇）を—	○		
F　ねじを—		○	
G　会を—	○		
H　道を—			○

1. 「閉める」の場合、ふさぐものの動かし方はどうでもかまわないのでA～Dのどれにも使える。一方「閉じる」の場合は、「ひらく」に対するので、ある点や軸を支えにして動かす感じが強く、B・Dのように一方に引き動かすものには使いにくい。A・Eが「閉じる」の特徴的な使い方である。

2. 「閉める」は、ゆるみやすきまのない状態にする感じが強いので、ゆるみをなくす意のFがその特徴的な使い方である。

3. Gは「ひらく」に対する使い方なので「閉じる」しか使えない。

4. 「閉ざす」は、元来戸にかぎをかける意なので、戸や扉のようなものに使うのが自然で、Dのような場合は使わないのが普通。また、すぐにあけるということはなく、しばらくの間、出入りや出し入れのできない状態にするという感じが強いので、Hのような使い方が生じ、この場合は「閉じる」「閉める」で置き換えることができない。

とつぜん　suddenly

突然・突如・にわか・急

基本の意味　何の前触れもなく事が起こったり、状態が変化したりするようす。

Point!　「突然」は、予想外の何かが瞬間的に起こったり行われたりするようす。「突如」はやや硬い言い方で、重大な事件や事柄について使われることが多い。「にわか」「急」は、ある状態から他の状態への変化が激しく速やかであるようす。「急」は、前触れもなく事が行われるようすにもいう。

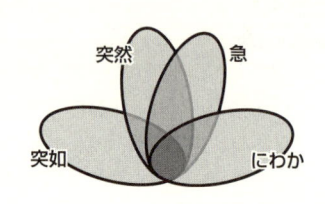

使い分け

表現例	突然	突如	にわか	急
A　―大雨になった	○	○	―に○	―に○
B　―気持ちが悪くなった	○			―に○
C　旧友が―訪ねてきた	○			―に○
D　―賛成はできない			―に○	
E　近ごろ―白髪が増えた			―に○	―に○

1. Aの場合はどれも使えるが、「突如」は文章語で「として」を伴うこともあり、やや大げさな感じを含む。「突然」は、古く「として」を伴うこともあったが、現在では単独で用いるのが普通。まれに「に」を伴うこともある。

2. Bのように、日常的なことに用いる場合は「突如」というと大げさで不自然。「にわか」は変化のようすをいう場合、客観的にとらえられる状態に使うのが普通だから、Bのように目に見えないことには不適当。

3. Cの場合は、「突然」「急」が適当。「にわか」は人の行動についていう場合は、それが短い時間で行われるときに限られる。「突如」はやや大げさで不自然。

4. Dのように、短い時間で対応するようすをいう場合は、多く打消しを伴って「にわか」が使われる。他の三語は不適当。

5. Eのように、わずかではあるが時間的な幅があり、その範囲で状態が変化するときは「にわか」「急」が適当。

とどく　reach

届く・着く・達する・及ぶ

基本の意味 ある所に到達する。

Point! 「**届く**」は、何かによって運ばれたり、そのもの自身が伸びたりして、ある所から目的の所へ到達する意で、距離を意識した感じがある。「**着く**」は、人やもの自体が移動して到達する意で、到着の事実だけを問題にする。「**達する**」は、ある過程を経て進み、ある場所・状態・程度・数量などに行きつく意で、到着点が目標・限度として意識されている。「**及ぶ**」は、ある所・時・数量・範囲などに到達する意で、広範囲に伸び広がるという感じを伴う。

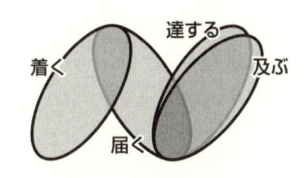

使い分け

表現例	届く	着く	達する	及ぶ
A　手紙が—	○	○		
B　肺にまで—傷	○		○	○
C　一千万円に—被害			○	○
D　船が港に—		○		

1. Aのように、人手によって運ばれるものの場合は「届く」が適当。到着の事実だけに目を向ける場合は「着く」を使う。「達する」は、段階的な目標でないと使いにくい。「及ぶ」は広がる感じが強く、Aのような直線的な動きには不適当。

2. Bのように、体の表面から肺にまでという範囲が表されている場合は「届く」が適当で、「着く」は使えない。「達する」「及ぶ」も使えるが、「達する」は傷の最も深い所が肺だという感じ、「及ぶ」はほかにもあちこち傷を受けているが、肺にまで受けているという感じでも使われる。

3. Cのように、数量に関していう場合は「達する」「及ぶ」が適当。「及ぶ」のほうは一千万円を超えるほどだという感じが含まれる。

4. Dのように、乗り物の到着には「着く」以外は使いにくい。ただし、「船が東京湾の入り口に—たとき」のように、中途のある段階に到達した意では「着く」ではなく「達する」を使う。

ともに

together

共に・共々・一緒に・もろとも

基本の意味 それぞれが同じ動作をしたり、同じ状態にあったりするようす。

Point! 「共に」は、四語の中で意味領域が最も広く、動作・行為についても状態についても使える。「共々」はやや改まった言い方で、主として人の動作・行為や状態にいう。「一緒に」は動作性の意をもつ語句を修飾し、複数の人がひとまとまりとなって同じ動作・行動をしたり、複数の物事を同時にひとまとめに扱ったりするようすを表す。「もろとも」はやや古風な言い方で、現在は他の人・物事とひとまとまりに好ましくない状態となるような場合に使うことが多い。

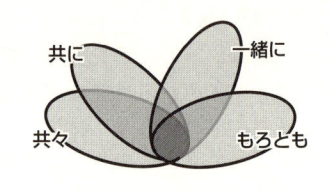

使い分け

表現例		共に	共々	一緒に	もろとも
A	財宝は船（と）―海に沈んだ	○	△	○	○
B	両親は―健在です	○	○		
C	親子―喜んでおります	○	○		
D	君も―帰らないか			○	
E	夜明けと―起き出した	○			

1. Aの場合、「共に」「一緒に」は上に「と」を伴って用いる。「共々」は人や組織についていうことが多く、Aにはやや使いにくい。

2. Bのように動作・行為でなく状態についていう場合は、「一緒に」は使えない。「もろとも」はAのように好ましくない場合に多く使われ、不適。

3. Cでは「共々」が最も自然。「共々」は両者一体の感じが強く、「共に」ではそれぞれの独立性が感じられる。「一緒に」に「喜ぶ」など感情の動きを表す動詞が付くと、一方が他方に合わせる感じになって、Cでは不自然。

4. Dのように日常的な会話で、同じところで同じ行為を行う意の場合は「一緒に」を用いるのが自然。「共々」「共に」は改まりすぎて使いにくい。

5. Eのように「…と―（に）」の形で、時を同じくして、同時にの意を表す場合は「共に」「もろとも」が使えるが、「もろとも」は突発的で勢いのある行動や事態の場合にいい、Eには不適。

とりあえず　for the present, for now

取りあえず・一応・ひとまず・差し当たり

基本の意味 先のことはともかく、今は。

Point! 「取りあえず」は、現時点ですぐ完全にはできないので間に合わせに、という意味合い、「一応」は、十分とはいえないが最低限は、という意味合い、「ひとまず」は、この先は別として今の時点ではひと区切り、という意味合い、「差し当たり」は、直面している現在のところでは、という意味合いでそれぞれ使われる。➡「ひととおり」

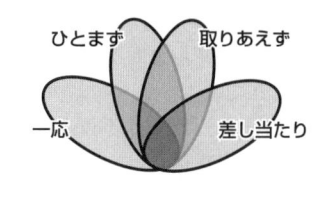

使い分け

表現例	取りあえず	一応	ひとまず	差し当たり
A　これで一生活には困らない	○	○	○	○
B　―ここでお開きにします	○	○	○	
C　―御礼まで	○		△	
D　―筋の通った話ではある		○		
E　―よい考えはない	△			○

1. Aの例ではそれぞれの意味合いでどれも使える。
2. Bのように、ひと区切りをつける意の場合は「ひとまず」が最適だが、「一応」「取りあえず」も、その後はまた別に考えるとして、の意をこめて使うことができる。「差し当たり」は物事を後に持ち越す意識が強いため、そこで終わりにするということと結び付きにくく、不自然。
3. Cのように、相手に早く伝えたい気持ちを儀礼的に表す場合は「取りあえず」が適当。「一応」ではとにかく形だけでもという感じで相手に失礼になる。「ひとまず」もそれで区切りを付けてしまうようで、やはり失礼な感じを残す。
4. Dのように、完全ではないがだいたいの点では、の意では「一応」を使う。
5. Eのように、直面していることについて今の状態をいう場合は「差し当たり」が適当。先はともかく、今すぐによい考えは浮かばないという気持ちで「取りあえず」も使えなくはないが、やや無理な感じになる。

とんでもない   absurd, ridiculous

とんでもない・途方もない・滅相もない・もっての外

基本の意味 道理や常識からはずれているようす。

Point! 「**とんでもない**」は、あるべきことではないようす。相手の言葉を受けてそれを否定する場合にも使う。「**途方もない**」は、道理や常識から大きくはずれているようす。「**滅相もない**」は「**とんでもない**」とほぼ同義だが、やや古めかしく、相手に対するへりくだった感じが強い言い方。「**もっての外**」は、あるべきことでない相手の言動に対して、非難する場合に多く用いられる。

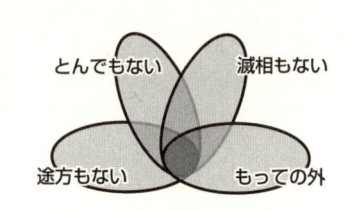

使い分け

表現例	とんでもない	途方もない	滅相もない	もっての外
A　―話	○	○	○	―の○
B　―大きい計画	―く○	―く○		
C　私がしたなんて―	○		○	
D　無断欠勤とは―	△			―だ○

1. **A**の例はどれも使えるが、「とんでもない」は最も日常的な語、「滅相もない」はやや古めかしい。また、「とんでもない」「途方もない」「滅相もない」は自分のことにも他人のことにも用いられるのに対し、「もっての外」は他人のことに対してのみ用いる。

2. **B**のように、規模の大きさなどについていう場合は「とんでもない」「途方もない」が適当。「とんでもない」では批判めいた感じを伴う場合もあるが、「途方もない」では、普通はとても考えつかない計画だと驚く感じがある。

3. **C**のように、相手の言ったことを受けてそれを否定するときには「とんでもない」「滅相もない」を使う。「滅相もない」は恐れの気持ちが強い。

4. **D**のように、他をとがめる言い方の場合は、「もっての外」が最適。「とんでもない」も使えるが、表現としてやや弱い。「滅相もない」は語感として、他に対して恐れる気持ち、へりくだっている気持ちなどを抱きつつ否定する感があるので、**D**の場合には使いにくい。

なおざり

neglectful, negligent

なおざり・おろそか・ゆるがせ・いい加減(かげん)

基本の意味 物事への対応が不熱心・不徹底であるようす。

Point! 「**なおざり**」は、大事なことをそのままほうっておいたり、真剣に対応しなかったりするようす。「**おろそか**」は、重視・尊重すべき物事・対象であるのに、そういうものとして扱わないようす。「**ゆるがせ**」は、重要性や価値を認識せずに軽く扱うようすで、多く打消しの語を伴って用いる。「**いい加減**」は、確実性・正確性・一貫性といったことにあまり留意せず中途半端あるいは無責任に行うようすで、信用が置けないという意を含む。➡「いいかげん」

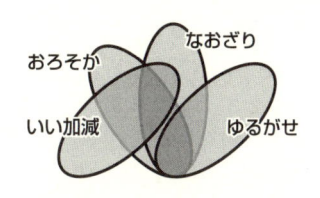

使い分け

表現例	なおざり	おろそか	ゆるがせ	いい加減
A つい仕事が―になる	○	○		○
B この問題は―にできない	○	○	○	
C 調べもせずに―なことを書く				○
D 御恩は―には思いません		○		

1. Aでは「ゆるがせ」以外の三語が使えるが、「なおざり」「おろそか」では、何か別に心が向かう物事があって仕事を二の次にしたり本気で取り組まなくなったりするという意、「いい加減」では、きちんとやらないようになるという意になる。「ゆるがせ」は「―になる」の形では使いにくい。
2. Bのように「―にできない」の形で、真剣な対応が要求されるべきであるという意を表す場合は、「いい加減」は使いにくい。「この問題はいい加減な気持ちでは扱えない」などとすれば、「いい加減」も使える。
3. Cのように信用が置けない意を含む場合は、「いい加減」しか使えない。
4. Dは打消しを伴ってありがたさの念を強調する「おろそか」独特の表現。

類似の語

おざなり その場の間に合わせで中途半端に済ませるようす。「なおざり」と混同されやすいが、意味は異なる。「おざなりの改革案でお茶を濁す」

ちゃらんぽらん いいかげんで無責任なようす。俗語。

なくす

lose

無(な)くす・失(うしな)う・喪失(そうしつ)する

基本の意味 無い状態にする。

Point! 「なくす」は、意志的に無い状態にする場合にも、無意志的に結果としてそうなる場合にも使うが、他の二語は無意志的な場合にだけいう。「失う」は、自分の持っていたものや手に入れられたはずのものを無い状態にしてしまう意で、不本意にもという意味合いが強い。「喪失する」は、主として抽象的・精神的な事柄についていい、資格・能力・気力など、それまで自分が持っていたものを失う意。

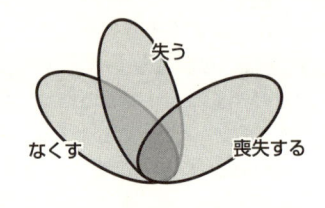

使い分け

表現例	なくす	失う	喪失する
A 自信を—	○	○	○
B 火事で家を—	○	○	
C むだを—	○		
D 事故で子を—	○	○	
E バランスを—て台から落ちる		—っ○	

1. Aのように精神的な状態についていう場合はどれも使えるが、「喪失する」は硬い文脈でないとやや不自然になる。

2. Bのように具体物についていう場合、「喪失する」は使いにくい。「家」のようになくてはならない大事なものという感じが強いときは、「なくす」よりは「失う」のほうが適切。

3. Cのように意志的に無い状態にする意の場合は、「なくす」しか使えない。

4. Dのように身近な人に死なれる意では「なくす」と「失う」が使える。この場合の「なくす」は漢字では「亡くす」と書くことが多い。なお、「転校して親しい友達を—」のように、人について死以外のことで無い状態にする場合は「失う」が自然。

5. Eのように、あるべき状態からはずれた状態になる意の場合は、「失う」が適当。この場合、硬い言い方として「失(しっ)する」を使うこともある。

なげだす

throw out, give up

投げ出す・ほうり出す・ほうる・ほっぽる

基本の意味 物を投げるようにして置いたり、物事を途中で放棄したりする。

Point! 事柄についていう場合、「**投げ出す**」「**ほうり出す**」は途中でやめる意に、「**ほうる**」「**ほっぽる**」は事を進めずそのままにしておく意に重点がある。「**ほっぽる**」は俗語的。

使い分け

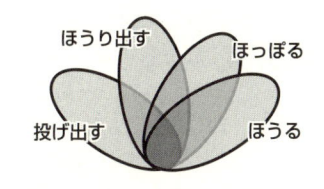

表現例		投げ出す	ほうり出す	ほうる	ほっぽる
A	かばんを玄関に―て遊びに行く	―し○	―し○	―っ○	―っ○
B	一度始めたことを途中で―	○	○		△
C	子供を―ておしゃべりに夢中だ		―し△	―っ○	―っ○
D	その件はしばらく―ておこう			―っ○	―っ○
E	今の会社を―れたらどうしよう		―さ○		

1. Aではどれも使えるが、「ほうる」では実際に玄関に向かって投げる意になり、「ほっぽる」も多少その感じをもつ。他の二語は実際に投げるというより、投げるように乱暴に置いてそのままにする行為に焦点を当てている。

2. Bの場合、「投げ出す」ではできなくてやめる意になるが、「ほうり出す」では嫌になってやめる場合も含まれる。「ほうる」はそのままにしておく意が強く、単にやめる意では使いにくい。「ほっぽる」も「ほうる」に近いため、「途中でほっぽって」などの形で後に続けるほうが自然。

3. Cのように処理すべきことをそのままにしておく意では「ほうる」「ほっぽる」が適切だが、責任放棄の感じを強く表す場合は「ほうり出す」も可能。

4. Dのように「―ておく」の形で、あえて手を付けずそのままにしておく意を表す場合は、「ほうる」「ほっぽる」だけが使われる。

5. Eのように人の面倒を見るのをやめて追い出す意では「ほうり出す」を使う。文法的にも「投げ出す」「ほっぽる」だと助詞「を」の上に来るものは投げたり放棄したりする物（事）になるが、Eの「会社」は文の主格が属している組織であるので、「ほうり出す」のみが自然。

なでる

stroke, rub, pat

なでる・さする・こする

基本の意味 対象の表面に何かを当てて接触面を左右・前後などに動かす。

Point! 「**なでる**」は、手の平や指の腹などを軽く当てて、対象をいとおしむようにゆっくり動かす動作。「**さする**」は、手の平や指の腹を体に当てて軽く摩擦するような動作で、繰り返し動かす点に特徴があり、痛み・苦痛・こわばりなどを和らげるために行われる。「**こする**」は物を何かの面に押し当てながら動かす動作で、当てるものは手や指とは限らず、繰り返しでない一回の動作にもいう。力の入れ具合は一般に「**なでる**」「**さする**」「**こする**」の順に強くなる。

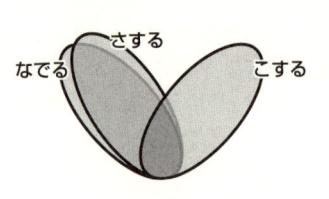

使い分け

表現例	なでる	さする	こする
A　背中を—	○	○	○
B　弟の頭をやさしく—	○	○	
C　痛めた腰を—	△	○	
D　たわしでごしごし—			○

1. Aでは三語とも使える。「なでる」は相手をいとおしく思うような場合で、「さする」は、せき込んだり背中が痛んだりした場合などに、「こする」は、例えば垢すりなどで背中を強く摩擦する場合や、犬猫などが背中のかゆい部分を物に押し当てて摩擦するように動かす場合などに用いられる。

2. Bのようにいたわるように軽く行う場合、「こする」は不適当。

3. Cのように痛みを感じている場合は、「さする」が適当。「なでる」では表現が弱すぎてやや不自然。

4. Dのように強く摩擦する場合は「こする」しか使えない。

なまいき   impertinent, saucy, impudent

生意気・こざかしい・ちょこざい・こしゃく

基本の意味 能力や分際を越えた振る舞いをして不愉快な感じを与えるようす。

Point! 「**生意気**」は、自分の年齢や経験・能力を省みないで偉そうな言動をするようす。「**こざかしい**」「**ちょこざい**」は、偉そうにしているというよりも、利口そうに振る舞いながら底の浅さが見えすいている感じをとらえた言い方。「**こざかしい**」はずるく立ち回るようすにもいい、両語とも軽蔑感を伴う。「**こしゃく**」は、相手の偉そうな言動へのいまいましい思いを強く表す主観性の勝った言い方。

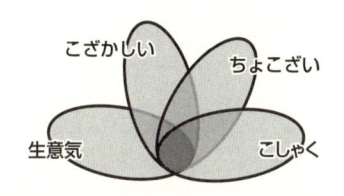

使い分け

表現例	生意気	こざかしい	ちょこざい	こしゃく
A ―やつだ	―な○	○	―な○	―な○
B 妹も一年ごろになった	―な○			
C ―立ち回る		―く○		
D ―に障る				○

1. Aではそれぞれの意味で四語とも使える。
2. 「生意気」は、年齢やそれに伴う能力・見識などを超えた振る舞いをするようすをいい、他の三語に比べてマイナス評価が低く、そうしたことはだれしも若いころにはある、というニュアンスを感じさせる。したがってBは「生意気」のみが適当。
3. Cのように、抜け目なく小ずるいようすをいう場合は、「こざかしい」以外は使いにくい。
4. Dの「こしゃくに障る」は、「こしゃく」の慣用的表現。

類似の語

小生意気（こなまいき） 妙に生意気なようす。主に年少の者の態度・言動にいう。「小生意気な娘」

さかしら 知識もないのに利口ぶって出過ぎた振る舞いをするようす。「さかしらに人の原稿に手を入れる」

なまける idle, be lazy, neglect

怠ける・ずるける・サボる・怠る

基本の意味 すべきことをしないでいる。

Point! 「**なまける**」は、仕事・勉強など、本来すべきことをしないで時間をむだに過ごす意で、その状態を連続的にとらえていう。「**ずるける**」「**サボる**」は、その日・その時の仕事・勉強から逃れてそれをやらずにすませるという一回性の意が強い。「**おこたる**」は一般的に、すべきことをしないでいる意で、きちんとやらずいい加減にすませる意でも用いられる。

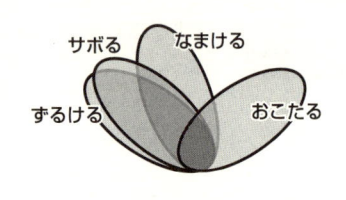

使い分け

表現例	なまける	ずるける	サボる	おこたる
A ―ず精を出す	―け○	―け○	―ら○	―ら○
B ―て仕事をしない	―け○	―け○	―っ○	
C ぶらぶらと―て暮らす	―け○			
D 学校を―て盛り場をうろつく	―け○	―け○	―っ○	
E 注意を―て見落とす				―っ○

1. Aの場合はそれぞれの意味で四語とも使える。「なまける」が一般的でよく使われ、「ずるける」「サボる」は俗語的、「おこたる」は文章語的。
2. 「おこたる」は、Aのようにやや硬い表現の場合を除いて、目的語なしには使いにくい。この語は行為の内容が明白に具体的に示されている場合に使うことが多い。Bで「ずるける」「サボる」は「なまける」に比べて、より意志的・意識的である。特に「ずるける」は、だらしない感じ、図々しい感じ、時に狡猾な感じさえして、否定的要素が強く感じられる。
3. Cのように、連続性・習慣性の感じられる場合は「なまける」が適当。「サボる」「ずるける」「おこたる」は一回性の強い語なので使いにくい。
4. Dのように、課業の場所を目的語とする場合、「おこたる」は使いにくい。Dの例が意志的だとすれば「ずるける」「サボる」が適当で、他から見ているとすれば「なまける」も使える。
5. Eのように、いい加減にする、中途半端にするなどの意が含まれる場合は、「おこたる」以外は使えない。

にくい hateful

憎い・憎らしい・憎たらしい・憎々しい

基本の意味 相手を許しがたく思うよう す。また、そうした気持ちを起こさせる ようす。

Point! 「憎い」は、対象を憎む主体の 気持ちを直接に表す。それに対し、「憎 らしい」「憎たらしい」はそう思わせ る対象の様態に重点があり、自分の気 持ちの表現としては表現が間接的になるため、「憎い」よりも感情の強さ は薄らぐ。「憎々しい」は、対象の様態にいう面がより強く、こちらに強 い反発心を起こさせるほど傲慢さやふてぶてしさが感じられるようす、ま たは、対象自身が憎しみをあらわにしているようすをいう。

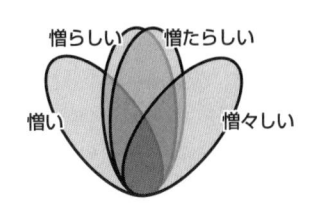

使い分け

表現例	憎い	憎らしい	憎たらしい	憎々しい
A　―態度	○	○	○	○
B　眠れないほど彼を―思った	―く○	―く○	―く△	
C　―顔をしてにらむ		○	○	○

1. Aの場合はどれも使えるが、「憎い」では自分の気持ちの直接的な表現、 他の三語では、こちらに憎いと思わせるような相手の様態の表現となる。 「憎い」は直接的すぎるので特に気持ちを強く出す場合以外はあまり使わ れず、Aの場合も逆説的に憎いほど立派な態度の意になりやすい。「憎ら しい」が最も普通で広く使われ、「憎たらしい」はくだけた感じが強く、「憎々 しい」は主に人の言動や表情や態度にいう。

2. Bのように憎む気持ちを抱いていることをいう場合には、「憎々しい」は 使えない。また、「憎たらしい」はくだけた表現なので、Bにはやや不自然。

3. Cのように、話し手が見た相手の様態を表現する場合は、気持ちを直接表 す「憎い」は不適当。「憎らしい」「憎たらしい」では相手の顔を憎く感じ るこちらの気持ちを表しているととれるが、「憎々しい」では、相手が憎 しみの表情を浮かべていることの表現とも、強く反発を感じさせるほど相 手の顔つきが傲慢で拒絶的なことの表現ともとれる。

にげる

escape, run away

逃げる・逃れる・逃げ出す

基本の意味 危険な相手・場所などから離れ去る。

Point! 「**逃げる**」は、追ってくるものや、危険だったり不快だったりする場所・物事から身を引き離して、その力・影響の及ばない所へ去る意で、動作・過程に重点がある。それに対し、「**逃れる**」は結果に重点を置いて、そうした場所・物事から離れ去る意を表す。「**逃げ出す**」は、その場所・状況から抜け出る、また逃げ始めるという、行為の起点に焦点を当てた言い方。

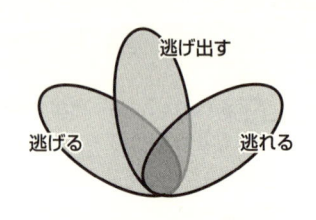

使い分け

表現例		逃げる	逃れる	逃げ出す
A	命からがら―	○	○	○
B	鳥がかごから―	○		○
C	―犯人を追う	○		
D	危うく難を―		○	
E	一点差で―られた	―げ○		

1. Aでは三語とも使えるが、「逃れる」は離れ去る動きそれ自体よりも、危険から離れ去った状態になることに焦点を当てている。

2. 離れ去る動きそれ自体に焦点を当てたBの場合、「逃れる」は使いにくい。

3. Cのように追っ手から離れて行こうとする進行中の動作をいう場合は、「逃げる」以外は不適。「逃げ出す」はそのままでは使いにくいが、「逃げ出した犯人を追う」などとすれば使える。

4. Dのようにやや抽象的な表現の場合は「逃れる」が使われる。「責任を―」なども同様。

5. Eのように競技などで有利な状態のままで終わる意の場合は、「逃げる」しか使えない。受身形でない場合は「逃げる」より「逃げ切る」が普通。

類似の語

免れる 好ましくない物事にかかわらないで済む。「まぬかれる」とも。「危うく類焼を免れる」「この件では世間のそしりは免れない」

にんむ

duty

任務・職務・職・務め

基本の意味 その人の担当する仕事。

Point! 「**任務**」は、その者に割り当てられた仕事。指示・命令によって割り当てられた仕事という意味合いが強く、継続的な内容である場合も、一回性の仕事である場合もある。「**職務**」は、企業・役所などの組織の一員として担当する仕事で、そのつどの指示・命令によるよりも、身分に伴って継続的に行われる仕事という意味合いが強い。「**職**」は、「**職務**」に近いが、仕事上の身分そのものを指してもいう。「**務め**」は一般的な言い方で、果たすべき仕事・役目を広くいう。➡「しょくぎょう」

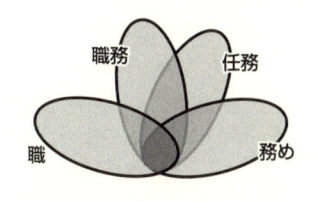

使い分け

表現例		任務	職務	職	務め
A	一を怠り、責を果たさない	○	○	○	○
B	ある一を帯びて旅立つ	○	○		
C	公器としての新聞の一	○			○
D	親としての一を果たす				○
E	一を求めて都会へ出る			○	

1. Aの場合はそれぞれの意味でどれも使えるが、「職」は改まった言い方になる。「務め」を「勤め」と表記すれば職業の意になり、別のグループになる。
2. Bのように、組織内などで担当させられた命令・義務などに限定していう場合、「職」「務め」は使えない。
3. 「職務」「職」はふつう、個人が受け持つ役割・仕事についていう語で、Cの場合には使えない。
4. Dのように、全く私的なものについていう場合、「職務」「職」は使わない。「任務」も公的なニュアンスが含まれているので不自然である。
5. Eのように、生計を立てるための仕事の意では「職」以外は使えない。

類似の語

役目 集団の中でその者が引き受けるべき務め。「親の役目を果たす」
職分 職務としてしなければならないこと。「公吏として職分を尽くす」

ぬきだす pull out

抜き出す・引き抜く・抜き取る

基本の意味 抜いて取り出す。

Point! 「**抜き出す**」は、具体的動作としても、必要なものを中から抜いて出す意が強く、特に、全体のうちから基準に合うものを選んで取り出す、または、重要な部分だけを取り出す意でも使われる。それに対し、「**引き抜く**」「**抜き取る**」は必要なものを取り出す場合にも、邪魔なものを取り除く場合にも使える。「**引き抜く**」は、中に入り込んだものを引っ張って抜く意で、他に所属する人を引っ張ってきて自分のほうに属させる意にもいう。「**抜き取る**」は、数ある中からわからないように盗み取る意にもいう。

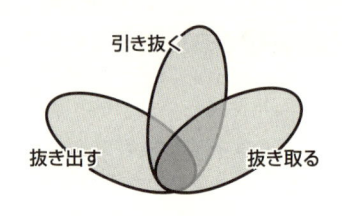

使い分け

表現例		抜き出す	引き抜く	抜き取る
A	写真の束から五枚—	○	○	○
B	要点を—	○		
C	とげを—		○	○
D	他のチームから選手を—		○	
E	輸送車から荷物を—			○

1. Aの例では、選んで取り出す場合でも無作為に取り出す場合でも三語とも使えるが、「引き抜く」では無作為に取り出す感じが強い。
2. Bのように、全体の中から重要な部分を選んで取り出すという意では「抜き出す」以外は使いにくい。
3. Cのように、中に入り込んだ好ましくないものを取り除く意の場合は「抜き出す」は使えない。「引き抜く」は力を入れて引っ張り出す感じが強い。
4. Dのように、他に属している人を好条件でこちら側に属させる意の場合は「引き抜く」以外は使えない。
5. Eのように盗み取る意の場合は、「抜き取る」以外は不自然。

類似の語

取り出す 中から取って外へ出す。また、全体の中から必要なものを選んで出す。「ポケットから財布を取り出す」「データベースから情報を取り出す」

ぬけだす　leave, escape

抜け出す・抜け出る・脱する・脱出する・脱走する

基本の意味 ある場所・環境から、その外へ出る。

Point! 「抜け出す」「抜け出る」は、ある場所・環境から抜けて出る意では同じように使われるが、「抜け出る」は他より高く突き出る、秀でるの意でも使われる。「脱する」は、ある場所・状態から逃れ出る、入れるべきものを抜かすなどの意を表す文章語。「脱出する」は、危険なまたは不快な場所から抜け出す意。「脱走する」は、拘束・束縛されている場所から逃れて去る意。

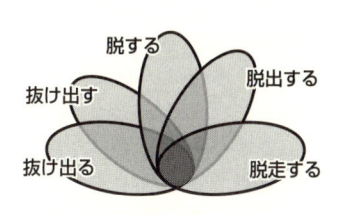

使い分け

表現例	抜け出す	抜け出る	脱する	脱出する	脱走する
A　厳しい監視の中を—	○	○	○	○	○
B　ようやく不況から—た	—し○	—で○	—し○	—し○	
C　林を—と広い原になる	○	○			
D　ひときわ—た俊才		—で○			
E　途中一ページを—て写す			—し○		

1. Aではそれぞれの意味で五語とも使える。
2. Bのように、具体的な場所でなく、ある状況・状態から離れて出るという場合、「脱走」は使わない。「脱出」は苦労して抜け出るというニュアンスのときは使える。
3. 「脱出する」「脱走する」「脱する」は、危険な状態、よくない状況から離れ出ることにいう語で、Cのように単に通り抜ける意には使わない。
4. Dのように他より勝っている意、また、「一段と—たビル」のように他より高く突き出る意では、「抜け出る」しか使えない。
5. Eのように入れるべきものが抜け落ちる意では「脱する」以外は不適当。

類似の語

脱却する　古いものを捨て去る。また、よくない状態から抜け出る。「旧弊を脱却する」「売り上げの低迷から脱却する」

ぬれる

get wet, moisten

ぬれる・湿(しめ)る・潤(うるお)う

基本の意味 水気を帯びた状態になる。

Point! 「**ぬれる**」は、物の表面に水がつく、または、内部にまで水がしみ込んだ状態になる意。「**湿る**」は、水気を帯びたり湿度が高くなったりする意で、「**ぬれる**」が主に視覚的にそれとわかる状態にいうのに対し、「**湿る**」は、触れたりその場所に身を置いたりしてわかる感じが主体となる。「**潤う**」は、水気を帯びた状態をプラス価値としてとらえていう。

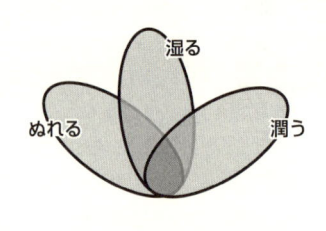

使い分け

表現例	ぬれる	湿る	潤う
A 昨夜の雨で―た草木	―れ○	―っ○	―っ○
B 洗濯物が―ている	―れ○	―っ○	
C 雨に―ながら歩く	―れ○		
D つゆどきで家の中が―ている		―っ○	

1. Aではそれぞれの意味で三語とも使える。
2. Bのように水分のないほうが望ましい場合、「潤う」は使えない。水分が多ければ「ぬれる」、乾ききってはいないという程度なら「湿る」を使う。
3. Cのように雨が体に降りかかる意では「ぬれる」以外は不自然。また、Aのように「雨で」というとぬらす雨に重点があり、Cのように「雨に」というとぬれる主体の人に重点を置いた感じになる。
4. Dのように、空気が水気を含んで家の中の物が水気をもつという場合は、「湿る」が使われる。
5. 「町（家計）が―」のように経済的に豊かになる意には「潤う」、「座の気分（打棒(だぼう)）が―」のように元気のない状態になる意には「湿る」、情事を行う意には「ぬれる」を用いる。

ねがう

wish, hope

願う・望む・求める・請う

基本の意味 こうありたい、こうしてほしい、こうしたいなどと思う。

Point! 「願う」は、もともと神仏に対する行為で、心で願うという場合にも、自然にそうなればいいといった他力的な意味合いが強い。「望む」は、何かの実現・獲得を期待する意で、漠然とした希望から特定の相手への具体的な希望まで幅が広い。「求める」は、それを手に入れたいと思うという意が基本で、そのための具体的な行為・働きかけを行う意も含む。「請う」は、相手に何かを頼む意。「請う」以外の三語も「…に―」の形で特定の相手に向けてそうする意で使われるが、「願う」「請う」は相手を上位者ととらえた場合にいう。

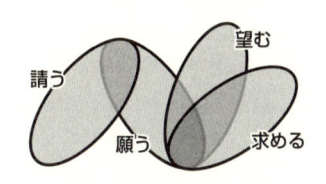

使い分け

表現例		願う	望む	求める	請う
A	世界の平和を―	○	○	○	
B	彼に機敏さを―のは無理だ		○	○	
C	師に特別の御教授を―	○			○
D	御成功を―ています	―っ○			
E	一流企業への就職を―て(で)いる学生	―っ○	―ん○		

1. 「請う」は特定の相手に対する言葉による働きかけを表し、Aの例のように心の中で思う意では使えない。

2. Bの場合、「望む」では相手への期待、「求める」では積極的な要望になる。「願う」は、「…に」の形で対象となるのは神仏や上位者で「彼」には使いにくい。「彼が機敏になるのを願っているが、無理だろう」などとすれば使える。「請う」も請う側が相手に対し下手に出る場合にいうので、不適当。

3. Cのように目上の人に対する場合、「望む」「求める」は使いにくい。

4. Dのように「祈る」に通じる場合は「願う」が適当。「望む」は自分の期待が表に出るので不適当。

5. Eの場合、「願う」では何とかそうなればいいと切に思う意だが、「望む」では十分可能性があると見てみずからその実現を求める感じになる。

ねじる

twist

ねじる・ひねる・よじる

基本の意味 細長いものを、位置が動かない状態で、その一端または一部を左か右に回すようにする。

Point! 「**ねじる**」は、細長いものの両端をそれぞれ逆方向に回す場合、また、ぐるぐる何度も回す場合も含み、力の入れ方は比較的強い。「**ひねる**」は、一端を左右いずれかの方向に一度軽く回す動きにいい、両端をそれぞれ逆方向に回す動きには使われず、力の入れ方は比較的弱い。「**よじる**」は、「縄をよじる」のように「縒る」に近い意味で使われた語で、「**ねじる**」にも近いが、細長いものの一端を左右交互に回すような複雑な動きを主にいい、使われ方は上の二語よりも限定される。

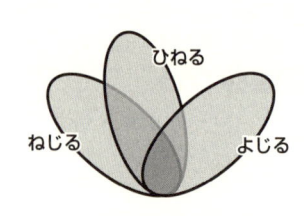

使い分け

表現例	ねじる	ひねる	よじる
A 体を―	○	○	○
B 手ぬぐいを―て頭に巻く	―っ○		
C 蛇口を―と赤い水が出てきた	○	○	
D 身を―て笑った			―っ○

1. Aの場合はどれも使えるが、「ねじる」では足を固定して強く腰から上を回す感じ、「ひねる」では上体の向きを変えるように軽く回す感じになる。「よじる」では、相手から逃れようとして体を左右に回すようにくねらせたり、笑いが止まらずに苦しがったりするようすの形容になる。
2. Bのように物の両端を持って回す場合には、「ねじる」を用いる。
3. Cのように、蛇口・つまみなど、もともと回るような仕掛けのものを軽く回す場合は「ひねる」を用いるが、「ねじる」も使える。
4. 「よじる」は現在では、Dのような「身をよじって笑う」「腹の皮をよじって笑う」のような表現に多く使われる。

類似の語

ねじ曲げる ねじるようにして曲げる。抽象的な事柄について、事実を歪曲する意にも用いる。「腕をねじ曲げる」「話をねじ曲げて伝える」

ねじれる   be twisted

ねじれる・よじれる・ねじくれる

基本の意味 ねじったような状態になる。

Point! 「ねじれる」は、細長いものが一端または両端にねじるような力を加えられるなどして、螺旋状やそれに類似の形状になる意が基本。「よじれる」は、「ねじれる」より複雑な動きの結果生じた状態にいうことが多く、細長いもののほか、平面的なものにも使われることがある。「ねじくれる」は、結果としての状態により重点を置いた語で、細長いものについて複雑にねじれ曲がって元の形に戻らなくなってしまった状態をいうほか、人間関係、表現、人の気持ち・性質など精神面の事柄にも幅広く使われる。

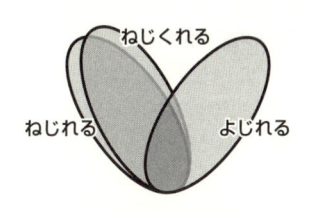

使い分け

表現例	ねじれる	よじれる	ねじくれる
A　ネクタイが—ている	—れ○	—れ○	—れ△
B　下着が—て気持ちが悪い		—れ○	
C　性格の—た男	—れ○		—れ○

1. Aの場合、「ねじれる」では単にひねり曲がった状態を表すが、「よじれる」は「ねじれる」よりさらに崩れた状態で、しわになったり曲がりくねったりしている感じが強い。「ねじくれる」は、物については針金・低木など質の堅い物にいうことが多く、やや不自然。
2. 「ねじれる」「ねじくれる」は細長いものにいい、Bのような平面的なものには使いにくい。Bの「よじれる」は「よれる」というのとほぼ同じ。
3. Cのように、「ねじくれる」「ねじれる」は人の気持ちや性格が屈折して素直でなくなる意にも使われる。ただし「ねじれる」は「主客の力関係がねじれてくる」のように物事の関係に使うことが多く、気持ちのあり方や性格に関しては「ねじくれる」または「ねじける」のほうが一般的。

類似の語

ねじける　気持ちや性格が屈折して、素直でなくなる。「心がねじけてくる」
ひねくれる　物の形がねじれ曲がる。また、素直でない言動・態度を示したり、わざと世間常識に反するようなことを言ったりする。「ひねくれた性格」

ねだる

pester, nag

ねだる・せがむ・せびる

基本の意味 何かを私的に要求する。

Point! 「**ねだる**」は、何かをくれ、または、してくれと甘えるような態度で要求する意。子供が大人に、また、下位者が親密な間柄の上位者に向けてそうする場合にいう。「**せがむ**」は、あることをしてくれるようしつこく頼む意。「**せびる**」は、しつこく迫ったり弱みに付け込んだりして相手に金品を要求する意。

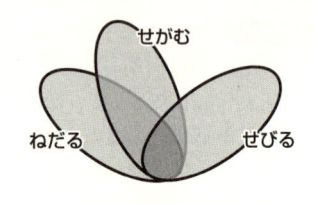

使い分け

表現例	ねだる	せがむ	せびる
A 親に小遣いを―	○	○	○
B 子供が遊園地に連れてってと―	○	○	
C 迷惑料と称して金を―			○
D 仲人を引き受けてくれと――れる		―ま○	

1. Aのように下の者が上の者に金や物をくれと頼む場合はどれも使えるが、「せがむ」はある行為を要求する意に使うのが本来なので、「小遣いをくれとせがむ」というほうが自然である。また、「鼻声で」のように甘えの感じが表現されると「ねだる」が最もふさわしくなる。
2. Bのように行為を要求する場合は、「せびる」は使えない。甘えて言う感じを含めるときは「ねだる」を使うが、そうした感じを含めず表現する場合は「せがむ」が適当。
3. Cのように、口実を設けたり脅すようなことを言ったりして無理に取るという場合は「せびる」が使われる。「せびりとる」の形もある。古くは「ねだる」にもこうした用法があったが、現在はほとんど使われない。
4. Dのように、大人が他人にある行為を要求する場合は、Bと違って「ねだる」は使いにくく、「せがむ」が使われる。

類似の語

無心する 金品、特に金銭をくれるよう、または貸してくれるよう、頼み込む。主に金に困って頼み込む場合にいう。「里の父に無心する」

ねっちゅうする

熱中する・没頭する・打ち込む

be absorbed in

基本の意味 他を忘れるほどにそのことに一生懸命になる。

Point! 「**熱中する**」は、対象のおもしろさ・魅力に引き込まれて夢中になる場合にいう。「**没頭する**」は、それをすることに気持ちが集中しきっているような場合にいうが、対象に夢中になっているとは限らず、必要に迫られて一心に取り組むような場合も含む。「**打ち込む**」は、精魂こめて一心に励むというきまじめな感じが強い。

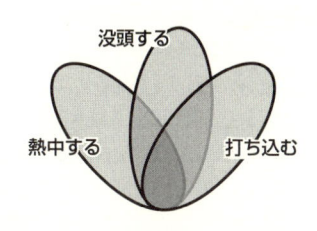

使い分け

表現例	熱中する	没頭する	打ち込む
A 研究に—	○	○	○
B 受験勉強に—		○	○
C ゲームに—	○	○	
D プロ野球に—て球場に通う	—し○		

1. Aの「研究」の場合は、それぞれの意味で三語とも使える。
2. Bのように、そのおもしろさによって夢中になるわけではなく、必要に迫られて一心に取り組むような場合は、「熱中する」は使えない。
3. Cのように、遊びに類するものの場合は「打ち込む」は不適当。ただし、「盆栽」のように趣味的なものでも、腕前によってある成果を得るものの場合は仕事やスポーツに通じる面があるので「打ち込む」も使う。
4. Dのように自分が直接行うのでない物事の場合は、「熱中する」以外使いにくい。

類似の語

没入する 一つの物事に集中して他をすべて忘れてしまうような精神状態になる。「物語の世界に没入する」

専心する ある期間、気持ちをそのことだけに集中させて取り組む。「事業の立て直しに専心する」

専念する ある期間、他のことはやめ、気持ちをそのことだけに集中させて行う。「しばらく療養に専念したい」

ねむる

sleep, fall asleep

眠る・寝る・寝込む・寝入る・寝付く

基本の意味 心身の働きが低下して、意識的な活動がやんだ状態になる。

Point! 「眠る」「寝る」は、睡眠状態に入る意ではほとんどの場合置き換え可能だが、**「寝る」**はもともと体を横たえた状態で眠るという含みがあり、特に日々繰り返される生理的休息行為としての睡眠を指していう場合は**「寝る」**ということが多い。他の三語はそれぞれ複合語として意味が限定される。**「寝込む」**は、ぐっすり眠っている状態になる、また、病気で床に就いたままになる意。**「寝入る」**は、眠り始める、また、深く眠った状態になる意。**「寝付く」**は、寝床などに入った状態で眠り始める、また、病気などで床に就く意。 ➡「ねる」

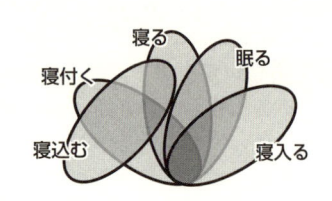

使い分け

表現例	眠る	寝る	寝込む	寝入る	寝付く
A　会議中、つい―てしまう	―っ○	ね○		―っ○	
B　いつも昼過ぎまで―ている	―っ△	ね○			
C　肺炎で長く―て（で）いた		ね○	―ん○		―い○
D　―たばかりだから静かに	―っ△	ね△		―っ○	―い○

1. Aの場合、状況から浅い眠りと思われるので「寝込む」は不自然。「寝付く」は睡眠を取るため寝床などに入った状態で眠り始めることにいい、不適。

2. Bのように毎日繰り返される床に就いての睡眠をいう場合は、「寝る」が最適。「眠る」は睡眠状態に入ることそれ自体への注目度が強く、習慣的行為としての睡眠にはややそぐわない感じもある。「寝入る」は深く眠った状態になる意で使えそうだが、習慣的な状態を表したBにはやはりそぐわない。

3. Cのように、病気・疲労などで床に就く意の場合、「眠る」「寝入る」は不適当。「寝る」「寝込む」「寝付く」では、「寝込む」が最も重い感じである。

4. Dのように眠り始める意では「寝入る」「寝付く」を使うが、1で述べた特徴から、Dの場合は「寝付く」が最適。「眠る」「寝る」は使えなくはないが、「いま眠った（寝た）ところだから」などとするほうが自然である。

ねる

lie

寝る・寝転ぶ・寝そべる・横たわる

基本の意味 床・地面・台などの上に体を横にする。

Point! 「**寝る**」は、人が休息などのため床・地面・台などの上に体を横にする意を表し、睡眠する意にも使う。「**寝転ぶ**」は、体を楽にするなどの目的で、その場に体を倒して横になる意。「**寝そべる**」は楽な姿勢で横になる意で、横になった状態に重点があり、行儀のよくない感じも含む。横向きや腹ばいの姿勢にいうことが多いが、仰向けの場合にも使われる。「**横たわる**」は、ある程度以上の大きさをもつ物が横になってそこに位置を占める意で、人が横になる意を表す場合もそのようすを客観的にとらえた言い方となる。 ➡「ねむる」

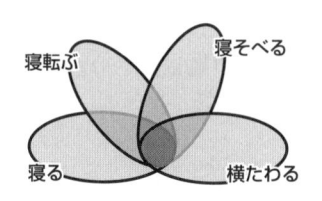

使い分け

表現例	寝る	寝転ぶ	寝そべる	横たわる
A 草の上に—	○	○	○	○
B ごろんと—で甘える猫		—ん○		
C 目を覚ますとすぐ—てタバコを吸う			—っ○	
D 前途に困難が—				○

1. Aではどれも使えるが、「寝る」では眠る意である場合もあり、「横たわる」では主体が生きている人や動物とは限らず、物体や死体である場合もある。
2. Bのように回転するような動きが感じられる場合は「寝転ぶ」が適切。「寝る」は動物を主体にした場合、多くは眠る意になる。「寝そべる」は体を伸ばした状態に主にいい、静的でもあって、猫が背中を下にし体を丸めてじゃれる感じのCには不適。「横たわる」も動きや生命感が感じられない。
3. Cのようにすでに横になっている場合、「寝そべる」以外は使いにくい。
4. Dのように障害が控えるという比喩的な意では「横たわる」しか使えない。

類似の語

寝転がる その場にごろんと横になる。「寝転ぶ」より口頭語的で、動きよりもだらしなく横になった状態に重点がある。「寝転がって本を読む」

伏す 地面や床などに体の前面を接するような姿勢になる。「物陰に伏す」

のこる

remain

残る・余る・有り余る

基本の意味 ある事が行われた後も、なくならないで存在するものがある。

Point! 「残る」は、時間が経過したり何かが行われたりした後も、なくならないで存在している意。「余る」は、必要な分を除いた後になお存在するものがある意。「有り余る」は、必要なものが必要とされる量を超えて現にある意で、非常に多くあるあり方に重点を置いた言い方。

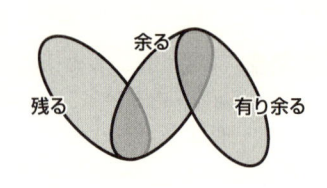

使い分け

表現例	残る	余る	有り余る
A 作りすぎて料理が―	○	○	
B 会社に遅くまで―	○		
C 何か物足りなさが―	○		
D この部署は人員が―ている		―っ○	―っ○
E ―才能を生かす道がない			○

1. 「残る」は現時点でなくならずに存在しているところに重点があり、「余る」は結果的に不必要だったところに重点がある。「有り余る」は、「有り余っている」という状態を表す言い方や連体修飾の文節を作る語として使われるのが普通で、Aの場合のように言い切りの形で使うと不自然である。

2. Bのように、その場所から消えたりいなくなったりしないであとにとどまる意の場合、「余る」「有り余る」は使えない。

3. Cのようにある状態が消えずに後に引き続く意では「残る」しか使えない。

4. Dのように余分にある意の場合、「残る」は使えない。この場合、「有り余る」は「余る」の強調ともいえる。

5. Eのように非常に豊富であるという意の場合は、「有り余る」を使う。

のぞみ　hope, wish

望(のぞ)み・願(ねが)い・希望(きぼう)

基本の意味 そうしたい、そうありたい、それを手に入れたいなどと思うこと。

Point! 「**望み**」は、何かの実現や獲得を期待する気持ちを一般的にいい、また、期待する状態が実現・到来する可能性の意でもいう。「**願い**」は、神仏、または物事の実現能力を持つと思われる存在・他者などに対し、こうしてくださいと思ったり、その思いを伝えたりすること。特定の相手に対してでなく心の中で漠然と思う場合も、他力的な依存性が強い。「**希望**」は、与えられた条件の中での、自分がどうしたいと思っているかという、その具体的内容。また、将来に対していだく期待にもいう。

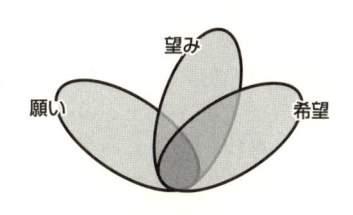

使い分け

表現例		望み	願い	希望
A	—がかなう	○	○	○
B	どれか一つ、—の品を選ぶ	○		○
C	神仏への—が成就する		○	
D	進学か就職か、生徒に—を聞く			○
E	勝てる—はない	○		△
F	未来への—に燃える			○

1. **A**の場合はそれぞれの意味で三語とも使える。
2. **B**のように、本人のそれを得たいと思う気持ちだけが問題で、その実現を何かに頼る気持ちが含まれない場合は、「願い」は使えない。
3. **C**のように人間の力を超えたものに頼る場合は、「願い」以外は使えない。
4. **D**のように、現実的な条件・選択肢に即して当人が実現したいと思っている具体的内容をいう場合、「望み」では漠然としすぎ、「希望」が適切。
5. **E**のように期待する状態が実現する可能性をいう場合は、「望み」が最適。「希望」は主観的な期待の気持ちという感じが強いので、やや不自然。
6. **F**のように、主観的に期待する気持ちをいう場合は「希望」を使う。**E**とは逆で、「望み」は不適当。

のばす extend, spread, stretch

のばす・のす・のべる・引きのばす

基本の意味 長くしたり、薄く広げたりする。

Point! 「のばす」は、物を長くする意にも薄く広げる意にもいい、また、時間・期日を延長・延期する意にもいう。「のす」はやや古い言い方で、物を薄く平らにする意が中心。「のべる」は「手をのべる」など長く差し出す意でも使うが、薄く広げる意と、期日・期間を延期・延長する意が中心。「引きのばす」は「のばす」のもつ意味のうち特定のものについて、引いてそうする意、または強調の意を加えた語。「のす」以外の三語は漢字では、長くする意が強い場合は「伸」、広げる意が強い場合は「延」が、時間・期日には「延」が主に使われる。

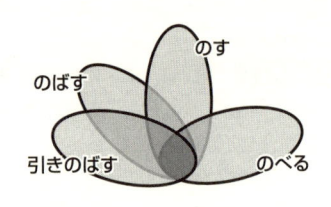

使い分け

表現例	のばす	のす	のべる	引きのばす
A 練った飴を長く—	○	○	○	○
B 包み紙のしわを—	○	○		
C 床を—			○	
D ゴムひもを—てぴんと張る	—し○			—し○
E 実行の日を—	○		○	○

1. Aの場合はどれも使えるが、「のばす」「引きのばす」では単に長くする意になりやすいのに対し、「のす」「のべる」では薄く平たく広げながら長くする意になる。
2. Bのように、しわになったものなどを平らにする意では「のす」「のばす」を用いるが、「のばす」のほうが普通の言い方。
3. 「のべる」は現在、Cの「床をのべる」や「手をのべる」などの固定された形で多く用いられる。
4. Dのように引っ張って長くする場合は「のばす」「引きのばす」を用いる。
5. Eのように、期日を延期する意では「のばす」「のべる」を用いる。「引きのばす」も使えるが、故意にその期日をのばそうとする意が強くなる。

のんき easy, easygoing, carefree

のんき・気楽・安閑

[基本の意味] 気にかかることなどがなく、のんびり、ゆったりしているようす。

Point! 「のんき」は、物事にこだわらず、のんびりとしているという態度や暮らし方の面に重点があり、「気楽」は、不安・心配事などがなく、気分が楽であるところに重点がある。「安閑」は「安閑と(たる)」の形で用い、安らいで静かなようすの意だが、何もせずのんびり構えているようすにいうことが多い。

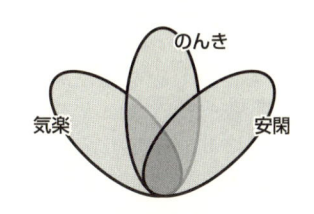

[使い分け]

表現例	のんき	気楽	安閑
A 片田舎で―暮らす	―に○	―に○	―と○
B 彼も左うちわで―なものだ	○	○	
C 今ごろ気付くなんて―な人だ	○		
D 係累のない―な身だ		○	
E こうなっては彼も―していられまい	―に○		―と○

1. Aの場合はそれぞれの意味合いで三語とも使える。「のんき」は「気楽」よりもより口頭語的。「安閑」は三語の中では最も硬い表現で、AよりもEのような形で使うことが多い。

2. Bのように「―な」の形の場合は、「安閑」は使えない。語感としては「のんき」のほうが「気楽」よりさらにのんびり、ゆったりした感じがある。

3. Cのように性格的に悠長である感じのこもる場合は、「のんき」が適当。

4. Dのように、束縛されるものや心にかかることがなく、気持ちが楽であるという意の場合は「気楽」が適当。

5. 「安閑」は「安閑としていられない」などの形で、事態が迫ってのんびり構えていられない意を表す。Eはその例で、「安閑」が最適。「のんき」も態度を表すので使えるが、「のんきにして」よりは「のんきに構えて」のほうが自然。気分に重点のある「気楽」は使いにくい。

[類似の語]
安楽 心や体に苦痛がなく、安らかなようす。「安楽な余生を送る」

ばあい　case, occasion, opportunity
場合・時・際・折

基本の意味 ある事が行われたり起こったりする状況・状態、また、その状況・状態が発生・生起した時点。

Point! 「**場合**」は、ある特定の条件下にある状況・状態。連体修飾語を伴って、特定条件下の状況・状態を仮定または特定していうのに用い、単独では、ある状況をそれと限定せずに示すのに用いる。「**とき**」「**際**」「**折**」は、状況・状態よりもその発生・生起の時点に焦点を当てていうが、「**とき**」は「**場合**」と置き換え可能なことも多い。「**際**」「**折**」は他と違う特別な意味を与えられた時点という感じで使われる。　➡「きかい（機会）」「とき」

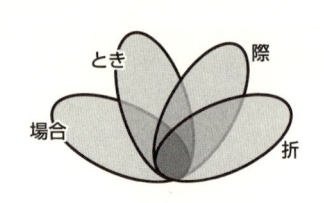

使い分け

表現例	場合	とき	際	折
A　欠席する―は御一報ください	○	○	○	○
B　―によりけりだ	○	○		
C　彼の―は特別だ	○			
D　上京した―に友人と会った		○	○	○
E　この―だからがまんしよう			○	

1. Aのように、ある事柄が発生する状況を仮定していう言い方では四語とも使える。

2. Bのように、連体修飾語をのせない場合は「際」は使えない。「折」は、都合のよいときの意では独立でも使うが、Bの例には使えない。

3. Cのように、時間とまったく関係のない場合は「とき」「際」「折」のいずれも使えない。

4. Dのように、ある事が現に行われた過去の時点の意では「場合」は使えない。「とき」では単に事実を述べるにとどまるが、「際」「折」は上京という他と違う状況下であることを述べる感じを伴う。

5. Eのように、ある特殊な事態に立ち至ってどう対処するかを述べる場合は、「際」以外は使えない。

はいきゅう

distribution

配給・配布・分配・頒布

基本の意味 物を配ること。

Point! 「**配給**」は、物資・品物をそれぞれに割り当てて供給することで、組織的に行われる場合にいう。「**配布**」は、印刷物・物資などを広く行き渡るように配ること。「**分配**」は、手もとにある物や金銭を複数の人に分け与えること。「**頒布**」は、パンフレットなどの印刷物を配ったり、品物を希望する人に売ったりすることに主にいう。

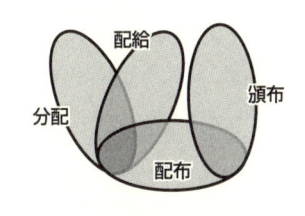

使い分け

表現例	配給	配布	分配	頒布
A 被災者に食糧を―する	○	○	○	
B 政府刊行物を各省に―する		○		○
C 駅前でちらしを―する		○		
D 会員を募って食器を―する				○
E みかん八個を四人に―する			○	

1. Aのように被災者援助の食糧の場合は「配給」「配布」「分配」が適当。「配給」は、主として行政機関などが公的に行う場合にいい、有料のこともある。「配布」「分配」はボランティアなどが私的に行う場合にも使え、「配布」では不特定多数に広く配ることに、「分配」では分け与えることに、それぞれ重点がある。「頒布」は **Point!** に述べた特徴からAでは使いにくい。

2. Bのように印刷物の場合は、「配布」「頒布」が適当。「配布」は無料だが、「頒布」は有料の場合もある。

3. Cでは「配布」「頒布」が考えられるが、もらうほうの意志とは無関係に一方的に配る場合なので「配布」が適当。

4. Dのように希望者を募って配る場合は「頒布」が適当で、Eのように分けることに重点のある場合は「分配」が適当。

はじまる　begin, start

始まる・始める・開始する

基本の意味 何かが新たに行われる、また、行う。

Point! 「始まる」は新たに何かが行われたり起こったりする意で、自動詞。「始める」は新たに何かを行ったり起こしたりする意で、他動詞。「開始する」は自・他両方に使われるが、他動詞の用法が中心で、意志的な行為や人為的な事柄に多く用いられる。

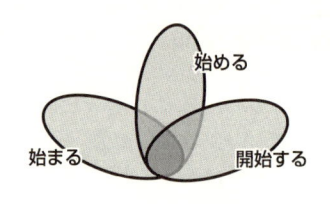

使い分け

表現例	始まる	始める	開始する
A　試合は三時から—	○	○	○
B　けんかが—	○		
C　けんかを—		○	
D　夏休みが—	○		
E　また泣き言が—た	—っ○		
F　また泣き言を—た		—め○	

1. Aの場合は三語とも使えるが、「試合が」の意とすれば「始まる」が使われ、「試合を」の意とすれば「始める」が使われる。「開始する」はどちらにも使える。

2. 「始まる」「始める」は自・他の違いがあるから、Bの「けんかが」は「始まる」、Cの「けんかを」は「始める」を使う。「開始する」はB・Cのような自然発生的、または突発的なものには使いにくく、例えば「噴火」「発作」などにも使えない。

3. Dの場合、「夏休みを」としても「始める」は使えない。「始める」は「居眠りを始める」のように意志的行為以外にも使うが、「夏休み」のような個人の意志の及ばない習慣的な事柄にはなじまない。「開始する」も実際の行動・動作を伴わない事柄にはなじまない。ただし名詞形「開始」は、「忘年会シーズン開始」「新学年開始」など、ある期間が始まる意にも使われる。

4. E・Fのように、いつもの行動・癖などが行われる場合は、「始まる」「始める」が使われる。「開始する」にはこの意味はない。

はじめ

the beginning

はじめ・最初(さいしょ)・当初(とうしょ)

基本の意味 物事をし始めた、または、物事の始まった段階。

Point! 「はじめ」「最初」は、時間的にいう以外に、順序のいちばん前のものもいう。「当初」は、何かに取りかかったり何かをしたりした、その直後の時期。

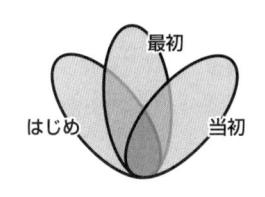

使い分け

表現例	はじめ	最初	当初
A ―の計画を変更する	○	○	○
B ―に一言断っておきたい	○	○	
C 帰国した―の彼の活躍ぶり			○
D 春の―の田園風景	○		

1. Aの場合どれも使えるが、「はじめ」「最初」は順序をとらえて、いちばん先に立てた計画の意、「当初」は時間的にとらえて、それが計画として成立した時点での内容という意で使われる。

2. 「当初」は過去の事柄についていうから、Bのようにこれから始めるという場合には使えない。「はじめ」「最初」はこの場合ほぼ同意だが、「最初」のほうがやや強調していう感じがある。

3. Cのように、過去のことであると明示した修飾語が付いてその直後の時期を意味する場合は、「当初」を使う。「はじめ」「最初」は使いにくいが、「帰国した初め(最初)のころの」というように時を明示する語を補えば、使えなくもない。

4. Dのように、時間的に推移する物事の前の部分を漠然というときは「はじめ」が適当。「最初」は「春」のような区切りのはっきりしないものには使いにくい。

類似の語

はな 物事の最初の時点。「はなから相手にされない」

初(しょ)っぱな 物事が始まったばかりの段階。俗語的な言い方。「新しい部署に移って初っぱなからミスをした」

はずかしい embarrassed, ashamed

恥ずかしい・決まり悪い・照れ臭い

基本の意味 人にまともに顔を向けられないような感じであるようす。

Point! 「恥ずかしい」は、自分が劣っているように感じられて隠れていたいような気がする状態をいうが、引っ込み思案で人前に出るのがためらわれるといった、特に原因となるようなマイナスの事柄がない場合にもいう。**「決まり悪い」**は、何か具合の悪いことがあってその場を取り繕うのが難しいような場合に使われる。**「照れ臭い」**は、人から注目を浴びたり、内心の思いが人前にさらけ出される気がしたりして、何となく顔が向けられない感じがする状態。

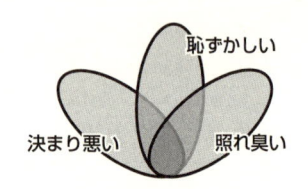

使い分け

表現例	恥ずかしい	決まり悪い	照れ臭い
A 壇上で話すのは―	○	○	○
B 成績が悪いので―	○	○	
C 盗みなどして―ないか	―く○		
D 作文を褒められて―た	―かっ○		―かっ○
E 当人がいるのを知らずに悪口を言って―思いをした		○	

1. Aのように人の注目の的になって何かをする場合は、三語とも使える。
2. Bのように自分の側の成績が劣っていることを意識してその感じをいう場合、「照れ臭い」は使えない。
3. Cのように、道徳に背くような事柄についていう場合は、「恥ずかしい」以外は使えない。
4. Dのようによいことについていう場合は、「決まり悪い」は使いにくい。
5. Eのように具合の悪い、困惑した感じをいう場合は、「決まり悪い」以外は使えない。

ばつぐん excellent, prominent, outstanding
抜群・出色・卓抜

基本の意味 際立って優れているようす。

Point! 「**抜群**」は、あるプラスの性質・要素において他の多くのものを引き離しているようす。「**出色**」は、多くのものの中でそのよさが特に目立つようす。上の二語が他の全体的レベルとの比較の意識を含むのに対し、「**卓抜**」はそれ自身として極めて優れている意が強く、他との比較意識は上の二語より少ない。「**卓抜**」は「―する」の形でも使われる。

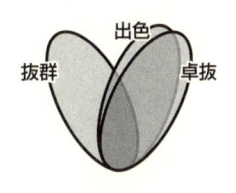

使い分け

表現例	抜群	出色	卓抜
A ―功績を立てる	―の○	―の○	―な○
B 応募作品の中ではこれが―だ	○	○	△
C のみこみが―に早い	○		
D ―人物		―の○	―な○

1. Aのように成果などについていう場合はどれも使える。「抜群」「出色」は「―の」の形をとることが多く、「卓抜」はふつう「―な」の形で使われる。
2. BもAと同じく成果を表しているが、応募作品という範囲の中で際立っているという場合だから「抜群」「出色」が適当。「卓抜」は全体のレベルと関係なく優れていなければいけないので、Bにはやや使いにくい。
3. Cのような連用修飾語の用法をもつのは「抜群」のみ。
4. 「抜群」は、「家柄」「力量」など程度の高低の意を含む語には「抜群の…」のようにそれだけで連体修飾語となりうるが、Dの「人物」のような程度の高低の意を含まない語だと、何に関してという限定なしには使いにくい。「政治的手腕においては抜群の人物」というように事柄の限定される文脈なら使える。

類似の語
傑出 能力・出来映えなどが際立って優れていること。「傑出した技術」
卓越 ぬきんでていること。「卓越した能力」
卓絶 飛び抜けて優れていること。「卓絶した分析能力の持ち主」

はったつ   development, progress

発達・発展・進歩・向上

基本の意味 より高度な段階に進むこと。

Point! 「発達」は、物事の仕組み・組織が充実して、規模が大きくなったり、内容的により高度なものになったりすること。「発展」は、高い段階や先の段階に進む意も含むが、規模・領域が広がることにより注目していう。「進歩」は、能力・技術・考え方などがより高次の望ましいものになること。「向上」は、それまでよりよい方向に程度が上がることを広くいう。

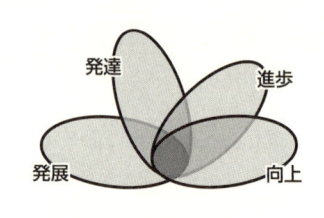

使い分け

表現例	発達	発展	進歩	向上
A 社会が―する	○	○	○	△
B 河口部に干潟が―する	○			
C 会社が海外へ―する		○		
D 応用力の面では―が見られる			○	○
E 燃費が―する				○

1. Aでは「発達」「発展」「進歩」がそれぞれの意味で使える。「向上」は「社会生活」「社会道徳」などと限定するほうが自然。

2. Bのように自然の事象について、それが大きくなったり高度なものに進んでいったりすることをいう場合は、「発達」しか使えない。「犬は嗅覚が―している」「―した低気圧」なども同様。

3. Cのように領域が広がって大きくなることをいう場合は、「発展」以外は使いにくい。「人生論にまで話が―する」なども同様。

4. Dのように程度・内容の高低に注目するだけで、規模・領域が広がる意を含まない場合、「発展」は使いにくい。また、「発達」は学力など、個人がもっぱら後天的に習得する事柄には使いにくい。

5. Eのように、数値的なレベルがよいほうに上がることをいう場合は、「向上」以外は使いにくい。

類似の語

進展 物事が先の段階へと進んで行くこと。「事態が進展を見せる」

はなしあう　discuss, talk

話し合う・相談する・打ち合わせる

基本の意味　ある事柄について互いに話をする。

Point!　「話し合う」は、ある事柄について互いに思うところを親しく述べ合ったり、事態の解決のために関係者がそれぞれの立場で意見を言い合ったりする意で、三語の中では幅が広い。「**相談する**」は、どうしたらいいか人に意見を求めたり、懸案の事柄について関係者が考えを述べ合ったりする意。「**打ち合わせる**」は主に大筋の内容が決まっている事柄について、関係者が具体的なことを決めたり知らせ合ったりする場合に使われる。

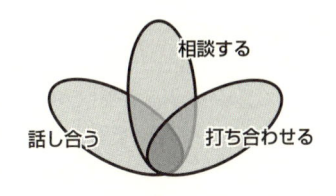

使い分け

表現例		話し合う	相談する	打ち合わせる
A	友達と旅行について―	○	○	○
B	父と―て受験校を決める	一っ○	一し○	
C	将来の夢について―	○		
D	スト回避のため組合側と―用意がある	○		
E	財布と―て決める		一し○	

1. Aの場合はどれも使えるが、内容は「話し合う」が最も広い。「話し合う」は例えば旅行の意義といったことに関する場合にも使えるが、「相談する」「打ち合わせる」は使えない。「打ち合わせる」は三語のうち最も狭く、大筋が決まっている旅行についての細かい具体的なことについていうのが普通。「相談する」は二語の中間で、旅行の大筋の計画についても使える。

2. Bのように、全体的な方向について互いに意見を出し合うという場合は、「打ち合わせる」は不適。「父に―」のように助詞「に」をとってその人の意見を求める感じが強い場合は「話し合う」は使えず、「相談する」を使う。

3. Cのように各人が勝手なことを述べてもよい場合は、「話し合う」しか使えない。また、Dのように対立する両者が事態解決のため交渉する意の場合も「話し合う」だけが適当。

4. Eのような比喩的な用法は「相談する」だけにしかない。

はなす part, separate
離す・放す・放つ・隔てる

基本の意味 間を置いた状態にする。

Point! 「離す」「放す」はもともと同じ語で、くっついている状態を解除する意が基本。ぴったりくっついた状態にあるものを別々にする意や、間をあける意では**「離す」**、つかんだり握ったりしているのをやめる意や、自由に動けない状態にあった人・動物や物体をそこから離れるに任せる意では**「放す」**と書かれるが、境目がはっきりしない場合もある。**「放つ」**は、対象を能動的に遠くへやる意が基本。対象が離れて行くに任せる意の**「放す」**に対して、主体が能動的・積極的に対象をよそへ向かわせる場合にいい、光・におい・音などを発する意にも及ぶ。**「隔てる」**は、空間的・時間的に距離を置いたり、間に仕切りを設けたりする意。

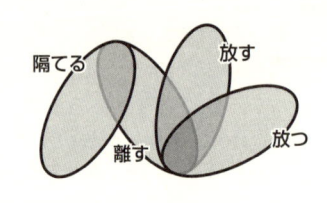

使い分け

表現例	離す	放す	放つ	隔てる
A 五メートルずつ―て植樹する	―し〇			―て〇
B ライオンを檻から―	△	〇	〇	
C 香り（音・光）を―			〇	
D 二十年の歳月を―て再会する				―て〇

1. Aのように、二つの物の間に一定の距離を置く意の場合は「離す」「隔てる」を使う。「放す」「放つ」は動きのない状態には使えない。

2. Bのように、つながれたりとじ込められたりしている動物を自由にさせる意では「放す」「放つ」を使う。「離す」を使うと、檻から遠ざける意になって意味が違ってくる。

3. Cのように、におい・音・光などを発する意の場合は「放つ」を使う。「放つ」にはこのほか、「矢を放つ」「スパイを放つ」「火を放つ」など、この語独自の用法がある。

4. Dのように、時間的な距離を置く意の場合は「離す」は使えず、もっぱら「隔てる」を使う。

はなばなしい　splendid, brilliant

華々しい・華やか・きらびやか・華麗

基本の意味 勢いがあったり色彩豊かだったりして人目を引くようす。

Point! 「華々しい」は四語の中で最も動きの感じられる語で、人の行動などについて勢い盛んで人目に立つようすをいう。「華やか」は、色彩・雰囲気などが明るく派手なようす。「きらびやか」は、きらきらと輝くように美しいようす。「華麗」は、外見や振る舞いなどが派手やかな雰囲気をまとっていて、人の耳目を引くようす。

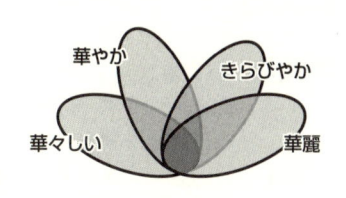

使い分け

表現例		華々しい	華やか	きらびやか	華麗
A	彼女は―舞台に現れた	―く○	―に○	―に○	―に○
B	独立して―活躍する	―く○	―に△		
C	学生運動―なりしころ		○		
D	―夜のネオン			―な○	
E	―衣装でパーティーに出る		―な○	―な○	―な○

1. Aではそれぞれの意味で四語とも使える。
2. Bのように多彩に行動するようすをいう場合は、「華々しい」が最適。
3. Cは「華やか」の固定化した文語的な言い方。
4. Dのようにきらきらと輝くようすをいう場合は、「きらびやか」が適当。
5. Eのように、美しく豪華な服装についていう場合は「華々しい」は使いにくい。他の三語はみな使えるが、「華やか」では明るく美しいようすの一般的な表現、「きらびやか」では派手なイメージを強調した表現、「華麗」では豪華な美しさを強調した表現となる。

類似の語

華美 贅沢に飾り立てているようす。「華美な服装を禁ずる」「華美に流れる」

派手 色が濃く明るかったり、外見が大げさに飾り立てられていたりして、人目を引くようす。また、行動などが人目に立つようす。「はでな柄」「はでに宣伝する」

はなればなれ　separate, scattered

離れ離れ・ちりぢり・ばらばら

基本の意味　ひとまとまりのものが別々になるようす。

Point!　「**離れ離れ**」は主として人間や動物、また人間が乗った乗り物にいい、互いに距離を隔ててしまうようすを表す。他の二語は広く物に関しても用い、「**ちりぢり**」は、まとまりをなしていたものがあちこちに離れ散ってしまうような場合、「**ばらばら**」は、ひとまとまりのものが壊れたり崩れたりして、離れた個々のものになるような場合に使われる。また、「**ばらばら**」は、それぞれ別々でまとまりのないようすにもいう。

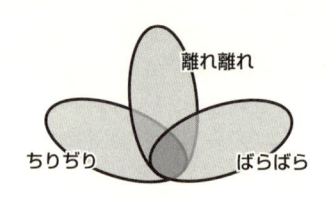

使い分け

表現例	離れ離れ	ちりぢり	ばらばら
A　一家が―になってしまった	○	○	○
B　家族と―に暮らす	○		
C　死後、蔵書が―になった		○	
D　時計を―に分解する			○
E　みんなの意見が―だ			○

1. Aの場合はそれぞれの意味で三語とも使える。
2. Bのように「…と―に」の形の文の場合は、文中には現れていない主語となる人物が家族と遠く離れている意を表しているので、「離れ離れ」を用いる。「ちりぢり」「ばらばら」は、「家族が―に」の形となる。
3. Cのように、分かれていくものの数が多く、分散するという感じが強い場合は「ちりぢり」を用いるのが最適。
4. Dのように、ひとまとまりの物体がいくつかに分かれてしまうような場合には、「ばらばら」を用いる。また、Eのように別々でまとまりのないようすをいう場合も「ばらばら」しか使えない。

類似の語

別れ別れ　もともと一緒にいたものが、離れてしまったり、別々の行動を取ったりするようす。「親子が別れ別れになる」

はなれる be distant, separate

離れる・放れる・隔たる

基本の意味 間を置いた状態になる。

Point! 「離れる」「放れる」はもともと同じ語で、くっついていた状態がそうでなくなる意が基本。他の物と間を置いて位置するようになる意や、人がある場所や物事から遠ざかる意などでは**「離れる」**、つながれたりつかまれたりしていた人・動物・物体がその状態から解かれて自由に動く意では**「放れる」**と書かれるが、境目がはっきりしない場合もある。**「隔たる」**は、空間的・時間的に大きく間を置いていたり、物事の程度や内容に開きがあったりする意。

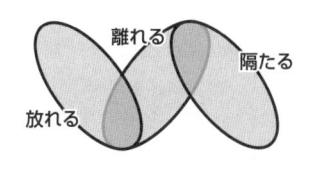

使い分け

表現例	離れる	放れる	隔たる
A 鷹が鷹匠のこぶしから—	○	○	
B 故郷を—て都会へ出る	—れ○		
C 駅から五キロも—ている	—れ○		—っ○
D 弦を—た矢		—れ○	
E 今を—二千年前			○

1. Aのように、一方が動いていって間にへだたりをつくる意では「離れる」を使うが、つなぎ止められていたものが自由になることに重点を置く場合は「放れる」を使う。「隔たる」は遠ざかる動きが強い場合は使わない。
2. Bのように人が意志的に遠ざかっていく場合、「放れる」は使えない。「隔たる」は **1** と同じ理由で不適当。
3. Cのように、距離が開いている、間隔を置いた場所にある意の場合は、「離れる」「隔たる」を使う。「放れる」は動きのない場合には使えない。
4. Dのように、矢などが発射される意には「放れる」が適当。
5. Eのように、ある時点を基準としてそこから時間的に大きく間を置いている意では、「隔たる」を使う。「離れる」は空間的な間隔にいうのが主で、「時代が離れている」のように時間的に使うこともあるが、Eのように起点から時を数えていう場合には使わない。

はびこる

prevail, spread, thrive

はびこる・のさばる・蔓延(まんえん)する

基本の意味 好ましくないものが勢力を張る。

Point! 「はびこる」は、雑草などが茂って広がる意、転じて、好ましくないものが勢いを増してあちこちに広がる意。「のさばる」は、主に人や人の集団についていい、場所を占めてわがもの顔に振る舞う意。広範囲に広がるという意味合いは他の二語より少ない。「蔓延する」は、よくないものが方々に広がる意。

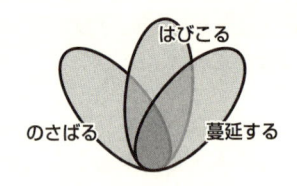

使い分け

表現例	はびこる	のさばる	蔓延する
A 悪人が―	○	○	
B 庭一面に雑草が―	○	△	○
C エゴイズムが社会に―	○		○
D 主任になって―		○	

1. Aの場合、「はびこる」では悪人がその社会の中に数多く存在しているという意になり、「のさばる」ではわがもの顔に振る舞っているという感じが強い。「蔓延する」は人間については使いにくい。
2. Bのように植物についていう場合、「のさばる」は主として人の行動についていうので、比喩的にしか使えない。「蔓延する」は使えるが、現在ではかなり硬い文章語的な表現となる。
3. Cのように、風潮・思想などにいう場合は「のさばる」は使いにくい。
4. Dのように、一人の人間がわがもの顔に振る舞う意の場合は、「のさばる」しか使えない。

類似の語

横行(おうこう)する 悪い物事が盛んに行われる。「汚職が横行する」
跋扈(ばっこ)する 好ましくないものが思いのままに勢力を振るう。「悪徳業者が跋扈する」
跳梁(ちょうりょう)する 好ましくないものが盛んに活動する。「スパイが跳梁する」
瀰漫(びまん)する ある風潮・気分などが広がる。「退廃の気が瀰漫する」

はへん

fragment, piece

破片・断片・欠けら・切れ端

基本の意味 割れたり切り離されたりしてできた小片。

Point! 「**破片**」は、砕けてばらばらになったもの、また、その一部分。「**断片**」は、小さく切り取った一部分をいうが、抽象的な物事について使うことも多い。「**欠けら**」は主に、固い物が割れたり欠けたりしてできた小さな部分にいう。「**切れ端**」は、必要な部分を切り取った残余の小部分。

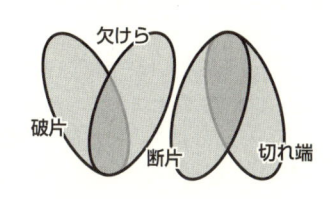

使い分け

表現例	破片	断片	欠けら	切れ端
A 割れたガラスの―	○		○	
B 材木の―を集める		○		○
C 布の―で人形の服を作る		○		○
D 誠意の―もない			○	
E 某作家の日記の―が発見される		○		

1. **Point!** に述べたところから、Aでは「破片」「欠けら」、Bでは「断片」「切れ端」が適当。ただし、四語ともこうした一般的な意味から離れて比喩的・拡張的に使われることも多く、特に「欠けら」は「パン（肉・雲）の欠けら」など、具体物についてもいろいろに使われる傾向がある。

2. Cのように、布や紙を切り取った残余の小部分には「切れ端」が適当だが、布・紙については一般に「断片」も使う。

3. Dのように抽象的な物事について、比喩的にそのごく少量という意を表す場合は、慣用的に「欠けら」が使われる。ただし、量的でなくもっぱら全体の一部分という意識でいうときは、「知識の切れ端」「思想（都会生活）の断片」のように「切れ端」「断片」も使われる。一般的ではないが、「破片」もこの種の比喩表現で使われることがある。

4. Eのように文学作品・論文・書類などで切れ切れになったものや、書きかけで終わった原稿、メモ書き程度の文章などに関しては、「断片」が使われる。おとしめたり自嘲したりしていうときは「切れ端」を使うこともある。

はんい territory, domain, field
範囲・領域・領分・分野

基本の意味 ある限られた広がりや特定の方面。

Point! 「**範囲**」は、空間・時間・数量・内容などに関して、ここからここまでというように限った部分。「**領域**」「**領分**」は、勢力や支配の及ぶ区域や部分。「**領域**」はその研究・学問が対象とする方面の意味でも多く使われる。「**分野**」は、扱う対象や活動の内容によって物事をいくつかに区分した場合の、それぞれの部分。

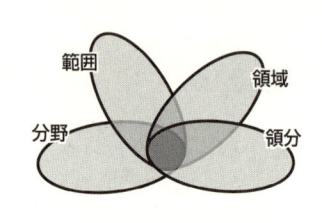

使い分け

表現例	範囲	領域	領分	分野
A　これは科学の―に属する	○	○	○	○
B　交際の―が広い	○			
C　他人の―を侵す			○	○
D　本校卒業生は医療の種々の―で活躍している				○
E　―を侵犯した飛行機		○		
F　昔は男の―だった仕事			○	

1. Aのように、その研究や学問が対象とするところの意では四語とも使えるが、「領分」では排他的にそこを確保している感じが生じる。
2. Bのように日常の事柄の場合は、最も広く使う「範囲」だけが自然である。
3. Cのように勢力が及ぶ広がりをいう場合は「領域」「領分」が適当。「領分」のほうがくだけた言い方だが、やや古い感じを受ける。
4. Dのように区分された特定の方面という意では「分野」が適当。
5. Eのように勢力の及ぶ区域をいう場合は「領分」「領域」が使えるが、「領分」はふつう土地についていい、領空の意味では「領域」が使われる。
6. 占有していることを表す場合は「領域」「領分」を使うが、Fのような日常のことにいうときは「領分」が適当。「領域」はやや硬い表現なので不自然。

類似の語

方面 仕事・学問などを内容によって大まかに区分した場合の、その一つ一つ。「医療方面の仕事に就きたい」

はんえい prosperity

繁栄・繁盛・隆盛

基本の意味 富や勢力を得て盛んなこと。

Point! 「**繁栄**」は、家・会社・都市などから国家・民族などに至るまで、豊かに栄える意で幅広く用いる。「**繁盛**」は、店・家業などがにぎわって活気があること。「**隆盛**」は、ひときわ勢いが盛んなことで、国家・会社・文化などについて用いる。

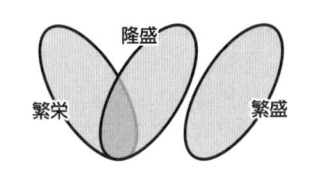

使い分け

表現例	繁栄	繁盛	隆盛
A　国家の―をもたらす	○		○
B　町人文化が―を極める			○
C　町はますます―した	○		
D　あの菓子屋は―しているらしい		○	

1. 「繁盛」は家業・商売などに関していうのでAには不適。

2. Bのように、文化についていう場合は「隆盛」が適当で、他は不自然。

3. Cのように「する」を伴ってサ変動詞となるのは「繁栄」と「繁盛」だが、「繁盛」は盛んに客や物の出入りがあるというような現象が見られないと使いにくい。Cのように「町」というだけでは漠然としすぎているので、「繁栄」が適当。

4. Dのように、特定の店について客の多さなどをいう場合は、3とは逆に「繁盛」が適当で、「繁栄」はやや大げさで不自然。

類似の語

隆昌 勢いがあって栄えること。国家・家・文化などにいう。硬い文章語。「国が隆昌を極めていたころの建築物」

栄華 地位や財があって華やかに栄えること。「栄華を極める」「栄耀栄華」

ひけつ

knack

秘訣・こつ・呼吸

基本の意味 ある事をうまく行うやり方。

Point! 「秘訣」は、何かをする上でこうすればよい結果がもたらせるという、普通の人には気付きにくい事柄。その行為や動作のうまいやり方というだけでなく、事前にしておくべきことやふだんの心がけといったことにもいい、幅が広い。「こつ」は、主に個々の行為や動作に即して、それをうまく効果的に行うためのちょっとしたやり方・技術をいい、経験的に会得されるものという含みを持つ。「呼吸」は、状況や相手の動きに対する調子やタイミングの取り方に重点がある。

使い分け

表現例	秘訣	こつ	呼吸
A 商売の―を教える	○	○	○
B これにはちょっとした―がある	○	○	
C ろくろを回す―が大切なのです		○	○
D 二人の―が乱れる			○

1. Aではどれも使えるが、「秘訣」では商売繁盛のための全体的な方法論といったことも含みうるのに対し、「こつ」では仕入れのタイミングとかセールストークの技術といった個々の実践面についていう感じが強まる。「呼吸」では主として、接客や商談の場における間合いや技術という感じになる。

2. 「呼吸」はその場でつかむもので、一定のやり方として言葉で伝えられるものでないから、Bのような「―がある」という表現には使いにくい。

3. Cのように、理屈ではなく体で会得するしかないものの場合は、「秘訣」は使いにくい。

4. Dのように、他の人とあることを一緒にするさいの互いの気持ち・調子の意の場合は、「呼吸」以外は使えない。

類似の語

要領 物事をむだなく上手にやるやり方。「仕事の要領を覚える」
極意 その道をきわめた人だけにわかる、物事の核心的な事柄。「商売の極意」

ひそかに

secretly

ひそかに・そっと・こっそり

基本の意味 人に気付かれないように何かをするようす。

Point! 「**ひそかに**」は、人に知られないように何かを行ったり、心に思ったりするようす。秘密にしておくところに重点があり、悪事にも、全く悪事とかかわらない場合にもいう。「**そっと**」は、音を立てたり、対象に無用なショックを与えたりしないように、静かに何かを行うようすで、人に知られないようにする場合に限らず用いる。「**こっそり**」は、ある行動を人に隠れてするところに重点があり、何かよくないことや規則違反のことをするという感じが強い。

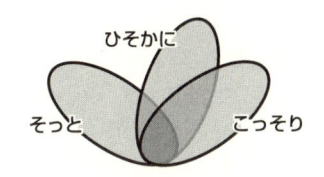

使い分け

表現例	ひそかに	そっと	こっそり
A ―部屋を出る	○	○	○
B ―思い悩む	○		
C 壊さないように―置く		○	
D ―悪事をたくらむ	○		○

1. Aではどれも使える。「ひそかに」「こっそり」では、何か人に知られたくない理由があって気付かれないよう部屋を出る意になるが、「そっと」では、例えば病人を起こさないようにといった気遣いによる場合も含まれる。
2. Bのように、行為ではなく感情の内部でのことについていう場合は、「そっと」「こっそり」は使えない。
3. Cのように、音を立てず、静かにあるいは優しく物事を行うようすをいう場合は、「そっと」しか使えない。
4. Dのように隠れて悪いことをする場合は、「ひそかに」「こっそり」が適当。

類似の語

忍びやか 動作が他の注意を引かないようにそっと行われるようす。

ひそめる

conceal, hide

潜める・隠す・くらます

基本の意味 姿・存在や事実を知られないようにする。

Point! 「潜める」は、姿・音声などを表立たない状態にする意が基本。「隠す」は、姿・存在・事実などを人に知られないようにする意図的行為をいう。「くらます」は、人が正しく認識・判断ができない状態にする意が基本で、居場所が他人にわからないようにする意や、人の目をごまかす意に用いる。

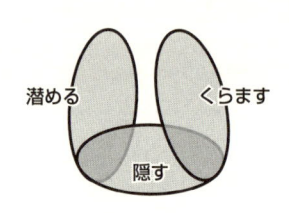

使い分け

表現例	潜める	隠す	くらます
A こっそり姿を―た		―し○	―し○
B 庭の植え込みに身を―	○	○	
C 内に激しい情熱を―	○		
D 声を―て耳打ちをする	―め○		
E へそくりをたんすに―		○	
F 警察の目を―			○

1. Aのように人に見つからないようにする意では、場所が示されないと「潜める」は使いにくい。「くらます」では、何か好ましくない理由でそこからいなくなるという意になる。
2. Bのように、見つからないよう遮蔽物などの陰に身を置く意では、「くらます」は不適当。「潜める」は音を立てないようにそっとという感じが強い。
3. ある感情・思いや能力などを内に秘めて表にあらわさない意では、「潜める」「隠す」が使えるが、「隠す」は何か意図があって人に見せないようにする場合に用いる。Cのように内在する意でいう場合は、「潜める」が適当。
4. Dのように声を小さくする意の場合も、「潜める」以外は使えない。
5. Eのように人に見つからないようにその物をある場所に置いておくという場合は、「隠す」以外は不適当。「懐に短刀を―」のように、何かの用に供する物を人にわからないように身に持つ場合なら、「潜める」も使える。
6. Fのように人の目をごまかす意では、「くらます」以外は使えない。

ひたすら   earnestly, intently

ひたすら・ひたむき・一途（いちず）・一筋（ひとすじ）

基本の意味 一つのことだけに心を向けているようす。

Point! 「**ひたすら**」は、他のことは眼中にないかのように、ただそれだけに気持ちや行動が集中しているようす。他の三語は、いずれも心情のまじめさや純一さに焦点を当てているが、「**ひたすら**」は心情に重点を置かない表現でも使える。「**ひたむき**」は、怠けることなく一つのことにまじめに打ち込んでいるようす。「**一途**」「**一筋**」は、他のことに心を動かされることなく一つの対象・目標だけを追求するようす。「**一途**」では心情の純一さに重点があり、「**一筋**」ではその思いが持続的であることに重点がある。「**ひたすら**」は副詞・形容動詞、「**ひたむき**」は形容動詞、「**一途**」「**一筋**」は名詞・形容動詞として使われる。

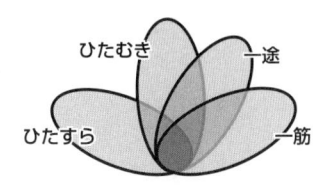

使い分け

表現例	ひたすら	ひたむき	一途	一筋
A　―勉学に励む	○	―に○	―に○	―に○
B　―謝る（食べる）	○			
C　その―姿に感動する		―な○	―な○	
D　仕事―の男			○	○

1. Aの場合はそれぞれの意味合いで四語とも使える。
2. Bのように、心情のまじめさや純一さには特に焦点を当てず、ただそれだけに行為や気持ちが集中していることをいう場合は、「ひたすら」以外は使いにくい。
3. Cのような体言にかかる用法は「ひたすら」「一筋」にもあるが、この二語は「ひたすらな努力」「一筋な思い」のような動作性の名詞にかかるのが普通で、漠然とした「姿」にかかるのは不自然。「家族のために働くひたすらな姿」「勉学一筋の姿」など、何をするのかが表現されれば「ひたすら」「一筋」も使えるが、Cでは「ひたむき」「一途」が適当である。
4. Dのように名詞に直接続ける用法の場合は「一途」「一筋」しか使えない。

ひとがら personality, character

人柄・人格・人品・品性・人となり
(ひとがら・じんかく・じんぴん・ひんせい・ひと)

基本の意味 人に備わった性質や品位。

Point! 「**人柄**」は、接して自然に感じ取れるような性質で、主に人とのかかわりにおいて表れる好ましい性質にいう。「**人格**」は、その人の人間としてのあり方。特に倫理的・道徳的な規準でとらえていう。「**人品**」は、身なり・物腰などからうかがわれる品のよしあし。「**品性**」は、言動やものの考え方に表れるその人の性質を、道徳的に上等か下等かという観点からとらえていう。「**人となり**」は、一般にその人の性質をいうが、身に備わったもの、生き方の中で身に付けたものといった含みで使われることが多い。

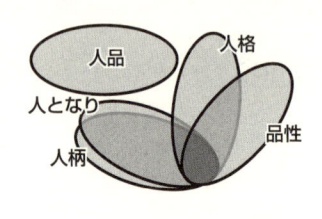

使い分け

表現例		人柄	人格	人品	品性	人となり
A	この一事でその―がわかる	○	○		○	○
B	優しい―がしのばれる話	○				○
C	―の向上をめざす		○		○	
D	子供でも―を認めるべきだ		○			
E	―いやしからぬ人物			○		

1. Aの場合は「人品」以外を使う。「人品」は、その人を外から見るだけで感じ取れる品位の意が強く、他の四語のように、その人の言動や態度などから性格・品位を把握するという場合には使いにくい。
2. Bのように、話などからうかがわれるよい性格・性質をいう場合は、「人柄」「人となり」のほかは使いにくい。
3. 「人格」「品性」は高低という意識が強いのでCのような言い方ができるが、他の三語は使いにくい。
4. Dのように一人の人間としての資格の意の場合は、「人格」だけが適当。
5. Eのように、外から感じ取れる品格についていうときには「人品」がふさわしく、「人品いやしからず」は慣用的表現となっている。「品性」や「人柄」にも品位の要素はあるが、外見だけの場合には使いにくい。

ひときわ   remarkably

一際(ひときわ)・ひとしお・一段(いちだん)と

基本の意味 程度が際立って増すようす。

Point! 「**一際**」は、他の多くのもの、または、そのもののいつもの状態と比べて、ある特徴が特に際立っているようす。「**ひとしお**」は、ある条件が加わったことによって、それまで以上に、あるいは他の場合以上に、そう感じられるようす。「**一段と**」は、そのものの前の状態、または、他のものと比べて、程度が目立って高まったようす。

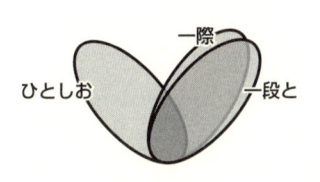

使い分け

表現例	一際	ひとしお	一段と
A　雨に打たれた紅葉は―美しく見える	○	○	○
B　中で―高い山	○		○
C　感激も―だ		○	
D　最近―成績が上がった	△		○

1. Aのように常の状態やそれ以前の状態と比較している場合は、三語とも使える。いずれも美しさの程度が増したことをいうが、「一際」は雨にぬれていない常の状態も美しいがそれ以上にという感じ、「ひとしお」は雨が常にも増して紅葉を美しく見せているという感じ、「一段と」は雨にぬれる前の状態を上まわってという感じで、それぞれ使われている。

2. 「ひとしお」は常の状態や他の場合と比べていう語で、Bのようにいくつかを同時に並べて比べる場合には使いにくい。

3. Cのように述語として用いる場合は、「ひとしお」以外は不適当。

4. Dのように、程度が以前より進むことをいう場合は「一段と」が適当。「一際」は、それまでの上がり具合と比べてという意なら使えなくもないが、主に感覚的にとらえられる事柄についていう語なので、Dでは違和感がある。「ひとしお」はある印象や感銘を与えるような条件の設定があるときに使う語で、Dにふさわしくない。

類似の語

一層(いっそう) それまでの状態よりも程度が進むようす。➡「もっと」

ひととおり

generally

一通り・一渡り・一応

基本の意味 ほぼ全体、または、だいたいのところにわたっているようす。

Point! 「**一通り**」は、ざっとではあるが、だいたいのもの・内容にわたっているようす。「**一渡り**」は、動作・行為についていい、一度ざっと初めから終わりまで、しておくべきことをするようす。「**一応**」は、十分とはいえないが、ひとまずそう言えるという話し手の気持ちを表すほか、取りあえずのこととしてそうするようすなどを表す。 ➡「とりあえず」

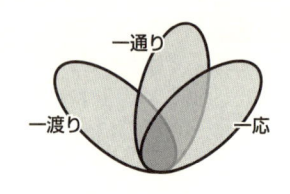

使い分け

表現例	一通り	一渡り	一応
A　書類に一目を通す	○	○	○
B　大工道具は一そろえてある	○		○
C　学生を一見回して話を始める		○	
D　痛みは一おさまった			○

1. Aの場合は三語とも使える。「一通り」「一渡り」では、ざっとだが全体にわたるということに重点があり、「一応」では、することはしたが十分ではないということに重点がある。
2. Bのように状態をいう場合には「一渡り」は使いにくい。「一通り」というと、ほぼ満足できるくらいという感じが強く、「一応」というと十分ではないという自信のなさが感じられる。
3. Cのように一連の動作をいう場合は、「一渡り」が適当。
4. Dのように、完全ではないがという含みが強い場合は、「一応」が適当。「一通り」「一渡り」は初めから終わりまで、端から端までという感じが強いので、「痛み」のような場合は使えない。

類似の語

ざっと　大まかでも全体にわたるようにして何かを行うようす。「ざっと見る」
何とか　十分とはいえないまでも、物事がとにかく成立・実現するようす。「何とか原稿は書き上げた」

ひなん escape, avoidance

避難・退避・逃避・回避

基本の意味 危険や困難を避けること。

Point! 「**避難**」は、危険を避けるために他の安全な場所に移ること。「**退避**」も危険を避けて安全な場所に移ることだが、後方へ引き下がるような場合に使われ、また、その場を去る具体的動作への注目度が「**避難**」より高い。

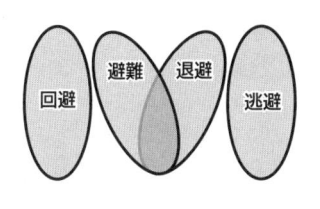

「**逃避**」は、ある事態に直面するのを避けて逃れることだが、主に責任・義務など抽象的な事柄から逃げる場合にいう。「**回避**」は、ある行動に出ることやある事態に陥ることを避けること。 ➡「さける」

使い分け

表現例	避難	退避	逃避	回避
A 安全な所へ子供を―させる	○	○		
B 村が戦場になってここへ―して来た人々	○			
C 現実から―する			○	
D 責任を―する				○

1. Aのように災禍を避けるという場合は、「避難」「退避」しか使えない。「避難」は災害などの場合に広く用い、あらかじめ危険な事態を考えて行うこともいうが、「退避」は危険な事態が既に進行していてそれが過ぎ去るまでの間、一時的に避けるという感じが強い。
2. BもAと同様なので「逃避」「回避」は使えない。また、「退避」は1で述べたように、Bのようなある期間もとの所へ戻れない場合は使いにくい。
3. Cのように抽象的な事柄に関して、それと直面しないで逃げるという場合、「避難」「退避」は使えない。「回避」は、ある状態にならないようにする意で「する」を伴う場合は他動詞として使われるので、Cには不適当。
4. DもCと同様で「避難」「退避」は使えない。「逃避」は意味上は使えそうだが、「する」を伴うと自動詞として使われるので、Dには不適当。

類似の語

待避 他の物が通り過ぎるのを避けてわきの場所で待つこと。「A駅で特急の通過を待避する」「待避所」

ひみつ

secret

秘密・内緒・内密

基本の意味 隠して他に知られないようにすること。

Point! 「**秘密**」は、ある事柄を自分または自分たち以外の人に知られないようにすることで、三語の中で最も一般的に使われる。「**内緒**」は、ある事柄を周りの人、あるいは特定の相手に知られないようにすることで、私的かつそれ自体としてはさほど重大でない事柄の場合にいうことが多い。「**内密**」は、部外者に知られないようにすることで、世間や社会とかかわりのある事柄に多く使われる。

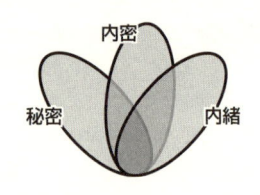

使い分け

表現例	秘密	内緒	内密
A これは―にしてください	○	○	○
B 彼は自分だけの―をもっている	○		
C 夫に―で金を借りる		○	△
D 社では―に調査を進めている	○		○

1. Aにはどれも使えるが、「秘密」が最も一般的。「内密」はやや硬い表現で、「内緒」はややくだけた表現。
2. Bのように、隠している事柄そのものの意では「秘密」を使う。「内緒」「内密」は事柄そのものを示さないので不適当。
3. Cのように「ある人に―で」の形で、その人に知られないようこっそりとの意でいう場合は「内緒」を使う。「内密」もこの意で使うことはあるが、やや古い用法で、多少不自然な感じを伴う。「秘密」は「ある人には秘密にして」という言い方では使われるが、「秘密で」という形は使いにくい。
4. Dのように、部外者に知られないよう組織として事を行う場合は「内密」「秘密」が適当だが、その行為が不当なものでないことを暗に示すには「内密」がよい。「内緒」は **Point!** で述べた特徴からDには適さない。

類似の語

内々 外部に知らせないようにして関係者だけで何かをするようす。隠すというより表沙汰にしないことに重点がある。「内々に事を運ぶ」

ひよう

expenses, costs

費用・経費・出費

基本の意味 あることをするために出る金銭。

Point! 「**費用**」は、何かをしたり作ったりするのにかかる金銭。「**経費**」は狭義では、「費用」のうち事業・家計・建物・設備などを維持していくためにいつも決まってかかる金銭のことだが、広い意味で、事業などを運営するのにかかる金銭をひっくるめていうこともある。「**出費**」は、何かをするために金銭を出すこと、また、その出て行く金銭。

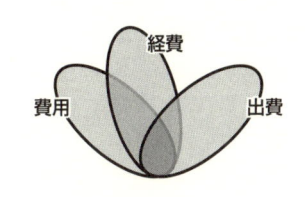

使い分け

表現例	費用	経費	出費
A 一がかさむ	○	○	○
B 旅行の一を積み立てる	○		
C 一を捻出する	○	○	
D 今月は一が多い			○

1. Aのような内容の限定されない文脈では三語とも使える。
2. Bのように、日常的な事柄についていう場合は「費用」が使われる。「経費」は多く事業・会社などでの金銭に関して使われ、経常の費用、つまりいつもきまってかかる金というのがもともとの意味であるところから、旅行のような一回的なことに関しては使いにくい。また、積み立てる金銭を「出費」とはいいにくい。
3. Cのように、必要な金銭をととのえる意の場合は「費用」「経費」は使えるが、「出費」は出す意が強いので不自然。
4. Dのように、金銭が出て行く意が強い場合は「出費」を使う。「費用(経費)が多い」だけでは曖昧で使えないが、「費用(経費)が多くかかった」なら使える。

類似の語

コスト 生産・販売の原価。また一般に、物事を運営・維持するためにかかる金額。経費。「コストを抑えた商品」「社会の安全維持のためのコスト」

ひょうか　evaluation

評価・品定め・値踏み

基本の意味　等級や価値を判断すること。

Point!　「評価」は、物、また人の仕事・成果・能力などについて、質・水準・量などの程度を判断し、その価格・等級や価値を決めること。「品定め」は、物品を見てどの程度の値打ち・等級のものか判断することだが、あれこれの物や人についてそれぞれのよしあしを批評する意にも用いる。「値踏み」は、品物を見て、値段を付けるとすればいくらか考えることだが、比喩的に、風采などからその人の地位・身分などをはかる意にも用いる。

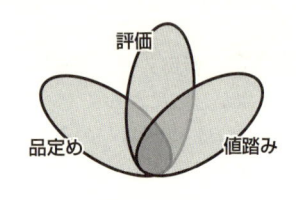

使い分け

表現例	評価	品定め	値踏み
A　品物の―をする	○	○	○
B　土地の―をする	○		○
C　職場の男性の―をして時間をつぶす		○	
D　―を下す	○		

1. Aのように、品物についてはそれぞれの意味で三語とも使える。
2. Bのように土地についていう場合、「品定め」は使いにくい。「評価」では客観的な基準にはかって価格を決定する感じになり、「値踏み」ではおおよそを見積もって価格を出す感じになる。
3. Cのように、あれこれの人についてそれぞれのよしあしや特徴を批評するという場合は、「品定め」が適当。「値踏み」も人について使うが、「客の値踏みをする」のように主に地位や身分を推定する場合にいい、Cにはそぐわない。「評価」はきまじめな感じになり、Cの状況にはぴったりしない。
4. Dでは「評価」だけが適当。「品定め」「値踏み」は「―〔を〕する」という言い方以外あまり使えないが、「評価」は「―を下す」「―を受ける」「―が高まる」「―が下がる」など、いろいろな動詞と結び付く。

類似の語

評定（ひょうてい）　それぞれの対象についてどの程度の水準・等級にあるかをはっきり示すこと。硬い言い方。「貢献度を評定する」「勤務評定」

ひょうげんする   express, describe

表現する・表す・表出する・表白する・描写する

基本の意味 内面の思いや感覚でとらえた事柄などを他人にわかるように示す。

Point! 「**表現する**」は、考え・感覚・感情など内面的・主観的なものを、言語・視覚的形象・音・動きなどによって人にわかるように示す意で、意志的行為にいう。「**表す**」は広く、内面的なものやある意味内容を表情・動き・音・形・色などによって外に示す意で、意志的行為に限らない。「**表出する**」も意志的行為に限らず、内面的なものを何らかの形で外に示すことにいい、特に感情・心情レベルの内容を外に示す場合にいうことが多い。「**表白する**」は、自分の気持ちや考えを言葉で示す意。「**描写する**」は、見聞したり想像したりした情景を、言語・画像・絵・音楽などによる客観的形象として再現する意。

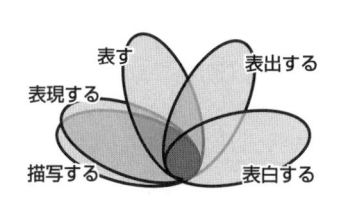

使い分け

表現例	表現する	表す	表出する	表白する	描写する
A 心中の悲しみを―	○	○	○	○	○
B 情景を的確に―	○	○			○
C 怒りを顔に―		○	○		
D 尊敬の意を―接頭語		○			

1. Aのような心の内面のものを外に示す意の場合は、どれも使える。しかし「描写する」は客観的に描き出す意(たとえ自分自身のことについても)をもっていて、他の四語とはこの点で異なっている。

2. 「表出する」「表白する」はBのように外部のものを客観的に表現する場合には使えない。Bは「表現する」「表す」も使えるが、「描写する」が最適。

3. Cのように心中の感情を表情などに出す意の場合は、「表す」「表出する」を使う。「表現する」は意図的・意志的なものでないと使えないし、「表白する」は言語を手段とするものでないと使えない。「描写する」は1に述べた性格から使えない。

4. Dのようにある語がある意味を示すという場合は、「表す」しか使えない。

ひょうじゅん standard

標準・基準・水準

基本の意味 比較・判定・評価などのよりどころとなるもの。

Point! 「標準」「基準」は、物事を判定・評価するよりどころとなるような規定や数値を意味する点で共通するが、**「標準」**は準拠すべきものという意を含み、平均的なあり方・程度の意でも使う。それに対し**「基準」**は、ある物事の性質・程度・位置などを測る物差しとして条件に応じさまざまに設定されうるものにいい、準拠すべきものという含みは少なく、平均的という意も含まない。**「水準」**は、個々のものを平均して全体的に見たときの数値的または質的な高さの度合。

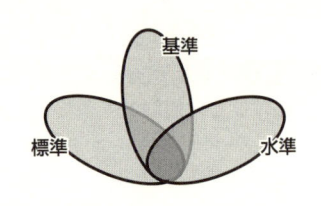

使い分け

表現例	標準	基準	水準
A ―を上回る数値	○	○	○
B 判断の―にする	○	○	
C 今やこの方式が世界の―だ	○		
D ―より大きい赤ん坊	○		
E 採用の―を緩和する		○	
F 生活の―が高い国			○

1. Aではそれぞれの意味で三語とも使える。
2. Bのように判断を下すよりどころの意では、「標準」「基準」を用いる。
3. Cのように、複合語としてでなくその語単独で準拠すべきものの意を含めていう場合や、Dのように平均的な状態をいう場合は、「標準」が適切。
4. Eのように、人為的に定めた最低目標としての数値や線をいう場合は、「基準」しか使えない。
5. Fのように、そこの大多数のものが到達している度合をいう場合は、「水準」しか使えない。

類似の語

レベル 質的または数値的にどの程度の高さにあるかと見たときの、その高低の度合。「水準」と違い、全体的・平均的に見てという意は特に含まない。

ひらく

open

ひらく・あける

[基本の意味] そこをふさいでいるものを動かして空間や出入り口をつくる。

Point! 「ひらく」は、互いに接した状態にあるものを、中心線から双方向に、また軸を中心に弧を描くように動かして、間に空間をつくる意が基本。「あける」は、ある場所や口をふさいでいるものを取りのけて、そこに空間をつくる意が基本。両語ともさまざまな派生義をもつ。

[使い分け]

表現例	ひらく	あける
A　ドア（カーテン・ふた）を—	○	○
B　車の窓（引き出し）を—		○
C　足を—	○	
D　扇（傘）を—	○	
E　席を—		○
F　穴を—		○
G　距離を—	○	○

1. 「あける」の場合、ふさいでいるものの動かし方に制限はないが、「ひらく」は、中央から左右に広げたり、回転軸を中心にした動きの場合にいう。したがって、Aでそうした動きをとる場合であれば、「ひらく」も使える。それに対し、Bのように一方にだけ動かすものの場合は「あける」が適切。

2. C・Dは「ひらく」の特徴的な使い方。「あける」は出入り・出し入れのできる空間を作る感じが強いので、それと全く異なるC・Dには使えない。

3. E・Fのように、そこを埋めているものを取り去って空にしたり開口部をつくったりする意には、「ひらく」は使えない。ただし「原生林に道（耕地）をひらく」のように、左右に広げるようにして利用可能な空間を新たにつくり出す意では、「ひらく」が使われる。

4. Gは両方使うが、「あける」は単にそれだけの距離を置く意で、「ひらく」のほうは距離がさらに大きくなる感じがこもる。

ふうしゅう

custom

風習・慣習・習わし・習慣

基本の意味 長い間行われてきて、決まりのように定着した事柄。

Point! 「**風習**」は、その土地の人々が古くから伝え合っている生活上の事柄。「**慣習**」は、ある社会で古くから行われてきている、規制力のある行動様式。「**習わし**」は、社会・家庭・団体などで、古くから、または、繰り返し行われてきた事柄。「**習慣**」は、地域社会・団体・家庭などで普通のこととして行ってきている事柄や、ある人の生活上の決まりになっている事柄。

使い分け

表現例	風習	慣習	習わし	習慣
A　その土地の―に従う	○	○	○	○
B　正月には雑煮で祝う―がある	○		○	○
C　古い―を破る		○		
D　早起きの―をつける				○
E　初日の出を拝むのはわが家の―だ			○	○

1. Aの場合はどれも使える。「慣習」は多く社会的な決まり・約束などに関して使われ、「風習」「習わし」「習慣」は日常一般の事柄に関して多く用いる。
2. Bの場合、1の理由から「慣習」は使いにくい。表現としては「習わし」「習慣」より「風習」のほうが硬く、古い伝統を保っている感がある。
3. 「慣習」は良きにつけ悪しきにつけ、社会的に規制力のある決まりとして定着した事柄を指すから、Cのように「破る」というのにふさわしい。他の三語は規制力が弱いから、「破る」に結び付けるのは不自然な感じになる。
4. Dのような、個人的な事柄の場合は「習慣」が適当。「風習」「慣習」は地域や地方などの事柄にいう。「習わし」は「つける」と結び付きにくく不適。
5. Eのように、家庭の事柄についていう場合は「習わし」「習慣」が使える。「風習」「慣習」は4に述べた理由で不適。

類似の語

仕来り そのようにするものと昔から決まっている事柄。「古いしきたりを守る」

ふうふ husband and wife
夫婦・夫妻・めおと

基本の意味 結婚している一組の男女。

Point! 「**夫婦**」は、三語の中で最も一般的な言い方で、自分たちを指してもいう。「**夫妻**」は他人について使い、「**夫婦**」よりも丁寧で敬意のこもった言い方になる。「**めおと**」は古風な言い方で、日常ではあまり使われない。

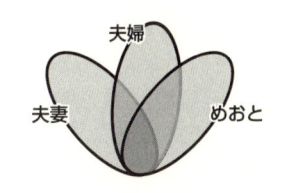

使い分け

表現例	夫婦	夫妻	めおと
A　仲のいい—	○	○	○
B　—は助け合うものだ	○		○
C　山田先生〔御〕—を招く		○	
D　友人—と映画に出かける	○	○	

1. Aの例では三語とも使える。
2. Bのように、「一般に夫と妻は」というような場合は、「夫妻」は使いにくい。「めおと」は使えるが、古風な感じ。
3. Cのように、人名などの下に付けて敬意を込めて接尾語的に用いる場合は「夫妻」が適切。接尾語的に「夫婦」を用いるのは、「犯人夫婦」「妹夫婦」など敬意を含まない場合である。
4. Dのように、対等の人に用いる場合は「夫婦」も「夫妻」もともに使えるが、「夫妻」を用いたほうがより丁寧であり、また、客観的なニュアンスをもつ。

類似の語

配偶（はいぐう）　夫婦、また、その一方。もと、添わせること、特に、男女を連れ添わせることの意。「好配偶」

カップル　一対（いっつい）。特に、夫婦・恋人同士など、一組の男女をいう語。「お似合いのカップル」

妹背（いもせ）　妻と夫、恋人同士をいう古語。「妹兄」とも書く。「妹背の契り」「妹背の語らい」

つがい　動物の雄と雌の一組。「十姉妹（じゅうしまつ）をつがいで飼う」

ふくしゅう revenge

復讐・報復・仕返し

基本の意味 受けた行為による恨みや、はずかしめなどを晴らすため、相手に対して同じような行為をすること。

Point! 「**復讐**」は、個人的にためこんだ深い恨みを晴らすような場合に、「**報復**」は、受けた不利益に対して、冷静沈着に計画的にやり返すような場合に使われる。「**仕返し**」は、ちょっとしたことから大きなことまで、受けた行為をやり返すことの意で用いる。

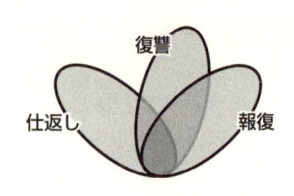

使い分け

表現例	復讐	報復	仕返し
A 彼は―を恐れている	○	○	○
B ―の念に燃える	○	○	
C A国に対する―措置		○	
D ぶたれても―なんかしてはいけません			○

1. Aではどれも使える。「復讐」は、時間的に、すぐ以前のことから、長い年月を経たことにまで用いられる。「報復」は、「復讐」が感情的なものから発しているのに比べ、冷静・沈着な感じがある。「仕返し」は、他の二語に比べると、けんか・意地悪のような、ごく日常的な、ささいな事柄に多く用いられる。
2. Bのようなやや硬い表現では「仕返し」は使いにくい。
3. Cのような、国際間における制裁措置をいう場合には「報復」を用いる。
4. Dのように、ごく日常的な事柄の場合は「仕返し」以外は大げさで不自然である。

類似の語

敵討ち 自分と関係の深い人を負かしたり、はずかしめたりした者に、仕返しをすること。昔、主君や親を殺された者が仕返しとして相手を殺したことから、転じて使われる。「対校試合で去年の敵討ちをする」

しっぺ返し すぐに仕返しをすること。また、ある仕打ちに対して、同じ程度や方法で仕返しをすること。「しっぺ返しを食う」

ふくそう

clothing, clothes

服装・装い・身なり

基本の意味 身につけた衣服のようす。

Point! 「**服装**」は、身につけた衣服と履物・帽子・装飾品などの全体、また、そのようす。「**装い**」は、それにふさわしく外見を飾り整えたようす。服装以外に、建物・街並み・自然景観などにいう。「**身なり**」は、身につけた衣服や髪形などの全体のようすを、人の目にどう映るかという観点でとらえていう語。

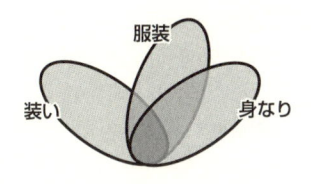

使い分け

表現例	服装	装い	身なり
A 改まった―で出かける	○	○	○
B 通学のさいの―は自由だ	○		
C 粗末な―の人	○		○
D 山は冬の―をみせている		○	

1. Aのような場合はどれも使える。「服装」「装い」は衣服など身につけているものそのものに重点があり、「身なり」は衣服などを身につけている人のかもし出す雰囲気に重点が置かれる。
2. Bのように、服そのものを表す場合は「服装」が適当。「装い」は雅語的で、Bには不適当。「身なり」は服そのものでなく、服をつけたようすをいうのでやや不自然。
3. 「装い」はよい意味に多く使われるから、Cのような場合には使いにくい。「服装」「身なり」は、よい場合にもよくない場合にも使われる。
4. Dのように、人間以外のものにいう場合は「服装」「身なり」は使えず、それにふさわしく外見が整う意で「装い」が使われる。

類似の語

いでたち 出かけるときの身じたく。やや古風な言い方。「毛皮の帽子にオーバーといういでたち」

身だしなみ 髪や服装を整え、人に不快な感じを与えないようにする心掛け。「身だしなみのいい人」「身だしなみを整える」

ぶさいく   clumsy, awkward

不細工・不格好・無様

基本の意味 形や体裁がよくないようす。

Point! 「**不細工**」は、細工などの手際やできあがりの具合がまずいようす。人の顔立ちがよくないことにもいう。「**不格好**」は、見た目の形がよくないようす。「**無様**」は、格好や体裁が悪くて見られたものでないようすで、人の行為・振る舞い・立場などに関することにいう。「不様」とも書く。

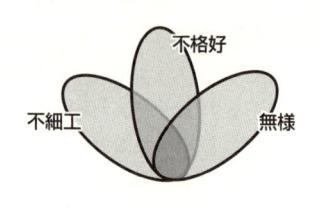

使い分け

表現例	不細工	不格好	無様
A 　一な人形ができあがる	○	○	○
B 　一見一だが座り心地のいい椅子	○	○	
C 　帽子を一にかぶる		○	○
D 　一な松		○	
E 　一な負け方をする			○

1. Aでは三語とも使える。「不格好」は単に見た目の形が悪いことを表すが、「不細工」「無様」では作り方がへたであることに重点が置かれる。

2. Bのように、美的に見た形の悪さだけを問題にしている場合、「無様」は使いにくい。「無様な椅子」という言い方は可能だが、Aと同じように、へたくそに作られた椅子といった意になる。

3. Cのように、帽子のかぶり方についていう場合は「不細工」は使いにくい。「不格好」だと、見た目が悪いという美的判断を表し、「無様」だと、美的な観点より「だらしない、見苦しい」という不快の気持ちが前面に出る。

4. Dのように、人が作ったのでないものの形のよしあしをいう場合、比喩的に「不細工」「無様」が使われることもあるが、普通は「不格好」を用いる。

5. Eのように、みっともない、もっとほかにやり方があったのに、などの気持ちを含む場合には「無様」のみが使える。

類似の語

不体裁 見かけが悪い、また、外聞が悪いなど、体裁がよくないようす。「不体裁な仕上がり」「女に殴られるなんて、不体裁な話だ」

ふしぎ strange, mysterious

不思議・不可思議・奇怪・怪奇

基本の意味 人間の知恵や常識では理解できないようす、また、その事柄。

Point! 「**不思議**」は、日常的なことから自然現象まで幅広く使われる。「**不可思議**」は文章語的で、神秘的なことや、どう考えても説明のつかないようなことに関して多く使われる。「**奇怪**」は、奇妙さ・怪しさの感じを表し、「**怪奇**」は、不気味さ・恐ろしさの感じを強く表す。

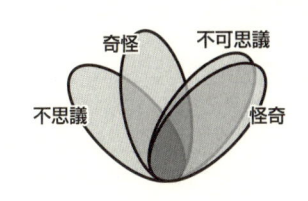

使い分け

表現例	不思議	不可思議	奇怪	怪奇
A　—な現象	○	○	○	○
B　彼が怒ったとしても—ではない	○			
C　—な疑獄事件	○		○	

1. Aの例ではそれぞれの意味で四語とも使える。
2. Bのように、日常的な事柄に関していう場合は「不思議」以外は不自然になる。
3. Cのように、常識では考えにくい、奇妙な事件という意の場合は「不思議」「奇怪」が適当。「不可思議」では神秘的な感じがこもり、「怪奇」では不気味さが強いので、ともに不自然。

類似の語

妙 普通と違っていたり、説明がつかなかったりして、変に思えるようす。「台所で妙な音がする」「彼のことが妙に気になる」

奇妙 普通と非常に違っていて変なようす。また、理屈や常識では説明できず、変に思えるようす。「奇妙な形の岩」「奇妙によく効く薬」

奇異 普通とようすが違っていたり、なぜそうなのか理由がわからなかったりして、怪しく思えるようす。「奇異の目で見られる」「奇異の念を抱く」

けったい 奇妙なようす。関西で多く用いられる俗語。「けったいな味」

摩訶不思議 非常に不思議なようす。「摩訶不思議な術」

面妖 奇怪で不思議なようす。古風な言い方。「はて、面妖なことだ」

ふぞろい

uneven, irregular

不揃い・まちまち・ちぐはぐ

基本の意味 互いに違っていて、そろわないようす。

Point! 「**不揃い**」は、複数のものの形・長短・大きさ・数量・種類などがそろっていないようす。「**まちまち**」は、いくつもあるもののそれぞれが互いに違っているようす。統一がとれていないというマイナスの含みでいう場合にも、単に事実として述べるだけの場合にも使われる。「**ちぐはぐ**」は、互いに調和し、または、かみ合って進行すべき物事が、そうでない食い違った状態になっているようす。

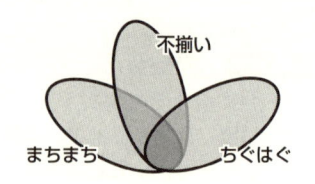

使い分け

表現例		不揃い	まちまち	ちぐはぐ
A	色も形も―だ	○	○	○
B	大きさが―のリンゴ	○	○	
C	―の全集	○		
D	人によって感想が―だ		○	
E	二人の気持ちはどこか―だ			○

1. Aの例はそれぞれの意味でどれも使える。
2. Bのように、大きさが同じでないことをいう場合、「ちぐはぐ」は使えない。「不揃い」では、そろっていないことによしあしの判断が行われているが、「まちまち」は、そろっていない事実だけを述べている感じである。
3. Cのようにセットとなるものがそろっていない場合は「不揃い」を使う。
4. Dのように、事柄の内容についていう場合は「不揃い」は使えない。また、感想のように人それぞれ違うのが当然である事柄には「ちぐはぐ」も不適当。
5. Eのように、調和すべきもの、一致すべきものが、そうならず食い違うことを表す場合は「ちぐはぐ」を用いる。

ふだん usually, always

普段・日常・平生・平素・日ごろ

基本の意味 特に変わったことのない、いつもの日々。

Point! 「**普段**」は、特別なことのないいつもの場合、また、いつもの日々。「**日常**」は、いつものこととして繰り返される毎日、また、その生活。他の四語が主体が身を置く時点を基準にしていうのに対し、「**日常**」は客観的な言い方で、一般的に「毎日の生活」の意でもいう。「**平生**」「**平素**」「**日ごろ**」は、いつもの日々をいう点で「**普段**」と重なるが、この三語、特に「**平素**」「**日ごろ**」は、前々から現在までの日々を継続的な時間としてとらえていう意識が強い。

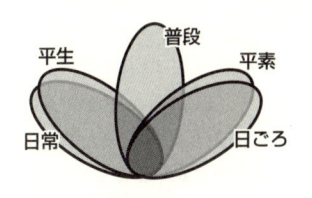

使い分け

表現例	普段	日常	平生	平素	日ごろ
A ―健康に気をつけている	○	○	○	○	○
B ―は五時に起きる	○	△	○		
C ―の念願がかなう				○	○
D ―から勉強しておく	○			○	○
E ―ならうまくやれるのに	○				

1. Aの場合はそれぞれの意味合いで五語とも使える。「普段」が最も日常的な言い方、「日常」は文章語的な言い方、「平生」「平素」は改まった言い方。
2. Bのように、特別なことがないときという感じが強い場合は「普段」「平生」が適当。「日常」はやや不自然。
3. Cのように、前々からのという感じが強い場合は「平素」「日ごろ」が適当。
4. Dのように、「から」を伴う場合「日常」「平生」は不自然になる。「普段」「日ごろ」を使うと勉強が習慣となっている感じ、「平素」を使うといつかその勉強が役に立つ日が来るという感じがある。
5. Eのように、ややくだけた表現の場合には「ふだん」が最もふさわしく、他は使いにくい。

類似の語

平常 毎日物事が予定どおりに行われている状態。「平常の生活に戻る」

ふち

edge

ふち・へり・はた・はし

基本の意味　広がりをもつ物の周辺部分。

Point!　「**ふち**」は、いちばん外側の部分や他との境目の部分、「**へり**」は、まわりに沿った細長い部分をいうが、二語は区別なく使われることも多い。「**はた**」は、まわりに沿った部分のことだが、穴のようになっているもののまわりの平面部分をいうことが多い。「**はし**」は、中心から最も離れた、周辺に近い部分。→「すみ」

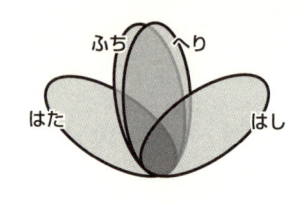

使い分け

表現例	ふち	へり	はた	はし
A　道路の—に車を止める	○	○	○	○
B　池の—を散歩する	○	○	○	
C　畳の—がすり切れる	○	○		
D　茶碗の—が欠ける	○	○		
E　ひもの—をつかむ				○

1. Aのように、道の内側ないしわきの小部分をいう場合は、どれも使うことができる。この場合は「はし」が最も普通で、「はた」は単独ではあまり使われなくなり、「道端」のように複合語の一部となることが多い。「ふち」と「へり」では、「へり」のほうがやや広い部分をいうように思われる。

2. Bの場合は、池の外側の周辺をいう。「はし」はその物の内側しかいわないから、この場合は使えない。

3. Cは、Aと同様、内側をいう。「はた」は、口・池・井戸・川・炉・堀などのように、まわりの平面より低く落ち込んでいるもののほとり、わきをいうことが多く、畳には使いにくい。「へり」が最も普通で、特に「畳の—を踏むな」のように、まわりにつける布の意には、「へり」以外は使いにくい。

4. Dのように、指す部分の平面が非常に狭い場合は「はし」や「はた」は使いにくい。「ふち」と「へり」は大差ない。

5. Eのように、細長いものの末の方という意の場合は「はし」しか使えない。

ふつう common, ordinary, average

普通・一般・通常・並み

基本の意味 特別でなく、よくある状態。

Point! 「**普通**」は、他の多くの場合と比べて特に変わった点が認められないことを広くいい、標準・平均的といった意も含む。「**一般**」は、広い範囲で普通に見られるもの・状態であること。特殊・特別なものを除いた大多数という意でも用いる。「**通常**」は、ふだんの状態。また、物事の状態や性質が、ふだん習慣的・規則的に行われているとおりであること。「**並み**」は、程度に注目した言い方で、特によくも悪くもなく平均的な水準にあること、また、世間によく見られることをいう。

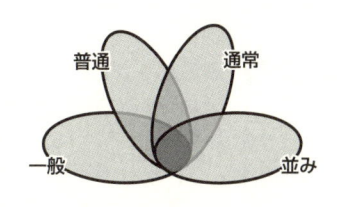

使い分け

表現例	普通	一般	通常	並み
A 一のやり方とは違う	○	○	○	○
B 一の成績で満足する	○			○
C 一なら、こんなに慌てはしない	○		○	
D 世間で一に言われていること	○	○		
E 一から募集する		○		

1. Aではそれぞれの意味合いで四語とも使える。
2. Bのように、平均的な程度の意の場合は「普通」と「並み」が使われ、他は不自然である。
3. Cのように、ふだんの状態の意では「普通」「通常」以外は使えない。
4. Dのように、広く行き渡っている意の場合は「普通」「一般」が使われる。「通常」「並み」は「一に」といわない点からも使えない。
5. Eのように、特別でない人々の意の場合「一般」以外は使えない。

類似の語

尋常 特に他と違っていたり異常と見られたりするところがなく、ごく当たり前であるようす。「彼の行動は尋常ではない」「尋常の手段では不可能だ」

平凡 ごく普通で特に変わったところや、すぐれたところがないようす。「平凡に暮らす」「平凡な試合」「平凡な顔立ち」

ふらふら

unsteadily

ふらふら・ぶらぶら・ふらり・ぶらり

基本の意味 揺れるように、または、位置が定まらずに動くようす。

Point! 「ふらふら」は、不安定に揺れ動くようすが基本で、人の行動や態度が定まらないようすにもいう。「ぶらぶら」は、揺れやすい状態で垂れ下がったようす、また、人が気の向くままに歩いたり、これということもしないで暮らしたりするようすをいう。「ふらり」は、体などが何かの拍子に不安定になるようす。「ぶらり」は、物がぶら下がっているようす。両語は人がこれという目的もなく出かけたり来たりするようすも表し、「ぶらり」では気ままな感じに重点がある。

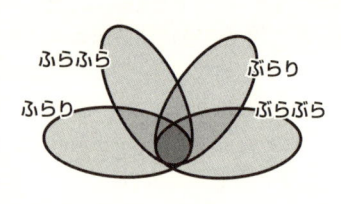

使い分け

表現例	ふらふら	ぶらぶら	ふらり	ぶらり
A 　―と町に出かけた	○	○	○	○
B 　その辺を―と歩き回る	○	○		
C 　―と彼の家に寄ってみた	○		○	○
D 　へちまが―と下がっていた		○		○
E 　熱で頭が―だ	○			
F 　―と賭け事に手を出す	○			

1. Aではどれも使える。「ふらふら」「ぶらぶら」はうろついたり歩き回ったりする動きに、「ふらり」「ぶらり」は何となく出かけることに重点がある。「ふらふら」「ふらり」は、他の二語より軽くて頼りない感じをもつ。

2. Bのように、継続的な動きを表す場合は「ふらふら」「ぶらぶら」を用いる。

3. これという目的もなく立ち寄る意のCでは、「ぶらぶら」は「寄る」とそぐわず不適。「ふらふら」は、つい引き寄せられるような感じで使う。

4. Dのように、細長いものが垂れ下がっている状態を表す場合は、「ぶらり」「ぶらぶら」を用いる。「ぶらぶら」では加えて、揺れている感じがこもる。

5. 熱や疲労などで朦朧としているようすを表すEでは「ふらふら」を使う。

6. Fのように、誘惑に乗って、考えもなしに容易にその方向へ傾くことを表す場合は「ふらふら」しか使えない。

ぶるぶる

trembling

ぶるぶる・わなわな・がたがた

基本の意味 体や物が震えるようす。

Point! 「**ぶるぶる**」は、体や物が小刻みに震えるようす。「**わなわな**」は、体が小刻みに激しく震えるようす。悪寒など生理的原因による場合にも使うが、恐怖・怒り・悲しみなどで震える場合によく使われる。「**がたがた**」は、硬い物や体が大きく激しく震える音、またそのようすをいう。➡「がたがた」

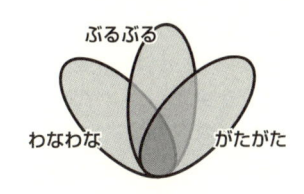

使い分け

表現例		ぶるぶる	わなわな	がたがた
A	怖くて―震える	○	○	○
B	車が―振動する		○		○
C	指先が―して字が書けない	○	○	
D	健康器具の振動で体が―震える	○		△
E	風で雨戸が―鳴る			○

1. Aの場合はそれぞれの意味合いで三語とも使える。
2. Bのように、物についていう場合は「わなわな」は使えない。他の二語は使えるが、「がたがた」のほうが「ぶるぶる」より振動が大きい。
3. Cのように、細部に限定していう場合は「がたがた」は使えない。「わなわな」よりも「ぶるぶる」のほうが日常語的な感じがある。
4. 「わなわな」は恐ろしさ・怒り・寒さなどに起因する震えにいう語で、Dのように他の振動が伝わって体が震える場合には使いにくい。Dのような振動では小刻みな「ぶるぶる」が自然で、「がたがた」はやや不自然。
5. Eのように、擬音語として使う場合は「がたがた」以外は使えない。

類似の語

がくがく ゆるんで動きやすくなっているようすや、体の一部などが小刻みに震えるようす。「入れ歯ががくがくする」「恐ろしくて膝ががくがくする」

ぴくぴく 体の一部や小さい物が、ひきつるように細かく動くようす。「緊張で頬をぴくぴくさせる」「浮きがぴくぴくと動く」

へいき

calm

平気・平然・平ちゃら

基本の意味 物事に動じないようす。

Point! 「**平気**」は、事に出あっても精神的・肉体的にマイナスの影響やダメージを少しも受けることがないようすで、内面の状態に重点がある。「**平然**」は、普通なら恐れたり落ち着きをなくしたりするような状況にあっても、全くふだんと態度を変えないようすで、外面の状態に重点がある。「**平ちゃら**」は「**平気**」の意の俗語だが、名詞としては使わない。

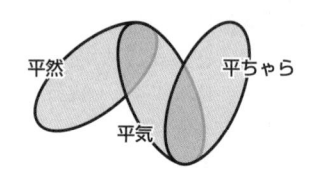

使い分け

表現例	平気	平然	平ちゃら
A　―な態度	○		○
B　―とした態度		○	
C　暑いのは―だ	○		○
D　―罪を犯す	―で○	―と○	
E　―を装っている	○		

1. Aのように「―な」の形で体言を修飾するのは「平気」と「平ちゃら」、Bのように「―とした」の形には「平然」が使われる。

2. Cのように、暑いことは気にならないという一般的な表現の場合は「平然」は使わない。「暑くても―としている」のように、ある状況のもとでの態度を表すときには「平然」が使われる。

3. Dのように、連用修飾語の用法の場合は、「平気」「平然」が使われる。「平気」は悪いと思っていないか、悪いことと知っていてもそれを気にしない内面の状態に、「平然」はためらいや動揺を見せない外面の態度に重点がある。「平ちゃら」は「罪を犯す」というやや硬い言い方には不適当。

4. Eのような名詞としての使い方は「平気」にしかない。

類似の語

平静 心の状態や態度がいつもどおりに穏やかで静かなようす。「平静を失う」

恬然 物事にこだわらないようす。また、恥などを何とも思わないで平気でいるようす。硬い文章語。「虚言を吐いて恬然としている」

へたばる

be exhausted

へたばる・へばる・ばてる・へこたれる

基本の意味 体力や気力が弱って行動が続けられなくなる。

Point! 「**へたばる**」は、広くは疲れてそれ以上動けない状態になる意だが、力が抜けてその場に座り込む意も含む。「**へばる**」は、それ以上動けなくなるほどに疲れきる意で、この意味の限りでは「**へたばる**」とほぼ同じように使われる。「**ばてる**」は、スポーツ・競馬などで体力を消耗して動けなくなる意だが、それ以外の場面でも使われる。「**へこたれる**」は、精神面に重点があり、行動に向かう気力を失う意。

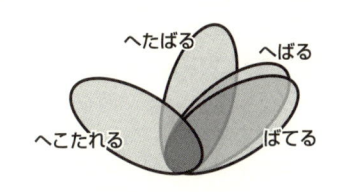

➡「つかれる」

使い分け

表現例	へたばる	へばる	ばてる	へこたれる
A あまりの暑さに—	○	○	○	○
B ゴールしてその場に—た	—っ○			
C 飛ばしすぎて途中で—	○	○	○	
D 失敗しても—ない				—れ○

1. Aの場合はどれも使えるが、「へばる」「ばてる」では体力を使った上に暑さがひどくて疲れきる感じ、「へこたれる」では暑さのために何かする気力がなくなる感じ、「へたばる」は「へばる」とほぼ同じだが、精神的な消耗の感じを含むこともある。
2. Bのように疲れて座り込む意の場合は「へたばる」しか使えない。
3. Cのように体力を使いすぎて弱るという感じの強い場合は、「へばる」「ばてる」が適当。「へたばる」も使えるが、「へこたれる」は使いにくい。「ばてる」は、スポーツや競馬などで用いられていたため、競技の途中で体力を使い果たして弱るという感じが強いが、広く使われるようになってからは「へばる」との間にあまり差は認められない。
4. Dのように精神的に参ってしまう意の場合は、「へこたれる」以外は使いにくい。

べつ

別・別々・別個・個別

separate, respective

基本の意味 他と異なるものとしてある、または、扱われること。

Point! 「別」「別個」は、あるものが他のもの、あるいは基準になるものと異なること、また、異なる扱いをされることに重点がある。それに対し「別々」「個別」は、ある集まりを構成するもののそれぞれが異なること、また、異なる扱いをされることをいう。「別個」は、「別」の強調表現で硬い言い方。特に、他のものと独立に行ったり扱ったりするようすに使われる。「個別」は、それぞれ独立のものとしてあること。また、それぞれを一緒にしないで分けて扱うこと。

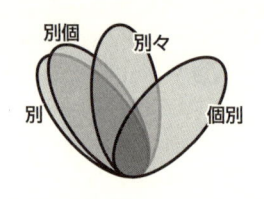

使い分け

表現例	別	別々	別個	個別
A これらは—に扱う	○	○	○	○
B 二つを—の包みにする	○	○	△	
C それとは—の案を出す	○		○	
D 三人と—に面接する	△	○	○	○

1. Aの場合、どれも使えるが、「別」「別個」というと、他に何かあって「これら」全体を、その何かとは違う扱いにする意になる。「別々」「個別」というと、「これら」の中の一つ一つを互いに分けて扱う意になる。

2. Bのように、日常的な品物などには「別」「別々」が適当。「別個」も使えなくはないが、やや不自然。「個別」は人に関する場合に多く使われ、Bの場合には使いにくい。

3. Cのように、それと異なるほかのという意では「別」「別個」を用いる。「別々」「個別」は二つ以上を一つ一つに分ける場合でないと使えない。

4. Dのように、三人いる相手を一人一人切り離してという場合は、「別々」「個別」が使える。「別」を使うと、他と切り離して三人ひとまとめに面接することになるが、その点が明確になっていないと使いにくい。「別個」はどちらの意味にもなるが、一人一人分けて面接する場合は「三人とそれぞれ別個に面接する」のように「それぞれ」などで意味を限定するほうが自然。

へんじ answer, reply, response
返事・返答・応答・回答

基本の意味 問いかけに対して答えること。

Point! 「**返事**」は、呼びかけにこたえる「はい」「いいえ」のような短い言葉から、尋ねられた事柄に対する手紙・文書による答えに至るまで、幅広く使われる。「**返答**」は、相手の問いや頼みなどに対する答えで、主に口頭によるものをいう。「**応答**」は、相手の問いや呼びかけに対する答えで、口頭や信号などによる。「**回答**」は、公式に、または、改まった形で出された質問事項や要求に対する答えで、文字による場合も口頭の場合もある。

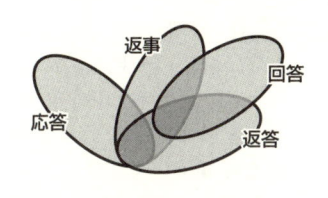

使い分け

表現例	返事	返答	応答	回答
A 「居るか？」と呼んでも—がない	○	○	○	
B 誠意のある—	○	○		○
C 友達に—を出す	○			
D 組合の要求に対する—		○		○
E こちら管制塔、××機—せよ			○	

1. 「回答」は **Point!** に述べたように、私的な場合でも改まった形で出された質問や要求に対する答えをいうので、Aのような場合には使えない。
2. 「応答」は問いに応じるという動作性の強い語で、Bのように答えの内容についていう場合には使いにくい。
3. Cのような相手に応じる手紙の意では「返事」だけが使われる。
4. Dのように、改まった正式の答えの場合は「回答」が最適。「返答」も使えるが、やや軽い感じになる。
5. Eのような場合は、慣用的に「応答」が使われる。「応答」は言葉以外の合図によるような応じ方の場合もいう。

類似の語

解答 問題を解いて答えること。また、その答え。「解答は別紙に記入せよ」
答弁 議会などで、質問に答えて事情・考えなどを説明すること。
返信 手紙や電子メールに返事を出すこと。また、その返事。

ほうふ　abundant

豊富（ほうふ）・豊か（ゆた）・潤沢（じゅんたく）

基本の意味 物などが十分にあるようす。

Point!　「豊富」は、物の分量や種類が十分にあるようす、また、人の経験が深かったり物事の内容の幅が広かったりするようすをいう。「豊か」は、満ち足りていて、ゆったりした感じや量感のあるようす。「潤沢」は、たくさん使っても十分に余裕があるほど、物や金銭があるようす。

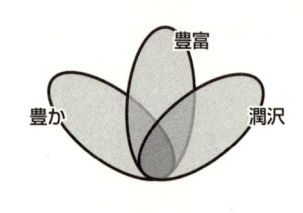

使い分け

表現例	豊富	豊か	潤沢
A　―な資金にものを言わせる	○	○	○
B　人生経験が― だ	○	○	
C　商品の種類が―な店	○		
D　心の―な人		○	
E　品物が―に出回る	○		○

1. Aのように金銭についていう場合はどれも使える。

2. 「潤沢」は、物や金銭についていうので、Bのような抽象的な事柄には使えない。この場合「豊富」は単に多くの経験がある意、「豊か」だとそれによる人柄までも含む感じがある。「詩情―な作」のように量をはかりにくい事柄の場合は「豊か」を使い、「豊富」とはいわない。

3. Cのように、品物の量ではなく、その種類の多さをいう場合は「潤沢」は不適当。「豊か」は単に多いというだけではなく、それによるゆとりとか、ある雰囲気とかを感じさせる場合にいうので、Cには不自然。

4. Dのように、ゆったりしたおおらかさの感じをいう場合は、「豊か」以外は使えない。

5. Eの場合、「豊富」は単に多量である意、「潤沢」はあり余るほどという感じが強い。Cと同様の理由で「豊か」は使いにくい。

類似の語

たっぷり　十分にあって満ちあふれるほどである、また、余裕があってゆったりしているようす。「海綿にたっぷり水を吸わせる」「たっぷりした服」

ほじゅう supplement
補充・補足・補填・補助

基本の意味 不足分や不十分な部分を補うこと。

Point! 「**補充**」は、人や品物などの不足した分を補って、もとのとおりに、または十分な状態にすること。「**補足**」は、不十分な所を付け足して補うことで、多く文章や説明にいう。「**補填**」は、不足分を補って埋めることで、多く金銭にいう。「**補助**」は、不十分な所に力を貸したり、不足分を補ったりして助けること。

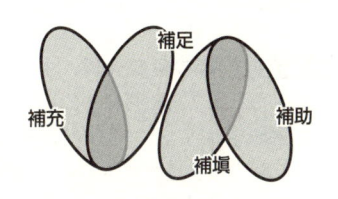

使い分け

表現例	補充	補足	補填	補助
A 欠員の―を行う	○			
B 説明の―をする	△	○		
C 赤字分を―する			○	○
D 国の―を受ける				○

1. Aのように、人員に関する場合は「補充」を用いる。
2. Bのように、言葉に関していう場合は「補足」、まれには「補充」を用いるが、「補足」は付け加えて言う、「補充」は内容を充実させて言い直す感じが強い。
3. 金銭に関していう場合は「補填」「補助」「補充」が使えるが、「補充」は定量から自然に不足が発生するような場合に主に使われ、Cには不適切。「補填」と「補助」では、前者は不足を埋めることに重点があり、後者は外から助けることに重点がある。
4. Dのように、金銭に関し、「…の」で修飾する「…」（Dでは「国」）が、補うことの主体になっている場合は、「補助」しか使えない。

類似の語

填補 不足や欠損をうめ補うこと。「損害を填補する」
補給 消費や損失などで足りなくなった分を補うこと。「燃料を補給する」
補完 補って完全なものにすること。「新資料で年表を補完する」
充当 人員や金品をある目的・用途にふりむけること。「繰越金を財源に充当する」

ぽつぽつ

dotted

ぽつぽつ・ぽつぽつ・ぼちぼち・ぶつぶつ

> 基本の意味 点のようなものがあちこちにあるようす。

> **Point!** 「ぽつぽつ」は、小さい穴・突起や点があちこちにあるようす。また、物事が少しずつ行われたりそうなったりするようすにもいう。「ぽつぽつ」は、「ぽつぽつ」よりも表現として軽く、間隔もやや広い感じがある。「ぼちぼち」は、点々とある小さい突起・穴にもいうが、物事が少しずつ行われたり進んだりするようすの口頭語的な言い方として使われることが多い。「ぶつぶつ」は、あちこちにわいて出てきたような小さい突起状のものをいうほか、何かつぶやくようすや、物をいくつにも切ったり、あちこちに穴を開けたりするようすにいう。

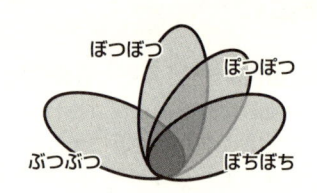

使い分け

表現例	ぽつぽつ	ぽつぽつ	ぼちぼち	ぶつぶつ
A 顔に赤い―ができている	○	○	○	○
B ―出かけましょうか	○	○	○	
C ―そんな話も耳にします		○	△	
D ―と雨が降り出した	○	○		
E いつまで―言っているんだ				○

1. Aの場合はどれも使える。日常一般では、吹き出物・にきびのようなものを表す場合には「ぶつぶつ」を最も多く用いる。

2. Bのように、ゆっくりと少しずつ物事が進むようすを表す場合は「ぶつぶつ」以外は使える。

3. Cのように相当間隔を置いて行われるようすには「ぽつぽつ」が適当。最近時々耳にするようになったという意なら「ぼちぼち」も使える。

4. Dのように、雨などの水滴が少しずつ落ちてくるようすをいう場合は「ぽつぽつ」が最適だが、「ぽつぽつ」も使える。この場合、「ぽつぽつ」のほうが水滴が大粒であるような語感がある。

5. Eのように、口の中でひとり言を言ったり、不平不満などを言ったりするようすをいう場合は「ぶつぶつ」以外は使えない。

ほめる   praise, admire, applaud

褒める・たたえる・褒めたたえる・賞する

基本の意味 他のよさや立派さを認めて、そのことを言葉に表す。

Point! 「**褒める**」は、同等または目下の者の長所・行為・所有物などについてよさを認めて言う場合に主に使われる。「**たたえる**」は、神仏を祝福したり、人の立派な業績や行為についてそのすばらしさを言う場合に使われる。「**褒めたたえる**」は意味的には「**褒める**」と「**たたえる**」にまたがり、同等以下の者の業績・行為に対する賞賛だけでなく、偉人や神仏に対する賞賛にもいう。「**賞する**」は文章語で、人の立派な行為や努力などを評価し、労をねぎらう意。

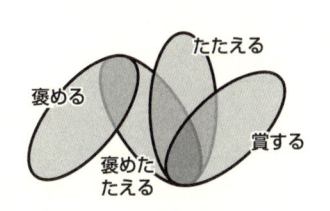

使い分け

表現例		褒める	たたえる	褒めたたえる	賞する
A	父に―られた	―め○			
B	神の恵みを―		○	○	
C	だれもが彼の絵を―た	―め○		―え○	
D	その功を―て銅像を建てる		―え○	―え○	―し○

1. Aのような日常的なことの場合は「褒める」以外を使うことは少ない。「たたえる」は主として目上の者や神仏、また特別の業績をあげた者に対して用いる語で、「褒めたたえる」「賞する」は、この場合大げさすぎる。

2. Bのように、神に対する場合は「褒める」「賞する」は使いにくい。「褒めたたえる」は使えるが、この場合の「褒める」は **Point!** に記したような意ではなく、神仏や上位者に対して使った古い用法が保存されたもの。

3. Cのように、ある人の作り出したものを目的語とする場合は「褒める」「褒めたたえる」を使う。「たたえる」は主としてその人の業績や行為を目的語にとるので、Cのような場合は使いにくい。ただし、「彼の絵のすばらしさを」のように、すぐれた状態を表す語を補えば使うこともできる。

4. Dのように、普通の人にはできないような業績などについていう場合は「たたえる」「褒めたたえる」が使え、改まった硬い表現である「賞する」も使える。ただし「賞する」は口頭で用いることはまれ。

ほる

dig, bore

掘る・うがつ・えぐる・刳る・刳り抜く

基本の意味 穴やくぼみなどを作る。

Point! 「掘る」は、地面や岩などに穴やくぼみを作る意で、そこから何かを取り出す意にもいう。「うがつ」は、木・岩・地面などに穴やくぼみを作る意だが、やや古風な言い方。「えぐる」「くる」「くりぬく」は、刃物などを回すように使う点で共通するが、「えぐる」は鋭く突いて中身を出す感じ、「くる」はくぼんだ形を作るために物の一部を取り去る感じ、「くりぬく」は実質として詰まっているものを取り出す感じで使われる。

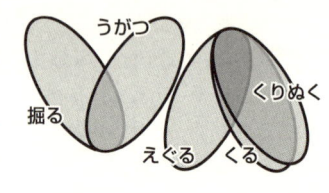

使い分け

表現例	掘る	うがつ	えぐる	くる	くりぬく
A　砂地に穴を—	○	○			
B　石炭を—	○				
C　木の幹を—て丸木舟を作る			—っ○	—っ○	—い○
D　—た観察をする		—っ○			
E　問題の核心を—発言			○		

1. Aのように、行為の結果できあがる「穴」を目的語にできるのは「掘る」と「うがつ」だけである。
2. Bのように、行為そのものではなく、地中などにある必要なものを取り出す意の場合は「掘る」以外の語は使えない。
3. Cのように刃物を回すように使う場合は、「掘る」「うがつ」は使いにくい。
4. Dのように、表に出ない物事や人情の微妙な面をたくみにとらえる意の場合は、「うがつ」以外は使えない。
5. Eのように、隠れた事実などを鋭く突く意の場合は、「えぐる」しか使えない。

類似の語

ほじくる　穴を掘るようにつつく。また、細い棒状のもので穴をつつくようにして、中のものを取り出す。ほじる。「耳をほじくる」「鼻くそをほじくる」

ほじる　「ほじくる」に同じ。「鼻をほじる」

ほんとう

truth

本当・真実・まこと・真

基本の意味 実際の事柄や理念としてこうあるべきだと考えられるところに、即していること。

Point! 四語は意味的には大差なく、他の語との結び付き方や使われる場面で差が現れる。**「本当」**は、物事の様態についていう語で形容動詞的な性格が強く、事柄そのものは表さない。逆に**「真実」**は、様態よりも事柄そのものを表す名詞としての性格が強い。**「まこと」**は、漢字で「真」または「実」と書いて**「真実」**の意の雅語的な言い方となるとともに、「―の」「―に」の形で様態や強調を表し、「誠」と書けば、偽りのない心という意を表す。**「真」**は、一般には「―の」「―に」の形で後続の事柄の強調に使われ、単独に名詞で使うのは学術・文芸上の場面に限られる。 ➡「まさに」

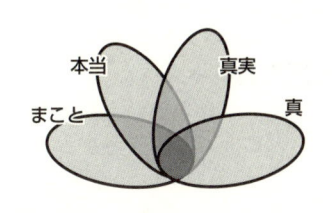

使い分け

表現例	本当	真実	まこと	真
A 彼こそ―の勇者である	○	△	○	○
B ―を語る		○	○	
C この話は―だ	○	○		
D ―に申し訳ありません	○		○	

1. Aのように、「の」を伴って「本物の」という意を表す場合、「真実」はやや使いにくい。
2. Bの名詞性の強い表現では「本当」は不適。また、「真」は「真と善と美」「その逆もまた真」のような文芸的・学術的文脈では名詞としても使われるが、Bでは不自然。「まこと」は使えるが、雅語的な言い方となる。
3. Cのような口語的表現には、「まこと」は雅語的、「真」は文章語で不自然。
4. Dのように「―に」の形で後続の言明どおりであることを強調していう場合、「真実」は不可。また、世俗的な意味での強調に「真に」は不適。

類似の語

事実 実際にそうである事柄。副詞的にも使う。「真実」と違って、理念的な価値とはかかわらない。「それは事実と違う」 ➡「げんじつ」

ほんらい
original

本来・元来・もともと・もとより

基本の意味 もとをたどれば、またはもとから、その状態であるよう。

Point! 「**本来**」は、現状はそうでないかもしれないが、もとの状態や本質はこうだという意を含み、副詞としては、「本当は」「道理・筋道からいえば」といった意でも使われる。「**元来**」は、「**本来**」に比べ、もとからしてそうであることを客観的に示す感じが強く、現状ともとの状態とに本質的な違いがない場合に使われることが多い。「**もともと**」は、その状態を初めからのものとして強調的に示すのに使われる。「**もとより**」は、もとからそうなのは周知のことだがという含みがあり、「今さら言うまでもなく」という意を帯びることがある。

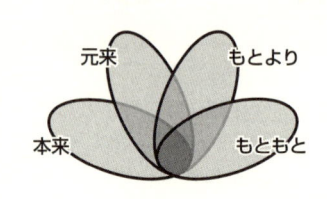

使い分け

表現例	本来	元来	もともと	もとより
A 人間は—そうしたものだ	○	○	○	○
B 誤植でなく—原稿が間違っていた			○	
C ようやく—の面目を発揮しだした	○			
D 危険は—承知の上だ			○	○
E 強い相手だから負けて—だ			○	

1. Aではそれぞれの意味合いで四語とも使える。
2. Bのように、問題となった段階より前からその状態になっていたことをいう場合は、「もともと」以外は不自然。
3. Cのように、そのものにもとから備わっていることを強調していう場合は「本来」が適当。「—なら彼の仕事だ」のように、事の筋道からいえばの意で「—なら〔ば〕」の形をとる場合も、「本来」以外は使いにくい。
4. Dでは、「初めから」の意で「もともと」も使えるが、「いま改めて言うまでもなく」という意を込めていう場合は「もとより」がぴったりする。「もとより」は、「英語は—ドイツ語も得意だ」のような形でも「言うまでもなく」の意を表して使われる。
5. Eのように、前と同じでプラスマイナスがない意では、「もともと」を使う。

まぎわ just

間際・矢先・途端

基本の意味 事の直前、または、ちょうどその時。

Point! 「間際」は、そのことの直前の意。**「矢先」**は、物事が新たに展開し始めたり、行動に取りかかったりする、ちょうどその時の意。「…した矢先」「…していた矢先」など完了や過去の表現に続く場合は、漠然とその直後を含めていうこともある。**「途端」**は、ある行動・物事に直接続いて、または連動して、ある事態が起こったり状態が一変したりするようす。

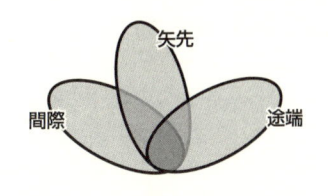

使い分け

表現例		間際	矢先	途端
A	仕事にかかろうとする―に邪魔が入る	○	○	△
B	立ち上がった―にめまいがした			○
C	酒が入ると―に元気になる			○
D	―になって慌てて準備する	○		
E	すると、―に上から何か落ちてきた			○

1. Aは「間際」「矢先」が使え、「途端」はやや不自然。「途端」を使うとすれば、「仕事にかかろうとした途端、邪魔が入った」のように「…した途端」の形で同時性を強調する表現か、「仕事にかかろうとすると、途端に邪魔が入る」というように、事態が連動しやすいことをあらわす表現のほうが自然である。これは「途端」では最初に行われる物事とそれに続く事態との接続性・連動性が強いため。「間際」では、仕事にかかろうとする直前の意、「矢先」では仕事にかかろうとするちょうどその時、の意になる。「矢先」は「仕事にかかろうとした―」の形でも使えるが、「間際」では「…した―」と完了・過去の表現に続く形はやや不自然になる。

2. B・Cのように、先行する物事とそれに続く事態との同時性・連動性が強い場合は、「途端」しか使えない。

3. D・Eのように連体修飾語を伴わない用法では、ここでの意の「矢先」は使えない（「矢先」には、矢の先、矢の飛んでくる前面など別の意もある）。

まさに　　certainly, surely, truly

まさに・まさしく・真（しん）に

基本の意味）間違いなくそう言えるようす。

Point! 「まさに」は、後続の事柄について、間違いなくそうである、それ以外のものでないという話し手の判断・強調を表し、文脈により、当然そうあるべきだという意、また、今にも、今現にといった意にもなる。「まさしく」も、間違いなくそうだという話し手の判断・強調を表すが、「まさに」に比べ、後続の事柄を比喩や修辞でなく客観的事実として強調する意味合いが強い。「真に」は、言葉の上だけでなく実質においてそうである、ということを強調していう語。　→「ほんとう」

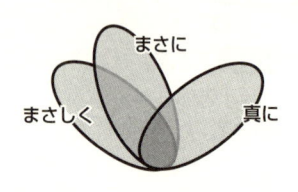

使い分け）

表現例	まさに	まさしく	真に
A　ベニスは―水の都だ	○	○	○
B　―仰せのとおりです	○	○	
C　あの声は―父だ	○	○	
D　―国を思う人			○
E　太陽は―沈もうとしている	○		

1. Aでは三語とも使え、「まさに」では、目にしている情景が水の都というのにふさわしいという感じ、「まさしく」「真に」だと、水の都といわれているのはうそや誇張ではなく、本当に水の都そのものだという感じになる。

2. 「真に」は、後に続く表現を実質的なものとして強調する語で、間違いなくそのとおりだという話し手の判断を表すBの場合は不適当。

3. Cの場合、2と同じ理由で「真に」は不適当。「まさしく」では、間違いなく父であるという意になるが、「まさに」だと、自分の主観では父の声だと判断するという意味合いが入り、だれかが父そっくりの声を出した場合にもいう。

4. Dのように上べだけでなく本当にの意の場合は、「真に」以外は不自然。

5. Eのように何かが行われる寸前である意の場合や、「人は―そうあるべきだ」のように当然の意の場合は「まさに」しか使えない。

まざる be mingled, be mixed, be blended

まざる・まじる

基本の意味 あるものの中に異質のものが入り込む。

Point! 「まざる」は、もとのものと入り込んだ異質のものとが一体化する、その状態・結果に重点があり、入り込んだものの分量の比率がもとのものに対して比較的高い場合に多く使われる。「まじる」は、異質のものが入り込む動作・作用それ自体に重点があり、もとのものの分量が入り込んだものの分量よりずっと多い場合や、もとのものが本来の姿・性質を保っているような場合に多く使われる。

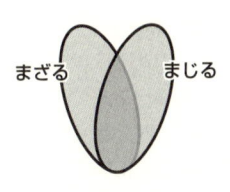

使い分け

表現例	まざる	まじる
A　赤に白が―ている	―っ○	―っ○
B　よく―ようにドレッシングの瓶を振る	○	△
C　子供に―て大人も楽しんだ		―っ○

1. Aの場合はどちらも使えるが、「まじる」では、模様・花などで赤いものが中心を占めている中に白いものが入り込んでいるという意味に取れるのに対し、「まざる」では、例えば赤い顔料や絵の具に白い顔料や絵の具がとけ合ってピンクに近い色になっているといった意味である場合も考えられる。

2. Bのように、二種以上のものがごちゃごちゃになって一体化する場合は、「まざる」を用いるのが普通。

3. Cのように、多数の中に少数が入り込む場合は「まじる」が適切。

類似の語

混在する あるもの・範囲の中に、互いに異質のものがまじって存在する。「多様な文化が混在する国」

混交する 互いに異質のものがある物事の中にまじり合う。「混淆」とも書く。

男女がまざる　男がまじる

まぢか　close, near

間近・身近・手近

基本の意味 ごく近くであるようす。

Point! 「**間近**」は、空間的・時間的にそこまでの間隔がわずかであるようす。「**身近**」は、自分が身を置く所に空間的に近いようす、また転じて、日ごろの暮らしに関係の深いようすや、親しい関係にあるようすをいう。「**手近**」は、手の届くような距離にあるようす、さらに、使ったり取り上げたりするのに手ごろであるようすにいう。

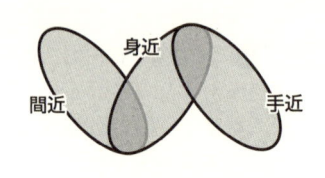

使い分け

表現例	間近	身近	手近
A　卒業が―になる	○		
B　―にある辞書		○	○
C　―な人に相談する		○	
D　―に利用できる施設			○
E　危険が―に迫る	○	○	

1. Aのように、その事柄までの時間的な隔たりが少ない意に使えるのは、「間近」だけである。
2. Bのように身の回りにあるという意では、「身近」「手近」を使う。「間近」は空間的な意味にも使うが、「映画スターを間近に見る」のように接近する動きを伴う場合や、「家の間近にある店」のように客観的にすぐ近くであることを表す場合に使われ、身の回りにあるという意は含まない。
3. Cのように関係が深い、親しいの意がこもる場合は「身近」しか使えない。
4. Dのように、能動的に何かするのに手ごろなという感じがこもる場合は「手近」しか使えない。
5. Eのように自分の方に向かってくる物事にいう場合、「手近」は使えない。

類似の語

卑近（ひきん）　世俗的でありふれているようす。また、日常の暮らしに関係の深いようす。「卑近な例」

最寄り（もより）　そこから距離的に最も近いこと。「最寄りの駅」

まるで

as if, just like

まるで・さながら・あたかも・ちょうど

基本の意味 ある物事が他の物事とよく似ているようす。

Point! 「まるで」は、形・性質・状態などが他の何かと非常に似ているようす。また、まさしくその状態であるという強調も表す。「さながら」は、物事のようすがおのずから後段の内容を思わせるようす。「あたかも」は、物事の状態を他の何かにたとえていうときに用いる語。「ちょうど」は、たとえとして引くのにその物事のようすが打ってつけである場合にいう。➡「ちょうど」

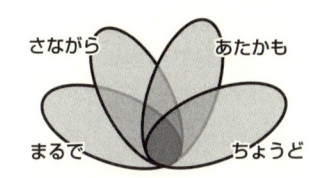

使い分け

表現例	まるで	さながら	あたかも	ちょうど
A　―病院という感じの建物	○	○	○	○
B　―夢のような話	○	○	○	
C　がりがりにやせて―ミイラだ	○	○		
D　彼のやり方は―無茶だ	○			
E　地獄―の光景		○		

1. Aの例ではどれも使えるが、「さながら」「あたかも」は文章語でやや古風な言い方。
2. Bのように、漠然としていて人によってイメージの異なる「夢」をたとえにする場合は、「ちょうど」は使いにくい。「ちょうど」は具体的ではっきりしているたとえに用いる。
3. Cのように、「ようだ」「みたい」「ごとし」など、たとえだということを示す語を伴っていない場合は「あたかも」「ちょうど」は使いにくい。
4. Dのように、状態を強調する場合は「まるで」以外は使えない。
5. Eのように、名詞のすぐ下に付く場合は「さながら」以外は使えない。

類似の語

言わば 普通とは異なる言い方をしたり、比喩を用いて言い表したりするときに、言ってみれば、こう言ってよければの意で用いる語。「彼女もいわば時代の犠牲者だ」

まわりみち　detour

回り道・寄り道・迂回・遠回り

基本の意味　目的地へ行くのに普通より道のりの長い道を通って行くこと。

Point!　「**回り道**」は、その経路をとる理由はさまざまだが、多くは初めから遠い道であることがわかっている場合にいう。「**寄り道**」は、目的地へ向かう途中どこかに立ち寄ること。「**迂回**」は、普通に使う道が何らかの事情で通れず、そこを避けて行く場合にいう。「**遠回り**」は、一般的に普通よりも長い道のりになることで、結果としてそのことがわかる場合も含み、四語の中では最も使用領域が広い。

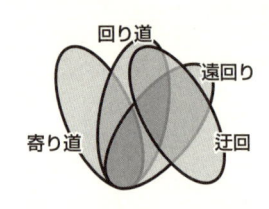

使い分け

表現例	回り道	寄り道	迂回	遠回り
A　ちょっと―して帰る	○	○		○
B　工事中なので―する	○		○	○
C　今の仕事につくまでずいぶん―をした	○	○		○
D　―な方法をとる				○

1. Aの場合、「迂回」以外の三語が使える。「迂回」は何かを避けるために別の道を行く場合にいい、「ちょっと」から軽い気持ちや気まぐれでいつもと違う道で帰ると解せるAにはそぐわない。
2. 「寄り道」は他の場所に立ち寄ることに重点があるのでBには不適。
3. Cのように、比喩的に、ある結果にたどりつくまでいろいろ別のことをしたという意では、「迂回」は使えない。
4. Dのように、形容動詞として、目的に達するまでに普通より手間が掛かるようすの意で使えるのは、「遠回り」だけである。

類似の語

大回り　近い道やコースを通らないで離れた所を経由して行くこと。「バスは市街の外れを大回りして駅まで行く」

みおとす overlook

見落とす・見過ごす・見逃す

[基本の意味] 見ていながら気付かずにいたり、問題にしないで済ませたりする。

Point! 「見落とす」は、不注意から、見て認識すべきものや見付けて処理すべきものの存在に気付かずにしまう意。他の二語はうっかりそうする場合にも、意識的にそうする場合にもいう。「見過ごす」は、何らかの対応・対処をすべき物事について、その存在に気付かずに過ぎてしまったり、その存在に気付いていながら何もしないで済ませたりする意。「見逃す」は、見ていながら認識すべきものや処理すべきものの存在に気付かずにしまう意、とがめるべき行為や捕らえるべき相手を見ないふりをしてそのままにする意、また、見る機会やとらえるべき好機を逸する意に使われ、三語の中では最も用法が広い。

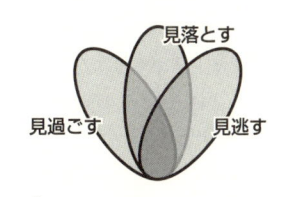

[使い分け]

表現例		見落とす	見過ごす	見逃す
A	標識を―らしい	―し○	―し○	―し○
B	うっかりして誤植を―	○	△	△
C	車内暴力を―		○	
D	今度ばかりは―てやる			―し○

1. Aのように認識すべき対象に気付かないでしまう意の場合、一般には三語とも使える。「見落とす」「見過ごす」では、もともと注意が不十分で気付かずにしまった感じだが、「見逃す」では、標識のことを意識に置いて注意を働かせていながらそれでも気付かずに過ぎてしまった感じになる。

2. Bは校正をしていて誤植を拾いもらしたという意に取れるが、この場合は「見落とす」が最も自然。「見過ごす」だと校正というより一読者として本の誤植に気付かず読み進んだという感じになり、「見逃す」も注意していながらという感じが出るため、いずれも「うっかりして」とそぐわなくなる。

3. 「見過ごす」「見逃す」とも、気付いていながら問題としないという意をもつが、「見過ごす」は受動的で、知らないふりをする感じが強く、「見逃す」は能動的で、あえてとがめない感じが強い。CとDにその違いが表れる。

みごと　excellent, splendid, wonderful

見事・立派・素晴らしい・素敵・結構

基本の意味 非常にすぐれていたりよいものであったりするようす。

Point! 「見事」は、賞賛に値するようす。手際や物事の結果・出来映え、物の外観などにいう。「立派」は、規範的な価値観や美意識、伝統的・社会的な格といった観点から見て、非常にすぐれていて難じるべき点がないようす。行動・態度・成果・人格・身分・経歴や人・物の外観などにいう。「素晴らしい」は、感動するほどよいようす。物事の内容的な価値に関しても感覚的なよさ・快さに関してもいい、幅広い事柄に使える。「素敵」は感覚的な表現で、その物事が魅力的だったり、それに接して快い気分に誘われたりした場合にいう。「結構」は、対象を積極的に賞賛・感嘆するというより、相手に話を合わせてそのよさをいうような場合に使われることが多い。

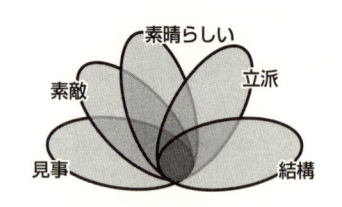

使い分け

表現例	見事	立派	素晴らしい	素敵	結構
A　―建築ですね	―な○	―な○	○	―な○	―な○
B　屋上からの眺めが―	―な○		○	―だ○	
C　―人格を有する		―な○	△		
D　―出会いが待っていた			○	―な○	

1. Aの場合、「見事」「立派」は普請のよさや広壮さ・豪華さなどについていっている感じで、「素晴らしい」はよさを強調する場合に広く用いる。「素敵」はしゃれているとか、センスがいいなどのニュアンスがある。「結構」は挨拶として他の人に合わせてそのよさをいう感じの言い方。

2. 「見事」は賞賛に値するような場合に広く使われる。「立派」は堂々としたものにふさわしく、Bのように単に美しい、きれいというだけのものには使いにくい。「結構」は「結構な眺め」のように連体形としてなら使える。

3. Cのように純粋に精神的なあり方についていう場合は、「立派」が最適。「素晴らしい」も使えるかもしれないが、やや不自然。

4. Dのような主観的感動の表現には「素晴らしい」が最適で、「素敵」も可能。

みち unknown

未知(みち)・未詳(みしょう)・不詳(ふしょう)・不明(ふめい)

基本の意味 そのものの存在や事実関係などがわかっていないこと。

Point! 「未知」は、その存在や実体・実態などがまだ知られていないこと。自分がその相手・対象に接したことがない意でも言い、必ずしもそれを望ましくない状態として言うとは限らない。「未詳」は、現状ではよくわからないこと。調べようとしたが現状ではわからない、あるいは、今後調べが進めば明らかになるかもしれないという含みがある。「不詳」は、調べる手だてがなくてわからないこと。「未詳」「不詳」は、情報として明らかにされるべき事柄について、その情報を示す立場から情報提供が不能であるとして言う。「不明」は一般に、明らかでないこと、わからないことを言い、幅広く使える。

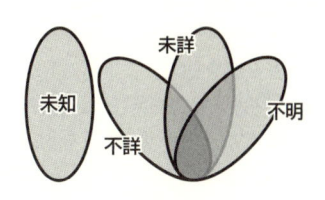

使い分け

表現例	未知	未詳	不詳	不明
A 年齢―の女性		○	○	○
B 彼の才能は―のものといえる	○			
C 生存者の有無は―です		△		○
D ―の点はお聞きください				○

1. Aでは「未知」以外の三語がそれぞれの意味合いで使える。「未知」は名詞に直接続く形では使いにくい。
2. Bのように、どの程度の可能性を秘めたものか、それがわかるのは今後のことだという意を表す場合は、「未知」を用いる。「未知」は「未知の土地へのあこがれ」のように、知らない状態を肯定的に表す場合にも使える。
3. Cのように、はっきりした状況が現時点ではわからないという場合は、「不明」が最適。「未詳」は多く、資料・記録などで調査してまだわかっていないという感じがあるので、Cにはやや不自然。「不詳」は、わからないままそれで済ませてしまうような感じを与えるため、Cには適さない。
4. Dのように、ある事柄についてよく把握できていなかったり、納得がいかなかったりすることを表す場合は、「不明」を用いる。

みつける　find out, discover
見付ける・見いだす・さがし出す

基本の意味 求めているものや存在を知らなかったものについて、その存在やありかを知る。

Point! 「見付ける」は、求めていた対象のありか・居場所を知る場合、漠然と求めていたものについてこれがそうだと認識する場合、また、それまで目に入らなかったものの存在に気付く場合など、幅広く使える。「見いだす」は、それまで視覚・意識に入っていなかったものの存在を知る意。硬い言い方で、具体物にも使うが、抽象的な事柄についていうことが多い。「さがし出す」は、求めている対象について、手段を講じてそのありか・居場所を知る意。漢字では「探し出す」とも「捜し出す」とも書く。

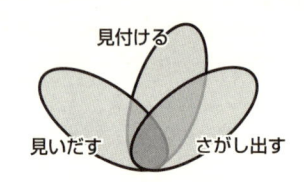

使い分け

表現例		見付ける	見いだす	さがし出す
A	相手の弱点を—	○	○	○
B	誤りを偶然—	○		
C	いなくなった兄を何とか—たい	—け△		—し○
D	A氏に—れて世に出る		—さ○	

1. Aの場合はそれぞれの意味で三語とも使える。
2. Bのように偶然目にとまった場合は「さがし出す」は使えない。「見いだす」は偶然的な場合にも使われるが、その対象は何らかの意味や価値を持ったものであるのが普通で、「誤り」では不自然。
3. Cのように、具体的な物や人についてその所在を知ろうとする意志が強く感じられる場合は、「さがし出す」が最適。「見付ける」も使えなくはないが、表現として弱い感じで、「見付け出す」というほうがふさわしい。
4. Dのように、表面には現れず隠れているもの、埋もれているものなどを掘り起こす語感が強い場合は、「見いだす」が最適。

類似の語
発見する 今まで知られていなかった事柄・物・人や、所在のわからなくなっていた物・人を見付けること。「法則を発見する」「行方不明者を発見する」

みとどける make sure, ascertain

見届ける・見極める・見定める

基本の意味 事の成り行きや物事のありようなどをしっかりと見る。

Point! 「見届ける」は、事の成り行きを最後まで見る意。「見極める」は、事がどう動いていくか、また物事の奥にある真実・本質などがわかるまで、状況や対象を注視する意。「見定める」は、確実にある判断ができるまで状況や対象をよく観察する意。

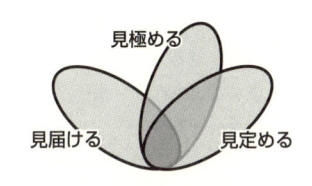

使い分け

表現例		見届ける	見極める	見定める
A	男の正体を—	○	○	○
B	わが子の成長を—	○		
C	真相を—		○	
D	相手の真意を—		○	○

1. Aの例はどれも使えるが、「見届ける」だと、どこに住み、何をしているかといった生活実態、あるいは時間の経過とともにあらわになる実際の言動などからその正体をつきとめる感じ、「見極める」だと、どんな性格で何を考えているかなど、やや内面にまで踏み込んでようすを知る感じ、「見定める」だと、いろいろな面から考えてその男はこういう人物だと認定する感じが強い。
2. Bのように、そのことが無事に完了するのを最後まで見守る意では、「見届ける」を用いる。
3. Cのように、深いところまで調べて本当のところはこうだと見抜く意の場合は、「見極める」を用いる。
4. Dのように、目に見えない心の状態を知る意の場合は、「見届ける」は不適当。

類似の語

見据える じっと見る。また、先入観や固定観念などに目をくらまされずに、物事のありようや動きをよく見る。「現実を見据えて行動する」

見守る 物事の変化や成り行きをよく注意して見る。「しばらく事態の推移を見守りたい」

みなす consider, compare

見なす・見立てる・なぞらえる・たとえる

基本の意味 ある物事を、仮に他の物事と同じものであるとする。

Point! 「見なす」は、そうであると判定または仮定して扱う意。「見立てる」は、仮にそういうものとして見る意で、目の前にあるものを、それと共通点のある別のものとして仮に見たり、そのように扱ったりする場合にいう。「なぞらえる」は、何かを説明・表現などするときに、別のものの状態や形態を借りて示す意。文脈により、「たとえる」に近い意にも、「似せる」に近い意にもなる。「たとえる」は、何かを説明・表現するためにそれと似た物事を引いてきて示す意。

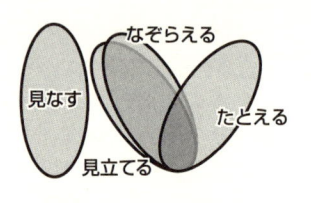

使い分け

表現例	見なす	見立てる	なぞらえる	たとえる
A 雪を花に(と)ー て歌を詠む		ーて◯	ーえ◯	ーえ◯
B 遅刻者は欠席とー	◯			
C 松島にー て作った池		ーて△	ーえ◯	
D ーようもなく美しい				ーえ◯

1. 「見なす」は便宜上そう仮定するという意が強く、Aのような「比喩として…だとする」意では使いにくい。助詞はAの場合、三語ともふつう「…に」を受けるが、「見立てる」「たとえる」の二語、特に「見立てる」は、「花(である)とー て」と、引用を表す「…と」を受けることもある。

2. Bのように、ある状況からそうだと判定する意の場合は、「見なす」以外は使えない。助詞は「…と」を受ける。

3. Cのように、あるものを手本にしてそれに似せるという意の場合は、「なぞらえる」が適当。助詞は「…に」を受ける。「見立てる」も使えなくはないが、「ー て作った」でなく「松島に見立てた池」というほうが自然。

4. Dの「たとえる」は慣用表現なので、他の三語は使えない。

類似の語

擬する そうでないものをそうであるものとして扱う。「己を天才に擬する」

みにくい

ugly

醜い・見苦しい・みっともない

基本の意味 その姿や言動が人に嫌悪感や軽蔑感を催させるよう。

Point! 「醜い」は、美的あるいは倫理的に劣悪で、人に嫌悪感を催させるよう。顔立ち・姿・言動や心の動きなどにいう。「見苦しい」は、人に見せるべきでないような言動・態度・身なり・場面などをあらわにして、軽蔑感を催させるよう。「みっともない」は、格好や体裁・外聞が悪くて人に見せられるありさまでないよう。身なり・容姿や物の形・外見、言動・態度、物事の場面・結果などにいう。「みっともない」は口頭語。三語とも他者の様態にも自分の様態にもいうが、「みっともない」は自分で自分の状態を人に見せられるありさまではないと感じる主観的表現としても使われる。

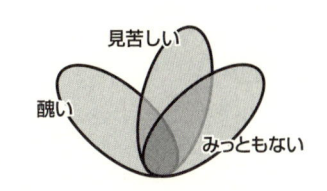

使い分け

表現例	醜い	見苦しい	みっともない
A　―姿（行為）	○	○	○
B　自分の―心を反省する	○		
C　―負け方はしたくない		○	○
D　四年も浪人しては―			○

1. Aではそれぞれの意味で三語とも使える。
2. Bのように、道徳的に見た内面の汚さをいう場合は、「醜い」が適当。「見苦しい」「みっともない」はそれが言動として現れないと使いにくい。
3. Cのように、他人の目を意識し、そこに恥ずかしい感じを伴う場合は、「見苦しい」「みっともない」が適当。「見苦しい」だと自分を客観的にとらえた表現になり、負けるにしても堂々と潔い負け方をしたいという感じになるが、「みっともない」はもっと主観的で、面目を失うような負け方はしたくないという意の表現になる。
4. Dのように、世間体が悪くて恥ずかしいという主観的な表現の場合は、「みっともない」が適当。

みぬく

see through

見抜く・見透かす・見破る

基本の意味 表面にあらわれていない物事をそれと知る。

Point! 「見抜く」は、表面を突き通し、奥にある本当のことをしっかり見て取る感じがあるが、相手が隠そうとしているかいないかということとはかかわりなく使われる。「見透かす」は、表面を薄いベールのように見立てて、その向こうにある本当のことを透かして見る感じがあり、相手が知られたくないと思っていること、隠そうとしている本心などを見て取ることをいう。「見破る」は、うそや偽り、見せかけのものを打ち破り、本当のことを突きとめるという感じが強い。

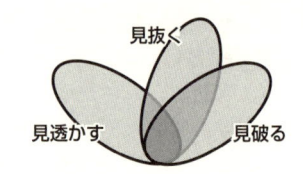

使い分け

表現例	見抜く	見透かす	見破る
A 人の心を―	○	○	○
B 彼のうそを―	○		○
C 選手の性格を―て使う	―い○		
D 足もとを―て脅迫する		―し○	

1. Aではそれぞれの意味合いで三語とも使える。
2. Bのように、見せかけのこと(この例では「うそ」)を目的語とする場合は、「見抜く」「見破る」が適当。「見透かす」は、表面から隠された本当のことを目的語とする。
3. Cのように、相手の性質など意図的に隠されたものでないものをつかむ意では、「見抜く」以外は使いにくい。
4. Dのように、相手が隠そうとしている弱点を目的語とする場合は、「見透かす」を用いる。

類似の語

見通す 先々こうなるであろうと的確に予測する。また、物事の隠された部分を見て取る。「将来を見通した施策」「相手の本心を見通す」

洞察する 直感力を働かせて、物事の表面からは見えない真相を鋭くとらえる。「時代の本質を洞察する」

みぶり gesture, motion, behavior
身振り・仕草・ジェスチャー・素振り・態度

基本の意味 何かを表す動作や表情。

Point! 「身振り」は、意志・考え・感情などを相手に伝えようとする体の動き。「仕草」は、何かをするときの動作や身のこなし。「ジェスチャー」は、言葉によらずに何かを相手に伝えようとする体の動き。また、本心からのものでない、見せかけの言動にもいう。「素振り」は、意図・感情・欲望など心中にあるものを他人に感じさせるような動作や身のこなし。「態度」は、心中の状況が言葉つきや動作・表情などに複合的にあらわれたようす、また、事に応じて取る身構えや心構えをいう。

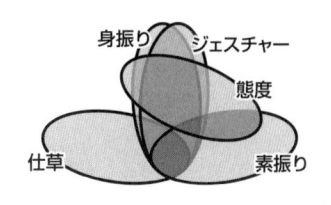

使い分け

表現例	身振り	仕草	ジェスチャー	素振り	態度
A うれしそうな―をする	○	○	○	○	
B 近ごろの彼の―はおかしい				○	○
C 反対の気持ちを―で示す	○		○		○
D 子犬のかわいい―		○			
E あの同情は単なる―にすぎない	△		○		

1. 「身振り」「仕草」「ジェスチャー」「素振り」は身体の動きそのものをいうので、Aのような「―をする」という言い方ができる。しかし、「態度」は「―をする」とはいわず「―をとる」という言い方になる。
2. Bのように、心中の状況が動作・表情などにおのずからあらわれているようすをいう場合は、「素振り」「態度」が適当。
3. Cのように、ある人の意志を明白に表すための手段として用いる場合には「仕草」では弱い。また、「素振り」は明確な意志表示の動作には使えない。
4. Dのように、表情や動きなどを意志・感情・心理など内面的なものの表現としてでなく外面的にのみとらえる場合には、「仕草」だけが使われる。
5. Eのように、本心でなく見せかけだけの言動や態度をいう場合は「ジェスチャー」を使うが、比喩的に「身振り」が使われることもある。

みぶん

position, standing

身分・分限・分際・身の程

基本の意味 社会や集団における、その人の地位・立場。

Point! 「身分」は、社会・集団におけるその人の地位や立場。また、やや皮肉な言い方で、その人の生活環境・境遇の意でも使う。**「分限」「分際」「身の程」**は地位や立場の程度をいい、多くその限界を表す文脈で慣用的に用い、特に**「分際」「身の程」**の二語は主に低い地位・立場について使われる。

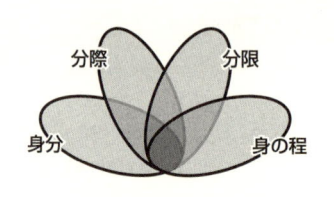

使い分け

表現例	身分	分限	分際	身の程
A おのれの―をわきまえる	○	○	○	○
B 高貴の―の生まれ	○			
C 遊んで暮らせる結構な―だ	○			
D 青二才の―で生意気を言うな	△		○	
E ―知らずの愚か者				○

1. Aではどれも使えるが、「分限」は日常会話で使うことはまれである。
2. 「身分」はその貴賤・上下などについて表すことができ、Bのように「高い(いやしい)身分」の言い方が可能であるが、他の三語は、その限界を、特にあまり高くないものとして評価する形で表すことが多い。
3. Cのようにその人の生活環境・境遇の意で使えるのは「身分」だけである。
4. 「分際」は、「…の分際で」という言い方で、たしなめたり、しかったり、軽んじたりしていう。Dの場合、「身分」も使えそうであるが、慣用的な使い方である「分際」のようにはぴったりしない。
5. Eの「身の程知らず」は慣用的な使い方である。「―をわきまえる」「―を知る」のように、助詞「を」を入れれば文脈しだいで他の三語も使える。「分限」「分際」「身の程」の三語はいずれも限界を示すが、「分限」が「―を守る(知る)」のように限界内のことについていうことが多いのに対し、「分際」「身の程」は、「―を知らずに(忘れて・わきまえず)」のように、限界を越えた行為や事柄について使われることが多い。

みらい future

未来・将来・今後・向後

基本の意味 これから先の時。

Point! 「**未来**」は現在より先のすべての時を指しうる語で、現在の直後から永劫の先まで含まれるが、日常語としては、予想の難しいような遠い先の時点を指すことが多い。「**将来**」は、その主体のあり方や状況にかかわって、現在と違うものとしてあると考えられるやや遠い先の時点をいう。「**今後**」は、今から先へ向かってのある期間。「**向後**」は「**今後**」の改まった言い方。「**今後（向後）**」「**将来**」「**未来**」の順に現在から遠くなる。

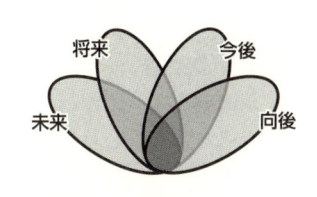

使い分け

表現例	未来	将来	今後	向後
A　百年先の―を予想する	○	△		
B　私は―音楽の方に進みます		○	○	
C　―をいましめる	△	○	○	○
D　――年間借用いたします			○	○

1. Aの場合、**Point!** で述べた特徴から、「未来」が最適で「将来」はやや不自然になる。

2. Bの場合は、その主体のあり方にかかわっていう「将来」がぴったりする。「今後」では、現時点で進路がはっきりしてこうなったというニュアンスが出てくる。「向後」は硬い表現なので普通の話し言葉には使いにくい。

3. 「今後」「向後」は、現在を起点として先の時点へ向かってのある期間を表すが、多くは人間の活動期間の内でいう。Cの場合は人についていっているので、「今後」「向後」が使われ、「将来」も使える。「未来」も使えなくはないが、**Point!** に述べた理由でやや不自然。

4. Dのように比較的短い期間に限っていう場合、「未来」「将来」は不適当。

むだづかい

waste

無駄遣い・浪費・空費・濫費・散財

基本の意味 金銭などを意味のないことに使うこと。

Point! 「**無駄遣い**」は、金銭や物などを必要のないことや役に立たないことに使うことで、日常的に使われる語。「**浪費**」は意味もなくむやみに使うこと、「**空費**」は役に立たないことに使うことで、この二語は、金銭・エネルギー・資材・資源や時間について用いられる。「**濫費**」は、金銭・エネルギー・資材・資源などをよく考えないで大量に使うこと。「**散財**」は、意味がないと思われることに個人的にたくさん金銭を使うこと。

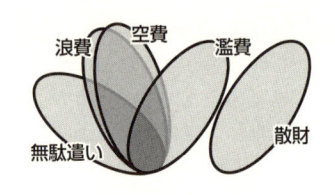

使い分け

表現例	無駄遣い	浪費	空費	濫費	散財
A　公金を―する	○	○		○	
B　お小遣いを―しちゃだめよ	○				
C　時間の―だ	○	○	○		
D　彼には―をかけた					○

1. 「散財」は個人的に金銭をたくさん使う意で、Aの「公金」には使えない。
2. Bのように、ごく日常的な物事についていう場合は「無駄遣い」以外は不自然。
3. Cのように、時間については「濫費」「散財」は使わない。「浪費」では時間をかけても無駄だという感じになり、「空費」では他に使うべきであった時間を使ったのに結果として何の益も残らないという感じになる。ややくだけた言い方では「無駄遣い」も使う。
4. Dのような「―をかける」の表現が可能なのは「散財」だけである。

類似の語

徒費（とひ） 金銭・労力・時間などをむだに使うこと。硬い文章語。「税金の徒費を防ぐ」
蕩尽（とうじん） 財産などを使い果たすこと。硬い文章語。「遊興で全財産を蕩尽した」
費消（ひしょう） 金銭・物品・エネルギー・時間などを使ってなくすこと。多く、無意味に使う場合にいい、また金を使い込むことの意にも用いる。硬い文章語。

むちゃ　　absurd, unreasonable

むちゃ・むちゃくちゃ・めちゃくちゃ・めちゃめちゃ

基本の意味 筋が通っていなかったり、程度がひどかったりするようす。

Point! 「**むちゃ**」は、考えることや言うことが道理や常識から外れているようす。状況や主体的条件を考えずに行動するようすにもいう。「**むちゃくちゃ**」は、道理や常識にまるで合わないようす、また、物事がひどい状態であるようす。「**めちゃくちゃ**」は、全く物事の筋道が立たなかったり、物が徹底的に壊されていたりするようす。「**めちゃめちゃ**」は、秩序がまるでなかったり、原形をとどめないほどに物が壊されたりしているようす。

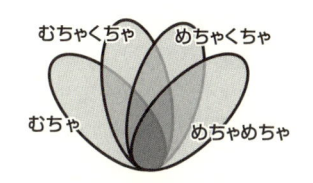

使い分け

表現例	むちゃ	むちゃくちゃ	めちゃくちゃ	めちゃめちゃ
A　彼は―なことを言う	○	○	○	○
B　―をして体をこわす	○	△	△	
C　―でわけのわからない文章		○	○	○
D　―に壊れた車			○	○

1. Aの場合はどれも使えるが、「むちゃ」では、「道理からはずれていて、とてもそのようにはできかねる」ことをいう意となり、「めちゃめちゃ」では、「でたらめで意味をなさない」ことをいう意となる。「むちゃくちゃ」「めちゃくちゃ」はどちらとも取れる。
2. Bのような名詞的用法は「むちゃ」が最適だが、口頭では「むちゃくちゃ」「めちゃくちゃ」も使うことがある。なお、かなりくだけた言い方としては、「むちゃくちゃ（めちゃくちゃ）強い」のような副詞的用法もある。
3. 「無秩序ででたらめ」の意のCでは、「むちゃ」は使わない。「むちゃくちゃ」だと、論理展開などに強引さや無理があって常軌を逸している感じ、「めちゃくちゃ」「めちゃめちゃ」だと筋道そのものが存在しない感じが強い。
4. Dのように、秩序なく壊れた状態を表す場合は、「めちゃくちゃ」「めちゃめちゃ」を用いる。

めいわく be annoyed, be embarrassed
迷惑・当惑・困惑・閉口・辟易

基本の意味 嫌な思いをしたり、困ったりすること。

Point! 「**迷惑**」は、人のせいで嫌な思いをしたり、困ったりすること。「**当惑**」「**困惑**」は、厄介なことなどに直面して、どう対処したらよいかわからずとまどうこと。「**当惑**」は一瞬のとまどいに重点があり、「**困惑**」は対応に苦慮する感じが強い。「**閉口**」は、対処のしようがなくて、すっかり困ったりうんざりしたりすること。「**辟易**」は本来、勢いに押されてたじろぐことをいうが、現在はうんざりしていいかげんにしてほしいという気持ちになる意で使われることが多い。

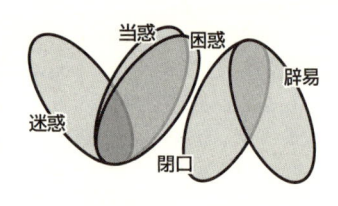

使い分け

表現例	迷惑	当惑	困惑	閉口	辟易
A 人に―をかける	○				
B 何と答えていいか―する		○	○		
C あの悪臭には―だ				○	○
D ―げな顔つき	○	○	○		
E 恫喝に―して逃げ出す					○

1. Aの「…に―をかける」は「迷惑」を用いる慣用表現。他の語では「…を―させる」という言い方になる。

2. Bのように、事の対応に苦慮する、とまどうという気持ちの表現には「当惑」「困惑」を使う。自分の置かれた状況にとまどう一瞬の気持ちには「当惑」がぴったり。その気持ちが対応への苦慮へと進むと「困惑」となる。

3. Cのように、うんざりする、いやになる、手におえず困るなどの意では「閉口」「辟易」を使う。また、「…には―だ」の形は他の三語は使いにくい。

4. Dのような「―げ」の言い方は「迷惑」「当惑」「困惑」の三語が使えるが、「迷惑」は不快そうな、の意になり、他の二語はとまどっているような、の意になる。

5. 「辟易」は本来、たじろぐこと、しり込みすることの意で、Eの例にふさわしい。他の四語は、Eの逃げ出す状況にそぐわない。

めざす

aim

目指す・ねらう・目掛ける

基本の意味 ある地点・物を目標として、そこに向かって行ったり、何かをしかけたりする。

Point! 「**目指す**」は、目標となる地点や目的の事物に向かって進む意。「**ねらう**」は、対象を定めてそれに向けある行為をしかけたり、それを獲得したりしようとする意。「**目掛ける**」は、目標となる対象へとまっしぐらに向かって行ったり、対象に向けて何かを勢いよく飛ばしたりする意。

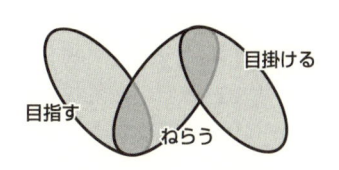

使い分け

表現例	目指す	ねらう	目掛ける
A 彼は優勝を―ている	―し○	―っ○	
B 男は我々を―て石を投げた		―っ○	―け○
C ―村はもうすぐだ	○		
D 男は鉄砲で獲物を―た		―っ○	
E 子供は母親の懐―て飛び込んだ			―け○

1. 「目掛ける」は多く、「〔を〕目掛けて…する」の形で用いられ、Aのような場合には使えない。「目指す」は優勝を目標に練習・調整などを行う感じ、「ねらう」は、手段はともかく機会をうかがっているという感じがある。

2. 「目指す」は目標に向かって進む場合に用いられるので、Bには使えない。また、「目掛ける」より「ねらう」のほうが焦点を絞る感じが強い。

3. Cのように、ある地点を進んで行く目標にする意で、速度を問題としない場合は「目指す」を用いる。

4. Dのように、命中させるために焦点を合わせる場合は「ねらう」を用いる。

5. Eのように、ある目標物に向かってまっしぐらに進むような場合には「目掛ける」を用いる。

めずらしい　rare, unusual

珍しい・まれ・希有・異例

基本の意味 めったにない物・事柄であるようす。

Point! 「**珍しい**」は、やや主観的な言い方で、めったに見られないという主体の意外感や驚き、または、数少なく貴重であるというプラス評価を含む。それに対し「**まれ**」は、類例の少ない物・事柄であることをより客観的に表す。「**希有**」は古風な言い方で、「**珍しい**」と同様、主観的なプラス評価や意外感・驚きをこめて使われることが多い。「**異例**」は、主に世俗的・公的な事柄について、前例がない、または、通例と異なることを表す。

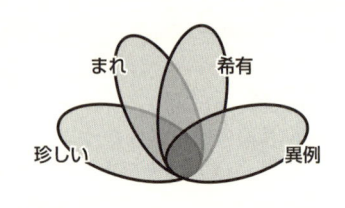

使い分け

表現例	珍しい	まれ	希有	異例
A　このような抜擢は―ことだ	○	―な○	―な○	―の○
B　彼女が泣くのは―ことだ	○	―な○	―な○	
C　―見る美人だ		―に○		
D　―措置がとられる				―の○
E　―花が咲いている	○			

1. Aの場合はそれぞれの意味合いで四語とも使える。
2. Bのように個人的な事柄の場合、一般に「異例」は使いにくい。
3. Cの「まれに見る」は「まれ」の慣用句的表現で、「めったに見られない」の意となる。
4. 「異例」は慣習や通例から外れるような場合に主に用いられ、Dの場合は「異例」が適切。
5. Eのように、無限定に「あるものの存在がめったに見られない」という意でいう場合は、「珍しい」以外は使えない。場所や時間の限定を伴って「この辺では―花が咲いている」などという場合なら、「まれ（な）」も使える。

類似の語

希少　同類のものがきわめて少ないようす。「希少な生物種」
貴重　あまりないので大切にすべきようす。「珍しい」意は必ずしも含まない。

めのまえ　just before
目の前・目前・寸前・直前

基本の意味 空間的・時間的にすぐ前であるようす。

Point! 「目の前」「目前」は、行為の主体に視点を置いて、空間的に主体が位置する所のすぐ前、また、時間的に現在のすぐ先をいう。ただし、「目の前」は空間的な前の意で使われるほうが多い。「寸前」「直前」は、ある物・事柄を基準として、空間的にそのすぐ前、また、時間的にその事が起こるすぐ前をいう。「寸前」は時間的な意味で使われることが多く、今にもある事態が起こったりある状態に立ち至ったりするわずか前を表し、そうなりかけているという意を含む。「直前」は、「寸前」より客観的な言い方で、時間的にいう場合も「今にも」という意味合いは含まない。

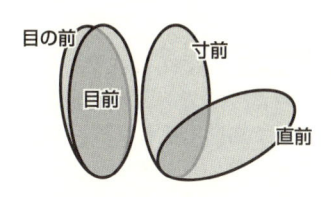

使い分け

表現例	目の前	目前	寸前	直前
A　ゴールを—にして倒れる	○	○		
B　ゴールの—で倒れる			○	○
C　事故の—に彼に会った				○
D　あの会社は倒産—			○	

1. Aは「目の前」「目前」しか使えず、Bは「寸前」「直前」しか使えない。「目の前」「目前」では視点が主体（Aでの「倒れた人」）から対象（Aでの「ゴール」）に向かっているが、「寸前」「直前」では基準とする点は「ゴール」にある。なお、「寸前」は「ゴール寸前に倒れる」とすると、「ゴール」という行為が今にも成立するそのすぐ前という時間的な意になる。

2. Cの場合、「寸前」は時間的に近すぎ、また会った時点では事故の兆しを感じなかったと思われるので、単に時間を表す「直前」のほうが自然。「事故の寸前に脱出した〔→時間的に非常に短い〕」「倒産の寸前に彼に会った〔→倒産しそうな状態になっている〕」では「寸前」も使える。

3. Dの場合は、「寸前」が最適。事が起こった後に「あの会社は倒産—に…した」などという場合は「直前」がふさわしい。

もうれつ intense, violent

猛烈・激烈・熾烈・強烈

基本の意味 物事の勢いや程度が激しいようす。

Point! 「猛烈」は、勢いや程度が激しいようすで、人の行動から自然現象まで幅広く使われる。「激烈」は、物事の勢いや刺激が度を越して激しいようす。戦い・争い・痛みなどにいうことが多い。「熾烈」は、火の勢いや戦闘が、とどめることができないほど激しいようす。「強烈」は、力・作用・刺激などが、あとに残るほど激しいようすで、上三語と異なり一方的な働きかけに関してのみ使われる。

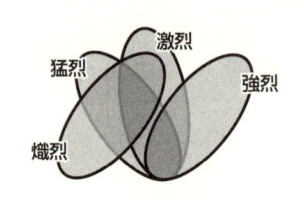

使い分け

表現例	猛烈	激烈	熾烈	強烈
A　—な販売合戦	○	○	○	
B　—なにおい	○	△		○
C　—な震動	○	○		○
D　—に働く	○			
E　—な印象を残す				○

1. 「猛烈」「激烈」「熾烈」は互いに働きかける場合にも使えるのに対し、「強烈」は一方からの作用にしかいわない。したがって、Aのような場合は「強烈」は使えない。
2. B・Cは一方的な作用なので「強烈」が使える。また、「猛烈」は何事でも程度の激しさを表せるのでB・Cともに使える。「激烈」はBの「におい」の場合はやや使いにくいが、Cの「震動」のように動きのあるものには使える。「熾烈」は元来が火の勢いについていう語なので、光の刺激や戦いのほかはあまり使えない。
3. Dのように、単に程度のはなはだしさをいう場合は「猛烈」しか使えない。
4. Eのように、刺激があとあとまで強く残る事柄では「強烈」が適当。

類似の語

激甚 被害・影響などの程度がはなはだしいようす。「劇甚」とも書く。
凄絶 たとえようもないほどすごく、ぞっとするようなようす。「凄絶な死」

もくてき purpose, aim, target
目的・目標・ねらい・目当て・あて

基本の意味 めざす物や事柄。

Point! 「**目的**」は、最終的になし遂げたり到達したりしたいと思ってめざす事柄。「**目標**」は、さしあたり実現させたり到達したりしたいと思ってめざす物や事柄。「**ねらい**」は、それを獲得したり達成したりしようとしてめざす事柄。「**目当て**」は、到達するためのよりどころとなる目印や、獲得したいと思う物・事柄。「**あて**」は、可能性がありそうで、向かう目印にしたり頼ったりしたいと思う物や事柄。

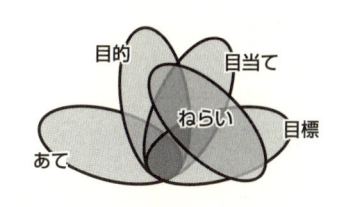

使い分け

表現例		目的	目標	ねらい	目当て	あて
A	何の―もなく歩く	○	○		○	○
B	金が―で仲間に入る	○		○	○	
C	月々五万を―に貯金する		○		○	
D	ホームラン王に―を定める		○	○		
E	金を借りる―はあるのか					○

1. Aの場合、「ねらい」以外は使える。「目的」では、例えば健康のためとか何かの調査とか、抽象的な意味での「めざすもの」を表すが、「目標」「目当て」「あて」では、抽象的な意味と具体的な目印の意味との両方の場合があり得る。

2. 金を手に入れるための意のBでは「目的」「ねらい」「目当て」が適当。

3. Cのように「月々五万の貯蓄」という量的なもので、しかもいわば中間的な目印の設定の場合は「目標」「目当て」がふさわしい。特に「目標」は、量的に計量できるようなものにはぴったり合う。「目的」は主に抽象的・質的な、しかも最終的な目当てに適している。

4. Dのように、さしあたりめざす事柄の意の場合は「―を定める」の表現に適した「目標」「ねらい」が適当。この言い回しには「目的」も使えるが、「ホームラン王」のように量的な要素をもつものには使いにくい。

5. Eのように、可能性や見込みなどの意味の場合は「あて」しか使えない。

もっと　more, still more, moreover
もっと・更に・一層・なおさら・なお

基本の意味 程度が進むようす。

Point! 「**もっと**」は、数量や程度が、ある基準となる状態と比べてそれ以上であるようす。「**更に**」は、それ以前の状態に何かが付け加わるようす。また、前の状態や他のものよりも程度や段階が進むようす。「**一層**」は、前のもの・状態よりも程度が高まるようす。「**なおさら**」は、前に取り上げた事柄が別の条件の下に置かれた結果、一段と、あるいは、かえって状態が進むようす。「**なお**」は、同じ状態が続いたり、物事が引き続いて行われたりするようすや、より程度が進むようすを表す。 ➡「ひときわ」

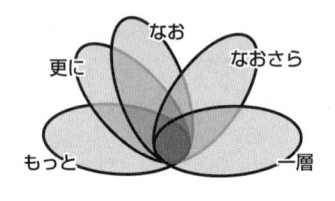

使い分け

表現例	もっと	更に	一層	なおさら	なお
A　そうできれば―都合がいい	○	○	○	○	○
B　お菓子、―ちょうだい	○				
C　せかされると―進まなくなる	△	△	○	○	○
D　今日は昨日より―暖かい	○	○	○		
E　―何を言うことがあろう		○			○
F　今―ご健在です					○
G　―のご協力を願います			○		

1. Aの場合はどれも使える。「もっと」はくだけた言い方。
2. Bのように、より多く求める気持ちを表すのは「もっと」のみ。
3. Cのように、あることでかえって程度が進むようすをいう場合は、「一層」以下の三語が適切。「もっと」「更に」では不自然になる場合が多い。
4. Dのように、何がもとになって状態が進んだかが明らかになっていない場合、「なおさら」は使いにくい。
5. Eのように物事が引き続き行われる意では「更に」「なお」を使う。
6. Fのように、ある状態・心情などが時を経たり事情が変わったりしてもそのまま続くようすをいう場合は、「なお」以外は使えない。
7. Gのような名詞的用法では「一層」しか使えない。

もどす

return

戻す・返す

基本の意味 もとの場所に移す。

Point! **「戻す」**は、物などをもとあった場所に移動させたり、もとの状態にしたりする意。**「返す」**は、物などを所有主の所やもとあった場所に移動させたり、もとの状態にしたりする意。人などをもと居た場所へ行かせる意では「帰す」と表記する。

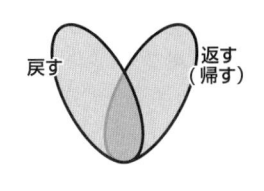

使い分け

表現例	戻す	返す(帰す)
A 本を書棚に—	○	○
B 時計の針を五分—	○	
C 子供を家に—		○
D 納めすぎの税金を—	○	○
E 言葉を—		○

1. Aの例では「戻す」「返す」とも使える。「戻す」では、いったん手にとった本をそのまま元の棚に移すことをいうだけだが、「返す」では、買ったり借りたりしようとした本を、思い直してもとの棚に移すという感じが加わる。
2. Bのように、進んできたのと逆方向への動きをいう場合は「戻す」を使う。
3. Cのように、人を本拠となる所へ行かせる意では「帰す」を使い、「戻す」は使わない。
4. Dの場合、納めた税が本来有すべき人の所に移されるまでを連続的にとらえていうと「戻す」になり、一度所有から離れたものを再びもとの所有主に移すというように、断絶の意識でいうと「返す」となる。「白紙に—」などもともに使えるが、やはり連続・断絶という意識が感じられる。
5. Eのように、相手の働きかけに対して同じような働きかけで報いる意の場合は「返す」しか使えない。

類似の語

返却する 借りた物、受け取った物などを、所有主に返す。「図書を返却する」

もとづく

be based

基づく・根差す・踏まえる

基本の意味 あることが原因になったり、あることを根拠にしたりする。

Point! **「基づく」** は、ある判断・行動や制度・組織などが、そのことを根拠としている意。**「根差す」** は、物事や人のもつ性質・状態などが、ある物事を基盤としていたり、それに起因していたりする意。**「踏まえる」** は、何かの判断や行動が行われるとき、ある物事をよりどころとしたり、考慮に入れて反映させたりする意。

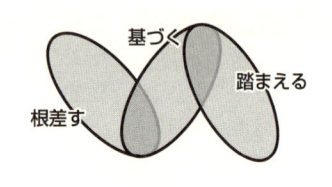

使い分け

表現例	基づく	根差す	踏まえる
A　幼時体験に―た行動	―い○	―し○	
B　事実に（を）―た調査報告	―い○		―え○
C　社則に―て処分する	―い○		
D　厳しい風土に―た生活様式		―し○	

1. 「基づく」「根差す」の二語が助詞「に」をとるのに対して、助詞「を」をとる「踏まえる」は、物事を判断したり考えたりする上で意識的によりどころとしたり、十分に考慮に入れたりする意に用いられる。Aのように「に」をとって自然に出る行為をいう場合、「踏まえる」は使えない。
2. Bのように意識的によりどころとする意の場合は「根差す」は使えない。「基づく」を用いるほうが客観的な感じが強く、「踏まえる」を用いると、行為をする側が「事実」をよりどころとしている意識が強く感じられる。
3. Cのように、客観的で確固たる事柄をもとにして行動・思考する場合は「基づく」以外は使いにくい。
4. Dのように、自然発生的な因果関係を表す場合には「根差す」を用いる。

類似の語

よる　判断などの根拠とする。「法による」「よるべき規準」

のっとる　規範として従う。「古式にのっとって式を挙げる」

ちなむ　ある事との縁によって結び付く。また、ある事柄によせて何かを行ったり表したりする。「節分にちなんだ行事」「土地の伝説にちなんだ銘菓」

もどる　　go back, come back, return

戻る・帰る・引き返す

基本の意味　もと居た所へ移動する。

Point!　**「戻る」**は、人・動物や物が、もと存在した所に移動したり、もとの状態になったりする意。**「帰る」**は、人・動物が、本拠とする所や、もと所属していた所に行く意。物がもとあった場所に移される意では「返る」と表記する。**「引き返す」**は、人が途中で、または目的地に達したが支障が生じるなどして、来た道を進行方向と逆に移動する意志的動作をいう。

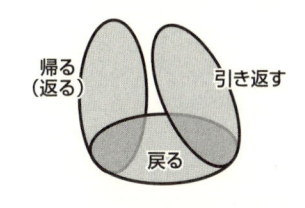

使い分け

表現例	戻る	帰る(返る)	引き返す
A　体重計の針がもとに―	○		
B　二世が初めて父母の国に―		○	
C　途中から―て落とし物を捜す	―っ○		―し○
D　納めすぎの税金が―	○	○	
E　友達が―てから勉強する		―っ○	

1. Aのように、無意志的なものが物理的に逆方向へ動くことをいう場合は「戻る」しか使えない。
2. Bのように、もと居た所でない場合は「戻る」は使えないが、本来帰属すべき所という意識が加わると、「帰る」なら使うことができる。
3. Cのように、到達点や出発点を問題にせず、単なる折り返しの動作をいう場合、「帰る」は使えない。
4. Dの「税金」は無意志的なものだが、本来所有すべき人の所に移される意になり、「戻る」「返る」ともに使える。「戻る」は納めてから本来所有すべき人に移るまでを連続的にとらえて表現し、「返る」は一度所有から離れたものが再び所有主に移されるというように、断絶の意識をもって表現するという点に違いがある。
5. Eのように、到達点を問題にせず、その場から立ち去る意でいう場合は、「帰る」しか使えない。

もめごと trouble, complication, friction

もめごと・紛争・いざこざ・ごたごた

基本の意味 互いの関係がうまくいかず争いが起こったり、混乱状態になったりすること。

Point! 「もめごと」は、利害や感情の対立から生じる、個人と個人、個人と組織、集団と集団などの争い。比較的規模の小さい争いにいう。「**紛争**」は、多く国家・民族・組織などを当事者とした争いにいう。「**いざこざ**」は、主に個人と個人との間で起こる小さなあらそい。「**ごたごた**」は、何か面倒な物事が起こって、当事者の間や組織の内部などが混乱し、まとまりがつかないでいること。

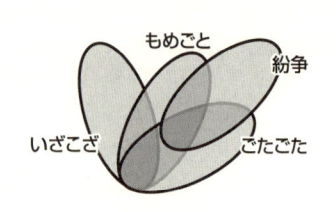

使い分け

表現例	もめごと	紛争	いざこざ	ごたごた
A 家庭に―が起こる	○		○	○
B 両国間に―が勃発する		○		
C 校内の―がおさまる	○	○		○
D 引っ越しの―で疲れる				○

1. Aの家庭というような個人間のことの場合は「紛争」は使いにくい。
2. Bのように、国と国との間でのことの場合は、1とは逆に「紛争」を使う。「もめごと」なども使えそうではあるが、「勃発する」というような硬い表現とは結び付きにくい。
3. Cのように、学校など、ある組織の中での争いの場合は、「もめごと」「紛争」「ごたごた」が使えるが、「紛争」はやや硬い言い方になる。「いざこざ」は主に個人の間で生じた事柄にいうので使いにくい。
4. Dのように、ただ混乱している状態をいう場合は「ごたごた」しか使えない。

類似の語

トラブル 人間関係がもつれて、ぎくしゃくしたり争ったりする状態。主に、小規模のものについていう。「トラブルが絶えない人」

悶着（もんちゃく） 意見や感情の食い違いから起こる不和や争い。「ひと悶着起こす」

軋轢（あつれき） ある集団の内部での不和や反目。「部内に軋轢を生じる」「親子の軋轢」

もやす

burn

燃やす・燃す・焼く・焚く

基本の意味 火をつけたり、火の作用を及ぼせたりする。

Point! **「燃やす」**は、物に火をつけて炎を上がらせたり、灰などにしたりする意。**「燃す」**は、炎を上げさせるというよりも、火をつけてその物を灰にする意が中心。**「焼く」**は、熱の作用によって物をもとと違う状態にする意。**「焚く」**は、熱を利用する目的で燃料となるものに火をつけたり火の中に入れたりする意が基本。

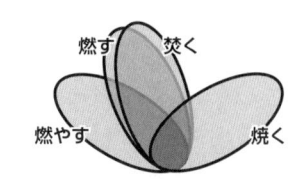

使い分け

表現例	燃やす	燃す	焼く	焚く
A ごみを—	○	○	○	△
B 芸術への情熱を—	○			
C さんまを—て食べる			—い○	
D 陶磁器を—			○	
E まきを—	○	○		○

1. Aのように、燃焼させる作用の場合はどれも使えるが、「焚く」は燃料を火にくべることをいうのが普通なのでこの場合はぴったりしない。しかし、似た用法で「落葉を焚く」は慣用的に使う。
2. Bのように、意欲・情熱・感情などを高ぶらせる意の場合は「燃やす」以外は使えない。
3. Cのように、食用にするために火に当てて中まで熱が通るようにする意の場合は、「焼く」を使う。
4. Dのように、原料に熱を加えて何かを作りあげることをいう場合は「焼く」以外は使えない。
5. Eのように、燃料として火にくべる意では「焼く」は使えない。

類似の語

焚き付ける 湯をわかしたり、煮たきをしたりするために、燃料のまきなどに火がつくようにする。「風呂をたき付ける」「かまどに火をたき付ける」

くべる 燃やすために火の中に入れる。「まきを火にくべる」

やくそく promise, agreement, contract
約束・契約・取り決め・申し合わせ

基本の意味 ある事柄に関して当事者の間で決めることや、その決めた事柄。

Point! 「**約束**」は、話し合ってそうすると決めたり、そうすると決めたことを相手に伝え了解を得たりすること。「**契約**」は、古くは約束の意で使われたが、現在は主に法律上の効果を発生させる目的で合意によって決めること、またその事柄をいう。「**取り決め**」「**申し合わせ**」は、主として集団間や集団の内部で話し合って決める事柄にいう。「**申し合わせ**」は、「**取り決め**」より小規模な集団で決めた事柄にいう感じが強い。

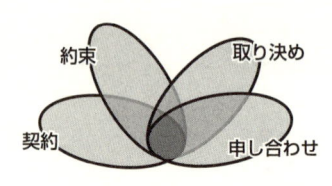

使い分け

表現例	約束	契約	取り決め	申し合わせ
A ―を破る	○	○	○	○
B 一日に一合以上は飲まないと―する	○			
C 文化交流に関しての―			○	
D 商店街で定休日に関する―をする			△	○

1. Aの例ではどれも使える。「約束」は四語の中では、いちばん日常的な語で、「契約」は法律用語として用いられる。
2. Bのように、日常的・私的な事柄には「約束」を使う。
3. 「取り決め」は主として比較的大きな団体など、公的なもの同士で行われるものに用いられ、その内容に関しても合意書を交わすなど、かなり公的・社会的拘束力をもつ。したがってCの場合に適当。「契約」は法律的色彩が強すぎ、「約束」は私的ニュアンスが強く、使いにくい。
4. 「申し合わせ」は、個人の集まりという面の強い小規模な集まりの間で取り交わされるものをいい、集団の秩序のために各自が自発的にそれを守っていくという感じがある。したがってDの場合に最適。「約束」「契約」はそれぞれ、**3**と同じ理由で用いにくい。「取り決め」は**3**で述べたような性格があるものの、使えなくもない。

やける

be burned, burn

焼ける・燃える・燃焼する

基本の意味 火がついたり、火の作用が及んだりする。

Point! 「**焼ける**」は、物が熱の作用によってもとと違った状態になる意で、結果に焦点を当てた言い方。焼ける過程では炎を立てない場合も多い。「**燃える**」は、火がついて炎を上げる意で、炎を上げるという現象そのものに重点がある。「**燃焼する**」は文章語で、一般には燃料などの物質に火がつく意に用い、化学的には物質が熱と光を伴って酸化する現象をいう。

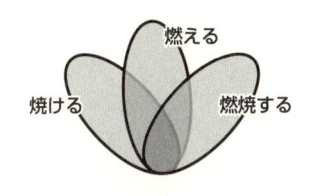

使い分け

表現例		焼ける	燃える	燃焼する
A	—てなくなる	—け○	—え○	—し○
B	火事で家が—		○	
C	芋がよく—ていない	—け○		
D	よく—油		○	○
E	西の空が赤く—	○	○	

1. Aのように火がついた状態をいう場合はすべて使える。
2. 「燃焼する」は、産業や化学などの分野で使うことが多く、Bのように建物に火がついた場合や、Cのように中まで熱が通る意の場合には使えない。
3. Cの場合、「燃える」では芋が炎を出すことになってしまい、使えない。
4. Dのように、固体でないものには「焼ける」は使えない。
5. Eは比喩的な用法で「焼ける」「燃える」が使える。また、情熱が高まる意では「向学心に燃える」のように「燃える」が、全力を傾けて当たる意では「若さを燃焼させる」のように「燃焼する」が使われる。

魚が焼ける
脂が燃える
ガスが燃焼する

やさしい　easy, simple
易(やさ)しい・簡単(かんたん)・平易(へいい)・容易(ようい)・たやすい

基本の意味 困難や特別の努力なしにできるようす。

Point! 「**易しい**」は、内容がわかりやすく、楽に理解したり考えたり行ったりできるようす。「**簡単**」は、内容や構造が込み入ってなく、理解や処理がしやすいようす。「**平易**」は、主に言葉で表されたものの表現や内容が難しくないようす。「**容易**」「**たやすい**」は、行うのに苦労や努力を要しないようす。 ➡「あんい」「かんたん」

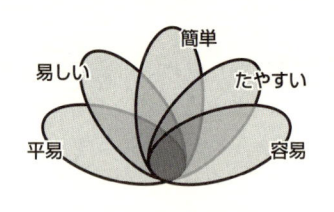

使い分け

表現例	易しい	簡単	平易	容易	たやすい
A　―問題	○	―な○	―な○	―な○	○
B　―言葉で説明する	○	―な△	―な○		
C　実行するのは―ことではない	○	―な○		―な○	○
D　―ですが、お礼の言葉と致します		○			
E　―ことでは承知しそうにない				―な○	
F　―理解できた		―に○		―に○	―く○

1. Aの場合はどれも使える。「易しい」「簡単」は行為そのものに関しても、理解したり行ったりする対象の内容に関しても使う。「平易」は受け取って解釈するものの表現や内容について、特に言語にかかわる事柄に多く使われ、「容易」「たやすい」は行為に関して使われる。
2. Bのように、言葉の内容については「容易」「たやすい」は使わない。「簡単」を使った場合、わかりやすいというよりも、短く、単純な言葉であることに重点が置かれる。
3. Cのように、行為そのものの難易についていう場合は、「平易」は使えない。
4. Dのような長さが短い、形式が単純であるなどの意では「簡単」を使う。
5. Eのように、打消しを伴って物事がそうあっさりとは行われないようすを表す場合は「容易」以外は使いにくい。
6. Fのように、楽にという意で副詞的に使えるのは「簡単」「容易」「たやすい」。「易しい」を副詞的に使うのは「わかりやすい」の意に限られる。

やすみ   rest, break, holiday

休(やす)み・休暇(きゅうか)・休憩(きゅうけい)・休息(きゅうそく)

基本の意味 今までしていたことを一時的にやめて、心身を楽にすること。また、その期間。

Point! 「**休み**」は、短い場合にも長い場合にもいい、心身を楽にする目的などで自発的に行うもののほか、規定によるものにも使われ、幅が広い。「**休暇**」は、ふつう一日以上で長期にわたる場合が多く、制度として認められているものにいう。「**休憩**」は、何かをしている途中でとる、数分から数時間程度のものをいう。「**休息**」は、時間の長さよりも、ゆったりと心身を休めることに意味の重点がある。

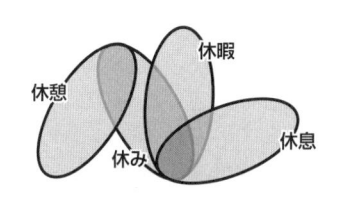

使い分け

表現例	休み	休暇	休憩	休息
A 三日間の—をとる	○	○		○
B 幕間(まくあい)に十分間の—がある	○		○	
C 一日ひまをもらって—する				○
D —を利用して旅に出る	○	○		

1. 「休み」は、短い時間から、何年というような長い時間まで、どんな期間でも用いるが、「休暇」は休む時間が日単位でない場合は用いず、「休憩」は途中の一時的な休みで、五分とか十分とか、長くても数時間程度、「休息」は数分から数日くらいまでの間のものをいうことが多い。したがって、Aの場合「休憩」は使えず、Bの場合「休暇」は使えない。

2. Bのように、その人の意志でなく決められた休みの時間の場合は「休息」は使えない。

3. Cのように「する」を伴ってサ変動詞としても使われるのは「休憩」と「休息」だが、1に述べた理由で「休憩」は使えない。「休みする」とはいわないが、「休む」に置き換えれば使える。

4. Dの場合「休憩」は短すぎて使えず、決められた休みには「休息」も不適。

類似の語

休養(きゅうよう) 仕事などを休んで、気力や体力の回復につとめること。

やぶる

tear, break, split

破る・破く・裂く

基本の意味 紙や布などの薄いものに力を加えて不完全な形状にする。

Point! 「**破る**」は、突いたり、引っ張ったり、ちぎったりして、一定の形をなしているものを損なう意。薄いものだけでなくある程度の厚さをもつものにもいう。「**破く**」は、紙・布など薄いものに限っていい、引っ張ったりちぎったりして損なう意。「**裂く**」は、手・道具などで線状に引っ張ったり切ったりして二つ以上にする意。また、刃物などでものを切り開く意にもいう。

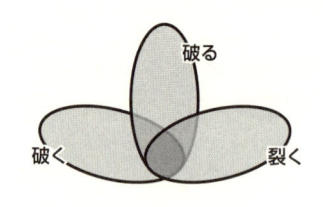

使い分け

表現例	破る	破く	裂く
A 障子を—	○	○	○
B ドアを—	○		
C 平和を—	○		
D 竹を—			○
E 二人の仲を—			○
F 約束を—	○		

1. Aのように、薄く平たいものの場合はどれも使えるが、「裂く」は損なわれた跡が線状である感じが強い。他の二語は穴があいたり、ちぎられたりしていてもよい。
2. Bのように、頑丈なものの場合は「破く」は使えず、「裂く」も使いにくい。
3. Cのように、安定した継続状態というような抽象的な事柄についていう場合は、「破る」しか使えない。「破く」は抽象的な事柄には使わない。「裂く」を抽象的な事柄に使うのは、それが二つ以上に分け離せる場合に限られる。
4. Dのように、細長いものを縦に分け離す場合は「裂く」しか使えない。
5. Eのように、人と人とを無理に引き離す意の場合は「裂く」を用いる。
6. Fのように、守るべきことを行わない意の場合は「破る」を使う。また、「強敵を破る」など、勝負や戦いなどで相手を負かす意でも「破る」のみが使われる。

やむをえない

unavoidable

やむを得ない・仕方がない・仕様がない・よんどころない・余儀ない

[基本の意味] そうするよりほかに手立てがない。

Point! 「**やむを得ない**」は、やや硬い言い方で、望ましいことではないがそのことを受け入れるほかないという主体の判断を表す。「**仕方がない**」「**仕様がない**」は、どうすることもできない、また、どうにもならないという主体の判断や気分を表す。「**仕方がない**」が一般的な言い方であるのに対し、「**仕様がない**」（「しょうがない」ともいう）は口頭語的な言い方。「**よんどころない**」は、本意ではないが他にすべがなくそうするようすで、主体が自分の行為についていう場合に使われることが多い。「**余儀ない**」は、「**よんどころない**」よりも客観的にそうするしかないようすを表す。この二語は改まった言い方。➡「しかた」

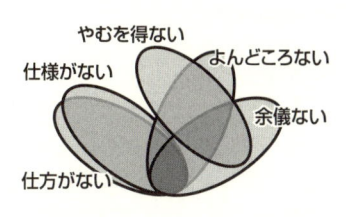

使い分け

表現例	やむを得ない	仕方がない	仕様がない	よんどころない	余儀ない
A 一母の意に従う		－く○	－く○	－く○	－く○
B あせっても一		○	○		
C 一事情で閉店致しました	○			○	○
D 泣いてばかりで一子だ		○	○		
E 中止を一された					－く○

1. Aの場合、「やむを得ない」は「やむを得なく」の形がないので使えないが、「やむを得ず」とすれば使える。なお、形容詞「やむない」の連用形「やむなく」も「やむを得ず」の意でAに使える。
2. Bのように、どうにもならない意では「仕方がない」「仕様がない」を使う。
3. Cのような改まった表現では「仕方がない」「仕様がない」は使いにくい。
4. Dのように、救いようがない、始末に負えないといった意を表す場合は「仕方がない」「仕様がない」を用いる。
5. 「余儀ない」は、Eのように「…を余儀なくされる」の形で、あえてそうせざるを得ない意を表す。

やめる

stop, cancel

やめる・よす・取(と)りやめる・打(う)ち切(き)る

基本の意味 終わりにする。また、しないことにする。

Point! 「やめる」は、それまで続けてしていたことをそこで終わりにする意。予定していたことを行わないことにする意でも使う。「よす」は、「やめる」に近いが口頭語的で、また、人が自分からそうしないようにする感じが強い。「取りやめる」は、予定していた行事や行動などを、都合で行わなくする意。「打ち切る」は、続けてしている物事をそこで終わりにする意。

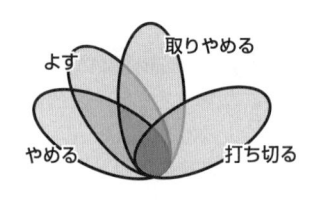

使い分け

表現例	やめる	よす	取りやめる	打ち切る
A 仕事を—	○	○	○	○
B 泣くのはもう—なさい	—め○	—し○		
C 犬が吠えるのを—	○			
D 途中で交渉が—れる				—ら○
E 来月の公演は—ことにする	○	△	○	

1. Aの場合は四語とも使える。「やめる」「よす」では、「やめる」のほうが日常一般に多く使われ、「よす」はやや俗語的な色合いがある。「取りやめる」「打ち切る」は、職業としてではなく、業務の一つを止める感じがある。

2. ある動作を終わりにする意のBでは「やめる」「よす」を使う。他の二語は仕事や行事などに関していい、「泣く」のような直接的な動作には使わない。

3. Cも動作を終わりにする意だが、主体が人でない場合「よす」は使えない。

4. Dのように、続けてきたことをそこで終わりにする意の場合は、「取りやめる」は使えない。「途中で交渉を—」なら「やめる」「よす」も使えるが、Dのような受身形の場合は「やめられる」「よされる」は不自然。

5. Eのように、予定していたことを行わなくする場合は「打ち切る」は使えない。やや改まった言い方なら「取りやめる」が適当。「やめる」も使えるが、「よす」は口頭語的な感じがあるので、やや不自然。

ゆうめい　famous, noted
有名・著名・高名・名高い

基本の意味 その名が広く知られているようす。

Point! 「有名」は、悪いことで知られているような場合にも使われ、また、一つの集団など限られた範囲だけでよく知られている場合にも使えて、用法が広い。「著名」は、何らかの意味で同類のものより際立っているという含みで使われる。「高名」は、人物、また作品など人格的な物事に限っていい、世の尊敬や高い評価を受けているという意を含む。「名高い」は、世間で評判が高いという意味合いが強い。「有名」「著名」「名高い」は、人や作品以外にも、寺社・名所・観光地・施設・団体・事件などさまざまな物事について使われる。

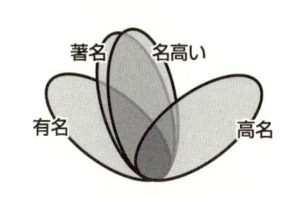

使い分け

表現例		有名	著名	高名	名高い
A	世界的に―人物だ	―な○	―な○	―な○	○
B	―温泉地	―な○	―な○		○
C	社内ではそそっかしいので―	―だ○			
D	御―は承っております			○	

1. Aの場合はそれぞれの意味合いで四語とも使えるが、「名高い」は「…で名高い」のように分野や名高い理由を挙げた形で用いることが多い。
2. 「高名」は人や作品についていう場合にほぼ限られ、Bには使えない。
3. Cのように、その欠点で知られているような場合は「高名」は使えず、「著名」「名高い」も使いにくい。また、「有名」以外の三語は世に広く知られている場合にいい、「社内」のような限られた範囲では使いにくい。
4. Dのように、「御」を伴って相手の名前の尊敬語として用いるのは「高名」だけである。なお「高名」は、名が知られている意では「こうみょう」とも読むが、相手の名前の尊敬語としては「こうめい」としか読まない。

類似の語

知名 世間に名が知られていること。「知名の士」「知名度の高い商品」
名うて 世間でそのように評判されていること。「名うての剛腕」

ゆくさき
destination, future
行く先・行き先・行方・先行き・行く手

基本の意味 これから向かう場所や進んで行く方向、また、将来。

Point! 「**行く先**」は、これから向かう目的の場所や進んでいく方向、行った先をいい、将来の意にも使われる。「**行き先**」は、「行く先」とほぼ同義だが、具体的な場所を指して使うことが多い。「**行方**」は、行く、または行った方向・場所の意で、多く否定の表現を伴い、どこへ行ったか、どこへ行くかがわからないような場合に使われる。「**先行き**」は、将来への見通しの意で抽象的に使う語。「**行く手**」は、これから進んで行く方向の意で、時間的に前途の意でも使う。

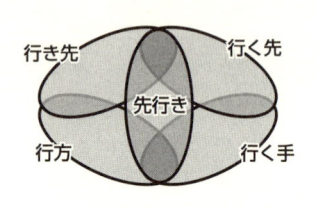

使い分け

表現例	行く先	行き先	行方	先行き	行く手
A ―を告げて出かける	○	○			
B ―をはばむ岩山	○				○
C 彼の―をさがす		○	○		
D この子の―が案じられる	○	△		○	
E わが国の―は多難である			○	○	○

1. 「先行き」以外の四語は具体的な場所を示すことができるが、Aのように、行くべき目的の場所を表す場合は「行く先」「行き先」を使う。「行方」は、どこへ行ったかわからない意の「行方不明」「行方知れず」「行方をくらます」のような慣用的な言い方以外では使いにくい。

2. Bのように、進んで行く方向を表す場合は「行く先」「行く手」を用いる。「行方」は1に述べた理由で使いにくい。

3. Cのように、行った先の場所の意の場合は「行き先」「行方」が適当。

4. Dのように、個人的な将来・前途の意の場合は「行く先」「先行き」が適当。「行き先」も使えなくはないが、「行方」「行く手」は個人的な人事にかかわる前途には使いにくい。

5. Eのように、社会・組織の将来には「行く先」「行き先」は使いにくく、「行方」「先行き」「行く手」が適当。「先行き」は先の見通しという感じが強い。

ゆする   shake, swing, sway
揺する・揺らす・揺さぶる・揺すぶる

基本の意味 力を加えて物を前後左右などに動かす。

Point! 「揺する」は、物を前後左右などに何回か動かし、揺れるようにする意。「揺らす」は、物に力を加えて揺れている状態にする意。「揺さぶる」「揺すぶる」は、物の全体が大きく揺れるようにする意で、上二語より振幅が大きく早い感じがある。また比喩的に、刺激して相手の心や状態を強く動かす意でも使う。二語はほぼ同義だが、どちらかというと「揺さぶる」のほうが日常語的。

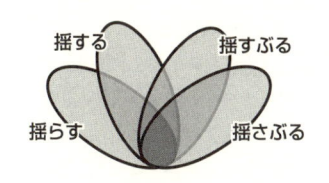

使い分け

表現例		揺する	揺らす	揺さぶる	揺すぶる
A	木を―て実を落とす	―っ○	―し○	―っ○	―っ○
B	ぶらんこを―	○	○		
C	人の心を―			○	○
D	体を―て笑う	―っ○		―っ○	―っ○
E	バッターを―			○	

1. Aの例ではどれも使える。「揺らす」では、落ちそうになっていた実がちょっとした刺激で落ちてくるような感じがある。
2. Bのように、ちょっと力を加えれば動くもの、動きがゆっくりとして穏やかなものの場合は「揺さぶる」「揺すぶる」は使いにくい。
3. Cのように、気持ちを強く動かす場合は「揺する」「揺らす」は使えない。ただし、「金品を―」のように、人をおどして無理に取り上げる意は「揺する」だけにある。
4. Dのように、他からの力が加わらない場合は「揺らす」は使えない。
5. 「揺さぶる」「揺すぶる」はほとんど違いはないが、Eのように、投球に変化をつけて対応しにくいようにする意の場合は「揺さぶる」しか使えない。

類似の語
揺るがす 大きなもの、安定したものなどに力を加えてその大もとから揺れるようにする。「強風が大木を揺るがす」「地軸を揺るがす大噴火」

ゆとり

room, space

ゆとり・余裕（よゆう）・余地（よち）

基本の意味 必要な分を使ってなお余る状態にあること、また、余る部分。

Point! 「ゆとり」「余裕」は、時間・空間・金銭・物・体力・精神力などについて、何かをしたあとにまだ自由にできる余りがあること、また、その余りの部分をいう。両語は意味的に大きな差はないが、**「ゆとり」**が、「一がある・ない」のように余りの部分そのものをとらえていう傾向が強いのに対し、**「余裕」**は、余りが十分にあるという状態に重点が置かれる。**「余地」**は、必要な分を使ってなお余っている場所、また、まだ物事を行うことのできる部分。

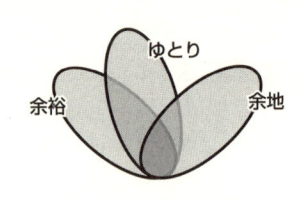

使い分け

表現例	ゆとり	余裕	余地
A 考える―がない	○	○	○
B ―のある生活	○	○	
C ―で勝つ		○	
D もはや疑う―もない			○

1. Aの場合はどれも使えるが、「ゆとり」「余裕」は考えるということを行うために時間的・精神的に使える部分をいうのに対して、「余地」は考えに入れられるいくつかの事柄のうちまだ考えていない部分をいう。

2. Bのように、修飾語のない表現の場合「余地」は使えない。「ゆとり」は精神的な面で、「余裕」は経済的な面でというニュアンスがある。

3. Cのように、試合や勝負事で力の限界まで行かず楽にという意の場合は、余り・余力があってゆったりとしたようすをも表す「余裕」が適当。「ゆとり」は、**Point!** で述べたように余りの部分をいう面が強く、余力ある状態そのものをいう場合には使いにくい。

4. Dのように、そのことをするだけの意味のありなしをいう場合は「余地」しか使えない。

類似の語

幅（はば） ある限られた範囲の中で自由に動かせる部分。「期日に幅をもたせる」

ゆるい gentle

緩い・緩やか・なだらか

基本の意味 傾斜や曲がりの度合いが少ないようす。

Point! **「緩い」**は、傾斜や曲がりの度合いが少ないようすのほか、締め方や張り方が弱いようす、速度の遅いようすなど、さまざまな状態を表す。
「緩やか」は、傾斜や曲がりの度合いが少ないようすや、締め方や張り方の弱いようすなどを好ましいものとして表す語。**「なだらか」**は、傾斜や曲がりの度合いが少ないようすをいうが、平面や線に凹凸・高低がないという意味合いも含む。

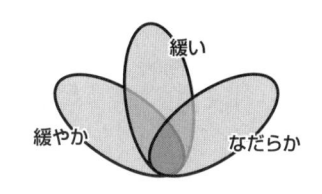

使い分け

表現例	緩い	緩やか	なだらか
A 　―坂道でもすぐ疲れる	○	―な○	―な○
B 　規制を―する	―く○	―に○	
C 　ねじが―	○		
D 　―コートを羽織る		―に○	

1. Aの例ではどれも使えるが、「緩やか」が最適。「緩い」はマイナスの感じが強いので「緩い傾斜のコースではスキーはつまらない」のように使うほうが自然。「なだらか」は傾斜よりも平面や線に凹凸がほとんどないという感じが強い。

2. Bのように、厳しくない意の場合は「なだらか」は使えない。「緩やか」はプラスの感じが強いので、厳しくすべきでないと考えている場合に、より自然な感じになる。

3. Cのように、締まるべきものがそうなっていないという場合はマイナスの感じをもつ「緩い」が適切。

4. Dのように、ゆとりのある感じをいう場合は「緩やか」以外は使えない。また、「―な山なみ」のように高低があまりない意では「なだらか」以外は使えない。「なだらか」はこの意から、「交渉はなだらかに進んだ」など、おだやかに落ち着いて進む意で抽象的な物事にも使われる。

ゆれる　shake, swing, sway

揺れる・揺らぐ・揺るぐ・ぐらつく

基本の意味 不安定になって前後・左右・上下などに動く。

Point! 「**揺れる**」は、何かに固定されているものにも、乗り物などそうでないものにもいい、反復する動きに焦点を当てている。「**揺らぐ**」「**揺るぐ**」は土台や根に支えられているものが、元から動く場合にいう。「**揺らぐ**」がゆっくりと大きく動くようすをとらえていうのに対し、「**揺るぐ**」は動きそのものよりも不安定な状態になることに重点がある。「**ぐらつく**」は、土台や根で支えられているものが、元がゆるんでぐらぐらと動きやすい状態にあることに焦点を当てている。

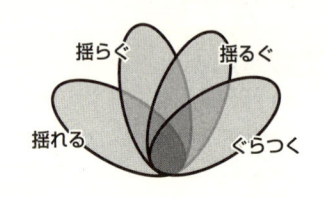

使い分け

表現例	揺れる	揺らぐ	揺るぐ	ぐらつく
A　会社の方針が—	○	○	△	○
B　振り子が—	○			
C　家の土台が—		○	○	○
D　大枝が強風に—	○	○		
E　歯槽膿漏で歯が—				○

1. Aの比喩的な意味ではどれも使えるが、「揺るぐ」は古い感じを伴う文章語でやや使いにくい。打消しを伴って「揺るがぬ社の方針」という表現なら抵抗なく使える。「揺れる」では方針がその時々で変わる感じ、「揺らぐ」では大もとから不安定になる感じ、「ぐらつく」では自信がなく他の圧力などで変わりそうな感じが含まれる。
2. Bのように、もともと不安定なものについては「揺れる」しか使えない。
3. 固定していたものがゆるんで動くCの場合は「揺らぐ」以下の三語が適当。他の強い力による場合、「地震で家が—」などなら「揺れる」も使える。
4. Dのように、振幅の大きさを感じさせる場合は「揺れる」「揺らぐ」を使う。
5. Eのように、根本がゆるんでぐらぐらする状態にあることをいう場合は、「ぐらつく」しか使えない。「ぐらつく」は根本がゆるんでぐらぐらしている状態であれば、動きがなくても使える。

よう

business, matter

用・用事・用件・所用

基本の意味　しなければならない事柄。

Point！　「**用**」は、差し当たって処理しなければならない事柄。また、何かのためになる働きの意もある。「**用事**」は、しなければならないものとして予定したりこれからしようとしたりしている事柄。「**用件**」は、処理したり伝えたりしなければならない事柄やその内容。「**所用**」は、「用事」の意の改まった言い方。

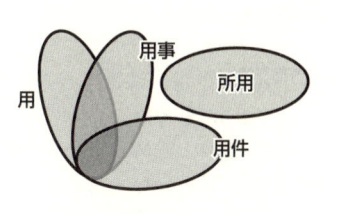

使い分け

表現例	用	用事	用件	所用
A　急ぎの―で出かける	○	○	○	
B　―のため失礼いたします				○
C　―もないのに勝手に入ってくるな	○	○		
D　早速―を聞かせてください			○	
E　これで十分―が足りる	○			

1. Aの場合、「用」「用事」「用件」は使えるが、「所用」は、なすべき何らかのことという感じが強いので、「大事な」「急ぎの」などの修飾語は付けにくく不自然になる。単に「所用で（があって）出かける」と使うのが普通。

2. Bのような改まった表現では「所用」が適当。意味の上からは「用」「用事」も使用可能だが、表現としては不自然。「用（用事）がありますので」とすれば使える。「用件」はAのように修飾語を付けて「よんどころない用件がありますので」などとすれば使えるが、単に「用件」というと内容の意が強くなるので使いにくい。

3. Cのように、くだけた表現で日常のちょっとした事柄をいう場合、「用件」「所用」は大げさで不適当。

4. Dのように、事柄の内容の意では「用件」しか使えない。

5. 「用」と「用事」はほとんど入れ換えがきくが、Eの場合は「用」を使う。何かのためになる働きを表す「用」は「用事」には置き換えられない。

ようきゅう

demand, request

要求・要望・要請

基本の意味 相手にそうしてほしいと望んだり求めたりすること。

Point! 「要求」は、あることをするよう、また、ある物を自分に与えるよう、相手に強く求めること。「要望」は、相手に何かをしてほしいと望み、期待すること。「要請」は、あることをしてくれるように相手に頼むこと。

使い分け

表現例	要求	要望	要請
A ―をいれる	○	○	○
B 立ちのきを―する	○		○
C 子供の―を満たす	○		
D ―があれば協力する		○	○
E 御―に応えてもう一曲歌います		○	

1. Aのような表現には三語とも使える。

2. 「要求」は当然の権利として相手に求める意で最も強く、「要望」はこうしてほしいと期待しつつ望む程度、「要請」は、何とかしていただきたいと低姿勢で頼む感じである。したがって、Bのような場合は「要望」は使いにくい。

3. 「要望」「要請」は「要求」に比べると、事務的・公的ニュアンスが強いので、Cのような場合は使えない。また、「する」を伴うサ変動詞として使う場合、「食料を要求する」のように「要求」は物品を目的語にできるが、「要望」「要請」は「食料の支給を」のように行為を表す語を添えないと使いにくい。

4. 「要求」は相手に対する姿勢が強いので、Dのような場合は使いにくい。

5. Eのような、歌ってくれという程度のことは「要望」が適当で、他の二語では大げさな感じになる。

類似の語

注文 人に依頼するさいに自分の希望・条件などを出すこと。「注文の多い客」
請求 当然の権利として相手に一定の行為や金品の支払いなどを求めること。

ようす
様子・有り様・様相・様
state, condition, aspect

基本の意味 外から見た状態。

Point! 「様子」は、最も一般的な語で、外見の状態だけでなく、そこから受ける印象も含めて使われる。「ありさま」は外から見える状態をいい、「こんなありさまだ」などのように、結果として生じた、好ましくない状態の意でも使う。「様相」は、物事の全体的な状態をいうやや硬い言い方。「さま」は、外から見える姿や形をいう語。

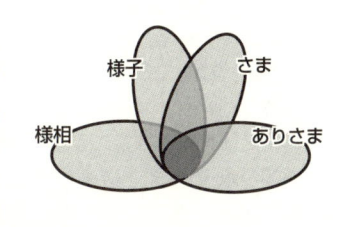

使い分け

表現例		様子	ありさま	様相	さま
A	崩落で山の―が一変した	○	○	○	○
B	少しも怒っている―を見せない	○			
C	現代社会は複雑な―を呈している			○	
D	貴公子然とした―でやって来る	○			○
E	没落してこんな―だ		○		

1. Aの場合はどれも使える。「様子」は、「ありさま」とともに多用される語。「様相」はやや硬い語で、「さま」は接尾語としてでなく単独で使う場合に、やや古い感じは否めない。

2. Bのように、表情や態度・動作などに表れる感情の状態を表す場合には、「様子」が適当。「ありさま」や「さま」は、もっと具体的・視覚的な場合にふさわしい。「様相」は、個人や個々の状態でなく、社会・時代などのようなものの全体的な姿をとらえる場合でないと使いにくい。

3. Cのような、目に見えない部分も含んだ全体的な姿をいう硬い表現では、「様相」が適当。

4. Dのように、人の身なりの意の場合は「様子」「さま」が適当。「ありさま」は人についていう場合、よくない状態にいうことが多いため、Dには不自然。「様相」は2に述べた理由で使えない。

5. Eのように、人の状態や格好などに対するののしり、自嘲などを表す場合は「ありさま」が最適。「さま」では弱いが、「ざま」とすれば使える。

よそう　expectation, anticipation
予想・予測・予期・予見

基本の意味 こうなるだろうと前もって考えること。また、その内容。

Point! 「**予想**」は、物事の成り行きや結果について、こうなるだろうと前もって見当を付けること。「**予測**」は、物事の成り行き・結果や今後生じそうな状況・事態について、何らかの客観的な根拠により前もって推測すること。「**予想**」が自分と直接関係のないことにも広く使われるのに対し、「**予測**」はそれにどう対処するかということとかかわって今後起こりうることを推測する感じが強い。「**予期**」は、何かが起こることを前もって期待したり覚悟したりすること。「**予見**」は、事が起こる以前にそれを見通すことで、はっきり知る意が強い。

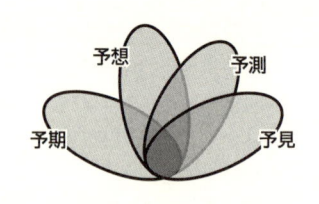

使い分け

表現例	予想	予測	予期	予見
A ―していた事態	○	○	○	○
B ―に反して大敗する	○		○	
C どうなるか全く―がつかない	○	○		
D 競馬の―が当たる	○			
E 大地震の―はむずかしい	△	○		○

1. Aの場合はそれぞれの意味で四語とも使える。
2. Bのように勝負に関する場合、客観的に推測する意の強い「予測」、結果を見通す意の「予見」は使いにくい。「予期」では期待の気持ちがこもる。
3. Cのように、「―がつく」という表現の場合は「予期」「予見」は使えない。
4. Dのように、観客の立場から試合やレースの勝者などを当てるという場合は、「予想」以外は使いにくい。
5. Eのように、科学的な根拠に立つ場合は「予測」が最適。「予見」も使えるが、占いという感じが強い。「予想」は主観性が強く、やや使いにくい。

類似の語

予知 将来起こることを前もって知ること。直覚的・超自然的なものから科学的データによるものまでを含む。「地震を予知する」「予知能力」

よそよそしい cold, reserved, formal

よそよそしい・水臭(みずくさ)い・他人行儀(たにんぎょうぎ)

基本の意味 親しい間柄であるのに他人に対するような態度であるようす。

Point! 「よそよそしい」は、知らない間柄ではないのにまるで無関係のように冷たく振る舞うようす。「**水臭い**」は、親しい仲のはずなのにどこか隔てや遠慮があるようす。「**他人行儀**」は、身内や親密な間柄であるのに、改まった感じでどこか隔てがあるように振る舞うようす。

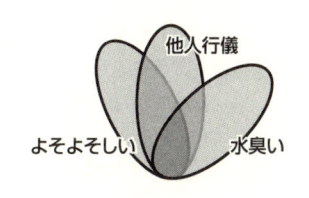

使い分け

表現例	よそよそしい	水臭い	他人行儀
A 遠慮するなんて―ね	△	○	―だ○
B A君の態度が最近―	○		―だ△
C ―振る舞う	―く○		―に○
D そんな―ことをするなよ		○	―な○

1. Aの場合はどれも使えるが、「よそよそしい」は冷淡で遠ざけるような態度をとるようすを客観的に表すのでやや使いにくい。「水臭い」はどこか隔てがあるような主観的な感じをいい、「他人行儀」は主に親子・きょうだいなど身内の者の言動についていう。
2. Bの場合は「よそよそしい」が最適。友だちについていう場合、兄弟同様の付き合いなら「他人行儀」も使えなくはないが、やや不自然。「水臭い」は相手に直接言うときに使うことが多く、Bのように客観的に述べるのには向かない。
3. Cのように、用言を修飾する言い方では「水臭い」は使いにくい。
4. Dのように、行為そのものを形容していう場合は「水臭い」「他人行儀」が適当。「よそよそしい」は全体的な態度の印象として使うのが普通である。

類似の語

そっけ無(な)い 言葉や態度に、思いやり・好意などが感じられないようす。「そっけなく対応する」「彼女は最近なぜか私にそっけない」

よのなか　the world

世の中・世間・社会

基本の意味 人が他人とさまざまにかかわりあいながら生きていく場。

Point! 「世の中」は、無数の人々が互いにかかわりを持ちながら生きていく空間的な広がりを、やや漠然ととらえている。「世間」は、空間的広がりそのものよりも、そうした場を作っている人々に焦点を当てた言い方で、自分や自分の家族を取り巻く無数の他人というイメージで使われる。「社会」は、人々が相互に依存しながら生きる場を、特定の経済的・政治的・文化的システム、特定の時代相のもとにあるものとしてとらえた語。より範囲を狭めて、職業・身分などを同じくする人々の世界を指しても使われる。

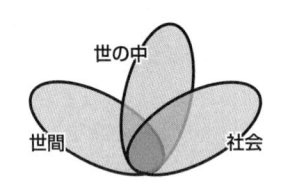

使い分け

表現例	世の中	世間	社会
A 彼は―を知らない	○	○	△
B 日進月歩の―	○		○
C ―の口がうるさい		○	
D 失恋して―が嫌になる	○		
E 歌舞伎の―のしきたり			○

1. Aのように漠然という場合は「世の中」「世間」が適当。「社会」も使えるが、「社会の実情を知らない」のように明確な言い方をしたほうが自然。
2. 「世間」は世俗的な人間関係に重点を置く語で、Bのような客観的表現の場合は使いにくい。
3. CはBと逆に世俗的な人間関係の面からの表現で、「世間」が適当。
4. Dのように、いま生きているこの世という漠然とした意味では、「世の中」が適当。「社会」は、「毎日希望のない生活で、この社会が嫌になる」のように、経済的・制度的条件との関係でいう場合にふさわしく、失恋のような個人的な事柄とはつながりにくい。「世間」は**2**に述べた理由で不適。
5. Eのように職業・身分などを同じくする人々の世界の意では、「社会」以外は使えない。

よびだす call...to come, tell...to come
呼び出す・呼び付ける・呼び寄せる

基本の意味 呼んでその場に来させる。

Point! 「**呼び出す**」は、その場にいない者を電話・手紙・放送・使いなどによってそこに来させる場合にいう。「**呼び付ける**」は、近くにいる者に直接声を掛けて来させる場合も含み、主に下位と意識される者を呼ぶ場合に使われる。「**呼び寄せる**」は、何らかの方法で自分の近くに来させる意で、上の二語と異なり、面談・用事のためという目的には限定されない。

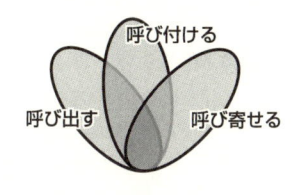

使い分け

表現例	呼び出す	呼び付ける	呼び寄せる
A 生徒を—て注意する	—し○	—け○	—せ○
B 子を枕もとへ—		○	○
C 裁判所に—れる（られる）	—さ○	—け△	
D 派手な宣伝で客を—			○

1. Aでは三語とも使えるが、「呼び出す」はその生徒がそこにいない場合に使われ、「呼び寄せる」は近くにいる生徒に声をかけて来させる感じが強くなる。「呼び付ける」ではいずれの場合も考えられる。また、「呼び付ける」ではしかる感じが強いが、「呼び寄せる」ではそうした感じは少ない。
2. Bのように、親が床についていて同居の子をそこへ呼ぶという場合、「呼び出す」は使いにくい。「呼び付ける」だと何か命令するためという感じ、「呼び寄せる」だと特に言っておきたいことがあるという感じがこもる。
3. Cのように事務的なことで来させる場合は「呼び出す」が適当。「呼び付ける」も使えなくはないが、命令的な感じが強くなる。
4. Dのように宣伝して人を来させる場合、「呼び寄せる」以外は使えない。「呼び寄せる」はまた「フェロモンで雄を呼び寄せる」のようにも使われる。

類似の語
呼び立てる　声高に呼んだり、わざわざ呼び出したりする。「子の名を呼び立てる」「呼び立ててすまなかった」

りえき profit, gain, earnings
利益・収益・もうけ・得

基本の意味 必要な費用を差し引いた結果、なお手元に残る金銭。

Point! **「利益」**は、商売・事業などで得る金銭上のプラスをいうほか、広く、実利的・精神的に役に立ったりためになったりする物事を身に得ることの意でもいう。**「収益」**は主として、事業を行って得た金銭上のプラスのこと。**「もうけ」**は、商売・事業に限らず、私的な売買・交換やギャンブルなどで得たものも含め、広く金銭上のプラスをいう。**「得」**は、金銭上や実利の上でマイナスよりプラスが大きいこと。

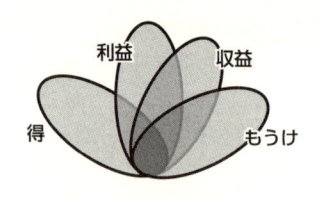

使い分け

表現例		利益	収益	もうけ	得
A	差し引き五万円の―だ	○	○	○	○
B	―の少ない仕事だ	○	○	○	
C	―を上げるよう努力する	○	○		
D	こんな本を読んでも何の―にもならない	○			○
E	これをやっておくと―だよ				○

1. Aの場合はどれも使えるが、「利益」「収益」はやや硬い言い方、「もうけ」「得」はくだけた言い方となる。
2. 「得」は「多い」「少ない」には結び付きにくく、主として一方に「損」が考えられるときに使われる。したがって、Bの場合には不適当。
3. Cのように「―を上げる」の表現の場合は、「利益」「収益」しか使えない。
4. Dのように役に立つという意の場合は「利益」「得」しか使えない。
5. Eのように形容動詞の用法で、好都合である、有利であるの意を表すのは「得」だけである。

類似の語

収入 働いたり事業を営んだり投資したりして得た総額。厳密には金銭に限らないが、普通は金銭で表す。「収入が減る」

所得 自分のものとなった利益。税法では、一定期間の収入からそれを得るのに要した費用や経費を差し引いたもの。「給与所得」「所得税」

りょうかい understanding, consent, agreement
了解・了承・承知

基本の意味 相手の言うことや事情などを理解し、また、受けいれること。

Point! 「了解」は、物事の意味・内容・事情などをはっきり理解すること。理解して相手の意志・行動などを認める意でも使うが、この場合も「理解」に重点がある。「了承」は、相手から事情や申し入れなどを聞いてそれを受けいれること。「承知」は、事情を知っていること。また、相手の依頼・希望・要求などを、認めて聞き入れること。

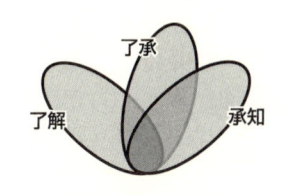

使い分け

表現例	了解	了承	承知
A そのことなら―しています	○	○	○
B この文の意味が―できない	○		
C 五分ほど遅れますので御―ください		○	○
D 「この手紙、出しておいてね」「はい、―しました」			○

1. Aの場合はどれも使える。「承知」は、三語の中で最も日常的に用いられる語で、知っている、わかる程度のニュアンスで用いられることも多い。
2. Bのように、意味がわかるという意の場合は「了承」「承知」は使えない。
3. Cのように、もっぱら相手に受け入れてもらいたいと頼む場合は「了承」「承知」が使えるが、「了承」は丁寧に相手の理解を求める感じで、「承知」だと、相手にこちらが遅れることを認めさせるといったニュアンスがある。
4. Dのように、日常的な場面で、単に相手の求めや頼みを聞き入れてそうするという場合は、ふつう「承知」を用いる。

類似の語

納得 理由・原因や事情がわかって、それももっともだと認めること。「いくら説明しても納得してくれない」「自分でも納得のいかない仕上がり」

得心 「納得」の古風な言い方。「ごまかされているようで、得心がいかない」

合点 相手の言うことや事情などがわかること。また、依頼などを承知すること。古風な言い方。「がってん」とも。「わけを聞いて合点した」

承服 承知して従うこと。「承伏」とも書く。「承服しがたい話」

りょうほう

both sides, both parties

両方・両者・双方

[基本の意味] 相対する、また、そこで話題として取り上げられた二つの側や二つのもの。

Point! 「**両方**」は、話題として取り上げられた、また、相対するものとしてある二つのもののいずれをも指して言い、方向・人・組織・物・事柄・時などに広く用いる。「**両者**」は、そこで取り上げた二人の人や二つの組織・物事を指して言う。「**双方**」は、互いにかかわりあったり対立したりしている二人の人や二つの集団。

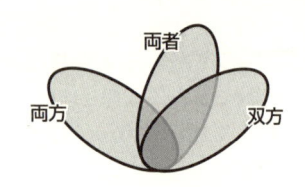

[使い分け]

表現例	両方	両者	双方
A ―の言い分を聞く	○	○	○
B 月曜と火曜は―とも都合が悪い	○		
C 全勝の―が激突する		○	
D ―の話し合いに決着がついた		○	○

1. この三語の対象となるものの範囲は「両方」が最も広く、「両者」「双方」の順で狭くなる。**A**のように人を表す場合は、どれも使うことができる。

2. **B**のように時についていう場合は、「両者」「双方」は使いにくい。そのほか「南と東の―の窓」など、方向についていう場合も「両者」「双方」ともに不自然。それに対し「両方」は使用範囲が広く、方向や時にも使える。

3. **C**のように、二つを取り上げた要素（この場合は「全勝」）が修飾語として付く場合は「両者」が使われ、「両方」「双方」は使いにくい。

4. **D**のように、二人または対立している二人の意の場合は「両者」「双方」を使う。「両方」は二つをひっくるめてどちらもの意だから、**D**には不自然。

[類似の語]

二者 ある二つのもの。また、何らかの点でかかわりをもつ、二人の人や二つの集団。「二者択一」「三者会談が決裂し、二者で話し合いの場をもつ」

両人 話題に取り上げられた、二人の人。「御両人がそろう」

両名 そこで取り上げた、その二名。「鈴木、佐藤の両名」

れいぎ

manners, etiquette

礼儀・作法・エチケット・マナー

基本の意味 社会的な慣習として守るべき決まり。

Point! 「**礼儀**」は、対人関係での気配りや敬意、慎みの気持ちに基づく行動規範。「**作法**」は、人前や儀式の場などで守らねばならない、一定の形式をもった振る舞いの仕方。「**エチケット**」は、人との交際の場で、相手に対する心づかいとして守ることが望まれる振る舞い方で、規範というより具体的状況によって臨機に心掛けるべきものという意味合いが強い。「**マナー**」は、礼儀やしきたりにかなうとされる振る舞いの仕方、また、それにかなっているかどうかが問題になる行為・態度のこと。

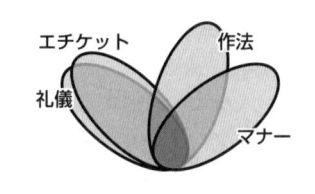

使い分け

表現例	礼儀	作法	エチケット	マナー
A 　―を重んじる（わきまえる）	○	○	○	○
B 　―のよい人				○
C 　プライバシーの尊重は現代の―だ	○		○	
D 　食事の―を身に付ける		○		○

1. Aのような場合や、「振る舞いが―にかなう（反する）」のように人間の言動がそれに合うか合わないかをいう場合などは、どれも使える。
2. Bのように、この決まりによって「いい」とか「悪い」とか評価される言動をいう場合は「マナー」しか使えない。
3. Cのように、相手に対する心づかいという実質面を含んでいう場合は「作法」「マナー」は使いにくい。
4. Dのように、形式的な決まりをいう場合は「作法」「マナー」が適当で、「礼儀」「エチケット」はそぐわない。

類似の語

行儀 礼儀・作法にかなっているかが問題になる、行為や態度。「行儀が悪い」
礼節 礼儀正しさや節度のある行動の仕方。「衣食足りて礼節を知る」

れきし   history

歴史・沿革・来歴
（れきし・えんかく・らいれき）

基本の意味 創始以来これまでにたどってきた過程。

Point! 「歴史」は、人間社会や国家・民族などの時間的経過による変化のあとやその記録。また広く、事物の進展・変化してきた過程にもいう。「沿革」は、物事の始まりから現在までの移り変わりをいい、会社や学校など組織体に使う場合が多い。「来歴」は、ある人や物事が経過してきた筋道。

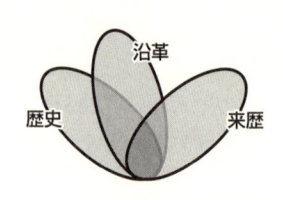

使い分け

表現例	歴史	沿革	来歴
A 近所の寺の—を調べる	○	○	○
B 学校制度の—	○	○	
C —に名高い事件	○		
D おもしろい—の人物			○

1. Aの例ではどれも使える。「歴史」は最も広く使われる日常語で、人間社会・国家・民族から、特定の組織・団体、また、学問・演芸や衣食住など人間活動の各面にまで使われ、さらには宇宙・地球・自然といった人間を離れた事柄についても使われるようになっている。「沿革」はそのものの移り変わりに重点を置くときに使う。「来歴」はやや硬い表現である上に使える範囲が狭く、個人から、団体組織ぐらいまでがせいぜいである。

2. Bのように、決まりなどの移り変わりをいう場合は、「来歴」は使えない。

3. Cのように、現在までの移り変わりというのではなく、経過してきた流れ全体をつかんでいう場合は、「歴史」を用いる。

4. Dのように、ある個人の経歴の意で用いる場合は「来歴」しか使えない。

類似の語

変遷（へんせん） 比較的長い時間が過ぎる中で、物事がいくつかの段階を経て変化していくこと。また、その変化の筋道。「近代以後の風俗の変遷をたどる」

由来（ゆらい） 物事がそれをもとにして起こること。また、物事の起こりから現在に至るまでの筋道。「故事に由来する地名」「由来書」

れんしゅう practice, training
練習・稽古・訓練

基本の意味 技術などを繰り返し習う、または習わせること。

Point! 「**練習**」は、技術が身に付くように繰り返しやってみることで、自分でする場合にも、人に指導されながらする場合にも、幅広く使われる。「**稽古**」は、主に芸事や武道・相撲などにいい、自分でする場合も含むが、師匠・先生に教えを受けながらする場合にいうことが多い。「**訓練**」は上の二語と違って指導する側からいい、職業・兵役や組織・共同体の一員としての行動などについて、実践的な技能・体力・心構えを身に付けさせるような場合にいう。

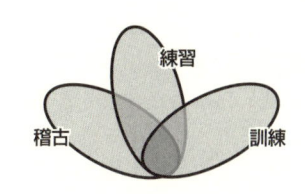

使い分け

表現例		練習	稽古	訓練
A	厳しい―に耐える	○	○	○
B	ピアノを―する	○	○	
C	生徒を―する			○
D	生け花の―に行く		○	
E	野球の―に励む	○		

1. Aの場合はそれぞれの意味で三語とも使える。
2. Bのように習う物事を目的語とする場合、「訓練」は使わない。教えを受けてする場合には「稽古」、自分で復習する場合には「練習」が一般的。
3. Cのように習う人を目的語とする場合は、Bと逆に「訓練」しか使えない。
4. Dのように華道・茶道など日本風の習い事に関しては「稽古」が適当。
5. Eのように、スポーツについていう場合は技術的な要素が強いので、「訓練」は不自然。「稽古」は運動については武道や相撲以外は使いにくい。

ろこつ

open, plain, frank

露骨・明け透け・あからさま・あらわ

基本の意味 実情・実態・意図などが隠されることなくあらわれるようす。

Point! 「露骨」は、隠すほうがよいと思われるような考え・感情・欲望や物事を、そのままはっきりと外に表すようす。「明け透け」は、自分の考え・気持ちなどを隠すことなく遠慮なしに外に表すようす。「あからさま」は、感情や物事の実態などをありのままに表す、また、そうしたものがあらわれるようす。「あらわ」は、隠れていた物事・感情・意志などが表にあらわれるようす。

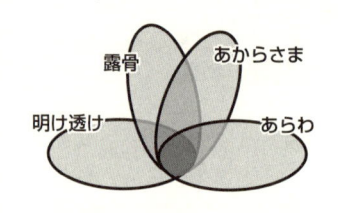

使い分け

表現例	露骨	明け透け	あからさま	あらわ
A ―に述べる	○	○	○	○
B ―な絵（小説）	○			
C ―な性格		○		
D ―に嫌な顔をする	○		○	
E 肌を―にする				○

1. Aではどれも使え、「露骨」ではむき出しでどぎつく表す感じ、「明け透け」では他人のことをあまり気にしないで表す感じになる。「あからさま」「あらわ」は他からよくわかるようにはっきりという感じが強い。

2. Bのように、絵や小説で、本来なら表すべきでないような事柄をむき出しにする意の場合は「露骨」が使われる。

3. 人の性格をいうCの場合は「明け透け」が使われる。

4. Dのように、心の中が外にはっきりあらわれる意の場合は「露骨」「あからさま」が適当。「露骨」は気持ちを直接むき出しに示す感じ、「あからさま」は気持ちを隠さずに出した結果、はっきりそう見えるという感じがある。意識的に気持ちを表に出す「闘志」「敵意」などなら「あらわ」が適切。

5. Eのように、普通は何かに覆われている部分を外から見えるように現す意には「あらわ」が使われる。

わがまま   selfish, wild

我がまま・勝手・気まま・奔放

基本の意味 自分の気持ちのままに振る舞うようす。

Point! 「**我がまま**」は、他人の迷惑や不快などを気にかけず、自分の意志を押し通そうとするようす。「**勝手**」は、他人に配慮したり断りを入れたりせずに、自分に都合のいいように行動するようす。「**気まま**」は、他人を気にせず、自分の思うまま、気の向くままに行動するようす。「**奔放**」は、自分の欲求や感性に従い、世の中の常識や社会通念などを無視して、思うままに行動するようす。

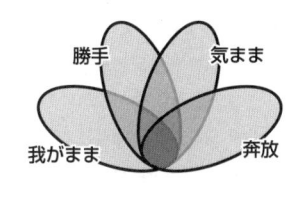

使い分け

表現例	我がまま	勝手	気まま	奔放
A　彼は―な人だ	○	○	○	○
B　そんな―は許せない	○	○	△	
C　彼女は―な生活を送っている		△	○	○
D　何をしようと私の―だ		○		
E　―なひとり暮らし			○	

1. Aの場合はどれも使える。「我がまま」「勝手」はその振る舞いに対する批判的な感情をこめて用いられるが、「気まま」「奔放」はうらやみや驚きを込めて用いることが多く、必ずしも批判的な感情は含んでいない。

2. Bのように、他の人に影響が及ぶことをいう場合は「我がまま」「勝手」が適当。「気まま」も結果的に「我がまま」に近くなることもあり、Bに使えなくもない。「奔放」は形容動詞として使うのが普通なので、使いにくい。

3. Cのように、まわりの物事にとらわれない意の場合は「気まま」「奔放」が適当。「気まま」は、境遇や暮らし方についていう要素が強く、「奔放」は生き方についていう要素が強い。「勝手」も使えなくはないが、やや不自然。「勝手気まま」の形なら使える。

4. Dのように、自分の都合だけ考えればよいという意では「勝手」が適当。

5. Eのように、他に縛られないのんきなようすをいう場合は「気まま」が適当。「ひとり暮らしのほうが―でいい」のようにいえば、「勝手」も使える。

わかれ parting, separation

別れ・別離・離別・訣別

基本の意味 人と別れること。

Point! 「別れ」は、家族・夫婦・恋人・友人・仲間などの関係にあった人や人々と、死や仲たがいなどによって関係がなくなる場合、また、関係がなくなりはしないが、しばらく会えない状態になる場合にいう。「別離」は、「別れ」とほぼ同義の文章語的な言い方。「離別」は、家族・夫婦・恋人・友人・仲間などの関係にあった人・人々との関係をなくして別々になることの意が中心。特に、離婚や縁切りの意味でもいう。「訣別」は、人や集団や特定の物事と、自分の意志できっぱり関係を断つこと。

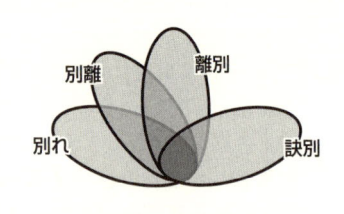

使い分け

表現例	別れ	別離	離別	訣別
A ―の悲しみ	○	○	○	○
B 二人には悲しい―が待っていた	○	○	○	
C それ以来彼は芸術と―した				○
D 彼は―を告げて旅立った	○			
E 性格の不一致による―			○	

1. Aではどれも使えるが、「別れ」が最も一般的で表現としては柔らかい。「別れ」「別離」では死別の場合も含むが、「離別」はふつう生きて別れる場合にいい、特に関係を切って、または、離縁や余儀ない事情などで別れることに使う。「訣別」は他の三語と異なり、別れることに強い意志があり、二度と再会しない、したくないという決意を伴う。
2. Bのように自分の意志で別れるのでない場合、「訣別」は使えない。
3. 物事との関係がなくなる意ではふつう「別れ」と「訣別」が使われるが、Cのように強い意志のもとに行われる場合は「訣別」を用いる。
4. Dのように、いとまごいの意では「別れ」しか使えない。
5. Eのように夫婦が別れる場合は「離別」が最適。

類似の語

袂別(べいべつ) 行動を共にしていた人と関係を断つこと。「袂別の辞」

わく boil

沸(わ)く・沸騰(ふっとう)する・たぎる

基本の意味 水が熱せられて熱くなる。

Point! 「**沸く**」は、ある目的に十分なだけ水が熱くなる意で、沸点に達した状態も、達していない熱さの状態も指す。「**沸騰する**」は、液体が沸点に達する意。「**たぎる**」は、湯については内から盛んに気泡を発している状態をいい、また、温度にかかわりなく、川の水などが盛んに泡立って激しく流れる状態にもいう。

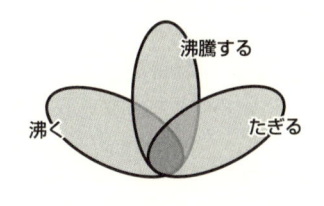

使い分け

表現例	沸く	沸騰する	たぎる
A　やかんの湯が―ている	―い○	―し○	―っ○
B　風呂が―ました、どうぞ	―き○		
C　必ず―たお湯を使うこと		―し○	
D　急流が渦巻いて―			○

1. Aはそれぞれの意味で三語とも使える。「たぎる」はこの場合、沸点に達してなお煮え立っている状態をいうが、湧出する温泉などでは、盛んに泡立つような状態であれば沸点に達していなくても使える。
2. Bのように入浴に十分な程度の温度になる場合は「沸く」しか使えない。
3. Cの場合、「沸く」はどの程度の温度なのか曖昧(あいまい)で使いにくく、「たぎる」はやや気どった感じの修辞的な語なので不自然。
4. Dのように、温度と関係なく水が激しく泡立っている意の場合、「たぎる」以外は使えない。

類似の語

煮え立(た)つ　湯や汁などが、熱せられて盛んに泡立ったり吹きこぼれたりする状態になる。煮立つ。「煮え立った湯」

煮えたぎる　煮えてぐらぐらと沸き上がる。「油が煮(に)えたぎる鍋(なべ)」

わずらわしい troublesome

煩（わずら）わしい・面倒（めんどう）・厄介（やっかい）

基本の意味 手数がかかるようで気が重くなるようす。

Point! 「煩わしい」は、そのことが嫌でかかわりたくない気持ちであるようす、また、気が重くなるほど、物事が複雑で込み入っているようす。「**面倒**」は、手間がかかるようで、気軽にやってみる気になれないようす。「**厄介**」は、ひどく手間がかかることで、その処理や対応を考えるだけでも気が重くなり、できれば避けたいと思えるようす。

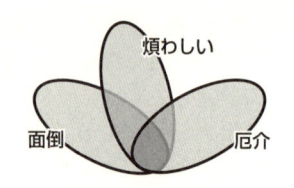

使い分け

表現例	煩わしい	面倒	厄介
A 　―手続き	○	―な○	―な○
B 　熱があって口をきくのも―	○	―だ○	
C 　疲れていて―ので店屋物で済ませる		―な○	
D 　山に登って―都会生活を忘れる	○		
E 　一晩兄の家に―なる			―に○

1. Aのように複雑さという客観的な面が強い場合は三語とも使える。「面倒」は実際そうでなくても、本人が複雑で嫌だと感じる程度のものにもいう。
2. Bのように、話す事柄の複雑・簡単には関係なくただ不快なため口をききたくないといった主観的側面が強い場合は「厄介」は使いにくい。
3. Cのように、その事自体は特に手間がかかったり神経を使ったりするわけでないが、できればそれをせずに済ませたいという場合は「面倒」が適当。
4. Dのように、やや漠然と、人間関係やあれこれの物事で気が重くなる感じをいう場合、「煩わしい」以外の二語は使いにくい。
5. 人に手数をかける状態をいうEの場合「―になる」の形では「厄介」しか使えない。「―をかける」の形だと「厄介」「面倒」ともに使えるが、「厄介」のほうが相手を困らせたり迷惑をかけたりする度合いが強い感じになる。

類似の語

煩雑（はんざつ） 事柄が入り組んでいて、うるさく思えるようす。「煩雑な規定」

わる

break, crush, smash

割る・砕く・壊す・崩す・つぶす

基本の意味 力を加えてもとの形を失わせる。

Point! 「割る」は、物に力を加えて、いくつかに分かれたり裂け目が入ったりした状態にする意。「砕く」は、固まっているもの、固いものなどに強い力を加えて、いくつもの小片にする意。「壊す」は、整った形や本来の機能がそこなわれた状態にする意。「崩す」は、ある形をなしてまとまっているものの全体または一部をばらばらの状態にする意。「つぶす」は、上から押し付けるなどして原形をとどめない状態にしたり平たくしたりする意。

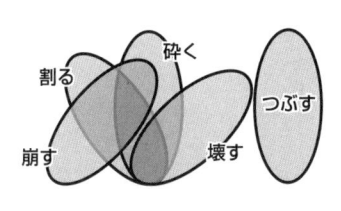

使い分け

表現例	割る	砕く	壊す	崩す	つぶす
A 花びんを—	○	○	○		
B リンゴを二つに—	○				
C 岩を—	○	○		△	
D 山を—て宅地を造成する				—し○	
E 缶をぺしゃんこに—					○

1. Aでは「割る」が最適。機能を失わせることに重点を置くなら「壊す」、細かくすることに重点を置くなら「砕く」も使える。「崩す」「つぶす」は物の形を変形させることで、いくつかに分離・分裂する場合には使えない。
2. Bのように二つに分ける場合は「割る」以外は使えない。
3. Cのように自然のものを対象にする場合、ふつう「壊す」は使わない。ただし「自然の景観を壊す」のように、抽象的な事柄に対しては使う。「崩す」はいくつか積み重なっているとすれば使えなくはない。「つぶす」は岩のような頑丈なものには使いにくい。
4. Dのように自然の山の形を変えてしまうような場合には「崩す」を使う。山ではなく平らな畑のような場合には「崩す」ではなく「つぶす」を使って、「畑をつぶしてアパートを建てる」といった言い方をする。
5. Eのように、物の形を変えて全体的に平らにする意には「つぶす」を使う。

索 引

太字——項目見出し（大見出し）
細字——項目見出しの類語・類似の語

あ行

哀感	24	暴く	18	言い触らす	30
哀愁	24	**危ない**	**19**	言い訳	31
愛する	**5**	危なげない	318	**言う**	**32**
愛想(あい そ)	91	あまた	80		245
間(あいだ)	**6**	余る	386	**以下**	**33**
相反(あいはん)する	315	危うい	19	意外	26
曖昧(あいまい)	**7**	**怪しい**	**20**	遺骸(いがい)	220
あからさま	500	あやふや	7	怒(いか)る	85
上(あ)がる	**8**	**誤(あやま)る**	**21**	遺憾(いかん)	217
開け閉め	110	阿諛(あゆ)	91	意気地(いき じ)	35
明け透(す)け	500	粗(あら)	312	憤(いきどお)る	85
開け閉(た)て	110	**あらかじめ**	**22**	**いきなり**	**34**
あける	419	あらかた	82	意気地(いく じ)	35
上げる	10	新た	11	幾多(いくた)	80
欺く	305	あらまし	82	威厳	174
足掛かり	344	あらわ	500	以後(いご)	14
足踏み	238	表す	417		53
遊ぶ	**9**	有り余る	386	以降	14
与える	**10**	有り様(さま)	489	威光	174
あたかも	447	慌ただしい	37	移行	50
新しい	**11**	**慌てる**	**23**	意向	28
当たり前	352	**哀れ**	**24**		49
当たる	**12**	**安易**	**25**	異国	106
厚かましい	263	**案外**	**26**	意固地(いこ じ)	35
あっさり	**13**	安閑	389	いざこざ	472
あっと言う間に	302	**暗示**	**27**	いざなう	211
圧迫する	86	安直	25	意志	28
軋轢(あつれき)	472	案内	350	意思	28
あて	467	暗に	215	**意地**	**35**
あでやか	64	あんばい	154	維持する	308
後(あと)	**14**	安楽	389	**意地悪**	**36**
	59	**意**	**28**	威信	174
跡	**15**	慰安する	39	椅子(いす)	276
後押し	183	**いい加減**	**29**	いずれ	52
跡形	15		367	**忙(いそが)しい**	**37**
アドバイス	320	イージー	25	遺体	220
穴埋め	**16**	言い散らす	30	いたいけ	87
侮(あなど)る	**17**	言い逃れ	31	抱(いだ)く	115

致し方	221	一端(いったん)	42	浮く	57
頂(いただき)	323	一杯	80	請け合う	58
頂く	304	一般	429	失う	368
至って	224	一斑(いっぱん)	42	**後ろ**	**59**
痛手	**38**	一遍に	41	後ろ盾	183
いたわる	**39**	**一方**	**47**	薄汚い	139
位置	360	一本立ち	358	薄まる	60
一円	**40**	**いつも**	**48**	うずまる	67
一応	365	偽る	305	薄める	60
	412	いでたち	423	うずもれる	67
一隅(いちぐう)	269	移転	50	薄らぐ	60
一見識	177	**意図**	**49**	**薄れる**	**60**
一途(いちず)	409	**移動**	**50**	失せる	134
一段と	411	いとおしむ	5	**疑い**	**61**
一同	279	糸口	344	疑わしい	20
一時(いちどき)に	41	いとけない	87	**内(うち)**	**62**
一度に	**41**	以内	33	打ち合わせる	397
一部	**42**	いぶかしい	20	内側	62
一部分	42	異邦	106	打ち切る	480
一面	40	**今**	**51**	打ち込む	383
異朝	106	**今に**	**52**	**打つ**	**63**
一様	**43**	妹背	421	鬱々(うつうつ)	55
一律	43	**以来**	**53**	**美しい**	**64**
一流	**44**	いらだたしい	255	鬱陶(うっとう)しい	55
いつか	52	入り組む	54	移り気	72
一角(いっかく)	269	**入り乱れる**	**54**	移る	264
一家言(いっかげん)	177	異例	464	腕	65
一環	42	色々	299	**腕前**	**65**
一気呵成(いっきかせい)に	45	言わば	447	促す	204
一気に	**45**	陰鬱(いんうつ)	55	**奪う**	**66**
一挙に	45	**陰気**	**55**	うまい	244
慈しむ	5	慇懃(いんぎん)	343	**埋(う)まる**	**67**
一切(いっさい)	281	陰険	36	**生まれ**	**68**
一蹴(いっしゅう)する	196	インスピレーション	127	埋め合わせ	16
一瞬	243	因縁(いんねん)	76	埋(う)もれる	67
一生懸命	**46**	ウエート	99	恭しい	343
一緒に	364	迂回(うかい)	448	うやむや	7
一心	46	伺う	300	**うるさい**	**69**
一心不乱	46	うがつ	440	潤う	378
一斉に	41	浮かび上がる	57	麗しい	64
一層	411	浮かぶ	57	**うれしい**	**70**
	468	浮き上がる	57	**うろうろ**	**71**
一帯	40	**うきうき**	**56**	うろたえる	23

うろちょろ	71	おおよそ	82	おぼろげ	7
浮気	**72**	おかしい	20	思い掛けない	26
うわさ	**73**		100	思い違い	192
運	**74**	**厳(おごそ)か**	**83**	思いの外(ほか)	26
運勢	74	怠(おこた)る	372	**重さ**	**99**
うんと	225	**行い**	**84**	重し	174
運動	123	**怒(おこ)る**	**85**	**面白い**	**100**
運命	74	押さえ付ける	86	面(おも)て	112
栄華	405	**押さえる**	**86**	重み	99
鋭敏	**75**	**幼い**	**87**	思惑(おもわく)	49
永眠	219	おざなり	367	**思わず**	**101**
えぐる	440	**教え**	**88**	思わず知らず	101
得体(えた)	246	教える	253	及ぶ	363
エチケット	497	おじける	92	折(おり)	135
えにし	76	押し付け	150		390
縁(えん)	**76**	押し付ける	86		
沿革	498	おしまい	103	**下(お)りる**	**102**
縁故	76	**おしゃべり**	**89**	おろおろ	71
円熟	248	おじゃん	306	おろそか	367
追い返す	77	押す	86	**終わり**	**103**
追い出す	**77**	**おずおず**	**90**	**終わる**	**104**
追い立てる	77	**お世辞**	**91**	音響	94
追い払う	77	遅かれ早かれ	52	音声(おんせい)	94
追いやる	77	恐る恐る	90		
横行する	402	**恐れる**	**92**	**か行**	
応接	78	**恐ろしい**	**93**	買い入れる	111
応対	**78**	おたおた	71	**改革**	**105**
横着	263	落ち度	349	外観	342
応答	435	おっかない	93	怪奇	425
往復	79	おっしゃる	32	諧謔(かいぎゃく)	249
往来	**79**	**音(おと)**	**94**	開業	286
終える	104	おどおど	90	外見	342
多い	**80**	脅(おど)かす	95	回顧	107
大いに	296	脅(おど)す	95	懐古	107
覆う	337	**驚かす**	**95**	介護	132
大方	293	**同じ**	**96**	**外国**	**106**
大仰(おおぎょう)	81	**おのおの**	**97**	悔悟する	161
大げさ	**81**	**おのずから**	**98**	買い込む	111
大御所(おおごしょ)	292	おびえる	92	開墾	109
大立(おおだ)て者(もの)	292	おびただしい	80	開削	109
オーバー	81	脅(おや)かす	95	開始する	392
大回り	448	おべっか	91	改修	241
おおむね	82	おべんちゃら	91	改善	105
				回想	**107**

改造	105		338	軽口	249
開拓	109	**賢い**	**118**	華麗	399
回答	435	過日	280	かわいがる	5
解答	435	かしましい	69	かわす	210
該当	**108**	**かすむ**	**119**	**勘**	**127**
買い取る	111	数え上げる	120	簡易	25
開発	**109**	**数える**	**120**	感慨	131
回避	413	片意地	35	**関係**	**128**
回避する	210	片一方	47	感激	131
開閉	**110**	かたかた	121	完結	133
改変	105	**がたがた**	**121**	簡潔	130
介抱	132		431	看護	132
改良	105	敵討ち	422	敢行	171
買う	**111**	がたごと	121	勧告	320
返す	469	片隅	269	慣習	420
帰る	471	がたぴし	121	**頑丈**	**129**
顔	**112**	片方	47	勘定する	120
	114	語る	32	顔色(がんしょく)	113
顔色(かおいろ)	**113**	騙(かた)る	305	感心	131
顔立ち	114	傍(かたわ)ら	289	簡素	130
顔付き	**114**	がっしり	122	簡単	25
抱える	**115**	合致	108		**130**
かかわり	128	**がっちり**	**122**		476
稼業	250	勝手	501	歓談	214
がくがく	431	**活動**	**123**	閑談	214
覚悟	172	カップル	421	勘違い	192
格差	314	割烹(かっぽう)	262	観点	301
各自	97	活躍	123	**感動**	**131**
拡充	116	合点(がてん)	495	**看病**	**132**
各人	97	角(かど)	269	感服	131
隠す	408	門出	242	感銘	131
拡大	**116**	**かなり**	**124**	簡明	130
拡張	116	がなる	209	顔面	112
確定する	143	かねがね	22	眼目	240
格別	357	かねて	22	勧誘する	211
家計	271	華美	399	元来	442
駆け引き	187	過敏	75	簡略	130
欠けら	403	絡(から)げる	235	**完了**	**133**
加減	154	絡まる	125	関連	128
囲う	**117**	絡み付く	125	奇異	425
下降する	102	**絡む**	**125**	キーポイント	240
囲む	117	**仮に**	**126**	消え失せる	134
重ねる	162	加療	327	**消える**	**134**

奇怪	425	気分	145		149
機会	**135**		173	強靱(きょうじん)	129
気が置けない	230	希望	387	**強制**	**150**
気がかり	259	技法	136	形相(ぎょうそう)	114
企画	167	**基本**	**142**	協調	151
気構え	194	気まぐれ	72	共同	151
亀鑑(きかん)	351	気まま	501	協同	151
疑義	61	決まり	138	今日日(きょうび)	148
効き目	184	決まり悪い	394	教諭	149
聞く	300	**決まる**	**143**	強要	150
危惧(きぐ)	259	気短(きみじか)	311	**協力**	**151**
気組み	194	奇妙	425	強烈	466
危険	19	気味悪い	93	局部	42
技巧	136	**決める**	**144**	**極力**	**152**
兆し	282	気持ち	145	巨匠	292
耆宿(きしゅく)	292	肝っ玉	354	拒絶する	196
技術	**136**	疑問	61	巨頭	292
帰順	186	ギャグ	249	拒否する	196
基準	418	急	362	清らか	147
気性	**137**	救援	146	気楽	389
希少	464	休暇	477	きらびやか	399
気色(きしょく)	145	休憩	477	規律	138
擬する	454	救護	146	切り開く	109
規正	272	救済	146	技量	136
規制	272	休止	321	**切る**	**153**
規整	272	救出	146	奇麗(きれい)	64
基礎	142	**救助**	**146**		147
規則	**138**	窮する	198	切れ端	403
気立て	137	休息	477	疑惑	61
汚い	**139**	休養	477	極めて	224
汚らしい	139	居(きょ)	237		296
貴重	464	**清い**	**147**	均一	43
きっかり	324	**今日(きょう)**	**148**	均衡(きんこう)	339
きっちり	324	器用	244	均整	339
企図	167	教育	88	均等	43
疑念	61	教員	149	勤労	250
機能	**140**	教官	149	**具合**	**154**
技能	136	行儀	497	区域	317
気早(きばや)	311	仰々(ぎょうぎょう)しい	81	悔いる	161
規範	351	強固	129	食う	304
基盤	142	強行	171	空気	173
厳しい	**141**	**教師**	**149**	空想	285
ギブアップ	186	教授	88	空費	460

索引 511

くくる	235	稽古	499	検査する	254
苦情	**155**	傾向	295	**見識**	**177**
苦心	164	警告	320	堅実	318
崩す	505	計算する	120	**現実**	**178**
砕く	505	形跡	15	厳重	141
くたびれる	332	経費	415	厳粛	83
くだらない	**156**	軽蔑する	17	謙譲	176
下る	102	契約	474	現状	232
口軽	89	希有	464	建設	179
口まめ	89	激甚	466	厳然	83
屈指	44	激烈	466	建造	179
くっ付く	335	**景色**	**168**	幻想	285
ぐっと	157	気色ばむ	85	謙遜	176
屈伏	186	**削る**	**169**	見地	301
口説く	**158**	**けち**	**170**	**建築**	**179**
区分	159	決意	172	限定	272
区別	**159**	欠陥	312	**見当**	**180**
くべる	473	**決行**	**171**	言動	84
くむ	**160**	結構	450	見当違い	192
悔やむ	**161**	傑出	395	厳密	275
食らう	304	血色	113	懸命	46
暮らし	271	**決心**	**172**	原料	205
暮らし向き	271	決する	143	堅牢	129
ぐらつく	486		144	**故意に**	**181**
くらます	408	血相	113	請う	379
繰り返す	**162**	けったい	425	**好意**	**182**
刳り抜く	440	決断	172	行為	84
苦慮	164	決断する	144	厚意	182
刳る	440	決定する	144	幸運	190
グループ	239	欠点	312	**後援**	**183**
苦しい	**163**	訣別	502	**効果**	**184**
苦しむ	198	懸念	259	後悔する	161
くるむ	337	**気配**	**173**	狡猾	270
苦労	**164**	煙ける	119	好感	182
区分け	159	険しい	141	厚顔	263
詳しい	**165**	**権威**	**174**	抗議	155
企て	167		292	光景	168
企てる	**166**	**原因**	**175**	効験	184
ぐんと	157	厳格	141	向後	459
訓練	499	**謙虚**	**176**	**広告**	**185**
計画	**167**	堅固	129	考査	223
経過する	264	現今	51	交錯する	54
景観	168	現在	51	**降参**	**186**

交渉	**187**	こしゃく	371	転げる	200
向上	396	こしらえる	336	転ぶ	200
厚情	182	越す	191	怖い	93
公正	**188**	こすい	270	怖がる	92
構成	**189**	こすっからい	270	怖々(こわごわ)	90
構造	189	コスト	415	壊す	505
降誕	313	こする	370	懇意	230
構築	179	個性	356	今回	201
好適	346	誇大	81	根幹	142
行動	84	ごたごた	472	困窮する	198
購入する	111	こつ	406	今後	459
効能	184	滑稽(こっけい)	100	混交する	445
幸福	**190**	こっそり	407	混在する	445
降伏	186	小手調べ	195	根性	137
公平	188	事切れる	233		354
公平無私	188	ことこと	121	痕跡(こんせき)	15
後方	59	ごとごと	121	懇談	214
巧妙	244	事々しい	81	根底	142
公民	294	ことさら	181	**今度**	**201**
公明	188	異なる	315	今日(こんにち)	148
高名(こうめい)	481	ことわり	267	今般	201
公明正大	188	**断る**	**196**	根本	142
効用	184	小生意気	371	困惑	462
効力	184	この間(あいだ)	280		
声	94	このかた	53	**さ行**	
越える	**191**	**このごろ**	**197**	差	314
誤解	**192**	この度(たび)	201	座	276
呼吸	406	このところ	197	差異	314
ごく	224	この程	201	際	390
極意	406	拒む	196	最近	197
告白	**193**	こびり付く	335	最後	103
沽券(こけん)	297	個別	434		**202**
個々	97	コマーシャル	185	**最高**	**203**
故国	287	細かい	165	最終	202
心地	145	ごまかす	305	最初	393
心得	**194**	細々(こまごま)(と)	165	最上	203
心掛け	194	困り果てる	198	最盛	207
心構え	194	**困る**	**198**	**催促する**	**204**
志(こころざし)	28	込み入る	54	最大	203
心残り	217	コミカル	100	最適	346
試み	**195**	**懲らしめる**	**199**	才能	65
心持ち	145	懲らす	199	**材料**	**205**
こざかしい	371	**転がる**	**200**	幸い	190

遮る	**206**	作法(さほ)	497	**試験**	**223**
さかしい	118	サボる	372	次元	301
さがし出す	452	様	489	至高	203
さかしら	371	様々(さま)	299	施行	231
盛り	**207**	妨げ	236	試行	195
下(さ)がる	102	妨げる	206	**至極**	**224**
先	14	さらけ出す	18	自国	287
先ごろ	280	更に	468	時刻	353
先行き	482	**さりげなく**	**215**	**しこたま**	**225**
裂く	478	騒がしい	69	仕事	250
錯誤	192	ざわめき	212	示唆(しさ)	27
策する	166	**触(さわ)る**	**216**	資材	205
作成	**208**	散財	460	事実	178
作製	208	散策	218		441
錯綜(さくそう)する	54	暫時(ざんじ)	234	始終	48
さげすむ	17	算する	120	**支障**	**226**
叫ぶ	**209**	**残念**	**217**	至上	203
避(さ)ける	**210**	**散歩**	**218**	**辞職**	**227**
差し上げる	10	散乱する	326	**沈む**	**228**
差し当たり	365	**死**	**219**		251
サジェスチョン	27	仕上がり	345	持続する	308
差し障(さわ)り	226	仕上げ	345	死体	220
差し支(つか)え	226	幸せ	190	事態	247
授ける	10	ジェスチャー	457	従える	341
さする	370	支援	183	**支度**	**229**
座席	276	潮時	135	**親しい**	**230**
誘(さそ)う	**211**	死骸(しがい)	**220**	滴(したた)る	310
定まる	143	仕返し	422	仕立てる	336
定め	74	**仕方**	**221**	実害	291
定める	144	仕方がない	479	**しっかり**	**122**
雑音	**212**	じかに	325	実験	223
錯覚	192	しかばね	220	執行	231
早急(さっきゅう)	213	**しがみつく**	**222**	**実行**	**231**
昨今(さっこん)	197	時間	353	実際	178
早速	**213**	弛緩(しかん)する	309	実施	231
雑談	**214**	時機	135	実情	232
ざっと	412	識見	177	実践	231
さっぱり	13	直々(じきじき)	325	実像	246
さとい	118	仕来(しきた)り	420	実体	246
諭す	158	死去	219	**実態**	**232**
さながら	447	自供	193	しっぺ返し	422
さばさば	13	仕草	457	視点	301
差別	159	しくじる	21	指導	88

し遂げる	359	住宅	237	饒舌(じょうぜつ)	89
しなう	290	**集団**	**239**	**正体**	**246**
品定め	416	**重点**	**240**	**状態**	**247**
指南	88	充当	437	**上達**	**248**
辞任	227	収入	494	**冗談**	**249**
死ぬ	**233**	修復	241	承知	495
しのぐ	265	衆望	260	承服	495
忍びやか	407	終末	103	性分(しょうぶん)	137
自白	193	**修理**	**241**	正面	283
しばし	234	終了	103	逍遥(しょうよう)	218
しばしば	303		133	慫慂(しょうよう)する	211
しばらく	**234**	重量	99	将来	459
縛る	**235**	秀麗	64	条理	267
渋る	307	主眼	240	ジョーク	249
死亡	219	熟達	248	所業	84
死亡する	233	宿命	74	職	250
しぼむ	316	熟練	248		375
しまい	103	出自	68	**職業**	**250**
終(しま)う	104	出生(しゅっしょう)	313	職分	375
地道	318	出色	395	職務	375
しみったれ	170	出身	68	**しょげる**	**251**
市民	294	出立(しゅったつ)	242	助言	320
閉める	361	**出発**	**242**	ショック	38
湿る	378	出費	415	しょっちゅう	48
社会	492	手腕	65	初っぱな	393
しゃくう	160	**瞬間**	**243**	所得	494
弱点	312	瞬時	243	庶民	294
釈明	31	逡巡(しゅんじゅん)する	307	所用	487
しゃくる	160	潤沢	436	爾来(じらい)	53
邪険	36	準備	229	知らず知らず	101
しゃべる	32	俊敏	75	**知らせ**	**252**
邪魔	**236**	仕様	221	**知らせる**	**253**
洒落(しゃ)る	249	障害	236	**調べる**	**254**
じゃれる	9	仕様がない	479	しり込みする	307
収益	494	状況	247	自立	358
習慣	420	衝撃	38	熾烈(しれつ)	466
住居	**237**	消失する	134	**じれったい**	**255**
終結	133	**上手(じょうず)**	**244**	真(しん)	441
終始	48	**称する**	**245**	**真意**	**256**
習熟	248	賞する	439	新入り	258
住所	237	使用する	329	心外	217
修繕	241	情勢	247	侵害	261
渋滞	**238**	証跡	15	新顔	258

人格	410	ずっと	157	せがむ	382
しんがり	202	すっぱ抜く	18	**席**	**276**
真剣	**257**	素敵	450	せきたてる	204
森厳	83	**すでに**	**268**	世間	492
侵攻	261	素晴らしい	450	せせこましい	277
辛酸	164	図太い	263	せっかち	311
新参	258	すべて	281	接客	78
真摯	257	住まい	237	折衝	187
真実	178	済ます	104	接触する	216
	441	**隅**	**269**	接する	216
尋常	429	住みか	237	接待	78
侵食	261	済む	104	絶頂	323
新人	**258**	**ずるい**	**270**	せっつく	204
進展	396	ずるける	372	説得する	158
真に	444	寸前	465	刹那	243
侵入	261	精一杯	152	切ない	163
進入	261	性格	274	せびる	382
心配	**259**	**生活**	**271**	**狭い**	**277**
侵犯	261	性急	311	狭苦しい	277
人品	410	請求	488	迫る	204
進歩	396	逝去	219	責め立てる	278
信望	260	生計	271	**責める**	**278**
人望	**260**	清潔	147	せわしい	37
新米	258	**制限**	**272**	せわしない	37
人民	294	性向	274	全域	40
侵略	**261**	精巧	275	**全員**	**279**
診療	327	制作	208	繊細	75
随一	44	製作	208	**先日**	**280**
炊事	**262**	製作する	336	専心する	383
水準	418	生産	208	先生	149
随分	124	**制止**	**273**	全盛	207
ずうずうしい	**263**	**性質**	**274**	**全体**	**281**
趨勢	295	清浄	147	先達	280
すがりつく	222	製する	336	**前兆**	**282**
過ぎる	**264**	精々	152	宣伝	185
掬う	160	凄絶	466	専念する	383
優れる	**265**	製造	208	全部	281
すごい	**266**	生誕	313	前部	283
すさまじい	266	性能	140	**前方**	**283**
筋	267	声望	260	前面	283
筋道	**267**	**精密**	**275**	相違	314
勧める	211	制約	272	総員	279
スタート	242	せかす	204	騒音	212

想起	107	反る	290	卓絶	395
創業	286	それぞれ	97	卓抜	395
創建	286	それとなく	215	巧み	244
荘厳	83	そわそわ	56	たくらむ	166
捜査	**284**	損	291	打撃	38
造作	348	**損害**	**291**	長ける	265
相殺	16	存外	26	他国	106
捜索	284	ぞんざい	29	**多彩**	**299**
喪失する	368	損失	291	出し抜け	34
総勢	279			多種	299
創設	286	**た行**		多種多様	299
想像	**285**	第一人者	292	多情	72
騒々しい	69	**大家**	**292**	たじろぐ	307
相談する	397	**大概**	**293**	多数	80
荘重	83	**大衆**	**294**	**尋ねる**	**300**
相当	108	退職	227	ただいま	51
	124	**大勢**	**295**	たたえる	439
早晩	52	大層	296	たたく	63
双方	496	大体	293	たち	274
聡明	118	大抵	293	断ち切る	153
創立	**286**	泰斗	292	たちどころに	302
阻害	236	態度	457	**立場**	**301**
即座	213	台無し	306	**たちまち**	**302**
属性	274	退任	227	断つ	153
ぞくぞく	56	待避	413	経つ	264
続々	333	退避	413	脱却する	377
素行	84	大分	124	卓見	177
祖国	**287**	**大変**	**296**	奪取する	66
素材	205	タイミング	135	脱出する	377
阻止	273	**体面**	**297**	達する	363
組織	189	**平ら**	**298**	脱する	377
阻止する	206	ダイレクト	325	脱走する	377
そぞろ歩き	218	第六感	127	たっぷり	436
育てる	**288**	絶えず	48	立て続け	333
反っくり返る	290	倒れる	200	妥当	346
そっけ無い	491	他界	219	たとえ	126
即刻	213	たがう	315	たとえる	454
そっと	407	焚き付ける	473	他人行儀	491
備え	229	たぎる	503	楽しい	70
そのうち	52	焚く	473	束ねる	235
そば	**289**	抱く	115	**たびたび**	**303**
素振り	457	卓越	395	たぶらかす	305
反り返る	290	沢山	80	**食べる**	**304**

多弁	89	地帯	317	散らばる	326		
他方	47	遅滞	238	散り散り	400		
多忙	37	縮こまる	316	**治療**	**327**		
だます	**305**	**縮まる**	**316**	沈鬱ちん	55		
駄目	**306**	縮む	316	沈下する	228		
ダメージ	38	縮れる	316	沈没する	228		
試し	195	ちなむ	470	つい	101		
ためらう	**307**	地方	317	追憶	107		
保つ	**308**	緻密ちみ	275	追及	328		
たやすい	476	知名	481	**追求**	**328**		
多様	299	**着実**	**318**	追究	328		
だらける	**309**	ちゃらんぽらん	367	追従ついしょう	91		
垂らす	340	チャンス	135	追想	107		
たるむ	**309**	**中央**	**319**	費やす	329		
垂れ下がる	310	中間	6	通行	79		
垂れる	**310**	**忠告**	**320**	痛恨	217		
だれる	309	**中止**	**321**	通常	429		
戯たむれる	9	中心	319	通達	252		
短気	**311**	中絶	321	通知	252		
探求	328	中断	321	通報	252		
探究	328	躊躇ちゅうちょする	307	つがい	421		
断行	171	注文	488	**使う**	**329**		
探索	284	帳消ちょうけし	16	束つかの間	243		
短所	**312**	兆候(徴候)	282	**つかまえる**	**330**		
端緒たんしょ	344	調査する	254	**つかむ**	**331**		
誕生たんじょう	**313**	調子	154	**疲れる**	**332**		
たんと	225	**長所**	**322**	突き当たる	12		
段取り	347	**頂上**	**323**	**次々**	**333**		
淡泊たんぱく	13	長じる	265	尽き果てる	334		
談判	187	調製	208	**尽きる**	**334**		
断片	403	頂点	323	**付く**	**335**		
たんまり	225	**ちょうど**	**324**	着く	363		
短慮	311		447	**つくる**	**336**		
胆力	354	調理	262	告げる	253		
地域	317	跳梁ちょうりょうする	402	伝える	253		
違ちが**い**	**314**	直ちょく	325	続けざま	333		
違ちが**う**	**315**	**直接**	**325**	つっけんどん	36		
近ごろ	197	直前	465	つつましい	176		
近しい	230	ちょくちょく	303	つづまる	316		
力一杯	152	ちょこざい	371	**包**つつ**む**	**337**		
地区	317	ちょっきり	324	務め	375		
築造	179	著名	481	勤め	250		
ちぐはぐ	426	**散らかる**	**326**	つながり	128		

常に	48	手違い	349	時	353
つぶさに	165	手続き	347		390
つぶす	505	てっぺん	323	説き伏せる	158
つまらない	156	手直し	241	**度胸**	**354**
積み上げる	338	手並み	65	得	494
積み重ねる	338	**手抜かり**	**349**	**解く**	**355**
積む	**338**	手はず	347	説く	158
積もり	49	**手引き**	**350**	特質	356
面つら	112	手ほどき	88	特殊	357
辛つらい	163		350	特色	356
面構つらがまえ	114	**手本**	**351**	得心	495
釣り合い	**339**	手間	348	特性	274
つる	340	デマ	73	督促とくそくする	204
つるす	**340**	手間暇	348	特長	322
連れる	**341**	手短てみじか	130		356
出で	68	デリケート	75	**特徴**	**356**
提携	151	照れ臭い	394	独特	357
体裁	297	天運	74	**特別**	**357**
	342	恬然てんぜん	432	**独立**	**358**
停滞	238	塡補てんぽ	437	とげとげしい	36
丁重ていちょう	343	問い合わせる	300	**遂げる**	**359**
停頓ていとん	238	問い掛ける	300	**所ところ**	**360**
丁寧	**343**	問う	300	閉ざす	361
手落ち	349	投降	186	**閉じる**	**361**
手掛かり	**344**	動向	295	途端とたん	443
手数ずか	348	当座	234	取っ掛かり	344
手堅い	318	洞察どうさつする	456	とっくに	268
手軽てがる	130	当日	148	どっさり	225
出来でき	**345**	同時に	41	突如とつじょ	362
適合	108	当初	393	**突然**	**362**
適正	346	蕩尽とうじん	460	とっちめる	199
適切	**346**	**当然**	**352**	とても	224
適度	346	同然	96		296
適当	29	唐突とう	34	**届く**	**363**
	346	逃避	413	怒鳴る	209
出来映え	345	当分	234	徒費とひ	460
手厳しい	141	答弁	435	途方もない	366
手際てぎわ	65	当面	234	共々	364
手順	**347**	同様	96	伴う	341
手数ですう	**348**	道理	267	**共に**	**364**
テスト	223	当惑	462	とらえる	330
手狭てぜま	277	遠回り	448	トラブル	472
手近てぢか	446	とがめる	278	**取りあえず**	**365**

索引 519

取り上げる	66	なぞらえる	454	寝転がる	385
取り柄	322	名高い	481	寝転ぶ	385
取り押さえる	330	なだらか	485	根差す	470
取り囲む	117	納得	495	ねじくれる	381
取り決め	474	**なでる**	**370**	ねじける	381
取り決める	144	何気なく	215	ねじ曲げる	380
取り調べる	254	名乗る	245	**ねじる**	**380**
取り出す	376	**生意気**	**371**	**ねじれる**	**381**
取り巻く	117	**怠ける**	**372**	寝そべる	385
取りやめる	480	並み	429	**ねだる**	**382**
取るに足りない	156	なめる	17	寝付く	384
吐露	193	習わし	420	**熱中する**	**383**
どんじり	202	難詰する	278	値踏み	416
とんでもない	**366**	難点	312	**眠る**	**384**
		何とか	412	ねらい	467
な行		煮えたぎる	503	ねらう	463
内実	232	煮え立つ	503	寝る	384
内緒	414	握る	331		385
内情	232	**憎い**	**373**	懇ろ	230
内々	414	憎たらしい	373	燃焼する	475
内部	62	憎々しい	373	ノイズ	212
内密	414	憎らしい	373	能弁	89
内面	62	逃げ出す	374	能力	140
名うて	481	**逃げる**	**374**	逃れる	374
なお	468	二者	496	のけ反る	290
なおさら	468	煮炊き	262	**残る**	**386**
なおざり	**367**	日常	427	のさばる	402
中	62	にわか	362	のす	388
なかなか	124	人気	260	**望み**	**387**
仲間	239	**任務**	**375**	望む	379
眺め	168	抜かり	349	後	14
流れる	264	**抜き出す**	**376**	のっとる	470
なきがら	220	抜き取る	376	**のばす**	**388**
慰める	39	ぬきんでる	265	のべる	388
無くす	**368**	**抜け出す**	**377**	述べる	32
亡くなる	233	抜け出る	377	上る	8
無くなる	134	**ぬれる**	**378**	**のんき**	**389**
	334	音	94		
殴る	63	寝入る	384	**は行**	
投げ出す	**369**	願い	387	場	360
なげやり	29	**願う**	**379**	**場合**	**390**
なし遂げる	359	ねぎらう	39	**配給**	**391**
なじる	278	寝込む	384	配偶	421

背後	59	離す	398	潜^{ひそ}める	408
配布	391	放つ	398	**ひたすら**	**409**
はがす	169	甚^{はなは}だ	296	ひたむき	409
ばかばかしい	156	**華々しい**	**399**	必死	46
歯がゆい	255	華やか	399	ひったくる	66
図^{はか}る	166	**離れ離れ**	**400**	ぴったり	324
はぎ取る	169	放れる	401	引っ付く	335
はぐ	169	**離れる**	**401**	美点	322
はぐくむ	288	幅^{はば}	484	ひどい	266
白状	193	阻^{はば}む	206	一息に	45
漠然^{ばくぜん}	7	**はびこる**	**402**	**人柄**	**410**
剝奪^{はくだつ}する	66	**破片**	**403**	**一際**^{ひときわ}	**411**
暴露する	18	ばらす	18	等しい	96
激しい	266	ばらばら	400	ひとしお	411
運び	347	バランス	339	一筋	409
端^{はし}	269	張る	63	**一通り**	**412**
	428	範^{はん}	351	人となり	410
始まる	**392**	**範囲**	**404**	ひとまず	365
はじめ	**393**	**繁栄**	**405**	独り立ち	358
始める	392	煩雑^{はんざつ}	504	ひとりでに	98
場所	360	繁盛^{はんじょう}	405	一渡り	412
恥ずかしい	**394**	反する	315	**避難**	**413**
端^{はた}	428	頒布^{はんぷ}	391	ひねくれる	381
はたく	63	反復する	162	ひねる	380
果たす	359	繁忙	37	響き	94
働き	140	悲哀	24	瀰漫^{びまん}する	402
バック	59	ピーアール	185	**秘密**	**414**
バックアップ	183	秀^{ひい}でる	265	**費用**	**415**
抜群	**395**	率いる	341	**評価**	**416**
発見する	452	引き受ける	58	剽軽^{ひょうきん}	100
跋扈^{ばっこ}する	402	引き返す	471	**表現する**	**417**
発祥^{はっしょう}	313	引き連れる	341	描写する	417
罰する	199	引き抜く	376	表出する	417
発達	**396**	引きのばす	388	**標準**	**418**
発展	396	卑近^{ひきん}	446	表情	113
派手	399	びくつく	92	評定^{ひょうてい}	416
果てる	233	びくびく	90	平等	188
	334	ぴくぴく	431	表白する	417
ばてる	433	**秘訣**^{ひけつ}	**406**	**開く**	**419**
端^{はな}	393	日ごろ	427	平たい	298
話し合う	**397**	費消	460	平べったい	298
放す	398	非常に	296	ひらめき	127
話す	32	**ひそかに**	**407**	びり	202

索引 521

披瀝	193	不手際	349	隔たる	401
敏感	75	ふてぶてしい	263	隔てる	398
品性	410	部分	42	へたばる	332
ヒント	27	踏まえる	470		433
無愛想	36	不明	451	別	434
不安	259	ぶら下がる	310	別格	357
ふい	306	ぶら下げる	340	別個	434
不意	34	フラット	298	別々	434
吹聴する	30	ふらふら	430	別離	502
風景	168	ぶらぶら	430	へばりつく	222
風習	420	ふらり	430	へばる	433
風説	73	ぶらり	430	へり	428
風評	73	プラン	167	経る	264
夫婦	421	ぶるぶる	431	弁解	31
風聞	73	振る舞い	84	変革	105
フェア	188	触れ回る	30	返却する	469
不可思議	425	触れる	216	返事	435
不格好	424	雰囲気	173	返信	435
不気味	93	踏ん切り	172	変遷	498
復讐	422	憤激する	85	返答	435
服装	423	分限	458	扁平	298
不潔	139	分際	458	弁別	159
夫妻	421	紛争	472	弁明	31
不細工	424	踏ん反り返る	290	片鱗	42
ふさぐ	251	ふんだくる	66	包囲する	117
ふざける	9	分配	391	妨害	236
無様	424	分野	404	防止	273
不思議	425	平易	476	報じる	253
不詳	451	平気	432	報知	252
不審	20	平衡	339	膨張	116
	61	閉口	462	抱負	28
普請	179	平常	427	豊富	436
伏す	385	平静	432	報復	422
不揃い	426	平生	427	方面	404
普段	427	平然	432	ほうり出す	369
縁	428	平素	427	ほうる	369
ぶつ	63	平坦	298	補完	437
普通	429	平ちゃら	432	補給	437
ぶつかる	12	袂別	502	ほぐす	355
不都合	226	平凡	429	ほくほく	56
沸騰する	503	ペーソス	24	ぼける	119
ぶつぶつ	438	辟易	462	母国	287
不体裁	424	へこたれる	433	ほじくる	440

保持する	308	巻き上げる	66	見過ごす	449
補修	241	巻き付く	125	身だしなみ	423
補充	**437**	**間際**まぎわ	**443**	見立てる	454
補助	437	まごつく	23	**未知**	**451**
保証する	58	まこと	441	身近	446
保障する	58	まごまご	71	**見付ける**	**452**
ほじる	440	まさしく	444	みっともない	455
補足	437	**まさに**	**444**	見てくれ	342
ぽちぽち	438	勝まさる	265	見通し	180
没する	228	**まざる**	**445**	見通す	456
	233	まじる	445	**見届ける**	**453**
発端ほったん	344	瞬またたく間	243	**見なす**	**454**
没頭する	383	瞬またたく間に	302	身なり	423
没入する	383	**間近**	**446**	醜い	455
ぽつぽつ	**438**	間違う	21	**見抜く**	**456**
ぽつぽつ	438	間違える	21	見逃のがす	449
ほっぽる	369	まちまち	426	身の程	458
補塡ほてん	437	真っ盛り	207	見晴らし	168
ほどく	355	マナー	497	**身振り**	**457**
ほとり	289	免まぬがれる	374	**身分**	**458**
褒めたたえる	439	**まるで**	**447**	見守る	453
褒める	**439**	まれ	464	未満	33
ぼやける	119	**回り道**	**448**	みみっちい	170
掘る	**440**	万一	126	身元	68
本意	256	蔓延まんえんする	402	見破る	456
本気	257	真ん中	319	妙みょう	425
本国ほんごく	287	漫歩まんぽ	218	**未来**	**459**
本腰ほんごし	257	見いだす	452	見る間に	302
本日	148	**見落とす**	**449**	見る見る	302
本心	256	見掛け	342	見分け	159
本体	246	見極め	180	民衆	294
本当	178	見極める	453	みんな	281
	441	見下くだす	17	無意味	156
本音ほんね	256	見くびる	17	ムード	173
奔放ほんぽう	501	見苦しい	455	剝むく	169
本来	**442**	**見事**	**450**	むくれる	85
		見込み	180	むさくるしい	139
ま行		見下さげる	17	蒸し返す	162
		見定める	453	むしゃぶりつく	222
間ま	6	未詳みしょう	451	無心する	382
前まえ	283	見据える	453	夢想	285
前触ぶれ	282	見透かす	456	**無駄遣い**	**460**
前もって	22	水臭い	491	無駄話	214
摩訶まか不思議	425				

むちゃ	**461**	目的	467	休み	477
むちゃくちゃ	461	目標	467	厄介ゃっかい	504
夢中	46	潜もぐる	228	矢継ぎ早ばゃ	333
むつまじい	230	もくろみ	167	矢庭に	34
無念	217	もくろむ	166	破く	478
むら気ぎ	72	もし	126	**破る**	**478**
無理強じい	150	もしも	126	**やむを得ない**	**479**
群れ	239	燃す	473	**やめる**	**480**
無論	352	用いる	329	やり方	221
目当て	467	勿論もちろん	352	やりきれない	163
銘打つ	245	もつ	308	やり遂げる	359
命運	74	目下もっか	51	やる	10
名望	260	もっての外ほか	366	やるせない	163
めいめい	97	**もっと**	**468**	憂鬱ゆううつ	55
めいる	251	もつれる	125	勇気	354
迷惑	**462**	もてなし	78	有数	44
めおと	421	もどかしい	255	優美	64
目掛めがける	463	**戻す**	**469**	雄弁	89
目方めかた	99	**基づく**	**470**	**有名**	**481**
目指す	**463**	求める	379	ユーモア	249
召し上がる	304	もともと	442	愉快	70
珍しい	**464**	もとより	442	ゆかり	76
めちゃくちゃ	461	**戻る**	**471**	行ゆき帰り	79
めちゃめちゃ	461	物音	94	行ゆき来き	79
滅相そうもない	366	もはや	268	行ゆきつ戻りつ	79
めでる	5	模範	351	逝ゆく	233
目の前	**465**	**もめごと**	**472**	行方ゆく	482
面食ぐらう	23	**燃やす**	**473**	行ゆき先	482
メンツ	297	最寄もより	446	**行ゆく先**	**482**
面倒どう	504	もろとも	364	行ゆく手	482
面目ぼく	297	文句	155	揺さぶる	483
綿密	275	悶着もんちゃく	472	揺すぶる	483
面妖ようう	425			**揺する**	**483**
もう	268	**や行**		豊か	436
もうけ	494	やかましい	69	**ゆとり**	**484**
申し合わせ	474	焼く	473	指折り	44
申し訳	31	**約束**	**474**	由来	498
申す	32	役立てる	329	揺らぐ	486
妄想	285	役目	375	揺らす	483
猛烈	**466**	**焼ける**	**475**	**緩ゆるい**	**485**
朦朧もうろう	7	矢先	443	揺るがす	483
燃える	475	**易しい**	**476**	ゆるがせ	367
目前	465	養う	288	揺るぐ	486

緩(ゆる)む	309	因(よ)る	470	礼節	497
緩(ゆる)やか	485	喜ばしい	70	**歴史**	**498**
揺れる	**486**	弱る	198	レベル	418
用	**487**	よんどころない	479	**練習**	**499**
用意	229			労苦	164
容易	476	**ら行**		浪費	460
養育する	288	来歴	498	労力	348
要求	**488**	落差	314	**露骨**	**500**
用件	487	ラッキー	190		
用事	487	濫費(らんぴ)	460	**わ行**	
様子	**489**	**利益**	**494**	**我がまま**	**501**
要請	488	力点	240	**別れ**	**502**
様相	489	理屈	267	別れ別れ	400
幼稚	87	利口	118	脇(わき)	289
要点	240	履行	231	**沸(わ)く**	**503**
要望	488	離職	227	わくわく	56
容貌(ようぼう)	114	立派	450	訳(わけ)	175
要領	406	立腹する	85	技(わざ)	136
予期	490	利点	322	わざと	181
余儀ない	479	利発	118	わざわざ	181
よく	303	離別	502	**煩(わずら)わしい**	**504**
抑止(よくし)	273	理由	175	わなわな	431
よける	210	流言飛語	73	わめく	209
予見	490	隆昌(りゅうしょう)	405	**割る**	**505**
横たわる	385	隆盛(りゅうせい)	405	悪賢(わるがし)い	270
よじる	380	領域	404	我知らず	101
よじれる	381	**了解**	**495**		
よしんば	126	凌駕(りょうが)する	265		
よす	480	療治(りょうじ)	327		
予想	**490**	両者	496		
装い	423	了承	495		
予測	490	両人	496		
よそよそしい	**491**	領分	404		
予知	490	**両方**	**496**		
余地	484	両名	496		
世の中	**492**	療養	327		
呼び出す	**493**	料理	262		
呼び立てる	493	臨終	219		
呼び付ける	493	吝嗇(りんしょく)	170		
呼び寄せる	493	ルーキー	258		
読み	180	ルール	138		
余裕	484	霊感(れいかん)	127		
寄り道	448	**礼儀**	**497**		

ちがいがわかる 類語使い分け辞典

２００８年４月２３日　　第１版第１刷発行
２０２３年１１月１５日　　　　第４刷発行

編　者	松井栄一	
発行者	吉田兼一	
発行所	株式会社　小学館	
	〒１０１-８００１	
	東京都千代田区一ツ橋２丁目３-１	
電　話	編集　０３-３２３０-５１７０	
	販売　０３-５２８１-３５５５	
印刷所	図書印刷株式会社	
製本所	牧製本印刷株式会社	

Ⓒ S.Matsui 2008　　Printed in Japan　　ISBN978-4-09-504177-3

＊造本には十分注意しておりますが、印刷、製本など製造上の不備がございましたら「制作局コールセンター」(フリーダイヤル 0120-336-340) にご連絡ください。(電話受付は、土・日・祝休日を除く 9:30 ～ 17:30)
＊本書の無断での複写(コピー)、上演、放送等の二次利用、翻案等は、著作権法上の例外を除き、禁じられています。
＊本書の電子データ化などの無断複製は著作権法上の例外を除き禁じられています。代行業者等の第三者による本書の電子的複製も認められておりません。

編集協力■玄冬書林(蔵前勝也・菅原朗代)	編集■松村加寿江
本文デザイン・ＤＴＰ■(株)ユニオンプラン	制作■大木由起夫・馬場美宣・池田靖
図版制作■(株)ユニオンプラン	宣伝■宮村政伸
イラスト■西岡りき	販売■前原富士夫
装　丁■名久井直子	